LES AIGLES FOUDROYÉS

DU MÊME AUTEUR

L'ange bleu : un film de Joseph von Sternberg, Plume, 1995.
Madame Butterfly, Plume, 1995.
Une saison tunisienne, avec Soraya Elyes, Actes Sud, 1995.
Monte-Carlo : la légende, Assouline, 1993.
Destins d'étoiles, tomes 1 à 4, P.O.L-Fixot, 1991-1992.
Tous désirs confondus, Actes Sud, 1990.
Lettres d'amour en Somalie, Regard, 1985.

Frédéric Mitterrand

Les aigles foudroyés

La fin des Romanov, des Habsbourg
et des Hohenzollern

ROBERT LAFFONT

© France 2 Éditions – Éditions Robert Laffont, S.A., Paris, 1997
ISBN 2-221-08338-5

L'EUROPE EN JUIN 1914

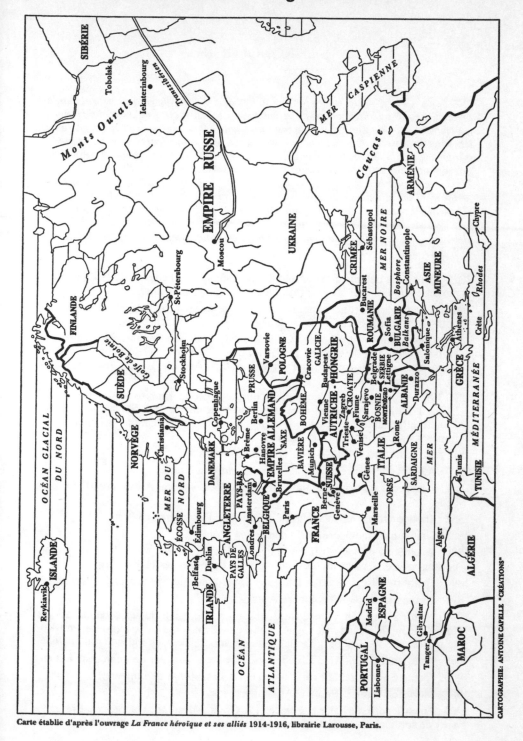

Carte établie d'après l'ouvrage *La France héroïque et ses alliés* 1914-1916, librairie Larousse, Paris.

CARTOGRAPHIE: ANTOINE CAPELLE "CRÉATIONS"

CHRONOLOGIE

À la fin du XIXᵉ siècle, trois grands empires autoritaires dirigés par trois dynasties prestigieuses (les Hohenzollern en Allemagne, les Habsbourg en Autriche-Hongrie, les Romanov en Russie) tentent de maintenir leur hégémonie en Europe. Cependant des forces nouvelles apparaissent, qui contrarient désormais leurs desseins : la prédominance des impérialismes économiques et coloniaux, l'émergence de nouvelles grandes puissances (les États-Unis, le Japon) et surtout la montée des nationalismes, l'essor de la démocratie et la naissance du socialisme. Ni le poids des traditions historiques, ni les alliances conclues entre cousins, ni les initiatives individuelles ne parviennent à contenir la lame de fond qui déferle. Dès les années 1900, la guerre est évitée plusieurs fois de justesse, à propos du Maroc, ou des Balkans, mais c'est en 1914 qu'éclate le conflit qui mène les empires centraux à leur perte et crée un nouvel ordre mondial.

1859 : Lors de la bataille de Solférino, les Autrichiens sont chassés de la Lombardie par les Piémontais et les Français. Début de l'unité italienne.

1866 : À Sadowa, la Prusse remporte une victoire décisive sur l'Autriche. Les Habsbourg sont éliminés des affaires allemandes par les Hohenzollern.

1867 : Compromis austro-hongrois. Création de la double monarchie d'Autriche-Hongrie (elle durera jusqu'en 1918) ; les deux États sont liés par la personne du souverain. François-Joseph (qui est empereur d'Autriche depuis 1848) est couronné roi de Hongrie.

1870-1871 : Guerre franco-allemande. Chute du second Empire en France ; Guillaume Iᵉʳ roi de Prusse est proclamé empereur allemand à Versailles en 1871. L'unité allemande est achevée. Jusqu'à la chute de Bismarck, l'Allemagne va imposer sa prépondérance en Europe.

1875 : Naissance de la Troisième République en France.

1879 : Alliance défensive austro-allemande contre la Russie.

1881 : Assassinat du tsar Alexandre II à Saint-Pétersbourg. Alexandre III lui succède.

1882 : Triplice : triple alliance entre l'Allemagne, l'Autriche et l'Italie.

1888 : Guillaume II, empereur d'Allemagne.

1889 : Suicide du prince héritier d'Autriche-Hongrie, Rodolphe, à Mayerling. Son cousin François-Ferdinand devient l'héritier du trône des Habsbourg.

1890 : Chute de Bismarck en Allemagne. Toute-puissance du Kaiser Guillaume.

1894 : Nicolas II succède à son père Alexandre III.

1897 : Victoria fête son « jubilé de diamant » à l'occasion de ses soixante ans de règne. Reine de Grande-Bretagne et d'Irlande depuis 1837, elle a épousé, en 1840, le prince de Saxe-Cobourg Gotha. Elle est impératrice des Indes depuis 1876.

1898 : Assassinat à Genève d'Élisabeth de Bavière (Sissi) par un anarchiste italien.

1900 : Victor Emmanuel III, roi d'Italie, après l'assassinat d'Humbert Iᵉʳ.

1901 : Mort de Victoria. Édouard VII lui succède.

1904 : Entente cordiale entre la France et la Grande-Bretagne : la Grande-Bretagne sort de son isolement diplomatique. Début d'une nouvelle donne internationale qui voit d'un côté les relations franco-anglaises se renforcer et, de l'autre, les relations anglo-allemandes se détériorer.

1904-1905 : Guerre russo-japonaise ; crise révolutionnaire en Russie, à la suite de la défaite.

1905-1906 : Crise marocaine : l'Allemagne cherche à ruiner l'Entente cordiale en s'opposant aux ambitions de la France au Maroc.

1907 : La politique allemande provoque le renforcement de l'Entente cordiale, qui devient la Triple Entente (France, Angleterre, Russie).

1908 : Révolution « jeune turque » en Turquie. Dans les Balkans, on assiste au réveil des passions nationales. L'Autriche-Hongrie décide d'annexer la Bosnie-Herzégovine pour faire échec aux agitations yougoslaves en Bosnie et en Croatie.

1910 : George V succède à Édouard VII. (En 1916, il renoncera à ses titres allemands et changera le nom de la famille royale en Windsor.)

1911 : Assassinat du Premier ministre Stolypine en Russie ; Raspoutine a de plus en plus d'influence sur la famille impériale (il sera assassiné en 1916). Mariage de l'archiduc Charles de Habsbourg et de la princesse Zita de Bourbon-Parme.

1912-1913 : La guerre de coalition balkanique contre la Turquie menace la paix européenne. La péninsule balkanique sort de cette crise complètement transformée. Les États balkaniques sont agrandis et l'Empire ottoman affaibli. Cependant les Balkans restent l'un des lieux privilégiés de l'affrontement entre les grandes puissances européennes.

1914 :

28 juin, assassinat de l'archiduc François-Ferdinand, héritier d'Autriche-Hongrie, à Sarajevo, capitale de la Bosnie, par un nationaliste pro-serbe. Soutenue par l'Allemagne, l'Autriche-Hongrie déclare la guerre à la Serbie, rendue responsable. Le jeu des alliances entraîne les États européens dans un cataclysme sans précédent.

1er août : l'Allemagne déclare la guerre à la Russie.

3 août : l'Allemagne déclare la guerre à la France.

4 août : la Grande-Bretagne déclare la guerre à l'Allemagne.

1916 : Mort de François-Joseph ; son petit-neveu, Charles Ier, lui succède. Il tentera jusqu'à la fin de maintenir son empire par une paix de compromis avec les alliés.

Mars 1917 : Révolution russe ; chute des Romanov. Entrée en guerre des États-Unis aux côtés des alliés.

Novembre 1917 : les bolcheviques prennent le pouvoir en Russie.

1918 : Assassinat de Nicolas II et de sa famille. Abdication de Guillaume II et de Charles. Armistice du 11 novembre signé à Rethondes.
Républiques à Berlin et Vienne.

1919-1920 : Les traités de paix consacrent la disparition des trois grands empires centraux : l'Empire austro-hongrois (Habsbourg), l'Empire allemand (Hohenzollern), l'Empire russe (Romanov), ainsi que celle de l'Empire ottoman, pour aboutir à la naissance d'une mosaïque de petits États au sein desquels la présence de minorités nationales est source de tensions. Des démocraties fragiles remplacent les monarchies autoritaires.

1921 : Tentatives de restauration de Charles de Habsbourg en Hongrie. Échecs.

1er avril 1922 : Mort à Madère de Charles, dernier empereur Habsbourg.

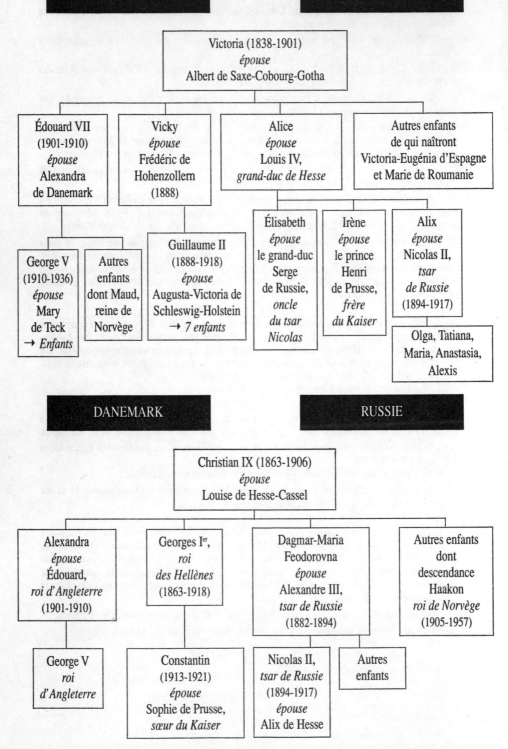

GRANDE-BRETAGNE

ALLEMAGNE

Victoria (1838-1901)
épouse
Albert de Saxe-Cobourg-Gotha

Édouard VII
(1901-1910)
épouse
Alexandra
de Danemark

Vicky
épouse
Frédéric de
Hohenzollern
(1888)

Alice
épouse
Louis IV,
grand-duc de Hesse

Autres enfants
de qui naîtront
Victoria-Eugénia d'Espagne
et Marie de Roumanie

George V
(1910-1936)
épouse
Mary
de Teck
→ *Enfants*

Autres
enfants
dont Maud,
reine de
Norvège

Guillaume II
(1888-1918)
épouse
Augusta-Victoria de
Schleswig-Holstein
→ *7 enfants*

Élisabeth
épouse
le grand-duc
Serge
de Russie,
*oncle
du tsar
Nicolas*

Irène
épouse
le prince
Henri
de Prusse,
*frère
du Kaiser*

Alix
épouse
Nicolas II,
*tsar
de Russie*
(1894-1917)

Olga, Tatiana,
Maria, Anastasia,
Alexis

DANEMARK

RUSSIE

Christian IX (1863-1906)
épouse
Louise de Hesse-Cassel

Alexandra
épouse
Édouard,
roi d'Angleterre
(1901-1910)

Georges Ier,
*roi
des Hellènes*
(1863-1918)

Dagmar-Maria
Feodorovna
épouse
Alexandre III,
tsar de Russie
(1882-1894)

Autres enfants
dont
descendance
Haakon
roi de Norvège
(1905-1957)

George V
*roi
d'Angleterre*

Constantin
(1913-1921)
épouse
Sophie de Prusse,
sœur du Kaiser

Nicolas II,
tsar de Russie
(1894-1917)
épouse
Alix de Hesse

Autres
enfants

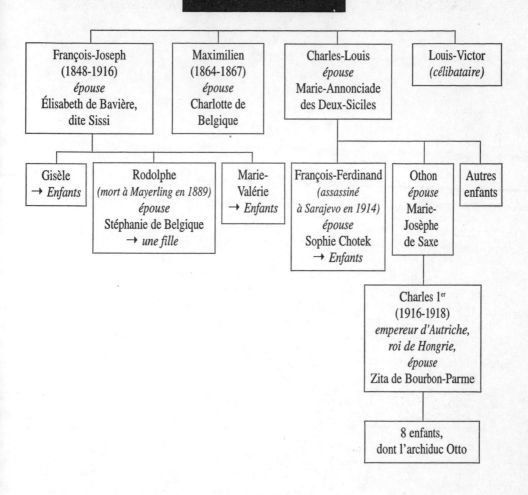

AUTRICHE-HONGRIE

François-Joseph
(1848-1916)
épouse
Élisabeth de Bavière,
dite Sissi

Maximilien
(1864-1867)
épouse
Charlotte de
Belgique

Charles-Louis
épouse
Marie-Annonciade
des Deux-Siciles

Louis-Victor
(célibataire)

Gisèle
→ *Enfants*

Rodolphe
(mort à Mayerling en 1889)
épouse
Stéphanie de Belgique
→ *une fille*

Marie-
Valérie
→ *Enfants*

François-Ferdinand
(assassiné
à Sarajevo en 1914)
épouse
Sophie Chotek
→ *Enfants*

Othon
épouse
Marie-
Josèphe
de Saxe

Autres
enfants

Charles 1er
(1916-1918)
empereur d'Autriche,
roi de Hongrie,
épouse
Zita de Bourbon-Parme

8 enfants,
dont l'archiduc Otto

Ainsi Guillaume II et la tsarine sont cousins germains par leurs mères.
Nicolas II et George V sont cousins par leurs mères.
Édouard VII est l'oncle du Kaiser et de la tsarine.
Un cas inextricable : Irène de Prusse, cousine germaine et belle-sœur
du Kaiser, et sœur de la tsarine…

Les dates indiquées entre parenthèses sont celles des règnes.

Hommes de l'avenir souvenez-vous de moi
Je vivais à l'époque où finissaient les rois
Tour à tour ils mouraient silencieux et tristes
Et trois fois courageux devenaient trismégistes

Apollinaire,
extrait de « Vendémiaire », *Alcools*

Pour Claude, à qui ce livre doit beaucoup,
pour Barbara, Marie-Nicole, Isabelle et Sahbi,
ainsi que Serge, Laurent et Jean-Luc

1

LE BEL ÉTÉ 1914

*Le destin de l'Europe centrale
se joue à Sarajevo*

Tout commence à Sarajevo, alors cité d'Autriche-Hongrie. C'est d'ailleurs extraordinaire de voir l'histoire de ce siècle s'ouvrir sur le drame de Sarajevo et se refermer, dans la même ville, par une autre tragédie pour des causes et dans des circonstances presque similaires. Toute l'histoire du siècle semble inscrite dans cette parenthèse sanglante, comme si cette ville résumait tous les malheurs que l'Europe a pu connaître.

Évidemment, en 1914, Sarajevo apparaît bien différente de la ville paisible et heureuse des Jeux olympiques de 1984, le dernier souvenir serein que l'on ait d'elle. Pas de buildings, pas d'autoroutes, nous sommes au début du siècle. C'est une ville encore très marquée par l'influence ottomane. Des mosquées, des petites rues où passent des troupeaux, des femmes voilées, des hommes en culottes de laine qui boivent du café turc, des enfants insolents et rigoleurs qui tentent d'extorquer quelques piécettes aux étrangers. À côté de cette ville ottomane dont les auteurs de guides de voyages vantent le bazar, se trouve la ville autrichienne. Celle-ci témoigne du dynamisme économique de l'Empire austro-hongrois. Dans les rues commerçantes se croisent cette fois des hommes en complets vestons, des femmes vêtues à l'européenne, corsets, jupes longues et chapeaux, visages découverts ; on y fait du négoce avec tout le reste de l'Empire austro-hongrois et en liaison avec les Balkans. Sarajevo est une place commerçante extrêmement bien située géographiquement, à la charnière de deux mondes.

Les films d'alors montrent une ville en plein essor, avec des bâtiments administratifs construits dans un style austro-rococo mâtiné de byzantino-turc très librement inspiré, et des terrasses de café, ce symbole de l'Europe, où des femmes partagent la table des hommes et boivent de l'alcool. Il est curieux d'ailleurs d'apercevoir dans les reportages télévisés d'aujourd'hui ces bâtiments qui n'ont pas changé et dont plus personne n'a l'air de connaître l'origine.

À l'époque, la présence autrichienne à Sarajevo est une sorte de vernis. À l'issue d'une des nombreuses guerres plus ou moins fabriquées par les grandes puissances occidentales pour dépecer petit à petit l'Empire ottoman que l'on appelle « l'homme malade de l'Europe », les Autrichiens ont fait main basse sur la Bosnie. Mais ils se sont contentés de l'occuper et de l'administrer, jusqu'à cette année 1908 où ils ont profité de plusieurs circonstances favorables pour l'annexer notamment la situation catastrophique dans laquelle se trouvait alors la Russie, grande rivale de l'Autriche-Hongrie. La Russie, en effet, a connu en 1905 une terrible défaite dans sa guerre insensée contre le Japon, et cette déroute s'est transformée en une révolution avortée dont Lénine dira plus tard qu'elle était la répétition générale de la révolution de 1917. La Russie n'est donc plus capable, pour quelque temps, d'avoir une attitude expansionniste. Elle supporte la politique étrangère des autres bien plus qu'elle n'impose la sienne, et subit notamment les Autrichiens, ses rivaux immédiats dans cette lutte sourde pour arracher des morceaux de l'Empire ottoman.

En 1908, François-Joseph, empereur d'Autriche, roi de Hongrie, maître vénérable de la grande maison des Habsbourg, fête, à travers un jubilé éclatant, les soixante années de son règne. C'est un des règnes les plus longs de l'histoire, en compétition avec celui de la reine Victoria, morte sept ans plus tôt, qui détenait jusque-là le record, du moins au xixe siècle. Parmi les désastres qui ont accablé le règne de François-Joseph, il y a eu la perte des provinces italiennes et la fin de son influence en Allemagne sous les coups de boutoir que lui a infligés Bismarck. L'empereur caresse le projet de terminer sa vie avec un geste tangible qui montrerait que l'Autriche-Hongrie est capable de reprendre son expansion. Faire main basse sur la Bosnie apparaît comme une consolation pour la perte déjà ancienne de l'Italie du Nord et la récompense de sa longévité politique. De plus, sa diplomatie et ses ministres qui pratiquent pourtant le même immobilisme frileux que lui trouvent aussi que c'est une très bonne solution de mettre définitivement la main sur la Bosnie pour verrouiller le sud de l'Empire. Une acquisition à moindre coût, en quelque sorte.

François-Joseph et ses ministres voient dans une annexion définitive de la Bosnie l'occasion d'intimider la Serbie, le pays balkanique qui monte et qui les inquiète par son ambition effrénée. Le problème est évidemment différent pour les Anglais et les Russes. Les premiers veillent constamment à ce que rien en Europe ou en Orient ne démolisse l'équilibre européen favorable à leurs affaires et ne menace la route des Indes qui est, en quelque sorte, la veine jugulaire de leur Empire. Ils sont donc directement concernés par tous les projets concernant la fin éventuelle de l'Empire ottoman. Quant aux Russes qui rêvent de Constantinople, la capitale ottomane, ils interviennent généralement par les agents interposés que sont les peuples des Balkans, les Bulgares, les Grecs, les Roumains. Les Serbes sont les plus résolus d'entre eux et les plus difficiles à contrôler.

Les Serbes ont une dynastie nationale, contrairement aux autres États des Balkans, hormis le petit Monténégro voisin avec lequel ils sont d'ailleurs étroitement liés. Deux familles se sont disputé pendant tout le xixe siècle le trône plutôt rustique de Belgrade. Finalement en 1903, à l'issue d'une révolution de palais où le jeune roi Obrénovitch et sa femme ont été massacrés sauvagement, les Karageorgévitch ont enfin pu régner sans partage. Contrairement à leurs prédécesseurs, les Karageorgévitch ne sont pas inféodés aux Autrichiens, professent des opinions francophiles avancées et affichent l'ambition de faire de leur pays le Piémont des Slaves du sud réalisant une unité à l'italienne qui ne réveille évidemment que de très mauvais souvenirs à Vienne...

La Serbie des Karageorgévitch est un bolide lancé dans les Balkans avec un esprit de conquête extrêmement résolu et organisé. La nouvelle dynastie est incarnée par le roi Pierre Ier, bientôt étroitement secondé par son fils le tout jeune Alexandre, deux personnages séduisants et dotés d'une très grande capacité intellectuelle. Jusqu'alors, les Serbes avaient besoin des Autrichiens pour vivre, car ils leur vendaient l'essentiel de leur production, notamment celle de porcs, leur principale ressource. Quand ils se sont vu imposer par les Autrichiens un blocus féroce de toutes leurs exportations, ce qui risquait de les condamner à devenir quasiment un protectorat de l'Autriche, ils ont pris leur bâton de pèlerin pour trouver d'autres solutions et sont devenus les alliés des Russes et des Français. Ainsi, ils ont réussi à s'affranchir de l'étau autrichien qui les entourait.

En 1908, le ministre des Affaires étrangères d'Autriche-Hongrie, le comte d'Aerenthal, un homme brillant et cynique, rencontre le ministre des Affaires étrangères russe, Izvolski. Ce dernier, outre sa prestigieuse position, est très apprécié dans les cours étrangères parce qu'il est un petit monsieur pittoresque, toujours tiré à quatre épingles, qu'il répand autour de lui un fort parfum de violette, et qu'il a l'apparence d'un vieux bébé aux manières désuètes. Aerenthal parvient à endormir le sémillant Izvolski et à lui arracher, non pas une promesse, mais ce fait accompli qui ne prendra plus que quelques jours : l'annexion de la Bosnie. On comprend l'animosité que le Russe vouera par la suite aux Autrichiens.

Izvolski était une « créature » d'Édouard VII. Le roi d'Angleterre, intelligent, bienveillant, entraînant et sympathique sentait mieux que quiconque à quel point cette Bosnie, et toute l'histoire des Balkans en général, étaient un terrible guêpier. Le monarque avait connu Izvolski au Danemark, où il se morfondait dans un poste d'ambassadeur secondaire. Izvolski avait tant séduit Édouard VII qu'il s'était cru autorisé à lui demander d'intervenir auprès du tsar pour accélérer sa carrière. Ils s'étaient mis d'accord sur un télégramme codé qu'Édouard VII enverrait à Izvolski pour lui dire si ses démarches s'annonçaient bien. Les termes dont ils étaient convenus étaient les suivants : si Édouard VII obtenait pour Izvolski le poste d'ambassadeur en Espagne, il lui enverrait un télégramme portant un seul mot : « paella » ; si c'était le poste d'ambassadeur en Italie, il aurait droit à « macaroni ». Et s'il obtenait le poste extraordinairement convoité d'ambassadeur en France, Édouard VII lui enverrait le mot de « pot-au-feu ». Or, que reçoit ce pauvre Izvolski dans son ambassade sinistre de Copenhague ? Un télégramme avec « caviar ». Il mettra longtemps à comprendre qu'il est devenu ministre des Affaires étrangères...

Les Russes, qui espéraient des contreparties du côté du détroit du Bosphore et ne voient rien venir, ont l'impression pénible et justifiée d'avoir été joués par les Autrichiens. Et cette annexion de 1908 va désormais peser extrêmement lourd dans le déclenchement de la guerre lorsque la Russie se sera redressée et que l'Autriche aura montré combien sa domination de la Bosnie et des Slaves du sud est fragile et aléatoire. Ainsi l'assassinat de l'héritier du trône à Sarajevo est la conclusion dramatiquement logique de cet enchaînement fatal où les rivalités impérialistes font peu de cas des vœux des populations locales.

Les Bosniaques ne sont pas consultés lors de ce curieux marchandage. Il est vrai que les Turcs ne les avaient pas beaucoup ménagés durant quatre siècles, se contentant de les « turquiser » progressivement, ce qui explique l'importance de la communauté musulmane en Bosnie. Cependant, nombre d'entre eux acceptent certainement mieux la férule des Autrichiens que celle des Turcs dans la mesure où elle entraîne une nouvelle prospérité et la perspective de se rapprocher de communautés plus dynamiques que ne l'est la communauté turque alors en pleine décadence. Schéma évidemment inacceptable pour les voisins serbes qui ont de solides militants dans la place.

En 1914, Sarajevo est un vrai repaire de terroristes. Les terroristes bosniaques de 1914 ressemblent comme deux gouttes d'eau à tous ceux que l'on voit aujourd'hui à la télévision. Ils sont plus ou moins étudiants, fanatisés par leur cause, prêts à mourir pour elle, recevant des subsides de l'étranger et assez mal informés de l'état du monde, c'est-à-dire facilement manipulables. Ces boutefeux n'ont qu'un seul but : chasser les Autrichiens de Bosnie-Herzégovine et entraîner le soulèvement des Slaves du sud de l'Empire austro-hongrois pour qu'ils soient rattachés à la Serbie. Pour cela, ils sont prêts à tout et notamment à exécuter une cible de choix, si possible un Habsbourg.

Il faut dire qu'avant 1914 les attentats politiques sont une manière assez courante de régler les problèmes. On est frappé de voir le nombre de chefs d'État et a fortiori de souverains qui meurent assassinés. La principale mouvance terroriste est celle des anarchistes, mais il y a toutes sortes de variantes, qui flanquent une frousse effrayante à toutes les cours, aux élites du pouvoir et de l'argent et aux personnes d'ordre en général. Si on fait le tableau de chasse des victimes qui ont précédé celles de Sarajevo, on trouve

19

pêle-mêle le président de la République française Sadi Carnot, un président des États-Unis, l'épouse de François-Joseph, Sissi, poignardée par un anarchiste à Genève en 1898, le roi d'Italie Umberto, le roi du Portugal et son fils aîné ; on trouve encore le roi de Grèce assassiné en 1913 alors qu'il entre à Salonique, ville que les Grecs viennent d'arracher aux Turcs. Et puis en Russie la cohorte impressionnante des grands-ducs, aristocrates, hommes politiques, militaires, bureaucrates de haut niveau que les nihilistes assassinent avec une constance remarquable : entre autres, le grand-duc Serge, oncle du tsar, pulvérisé en janvier 1905 à Moscou ou Stolypine, le dernier grand ministre russe, l'homme qui aurait pu empêcher la révolution s'il n'était tombé en 1911 sous les balles d'un socialiste révolutionnaire fanatisé, devant la famille impériale, dans un théâtre de Kiev. L'assassinat comme une manière de régler la politique n'est pas pour le pouvoir serbe une méthode plus choquante qu'une autre puisqu'il s'est lui-même établi sur les décombres du massacre de la dynastie précédente. Quant aux terroristes bosniaques, ils sont particulièrement virulents.

À Sarajevo, le petit groupe qui médite, au cours de séances fiévreuses, l'assassinat exemplaire d'un Habsbourg est en liaison avec différentes sociétés secrètes qui prospèrent en Serbie, à l'ombre du gouvernement et du palais royal. Il est impossible de déterminer à quel point les terroristes de Sarajevo sont manœuvrés par le pouvoir royal et le gouvernement serbes. Ils sont, en fait, considérés comme une arme possible autant que comme des extrémistes qu'il vaut mieux tenir à l'œil et observer, plutôt que de les combattre. Le pouvoir serbe est sans doute à la fois l'otage et l'allié de ces sociétés secrètes. Ce que l'on sait, c'est que le chef de la plus redoutable de ces sociétés secrètes qui porte un nom digne de l'univers de Tintin, *La Main noire,* est aussi un officier supérieur extrêmement influent au palais royal et au gouvernement, qu'il porte des noms de code, et que peu de gens arrivent à faire le lien entre le pseudonyme et le personnage officiel. Ceux qui l'ont démasqué se contentent de lui décerner le titre peu engageant de « Apis, tueur des rois »... Plus tard, en 1917, devenu incontrôlable et menaçant d'assassiner le roi de Serbie ainsi que son fils, il sera condamné à mort, et exécuté, ce qui montre bien la dangerosité de l'individu et l'état de confusion, où l'on ne sait pas vraiment qui contrôle qui, et qui aurait le dernier mot.

Une situation qui n'est pas sans rappeler également celle des nébuleuses terroristes d'aujourd'hui.

Toujours est-il que les terroristes de Bosnie sont fin prêts pour un acte exemplaire lorsque l'on apprend que l'héritier du trône d'Autriche-Hongrie, l'archiduc François-Ferdinand, va se rendre en visite officielle à Sarajevo.

La visite de François-Ferdinand obéit à un impératif précis. Il s'agit de montrer la force de l'Autriche dans cet avant-poste des Habsbourg, parmi les Slaves du sud qu'est la Bosnie. Pour ce faire, des manœuvres ont été organisées, et François-Ferdinand maîtrise bien ce genre d'exercices. Cet homme a l'esprit militaire et veille de surcroît à marquer de son sceau la vie politique austro-hongroise dans l'attente du jour de la mort de François-Joseph dont nul ne parle jamais mais auquel tout le monde pense. On s'aperçoit d'ailleurs qu'avant la guerre de 1914 tous les chefs d'État participent à ce type d'opérations simulées, le champion incontesté étant le tsar Nicolas II qui va de manœuvres en parades et ne sort pas de ce jeu de soldats de plomb où les armées obéissent au doigt et à l'œil de leur commandement en se déplaçant sur des échiquiers bien huilés, pour toutes sortes de figures imposées avec de fausses armées ennemies qui obéissent aux mêmes règles et aux mêmes scénarios convenus. Les uns comme les autres découvriront avec la guerre de 1914 une réalité tout à fait différente, celle des vraies offensives et des vrais champs de bataille, pour leur plus grand malheur et celui de leurs soldats.

La visite de François-Ferdinand en Bosnie n'est pas un acte agressif, à l'égard des Slaves, des Serbes ou des populations locales, mais plutôt un acte de routine militaire. François-Ferdinand envisage l'avenir des peuples slaves dans le cadre de l'Empire avec un réel souci d'évolution politique. Il a notamment compris que l'Empire court à sa perte s'il ne va pas dans le sens d'une confédération des peuples qui le composent, confédération tempérée par le sceptre des Habsbourg, et dominée par le germanisme dont François-Ferdinand est un pur représentant, mais où chacune des communautés pourrait s'épanouir sur un plan culturel, économique, social, selon des règles qui lui seraient propres. Cette attitude n'est d'ailleurs pas vraiment surprenante si l'on considère que les Habsbourg ont toujours laissé une grande latitude aux peuples

21

qu'ils ont fait tomber dans leur escarcelle, tout au long de plusieurs siècles de mariages et de marchandages habiles menés avec une très grande ténacité.

Mais il se trouve qu'en 1914 les Autrichiens et leur émanation suprême, les Habsbourg, ne sont plus les seuls maîtres de l'Empire à décider du sort éventuellement plus clément qui sera réservé à leurs peuples. Ils doivent, en effet, partager le pouvoir avec les Hongrois. L'empereur d'Autriche est couronné roi de Hongrie et cela depuis que François-Joseph, après les grandes défaites du début de son règne, a divisé le fonctionnement de l'Empire autrichien en instituant cette Autriche-Hongrie dont les Habsbourg sont officiellement les souverains. François-Joseph a donné aux Hongrois sa parole de maintenir leurs frontières et l'intégrité de leur royaume, en échange d'un serment d'allégeance réciproque. Sissi, son épouse gagnée au caractère romanesque et à la cause des Hongrois, favorise cet arrangement en lui donnant une dimension sentimentale dont on sait se servir à Budapest. Car il y a une véritable dérive de la part des Hongrois. Ils réclament sans cesse plus d'autonomie à l'intérieur de l'Empire. Ce peuple hongrois que l'on trouve avec raison romantique, charmant, raffiné, aimable, épris de liberté, opprime sans remords les peuples avec lesquels il s'est allié pour obtenir le fameux compromis austro-hongrois. Il les tient depuis étroitement serrés, sans leur accorder les franchises qu'il a monopolisées pour lui-même. En somme, les dominés sont devenus dominateurs, et bien plus que les Autrichiens dans leur propre sphère géographique.

Inévitablement, le projet de réforme de l'Empire que prépare impatiemment l'archiduc François-Ferdinand ne peut que se heurter à l'obstacle du conservatisme et des avantages acquis des Hongrois. L'héritier du trône en a tout à fait conscience et il est résolu à tenter une épreuve de force contre ceux dont il juge le poids désormais disproportionné. François-Ferdinand au fond déteste copieusement les Hongrois ; s'il a des formules aimables pour les paysans magyars et quelques conseillers venus de Budapest, il méprise l'aristocratie hongroise, trop élégante et frivole à son goût et se refuse à parler sa langue ; il la soupçonne surtout de ne pas jouer franc-jeu avec les nouvelles institutions et la dynastie Habsbourg, et sur le premier point, ses griefs ne manquent pas de pertinence. Les Hongrois de leur côté savent à quoi s'en tenir sur l'aversion que leur porte l'héritier du trône, et ils se préparent à l'affrontement. Le destin va en décider autrement...

Pour les terroristes de Bosnie, François-Ferdinand est une cible de choix. En effet, loin d'être favorablement impressionnés par le fait que cet homme d'avenir soit globalement favorable aux Slaves du sud, ils perçoivent son attitude comme un obstacle pour leurs desseins. Selon eux, François-Ferdinand est l'homme le plus dangereux de l'Empire. S'il parvient au pouvoir comme prévu, s'il brise la résistance des Hongrois, son projet de royaume des Slaves du sud sous le sceptre des Habsbourg sera certainement ratifié par ces populations et c'en sera fini de l'ambition des Serbes de séparer à leur profit les Slaves du reste de l'Empire. La réussite éventuelle du projet encore vague mais résolu de François-Ferdinand, c'est la consécration de l'annexion définitive de la Bosnie aux Habsbourg avec l'assentiment des populations locales. Rien de pire qu'un ennemi qui reprend une partie du programme de ses adversaires : François-Ferdinand est donc l'archiduc à abattre et c'est lui justement qui se rend à Sarajevo, en ces jours de juin 1914.

François-Ferdinand, un héritier de caractère pour l'Autriche-Hongrie.

Mais qui est François-Ferdinand ? En apparence, il est certainement le moins charmant des archiducs de la famille Habsbourg. Il n'a pas cette grâce autrichienne immortalisée dans les films de Max Ophuls, ni le charme, ni les aspirations intellectuelles que le merveilleux bouillonnement culturel de Vienne a révélées. Rien de commun avec un personnage de Stefan Zweig ou un héros de Schnitzler. Il n'est pas non plus l'archiduc décadent qui aurait pu séduire Robert Musil ou Joseph Roth. Au premier abord, c'est une brute d'archiduc de l'espèce la plus rude. Physiquement, il est fort, avec des moustaches en crocs qui demandent tout un travail pour être lissées chaque matin. On pourrait faire, d'ailleurs, une typologie des hommes politiques à travers leurs moustaches, au début du siècle, avec évidemment la palme accordée à l'unanimité au Kaiser Guillaume, empereur allemand dont les moustaches semblent la caricature semi-consciente de son caractère.

Au moment de Sarajevo, François-Ferdinand a près de cinquante ans. Il commence à vieillir. Cela se voit à ses cheveux grisonnants, à ses joues affaissées ; il n'a plus la souplesse d'autrefois, et il donne l'impression d'être fatigué. Fatigué d'attendre le trône, fatigué de devoir se battre contre la bureaucratie impériale, fatigué d'avoir souvent raison, mais de n'être jamais écouté ; parce que cet homme lourd, au physique de bouledogue, vaut beaucoup mieux que son apparence et possède même une réelle grandeur.

Dans les livres d'histoire, François-Ferdinand souffre d'un certain nombre de handicaps. Le premier, c'est d'avoir été assassiné sans avoir pu donner sa mesure, ce qui est déjà compliqué pour asseoir une réputation posthume. Ensuite, son assassinat a entraîné une épouvantable tragédie, celle de la guerre de 14. Difficile dans un tel contexte de susciter la curiosité bienveillante des générations futures. Habsbourg, il appartient à une dynastie qui a été balayée. Prétendant au trône d'Autriche-Hongrie, il appartient à un empire qui a été rayé de la carte. En somme, François-Ferdinand n'a pas eu le temps d'exister dans un monde qui n'existe plus. Autant de raisons pour que l'on expédie son caractère et sa personnalité en quelques lignes.

C'est d'ailleurs un homme plutôt désagréable, arrogant et brutal avec ses domestiques, qui parle à ses collaborateurs sur un ton de commandement sans réplique, se met en colère très facilement, ne supporte pas d'avoir tort, méprise les journalistes, les intellectuels et les libéraux. La démocratie lui déplaît souverainement, il est absolutiste dans l'âme, intimement persuadé de la supériorité de sa famille et de la légitimité du droit divin. Sa morgue, ses écarts de langage – car il peut être très grossier –, les humiliations qu'il fait subir à ceux qui lui résistent, ses emportements dessinent les contours d'un comportement a priori très antipathique.

Mais c'est une personnalité complexe car il est aussi le contraire de tout cela. Coléreux, il est sans rancune ; rogue, il est fidèle ; sûr de lui, il reconnaît facilement ses erreurs. Intelligent, quoique moins délié que ne l'était Rodolphe, le fils de François-Joseph, mort dans des conditions crapuleuses à Mayerling, il est aussi nettement plus pragmatique que lui. Il lit beaucoup, il étudie, il écoute attentivement quand on lui parle sur un ton qui ne le braque pas, et il réfléchit. Il sait aussi s'entourer et s'est adjoint un réseau de grande qualité avec les meilleurs esprits de l'Empire. Comme bien des vindicatifs, il est capable de gestes de générosité chevaleresque, qui lui valent des dévouements inaltérables. C'est ainsi qu'il s'est forgé son opinion sur la situation de l'Autriche-Hongrie et sur l'endormissement dangereux du gouvernement de son oncle François-Joseph.

Comme à peu près tous les dirigeants de l'époque qui se livrent à des battues qui sont de vraies boucheries, qu'il s'agisse de souverains ou des présidents de la République Française, François-Ferdinand est un chasseur obstiné ; dans son admirable château de Konopitsé en Bohême, il n'y a plus de place sur les murs immenses pour accrocher les trophées des animaux qu'il a tués. Cependant, mis à part les cerfs et les sangliers, François-Ferdinand n'a rien d'un sanguinaire. Par ses lectures, ses contacts, il a beaucoup élargi sa connaissance du monde, et il est pénétré d'un réel désir d'agir utilement. Ainsi est-il finalement à la fois autocratique et moderniste, voire progressiste dans certains domaines.

À l'origine de ce caractère aussi sous-estimé que tourmenté, il y a une enfance triste. Sa mère est morte quand il était tout jeune. Son père est un frère de François-Joseph que l'empereur ne consulte guère et qui se préoccupe peu de ses enfants. La seule personne qu'il a aimée est sa belle-mère, princesse du Portugal intelligente et belle, qui lui sera toujours fidèle. Il a deux frères, l'un qui deviendra un archiduc débauché et scandaleux, le père de Charles, le dernier empereur d'Autriche-Hongrie, et l'autre qui n'aspire qu'à mener une vie bourgeoise et finira son existence marié à une comédienne, déchu de tous ses titres et à l'écart de la cour.

François-Ferdinand est un enfant solitaire que sa belle-mère aime mais de loin, comme on élevait alors les enfants. Un enfant soumis à ce « dressage » Habsbourg qui a profondément contribué à déséquilibrer Rodolphe, et à qui l'on fait faire l'exercice dans des garnisons glacées dès l'âge de sept ans, qu'on met dehors pendant des journées entières à manier des armes, que l'on confie à des précepteurs rassis, militaires sans états d'âme et sans élan, qui leur apprennent les lettres, la danse, le droit avec un manque d'amour et de fantaisie effrayant. François-Ferdinand a subi cette éducation et l'a détestée. Il n'est pas du tout impossible que son caractère difficile et sa brusquerie aient été pour une part l'expression d'une rébellion constante contre le sort que la vie lui a réservé. Dans de telles conditions, on peut comprendre que, pour réussir à asseoir sa personnalité et à avoir un peu d'influence sur les événements, il ait été nécessaire à François-Ferdinand d'être constamment en colère, si aisément enragé. Les autres archiducs s'amusent, sortent, courent les actrices, ont de vagues responsabilités militaires, mais François-Ferdinand est un insurgé qui veut plier les règles et les traditions à sa volonté.

À l'âge de dix-neuf ans, il est atteint d'une tuberculose mystérieuse qui n'était peut-être qu'une combinaison d'asthme et de dépression. En dépit du bon sens, on l'envoie soigner cette maladie qui l'a transformé en squelette en lui faisant accomplir le tour du monde dans des pays chauds et secs comme l'Égypte, ou d'autres, chauds et humides, c'est-à-dire ce qu'il y a de pire pour l'affection dont il souffre ; en Inde par exemple, où il reste plusieurs mois. Curieusement, il en revient guéri en rapportant des monceaux de souvenirs que sa fortune lui a permis d'acquérir. Ce qui prouve qu'il était surtout malade d'être confiné à Vienne ! À son retour d'ailleurs, il retombe malade, traînant une existence d'archiduc inutile et de surcroît très mal considéré pour ses mauvaises manières et ses grossièretés. Afin de mieux cerner ce que sous-entendent ces troubles psychosomatiques, on peut revoir le portrait que Max Ophuls a fait de lui, le seul dont on dispose au cinéma, sous les traits de John Lodge, acteur superbe de l'entre-deux-guerres. Le réalisateur a bien montré dans *De Mayerling à Sarajevo* le côté attachant et intéressant d'un caractère auquel on ne prêtait pas assez attention autour de lui. Un film tourné durant la drôle de guerre et qui n'a connu qu'une sortie chaotique. Toujours malchanceux avec les dates, François-Ferdinand...

Il est l'homme d'une seule femme. Il l'a imposée, en a fait son épouse, se comporte envers elle avec une tendresse, une affection, voire une docilité insoupçonnées. C'est un modèle de mari et de père, étonnant tous ses invités par sa bienveillance et son naturel lorsqu'il se trouve auprès de sa femme et de ses trois enfants. Avant son mariage, Sophie Chotek était une comtesse tchèque dont la famille a donné d'innombrables serviteurs aux Habsbourg. Fidèle à la dynastie, elle partage en même temps la culture de son peuple et de son pays. Elle-même est extrêmement intelligente, relativement cultivée, en tout cas bien plus que les femmes de son milieu ;

elle s'intéresse à l'histoire, à la politique, à la société dans laquelle elle vit. Par bien des côtés, c'est une femme moderne, très différente de celles qu'elle côtoie mondainement. C'est aussi presque une marginale : aristocrate, elle est pauvre. Proche de l'archiduchesse Isabelle, une des femmes les plus puissantes de l'Empire, elle est aussi son obligée dans la mesure où elle est sa lectrice et sa dame de compagnie, contrainte de travailler à son service pour gagner sa vie. Il est possible qu'elle en ait retiré à la longue une sérieuse dose d'humiliation et un désir de revanche. Elle n'est pas belle mais fraîche avec un port très altier. Elle deviendra vite assez lourde. Ceux qui en ont fait le portrait lui concèdent de très beaux yeux, compliment destiné en général aux femmes plutôt ingrates. Lorsqu'on regarde ses portraits, on est frappé par l'expression franche, ouverte et résolue du visage qui tranche beaucoup avec les mines diaphanes ou chiffonnées des femmes de la cour. En somme, elle s'apprête à ressembler à ces solides dames que l'on voit dans les salons de thé, aujourd'hui, à Vienne ou à Prague, vêtues de loden et portant des chapeaux vaguement tyroliens mais dont le regard dénote parfois une singulière énergie.

François-Ferdinand la rencontre lors de ses visites chez l'archiduchesse Isabelle qui nourrit le dessein de lui faire épouser l'une de ses filles. Malgré son caractère emporté, l'archiduc est le plus beau parti de l'Empire puisqu'il va hériter du trône, et l'archiduchesse Isabelle, femme d'intrigue et d'ambition, pousse chacune de ses filles dans les bras de l'archiduc qui n'est peut-être pas très séduisant, mais ferait un gendre exceptionnel. Or, situation digne d'un scénario romantique, François-Ferdinand ne tombe pas amoureux d'une des filles de l'archiduchesse mais s'éprend de la lectrice, Sophie Chotek. Avec l'inévitable anecdote de vaudeville, cette fois : l'archiduchesse Isabelle, à force de le voir venir chez elle, est persuadée de parvenir à ses fins jusqu'au jour où elle ouvre une montre de gousset qu'il a laissée sur un piano après une partie de tennis et dans laquelle, horreur, au lieu du portrait d'une de ses chérubines, elle découvre le visage de Sophie Chotek. Sophie est chassée séance tenante, ce qui oblige François-Ferdinand à se déclarer officiellement et à affirmer devant toute la famille impériale horrifiée qu'il n'épousera aucune autre femme que Sophie.

Cet épisode de sa vie laisse supposer que François-Ferdinand aurait certainement fait un souverain d'Autriche-Hongrie hors de la norme. Dans la manière dont il arrive à imposer la femme qu'il aime, il y a une volonté et une bravoure inconnues du monde feutré et compassé de la cour. En effet, l'idée qu'un membre de la famille Habsbourg puisse épouser une femme qui ne soit pas de lignée royale ne peut traverser l'esprit de François-Joseph. Non par arrogance aristocratique ni par mépris du reste de l'humanité, mais parce qu'il vit dans un système quasi mystique où l'empereur roi accomplit une mission providentielle de droit divin imprégnée par le sens du devoir. Dans sa vision du monde, il existe une hiérarchie naturelle, qui s'impose à toute la famille et exclut sans recours ceux qui voudraient s'en affranchir. Il n'est donc pas question pour le vieil empereur que Sophie Chotek puisse devenir la prochaine impératrice d'Autriche, reine de Hongrie. Il s'ensuit, durant les dernières années du XIXe siècle, une lutte féroce entre le vieil homme et son neveu. François-Ferdinand aime son oncle, dimension que l'on a trop peu soulignée et il le respecte pour son âge et sa fonction. Mais il se refuse à reculer. Au contraire, il fait à François-Joseph des scènes terribles qui laissent pantois la cour impériale et leur entourage. François-Joseph, à vrai dire ébranlé par le suicide de Rodolphe et la mort de Sissi, finit par céder et cela, notamment, après l'intervention de la belle-mère de François-Ferdinand, toujours fidèle à ce jeune homme ombrageux et solitaire, et attentive à éviter un nouveau drame aux Habsbourg.

Le compromis qu'imagine la chancellerie impériale et auquel souscrit François-Joseph est profondément humiliant pour François-Ferdinand. Il est autorisé à épouser Sophie Chotek à condition qu'il renonce pour elle et pour leurs futurs enfants à toute possibilité d'appartenir sur le plan dynastique à la famille régnante. Sophie Chotek ne sera que l'épouse morganatique du futur souverain, et ses enfants éventuels ne pourront jamais prétendre à la moindre parcelle du pouvoir. François-Ferdinand, blême, dans une cérémonie glacée, devant toute la famille impériale, les corps constitués, les représentants de l'Église et le cardinal de Vienne, fait le serment de respecter ce compromis que François-Joseph lui lit comme une dictée. Peu après, loin de la capitale, il épouse Sophie en présence de quelques intimes et de l'infatigable belle-mère qui aura été son unique alliée.

Finalement, François-Joseph fait un geste à l'égard de Sophie, en lui accordant le titre de duchesse de Hohenberg. On peut penser que c'est une grande faveur, mais, en fait, selon le protocole, la duchesse de Hohenberg passe encore après la plus jeune ou la dernière des archiduchesses. Sophie sera ainsi l'objet d'avanies constantes, soigneusement mises en œuvre et orchestrées par un personnage considérable, le grand maître de la cour, le prince de Montenuovo, lui-même issu d'une lignée morganatique, et d'autant plus enclin à imposer des règles qui lui ont été infligées.

François-Ferdinand et Sophie se défendent en se créant à la fois un monde à part et un espace de revendications. Ils résident beaucoup à la campagne, à l'écart de Vienne et de ses préjugés. De nombreuses photographies montrent François-Ferdinand en tenue de gentleman-farmer, avec ses trois enfants, qui sont étonnamment beaux pour ceux d'un couple sans guère d'attraits physiques. Pour eux, François-Ferdinand est un père exceptionnellement attentif et affectueux. Tout le contraire du dressage qu'il a subi. On le voit aussi sur certains films : François-Ferdinand et Sophie partagent leur vie et l'éducation de leurs enfants comme un couple d'aujourd'hui. Ils s'amusent, se promènent, vont aux sports d'hiver à Saint-Moritz, où François-Ferdinand fait du patin et skie avec ses fils, loin de toute la pompe à laquelle on s'attend chez un archiduc Habsbourg, héritier du trône, à la réputation despotique bien ancrée.

Quand il n'est pas dans une de ses propriétés à la chasse ou en famille, François-Ferdinand consacre toute son énergie à organiser une sorte de contre-gouvernement à Vienne même, dans cet admirable palais d'Eugène de Savoie, le palais du Belvédère, qui fait face à la ville et surplombe la Hofburg où réside François-Joseph. Il a arraché à l'empereur le droit de constituer une chancellerie personnelle. Et c'est une impression très curieuse pour les diplomates étrangers de constater qu'il existe l'amorce d'un double pouvoir dans la capitale ; il y a d'un côté celui de l'empereur qui voyage entre la Hofburg, Schönbrunn et sa villa de Bad Ischl au cœur des Alpes, toujours en liaison étroite avec la Ballplatz, c'est-à-dire le ministère des Affaires étrangères commun à l'Autriche et à la Hongrie. Ce ministère est le lieu géographique le plus puissant de tout l'Empire, juste après le palais impérial. Il est aussi le but ultime des jeunes gens ambitieux qui veulent réussir en Autriche-Hongrie. Et cette Ballplatz va, évidemment, dans le sens du pouvoir impérial. Surtout ne pas bouger pour que rien ne bouge. Surtout ne rien changer pour que rien ne change. Ne jamais faire que de tout petits pas, de manière à ce que le train contradictoire des nationalités ne vienne pas à s'ébranler. User les uns contre les autres, user les ambitions, user les espérances. Accorder toujours un petit peu en refusant l'essentiel. Durer, tenir, négocier, marchander, corrompre, acheter, réprimer doucement et silencieusement. Donner du plaisir, de l'amusement, distraire, faire gagner de l'argent. Contrôler, surveiller, bureaucratiser à l'extrême, connaître tout et chacun, posséder la carte intime des lieux de l'Empire, des cœurs et des tempéraments. Telle est la politique suivie par François-Joseph et par la Ballplatz depuis soixante ans. Ainsi l'Empire vit dans une léthargie morne et frivole à la fois, paisible et prospère qui masque l'importance des courants sous-jacents et qui ne résout rien, dans une époque où le reste du monde influe forcément sur la vie intérieure de l'Empire.

D'un autre côté, en face de la Hofburg et de la Ballplatz, il y a le Belvédère avec François-Ferdinand, fougueux, avide de pouvoir et de responsabilités, prêt à sauter à la gorge de tous ceux qui exercent contre lui la fameuse méthode de l'usure ; il médite ses réformes, voire cette sorte de révolution d'en haut aussi peu démocratique que possible, mais certainement novatrice sur bien des points, qu'il envisage de mettre en place dès son accession au pouvoir. Et s'il ménage officiellement son oncle, il n'hésite pas non plus à lui exposer crûment ses opinions en privé, comme à accabler les ministres de ses coups d'éclat. Au Belvédère, il reçoit largement la cour et la ville, même si on ne sait pas comment il faut appeler la maîtresse de maison. Si on donne à Sophie un titre auquel elle n'a pas droit, il y a forcément parmi les convives quelqu'un qui ira le rapporter à la Hofburg et, si on l'appelle « Duchesse », titre que lui a concédé François-Joseph, on s'attire immédiatement des reparties cinglantes de la part de François-Ferdinand. C'est à tel point que souvent Sophie n'apparaît pas, sauf dans le cercle des intimes. Elle n'aime pas les situations fausses ; elle accepte la sienne stoïquement et avec une apparente égalité d'humeur mais elle ne voit pas pourquoi elle l'imposerait aux autres. Elle s'en est d'ailleurs expliquée à plusieurs reprises dans des lettres à ses proches. Il est certain aussi qu'après plus de dix ans de ce régime elle a dû engranger suffisamment de désillusions pour ne pas se sentir aussi liée que François-Ferdinand par le serment qu'il a fait. Les enfants grandissent, ils sont beaux, intelligents et ils sont condamnés au « second rayon » des princes. On peut comprendre que Sophie en ressente une franche amertume, même si elle prend soin de n'en rien laisser deviner.

D'ailleurs, un bruit court dans Vienne, dont l'empereur François-Joseph a eu vent, selon lequel François-Ferdinand projetterait de détacher des provinces de l'Empire et de les ériger en États autonomes qu'il confierait à ses enfants. Et pourquoi pas des provinces slaves sous juridiction hongroise puisque les Hongrois traitent si mal leurs nationalités ? Qu'est-ce qui empêcherait que telle ou telle province ci-devant hongroise scelle une nouvelle alliance avec les Habsbourg en élisant pour roi l'un des fils de François-Ferdinand ? Le système des Habsbourg est extraordinairement juridique : ils sont les notaires de l'histoire. Tout est consigné, avec des termes soigneusement pesés et sur lesquels on ne peut jamais revenir. Or dans ce système extrêmement rigide et dans le compromis passé entre François-Ferdinand et son oncle pour écarter Sophie Chotek de la couronne impériale, il y a une faille. François-Ferdinand s'est engagé pour l'Autriche mais pas pour la Hongrie. Puisque son but est d'affronter les Hongrois pour les amener à libérer leurs minorités nationales, il y a peut-être là une possibilité pour assurer l'avenir de ses fils. Les Hongrois le savent et se méfient d'autant plus. Ce ne sont que des rumeurs et rien ne prouve aujourd'hui que François-Ferdinand aurait eu recours à de tels artifices juridiques, mais le fait qu'elles se propagent dans Vienne est révélateur du climat d'intrigues entre le Belvédère et la Hofburg alors que l'empereur règne depuis soixante ans...

Une étincelle dans la poudrière des Balkans : l'assassinat de François-Ferdinand.

Juin 1914. François-Ferdinand sait que Sarajevo est une ville dangereuse. Il a une idée précise de l'état des forces en Bosnie et des informateurs lui ont indiqué que la ville n'était pas sûre et pullulait de terroristes à la solde de la Serbie. Et il sait aussi à quel point ces terroristes le détestent. Dans un premier temps, il ne dit pas à Sophie qu'il va se rendre en Bosnie. Lorsqu'elle l'apprend, il doit affronter son inquiétude. Sophie ne le dissuade pas d'aller en Bosnie mais elle le convainc de l'emmener avec lui, sans les enfants. Il suffira après le voyage de remonter en bateau le long de l'Adriatique pour rejoindre le magnifique palais de Miramar, à Trieste où la famille pourra passer quelques jours de vacances.

Les manœuvres se déroulent dans une chaleur accablante. Sophie l'attend toute la journée dans la demeure qu'on a mise à leur disposition. Cependant le dernier jour des manœuvres coïncide avec la fête nationale serbe. À Belgrade, la presse serbe se déchaîne contre ce qu'elle juge être une provocation. L'opinion serbe réagit comme si on lui infligeait un véritable camouflet, ce dont François-Ferdinand, n'est pas pleinement conscient et qu'il n'aurait sans doute pas voulu.

Ce malentendu n'est pas le moindre parmi tous ceux qui vont conduire au jour tragique du 28 juin. Sarajevo est notoirement sous-administrée par les Autrichiens. Et surtout, à tous les postes de décision concernant la Bosnie, se trouvent des hommes qui haïssent François-Ferdinand, soit qu'il les ait humiliés dans le passé, soit qu'ils aient partie liée avec la Hongrie, ou qu'ils soient hongrois eux-mêmes. En somme, cette ville de Sarajevo où les terroristes s'organisent pour assassiner François-Ferdinand semble être précisément l'endroit où tous ceux qui devraient le protéger lui sont hostiles. Malgré le chef de la police, incompétent, les responsables de Vienne qui ont la ville sous leur juridiction, inconséquents, François-Ferdinand pense qu'il est nécessaire de faire un acte symbolique à l'égard des populations locales et maintient sa visite à Sarajevo prévue à l'issue des manœuvres. Et Sophie qui l'aime, qui veut partager tous les risques, reste avec lui et le suit.

Il est très possible qu'à l'intérieur de l'administration impériale certains aient su le danger que courait François-Ferdinand. En effet, toutes sortes de rumeurs parviennent de Sarajevo, jusqu'à la chancellerie impériale. Il n'y a tout de même pas que des incapables à Sarajevo, il y a aussi des gens qui savent mesurer la situation et qui en font état auprès des fonctionnaires de Vienne. À Belgrade également la dégradation de la situation inquiète divers fonctionnaires, qui en informent leurs bureaux en Autriche. L'ambassadeur de Serbie à Vienne demande une audience au ministre des Affaires étrangères, le comte Berchtold, mais ce dernier a bien mieux à faire que de perdre son temps avec l'un de ces Serbes qu'il méprise, et il le fait recevoir par un secrétaire, lequel hait François-Ferdinand, et classe sans suite les nouvelles qu'on lui apporte, soit par légèreté, soit dans le désir semi-inconscient qu'un drame débarrasse l'Empire de François-Ferdinand, ou l'intimide suffisamment pour qu'il se tienne tranquille.

L'extraordinaire de cette histoire, c'est qu'elle se déroule finalement sans surprise. Tout le monde prévoyait le drame de Sarajevo, personne n'en a fait état, et lorsqu'il survient, chacun paraît se réveiller brusquement. On entend partout : « Je l'avais bien dit. Ce qui est arrivé devait arriver. » Mais personne n'a pris le soin d'expliquer posément à François-Ferdinand, qui pouvait le comprendre, que son initiative dont le but final devait être d'apaiser les tensions serait le détonateur tragique d'une catastrophe. On le laisse donc partir alors que l'inorganisation des autorités de Sarajevo est totale.

Parmi les terroristes qui préparent leurs bombes, se trouve un étudiant de vingt ans, Gavrilo Princip, jeune homme fort beau et ardent, décidé à payer de sa vie la mort de l'archiduc honni. Curieusement, François-Ferdinand et Gavrilo Princip se seront rencontrés, la veille de l'attentat. En effet, François-Ferdinand va acheter des cadeaux à Sophie au bazar de Sarajevo. Il est reconnu par la population locale et extrêmement bien accueilli. Il marchande des théières, des objets en cuivre comme un touriste ordinaire. Les gens se pressent pour voir cet archiduc habillé en civil et il faut même penser à le dégager de l'emprise de la foule qui l'applaudit chaleureusement. Là, il croise sans le savoir, à plusieurs reprises, le regard de son futur assassin qui l'observe très attentivement, qui mémorise ses traits, ses gestes, pour ne pas le rater le lendemain. Cependant Princip n'est pas seul. Ils sont une dizaine parmi les terroristes et ils ont du mal à se partager les tâches. Tous voudraient tuer l'archiduc. Finalement, il est décidé que l'un des conjurés jettera une bombe sur la voiture lors de l'arrivée du couple à Sarajevo. Une bombe devrait suffire. Le conjuré désigné, Gabrinovitch, s'installe sur le parcours dès le matin.

Princip n'est retenu qu'en recours, en cas d'échec, à sa grande déception.

François-Ferdinand et Sophie parviennent à Sarajevo dans la matinée du 28 juin et reçoivent la bombe de Gabrinovitch en s'approchant de l'hôtel de ville à 10 h 25. La bombe rebondit sur la capote de la voiture, Sophie est légèrement touchée par un éclat mais un officier est grièvement blessé. Quelques instants plus tard, François-Ferdinand arrive à l'hôtel de ville où les autorités sont rassemblées, passablement mal à l'aise devant cet incident grave, soulagées que le couple soit indemne mais ayant perdu toute l'assurance de la veille quand elles expliquaient à Sophie et à François-Ferdinand que la ville n'offrait aucun danger. Lorsque l'on regarde les films de cette journée où François-Ferdinand et Sophie descendent de voiture pour s'engager sur l'escalier qui les conduira à l'intérieur de l'hôtel de ville, on s'aperçoit qu'ils restent un moment au bas des marches. Sophie, comme toujours, est parfaitement maîtresse d'elle-même, son attitude est très calme et elle salue aimablement. En revanche, les officiels sont tétanisés par la perspective des sanctions qui vont pleuvoir sur eux, alors que François-Ferdinand paraît hors de lui. Il agite les bras et invective copieusement, à son habitude, les fonctionnaires qui rapporteront plus tard quelques-uns de ces propos : « C'est ainsi que vous m'accueillez ? Quel est le prochain assassin que vous mettrez sur ma route ? » Finalement, le couple monte l'escalier et entre à l'intérieur. François-Ferdinand écoute distraitement les paroles de bienvenue, refuse de répondre autrement que par onomatopées et accepte, à l'initiative des chefs de la police locale, de modifier l'itinéraire de la suite du parcours. Il y consent notamment parce qu'il a demandé à rendre visite à l'officier d'ordonnance qui a été blessé avant d'aller au Musée national de Sarajevo, étape suivante prévue par le programme. Donc, puisqu'il n'y a plus de programme normal, puisque cette bombe a tout désorganisé, autant changer l'itinéraire également pour se déplacer avec plus de sécurité. Il faut surtout éviter la grande rue, la rue François-Joseph, où une foule considérable est massée pour voir passer François-Ferdinand. Mais une foule favorable de Bosniaques, c'est aussi le lieu où peut se cacher un Bosniaque hostile, voire deux, voire plusieurs. Donc, comme on change d'itinéraire, François-Ferdinand veille à ce que le nouveau parcours soit bien expliqué aux chauffeurs des officiels qui les précèdent et au chauffeur de sa propre voiture. Sophie n'est pas rassurée. Elle ne veut pas se séparer de son mari. Il est prévu qu'elle retourne à la maison officielle du gouverneur, mais elle veut rester près de François-Ferdinand. À cela aussi, il consent. Elle a été extraordinairement courageuse durant la première alerte, et il ne voit pas pourquoi il se séparerait, en ces circonstances, de la personne qui lui est la plus chère. Ils repartent en entraînant des officiels qui n'en mènent pas large, impressionnés par la mauvaise humeur de François-Ferdinand et par sa détermination à continuer la visite.

Évidemment, tout se passe au plus mal. Les chauffeurs, qui ont fait mine de comprendre mais connaissent à peine l'allemand, se trompent et empruntent la fameuse rue François-Joseph encombrée de monde ; s'y étant engagés et comprenant leur erreur, ils commettent la faute supplémentaire de piler net et d'entamer un demi-tour pour reprendre l'itinéraire qu'on leur avait expliqué. François-Ferdinand ordonne de sortir au plus vite de ce piège où des centaines de gens se pressent autour des voitures mais il a beau se débattre, Gavrilo Princip est déjà sur le marchepied de l'automobile et tire une série de balles dont l'une atteint Sophie et la tue sur le coup et l'autre traverse la gorge de François-Ferdinand. Agonisant, l'archiduc héritier a le temps de faire deux choses. D'abord, il empoigne le corps de sa femme et lui dit : « Non, Sophie, il ne faut pas, pense aux enfants », puis il répond à un officier accouru à la voiture : « Ça ne fait pas mal, ça ne fait pas mal ». Il meurt trois quarts d'heure plus tard, dans la résidence du gouverneur sans qu'il soit possible de le ranimer. L'assassin, Gavrilo Princip, et ses complices qui manifestent bruyamment leur joie, sont arrêtés par la foule et quasiment lynchés : et il y aura d'ailleurs toute une série de bagarres, de mises à sac de cafés réputés lieux de rencontre des terroristes, de ces vengeances et règlements de comptes qui accompagnent en général ce genre de panique. À tel point que Sarajevo offrira le spectacle d'une ville ravagée aux opérateurs d'actualités accourus de partout.

Vers 11 h 30, les premiers télégrammes partent pour Vienne annonçant l'assassinat de l'héritier du trône d'Autriche-Hongrie et de son épouse, la duchesse de Hohenberg. Ces télégrammes suscitent la consternation à Vienne ; elle n'aura cependant ni le même sens ni les mêmes conséquences que celle qui affecte sincèrement les autres cours européennes, horrifiées par ce crime mais prêtes à l'oublier assez vite tant la personnalité des victimes est au fond mal connue.

François-Joseph, empereur d'Autriche, roi de Hongrie, pour l'éternité ?....

François-Joseph est dans sa villa de Bad Ischl, dans le décor enchanteur des Alpes de Salzbourg, quand il apprend l'horrible nouvelle. Il faut s'arrêter un peu à cette Kaiservilla de Ischl pour bien mesurer le divorce terrible entre ce lieu qui représente toutes les grâces de la vieille Autriche auxquelles François-Joseph appartient de la manière la plus intime et la nouvelle de l'assassinat perpétré dans des conditions si sordides. Pour François-Joseph, c'est un tragique rappel des désastres publics et privés qui ont jalonné sa vie. C'est aussi un sursaut des bas-fonds qui vient noircir les nuées charmantes dans lesquelles il vit pendant ces vacances. Bref, un cauchemar à plusieurs degrés comme l'enfer de Dante.

Ischl est une grande villa de style néo-pompéien, avec un ravissant jardin et des frondaisons bien entretenues qui grimpent le long des murs. Les pièces sont claires, aérées, on est près de la petite cité thermale mais suffisamment loin pour qu'il n'y ait pas de bruit et pour que rien ne trouble la douceur du séjour. Une allée étroite débouche sur une petite porte au fond du jardin, et au-delà de cette porte un charmant chemin conduit à un chalet discret. Dans ce chalet en location revient chaque été une dame un peu forte et mûrissante, la bonne amie du vieil empereur. Catherine Schratt est une comédienne qui connut jadis les promesses d'une carrière brillante mais qui a pratiquement renoncé au théâtre pour s'occuper de François-Joseph. Non sans une rancœur, d'ailleurs, qui la submerge parfois pour des périodes plus ou moins brèves. C'est le seul différend qui l'oppose à François-Joseph, et il lui arrive de reprocher amèrement à l'empereur de ne pas l'appuyer dans son métier, bien qu'elle sache que la règle est précisément pour lui de ne jamais mélanger sa vie privée, douillette, discrète, effacée, avec son omnipotence publique, et qu'il est donc exclu qu'il intervienne efficacement en faveur de la carrière de son amie.

Au fond, on ne sait pas si Catherine Schratt est la maîtresse de François-Joseph. Il est maintenant très âgé mais quand ils se sont connus, près de trente ans plus tôt, elle était délicieuse et appétissante et lui-même un amateur avéré de jolies femmes. Et Dieu sait s'il l'a été tout au long de sa vie ! Ce fut d'ailleurs l'une des causes de l'éloignement de Sissi. Habitué dès l'adolescence aux étreintes faciles avec des dames de la cour, trop heureuses de mettre le plaisir sur le compte du devoir, cet homme pourtant attentif et suprêmement bien élevé s'était révélé un mari exigeant, trop exigeant pour sa jeune épouse de seize ans qui en avait été définitivement traumatisée. Ensuite, lorsque Sissi entreprit ses grands voyages, François-Joseph eut évidemment d'autres liaisons, discrètes, brèves, mais nombreuses et dans tous les milieux. On ne résistait pas à l'empereur roi dont la silhouette mince, l'élégance de l'uniforme, le regard mélancolique qui ne quitta jamais ce visage noyé dans un nuage de favoris soulignaient le charme romanesque. On a beaucoup parlé du regard de François-Joseph, en disant qu'il avait un œil d'une terrible dureté et un autre d'une infinie douceur. Rien de tel pour attirer des cœurs féminins tout prêts à s'émouvoir.

C'est Sissi qui a choisi Catherine Schratt pour François-Joseph. En effet, lorsque Sissi a commencé à se détacher de Vienne, ce mari pour lequel elle éprouvait, malgré tout, une véritable tendresse l'a touchée par sa solitude. Sissi est le seul véritable amour de François-Joseph. Il ne la comprend pas, il ne peut même plus la posséder et il doit se contenter de la suivre de loin dans ses envols d'oiseau. Il est d'ailleurs très attendrissant, cet homme si puissant qui accepte tous les caprices d'une femme qui ne lui donne rien en échange. Toute sa vie, il ne cessera de lui envoyer des câbles ou de lui écrire en signant « ton mari qui t'aime » ou même, plus souvent, « ton petit, ton tout-petit qui pense à toi ». Pour alléger sa mauvaise conscience, Sissi lui a donc présenté Catherine Schratt, et ce choix s'est révélé très judicieux puisque Catherine a accepté de renoncer à son destin de comédienne pour apporter un peu de joie et de paix à François-Joseph. Elle est tout le contraire de Sissi. Elle ne parle jamais de politique, elle n'a pas d'ambitions romanesques, aucune de ces névroses romantiques, de ces prétentions poétiques, de ces désordres exaltés que Sissi impose autour d'elle. Mais peut-être François-Joseph a-t-il aimé Sissi précisément parce qu'elle était cette part de lui-même qu'il a dû refréner lorsqu'il s'est retrouvé encore adolescent sur le trône des Habsbourg, dans une atmosphère de révolution et de catastrophe générale, où tout le reste de sa famille, à l'exception de sa redoutable mère, s'était évanoui dans la tourmente.

Avec Catherine Schratt, c'est un autre aspect de lui-même qui est réconforté. Le côté petit bourgeois, avec les goûters tranquilles, les promenades, la musique facile, la compagnie, les petits riens d'une conversation agrémentée de détails domestiques et de potins innocents sur la vie viennoise. Mais Catherine, malgré son manque de prétention, n'est pas du tout une idiote. Il faut beaucoup d'habileté et de tact pour devenir la confidente d'un homme sur qui pèsent des responsabilités aussi énormes et dont la vie quotidienne est une rigide succession d'obligations et de refus sur fond de désillusion constante car cet Empire, en apparence si impressionnant, est en fait un grand corps malade. Et réduire Catherine Schratt à l'habileté d'une « hausfrau » simple et docile est injuste. En fait, elle aime certainement François-Joseph et elle se sent moralement ennoblie par le fait de s'occuper de lui. Et puis c'est une femme foncièrement discrète. Elle mourra en 1940, c'est-à-dire bien après la disparition du monde auquel elle appartenait, dans un état proche de la misère, et cependant jamais elle n'acceptera d'écrire ses mémoires ou de vendre ses confidences.

Ainsi, quand vient le soir, voit-on sur les chemins écartés et si calmes de Bad Ischl, un vieux monsieur cérémonieux, à la raideur toute militaire marcher d'un pas vif avec à son bras une grosse dame mal fagotée, à l'air austère, comme tant d'autres vieux couples de l'aristocratie viennoise qui viennent prendre les eaux à la belle saison. Personne ne les dérange alors que tout le monde sait qu'il s'agit de l'empereur d'Autriche et de sa bonne amie. D'ailleurs la monarchie des Habsbourg vit en parallèle deux existences totalement différentes. L'une est marquée par une étiquette écrasante de majesté et un cérémonial extraordinairement précis, hérités du protocole espagnol de Charles Quint et de Philippe II selon lequel l'empereur est un être quasiment immatériel et de droit divin. Tandis qu'en privé l'empereur dort sur un petit lit de camp, fait sa toilette dans un tub alors qu'il pourrait avoir une salle de bains, et s'accommode d'un ameublement modeste et triste sans aucun rapport avec le décorum fastueux, l'éblouissante vaisselle, la splendeur des étoffes que l'on présente lors des cérémonies. De la même manière, il n'est pas rare à la nuit tombée que François-Joseph, quittant les oripeaux de la grandeur, marche dans la nuit de Vienne, comme un simple civil, pour aller frapper à la porte de l'appartement sans prétention de Catherine Schratt.

Cette contradiction est évidente encore aujourd'hui lorsqu'on visite la Hofburg, le palais gigantesque et labyrinthique de Vienne d'où l'empereur commande à son immense Empire et dont l'architecture est aussi impressionnante que celle du Louvre ou de Versailles, alors qu'il travaille et réside dans une suite de pièces sombres à l'ordonnancement quasi monacal. Il en est de même à Schönbrunn, le merveilleux palais construit par Marie-Thérèse aux environs de Vienne avec son très beau jardin et sa perspective poétiquement fermée par cette colonnade que l'on appelle « La gloriette ». Or la vie à Schönbrunn est la même qu'à la Hofburg. Tout y est, certes, plus aimable, mais, au fond, François-Joseph y vit encore comme dans une garnison. Même lit de fer, à côté d'une chambre à double lit où il ne dort plus parce qu'à côté devrait se trouver Sissi et qu'elle n'y vient plus depuis longtemps. De plus, à Schönbrunn, les visiteurs peuvent se promener dans le jardin, ce qui rétrécit encore l'intimité de François-Joseph, claquemuré dans son appartement et ses souvenirs.

Par comparaison, Bad Ischl est un endroit paradisiaque, très « Auberge du cheval blanc et opérette du Châtelet ». Il y a beaucoup de fraîcheur, de lumière, de poésie dans la décoration des pièces. La nature est omniprésente et ici François-Joseph desserre enfin un peu l'étau dans lequel il vit habituellement. Ses goûts intimes peuvent s'y épancher librement. Il tient, bien sûr, son emploi du temps d'une manière très serrée mais il s'accorde également des plages de repos : les visites à Catherine, leurs promenades, les parties de chasse dans la montagne auxquelles il participe avec ses gendres, les maris des deux filles que Sissi lui a laissées : Gisèle tôt partie pour épouser un prince bavarois, loin de l'atmosphère étouffante de la Hofburg ; Marie-Valérie, que sa mère entourait d'un amour obsessionnel et qui, par une réaction assez naturelle, a reporté toute son affection sur son père et mène une existence de mère de famille rangée avec l'archiduc Louis Salvatore au milieu d'une nichée d'enfants. Bad Ischl est peut-être le seul endroit où François-Joseph s'adonne à une vie de famille naturelle. Il se fait photographier avec ses petits-enfants, joue un rôle de grand-papa gâteau sans zèle excessif mais avec bonne grâce, et pour les ministres qui se rendent auprès de lui, il est beaucoup plus facile à aborder, plus gai, plus détendu. C'est donc là que le comte Paar, l'un de ses proches collaborateurs, vient le trouver pour lui annoncer la nouvelle du drame de Sarajevo qui le replonge dans les affres les plus sombres de son destin.

Lorsqu'il apprend l'assassinat de son neveu, François-Joseph se laisse tomber dans un fauteuil en répétant à plusieurs reprises : « C'est affreux, c'est affreux. » Mais, habitué depuis toujours à contrôler ses émotions et à faire passer le devoir, le sens de l'organisation et des convenances avant l'expression des sentiments, il ajoute très vite une phrase curieuse qui sonne comme la condamnation post-mortem de François-Ferdinand et de Sophie de Hohenberg : « Je le savais, il ne faut jamais aller contre les arrêts de la providence. » Phrase terrible dans la mesure où elle fait apparaître l'assassinat de François-Ferdinand et de son épouse comme la sanction légitime d'un mariage qui avait gravement perturbé les lois de la maison impériale et de la succession dynastique des Habsbourg. On aurait pu penser qu'après quatorze ans François-Joseph avait pris son parti du mariage de son neveu. Apparemment, il n'en est rien. Cette remarque renvoie à l'aspect le plus rigoriste de l'attitude que s'est forgée François-Joseph : étouffer tout ce qui pourrait gêner la bonne marche de la machine si huilée et si régulière de l'administration Habsbourg. C'est une phrase de fonctionnaire heureux de voir que les trains recommencent à arriver à l'heure. La mort de François-Ferdinand remet les Habsbourg sur les rails. Elle ouvre aussi la succession au petit-neveu de François-Joseph, l'archiduc Charles, un jeune homme doux, docile, pieux, qui n'a jamais osé contredire son grand-oncle et le traite avec une vénération timide. En ce sens, la mort de François-Ferdinand est un soulagement. Qu'aurait fait l'empereur François-Ferdinand avec une épouse morganatique réputée intelligente et énergique, et des enfants condamnés à grandir sans l'espoir d'une couronne et d'une miette de puissance ? L'héritier, désormais, c'est Charles, si bien marié à la délicieuse Zita de Bourbon-Parme. Et l'avenir, c'est leur fils, le petit archiduc Otto. Le cours normal des choses est rétabli.

François-Joseph se rend compte de l'impact de sa phrase sur le comte Paar et il évoque aussitôt le sort des enfants en disant « les pauvres petits », mais au fond on sait qu'il ne s'en soucie guère. D'ailleurs qui se préoccupe de ces enfants que la cour et le gouvernement impérial souhaitent voir disparaître le plus vite possible, en Bohême dans le grand château de Konopitsé, comme on effacerait une tache de l'histoire ? La belle-mère de François-Ferdinand, fidèle jusqu'après la mort et qui sera la seule à veiller sur les orphelins.

Les obsèques de François-Ferdinand sont une autre variation macabre de la manière dont on avait réglé l'enterrement de Rodolphe un quart de siècle plutôt. Lorsqu'il fut avéré pour l'empereur que son fils s'était bel et bien suicidé, entraînant dans la mort une adolescente innocente de dix-huit ans, Marie Vetsera, le principal souci de François-Joseph avait été d'obtenir que Rodolphe pût être enterré religieusement, donc d'abuser le Saint-Siège qui n'avait pas pour habitude d'accepter un suicide et encore moins quand celui-ci s'accompagnait d'un meurtre.

Pour François-Ferdinand, le scénario est confié au prince de Montenuovo, le gardien de l'étiquette de la cour. C'est un petit-fils de Marie-Louise, l'ancienne épouse de Napoléon, petit-fils de la main gauche, en quelque sorte, puisque descendant d'un des mariages inégaux de Marie-Louise veuve passablement joyeuse dans son duché de Parme où elle laissa le meilleur souvenir à ses sujets italiens. Le prince de Montenuovo, implacable avec ceux dont le statut pouvait rappeler le sien, n'avait jamais admis le mariage de François-Ferdinand et s'était ingénié durant des années à enfermer la duchesse de Hohenberg dans un lacis d'humiliations sournoises dont il s'excusait le premier avec une hypocrisie de gentilhomme infatué de parfaite éducation. Cependant il n'est pas possible à Montenuovo « d'escamoter » le corps de Sophie. Ce serait aller contre la parole donnée par François-Joseph lorsqu'il avait accepté le mariage de François-Ferdinand et l'opinion ne pourrait admettre semblable injustice. Et pourtant Montenuovo va s'ingénier à multiplier, jusque dans le cérémonial des funérailles, les vexations post mortem à l'encontre de Sophie.

La procession funèbre qui ramène les dépouilles de l'archiduc et de son épouse, le long de l'Adriatique jusqu'à Trieste, est très impressionnante. Le but est de montrer, dans ce port qui est le poumon de l'Autriche-Hongrie ouvert sur les mers chaudes, que ce n'est pas la mort de l'héritier du trône qui pourrait menacer la stabilité, la sécurité d'un Empire aussi puissant. Il faut rappeler que François-Ferdinand appartient à la grande maison des Habsbourg et qu'elle n'entend pas se faire humilier par un complot ourdi dans le cloaque bosniaque. En filigrane, on peut lire l'orgueil et la volonté de vengeance qui vont s'exercer quelques semaines plus tard.

Mais lorsque les cercueils de François-Ferdinand et de Sophie arrivent à Vienne, c'est-à-dire au cœur même de l'Empire, le scénario du prince de Montenuovo change de registre. Là où réside le principe même de la maison impériale, il n'est pas question d'effacer la différence entre l'archiduc François-Ferdinand et Sophie, entrée dans cette maison par effraction, selon les préjugés du prince. Les obsèques à Vienne doivent donc s'effectuer sans éclat. On explique aux chefs d'État étrangers que leur présence n'est pas nécessaire, et les formules cérémonieuses et attristées qui répondent aux messages de condoléances officielles sonnent particulièrement creux. Ainsi prévenu, le Kaiser ne se déplace pas et envoie l'un de ses fils. Le roi d'Italie et le roi de Serbie, deux bêtes noires de la politique impériale, se laissent aisément convaincre de rester chez eux. Le roi de Serbie, évidemment, n'insiste pas beaucoup car il sait que la presse le désigne déjà comme l'un des principaux responsables de l'attentat.

Ce sont donc des funérailles à la sauvette où n'assistent que des personnalités royales de second rang et des ambassadeurs. Raffinement suprême, dans la chapelle ardente, Montenuovo fait placer le cercueil de Sophie sur un piédestal plus bas que celui de François-Ferdinand, et, alors qu'il a installé bien en évidence les décorations de François-Ferdinand, devant le cercueil de Sophie de Hohenberg il n'a fait disposer que ses gants et un éventail, signes distinctifs des dames d'honneur ; c'est un rappel de très mauvais goût de son statut lorsqu'elle rencontra François-Ferdinand, et l'ultime injure sournoise adressée par Montenuovo à celle qu'il n'a jamais cessé de traiter comme une ennemie.

François-Ferdinand avait d'ailleurs prévu ce genre d'humiliation au cas où il arriverait malheur, et dans ses volontés, il avait bien spécifié qu'il ne voulait pas être enterré sans sa femme. Ipso facto, c'était refuser la fameuse crypte des Capucins parmi les autres Habsbourg et désigner l'une de ses demeures pour recevoir son tombeau. Soulagement du prince de Montenuovo qui n'a plus à se poser le problème de savoir comment faire pour que Sophie de Hohenberg ne soit pas enterrée dans la crypte des Capucins. Les dernières étapes du voyage funèbre de François-Ferdinand et de

Sophie sont encore marquées par une avalanche de détails maca-
bres. Le château de Arstretten, où l'on ramène les cercueils, ne
s'atteint alors qu'en traversant le Danube avec un bac. On imagine
la difficulté de faire emprunter à des chevaux, passablement agités
par l'escadron qui les entoure, un radeau de planches où ils traînent
un convoi funèbre. Le bruit des fers sur le bois, les claquements de
fouets, et puis les vagues qui montent de plus en plus car un orage
éclate soudain. Tout le convoi manque de verser dans l'eau. Scènes
d'épouvante par lesquelles s'achève le parcours terrestre du couple
dont la chancellerie de Vienne se félicite d'être débarrassée.
Aujourd'hui les deux tombeaux se trouvent toujours dans la chapelle d'Arstretten, pieusement protégés par les descendants de
François-Ferdinand et Sophie.

Finalement, que pèsent ces détails de cérémonial et d'étiquette
face à la tragédie qui va suivre ? Ils permettent de mesurer le degré
de momification affectant la dynastie des Habsbourg, et comme son
âme s'est perdue dans l'observation inhumaine de règles dont plus
personne ne connaît ni les raisons ni l'origine à l'exception de cette
poupée automatique et glaciale qu'est le prince de Montenuovo. Il
se passe cependant une chose étonnante durant ces obsèques. Malgré les consignes pour limiter le deuil à ce qu'imposait une décence
minimale, les officiers de Vienne, invités à suivre le cortège sans
cérémonie, se présentent en grand appareil et bien plus nombreux
qu'on ne l'imaginait. Les hommes de troupe à qui ils ont donné
permission envahissent la ville et se mettent spontanément en ordre
pour suivre le convoi. Bien plus, la population elle-même se presse
aux funérailles. Le prince de Montenuovo aurait dû se rendre
compte qu'il se passait quelque chose d'étonnant à travers les récits
qu'on lui faisait de la foule déjà nombreuse qui s'était massée à
Trieste. Surprise augmentée par le spectacle des gares où passe le
train funèbre, envahies par des multitudes silencieuses tandis que
Vienne tout entière s'arrête au moment de la messe célébrée pour
François-Ferdinand et Sophie.

Et pourtant, François-Ferdinand n'était pas populaire. Son
arrogance, ses mauvaises manières, son mépris à peine dissimulé
du parlementarisme, de la démocratie et du libéralisme, avaient
tout pour le rendre antipathique à une ville dont la structure sociale
s'était profondément transformée depuis une vingtaine d'années
avec l'émergence d'un prolétariat très important. Or l'opinion

paraît soudain réaliser que cet homme, rusé mais droit, possédait aussi un projet politique pour l'Empire, et que, dans le cadre étroit du semi-absolutisme des Habsbourg, il aurait offert une alternance. Par sa manière de vivre auprès de sa femme et de ses enfants, on pouvait se reconnaître bien mieux que dans l'horlogerie compliquée de l'ancien mécanisme impérial. Bref, obscurément, mais comme une lame de fond, l'opinion a senti que le chef d'État de son avenir venait de lui échapper.

L'Autriche-Hongrie veut « punir » la Serbie

Cette émotion, inattendue et impressionnante, va être détournée par les deux hommes les plus puissants de l'Empire après l'empereur : le comte Berchtold et le général Conrad von Hoerzendorff. Berchtold est ministre des Affaires étrangères. Or, dans le système dualiste où l'Autriche et la Hongrie ont chacune leur gouvernement, l'homme clé après l'empereur c'est évidemment celui qui dirige le ministère commun à ces deux pays, c'est-à-dire le ministère des Affaires étrangères. C'est une ancienne créature d'Aerenthal, l'homme qui annexa la Bosnie et qui est mort depuis. Il lui ressemble par son cynisme élégant, en plus spirituel et plus aimable, mais il n'en a ni la hauteur de vue, ni l'énergie, ni l'assiduité. Berchtold est un homme agréable qui brille dans les salons, plaît aux ambassadeurs et se pique d'être populaire. Il n'a pas son pareil pour s'occuper d'une écurie de courses, et n'est d'ailleurs pas aussi enveloppé de morgue que les autres représentants de sa classe sociale. Mais son projet pour l'Empire se résume à servir celui de François-Joseph et à ne pas déplaire à son maître. Par atavisme, par éducation, il pense que les Allemands et les Hongrois sont les deux peuples maîtres naturels de l'Empire et que les autres passent bien après. Quant aux Slaves du Sud, inutile d'en parler : ils sont tout au bas d'une échelle qui prendrait appui dans la boue, cette boue de Serbie au-delà de la frontière et ils tentent en plus d'en monter les échelons. Pour Berchtold, les Serbes n'existent pas vraiment. Il considère qu'ils sont juste bons à être méprisés. Désormais, il n'aura plus qu'une idée en tête, repousser ces gueux qui grattent à la porte de l'Empire. L'occasion est favorable, il faut écraser la Serbie, se venger d'elle, la punir et si possible la détruire, et c'est bien agaçant de devoir perdre du temps à ce genre d'opération de salubrité.

Berchtold n'est pas seul à penser ainsi ; toute l'élite de Vienne partage cette manière de voir. Berchtold perçoit dans l'émotion qui entoure les funérailles de François-Ferdinand une confirmation de ses préjugés antiserbes. S'il était moins léger, il se souviendrait que François-Ferdinand, précisément, voulait apaiser les Slaves du sud et ménager la Serbie. Et qu'en somme, dans toutes les crises graves précédentes, les conclusions de l'héritier allaient exactement à l'inverse des siennes.

Conrad von Hoerzendorff, lui, est plus intelligent. Il connaît bien plus précisément la situation de l'Empire, de son armée, ainsi que la configuration générale des Balkans. Il mesure la gravité de la maladie qui ronge le vénérable édifice construit par les Habsbourg, et, contrairement à Berchtold, il n'est pas homme à faire passer ses rendez-vous au champ de courses ou avec une dame élégante avant l'étude de ses dossiers ou la tenue d'une réunion importante. Pourtant, Conrad, non par mépris mais plutôt par une sorte de pragmatisme brutal, nourrit également l'idée qu'il faut se débarrasser des Serbes, les soumettre, les écraser, parce qu'ils ne cessent de mordre, comme des serpents, le talon de l'Empire. Chez Conrad, c'est même devenu une obsession. Depuis des années il réclame une guerre « de clarification » avec les Serbes. Cet homme de François-Ferdinand s'était heurté fréquemment à celui qui avait fait sa carrière, parce qu'il voulait la guerre contre les Serbes et que François-Ferdinand y était opposé. Il en était même résulté un long refroidissement, et, si Conrad avait repris ses fonctions à la tête de l'armée, ses différends avec François-Ferdinand ne s'étaient pas réduits pour autant. Cependant, Conrad aimait François-Ferdinand par gratitude et complicité intellectuelle, et avec sa mort disparaît le dernier obstacle à son obsession. L'assassinat nourrit son dessein de vengeance. La guerre contre la Serbie, c'est le but de Conrad von Hoerzendorff et c'est maintenant l'objet de sa fidélité dévoyée. Deux hommes, Berchtold et Conrad, vont ainsi précipiter l'Autriche dans une guerre où elle n'avait rien à gagner sauf l'illusion de se rassurer.

Au fond, jusqu'à quel point les Serbes étaient-ils coupables de l'assassinat de François-Ferdinand et de Sophie ? Une enquête a, bien sûr, été diligentée par Vienne avec d'autant plus de probabilités de succès que Gabrinovitch qui a jeté la bombe et Princip qui a tiré au revolver, ont été arrêtés sur les lieux de leurs attentats. Mais l'empereur François-Joseph a, dès le début, rogné les ailes des enquêteurs, en écrivant aux principaux responsables de Sarajevo pour les disculper de toutes les négligences dont ils sont pourtant coupables. Toujours ce souci de protéger l'apparence, et l'apparence de l'Autriche en Bosnie, c'est sa haute administration. De plus, les enquêteurs sont médiocres, ils ne songent qu'à dévoiler les liens éventuels entre les terroristes et les sociétés secrètes de Serbie. Ces liens existent indéniablement mais encore faudrait-il déterminer l'influence exacte de ces sociétés secrètes sur le gouvernement serbe. Qui manipule qui ? Qui paie qui ? Qui dépend de qui ? Des témoignages sérieux et argumentés viendront plus tard susciter toutes sortes de soupçons sur le sens des négligences et de la désorganisation qui ont entouré la visite de François-Ferdinand à Sarajevo. Et si les ennemis les plus résolus de l'archiduc héritier à la cour l'avaient envoyé à la mort en toute connaissance de cause ? Ce genre d'hypothèses est fréquent lors d'un attentat politique mal élucidé. Et le nouvel héritier, l'archiduc Charles, doutera toujours des conclusions de l'enquête selon laquelle les assassins sont le bras armé de Belgrade. L'attitude fanatique des accusés favorise évidemment cette position officielle. Ils ne seront d'ailleurs pas condamnés à mort. Sujets autrichiens, trop jeunes, ils échappent à la peine capitale. Mais c'est pour subir un châtiment presque aussi cruel, à la mesure de cette sécheresse de cœur que l'on reproche aux Habsbourg. Les terroristes sont condamnés à perpétuité, enfermés dans des forteresses, soumis à un régime extrêmement sévère, enchaînés jour et nuit ; ils meurent les uns après les autres, de faim, de froid, de privations. Princip s'éteindra ainsi à petit feu avant la fin de la guerre, dans un cachot humide et un isolement effroyable, sans avoir atteint l'âge de vingt-cinq ans.

Pour Berchtold et Conrad, une chose est sûre : il faut punir la Serbie. Mais personne n'ose préciser clairement ce que signifie cette intention de punir la Serbie. Faut-il resserrer le blocus qui avait failli mettre ce pays à genoux ? Faut-il bombarder Belgrade qui se trouve de l'autre côté du Danube, à portée de canon de l'armée autrichienne ? Faut-il s'emparer de cette bourgade qui a le front de se proclamer capitale ? Faut-il occuper la Serbie et la placer sous protectorat ? Faut-il la détruire et l'annexer complètement ? Personne ne sait au juste jusqu'où il faudrait aller. Même pas Conrad qui veut la guerre, mais raisonne essentiellement en termes militaires. Un seul homme dans tout l'Empire résiste à ce scénario, potentiellement dangereux parce qu'il risque de mettre le feu aux poudres de toute l'Europe, c'est le comte Tisza, le Premier ministre de Hongrie, l'homme le plus puissant de Budapest. Tisza redoute l'aventure et peut-être même craint-il un éventuel succès qui renforcerait le camp autrichien au détriment du camp hongrois. Il faudra beaucoup de temps et beaucoup de promesses de nouveaux avantages pour les Hongrois, pour le convaincre de s'associer à cette marche aveugle et feutrée vers la guerre. Pour l'empereur, c'est plus facile : il est très âgé. Berchtold et Conrad savent comment lui présenter les choses. L'empereur méprise aussi les Serbes et demeure horrifié qu'on ait pu porter atteinte à la vie d'un membre de la maison Habsbourg, héritier désigné de ses États, même s'il ne l'aimait pas et s'il s'accommode sans chagrin excessif de sa disparition.

Pour ce projet belliqueux mais vague, pour cette hypothèse de politique de force qui ne sait trop comment s'exercer, il faut évidemment consulter le principal allié de l'Autriche, c'est-à-dire l'Allemagne du Kaiser Guillaume. La clé de la punition serbe se trouve à Berlin, d'autant que les Allemands n'ont pas encore digéré la manière dont les Autrichiens ont annexé la Bosnie en 1908 sans en référer à quiconque, et surtout pas à eux. Il n'est pas question de recommencer cet impair. Donc, on envoie un messager à Berlin, le comte Hoyos, porteur de toute l'indignation des Autrichiens à l'égard des Serbes et de leurs intentions à la fois violentes et confuses. Hoyos trouve le Kaiser très agité. Guillaume se considérait comme l'ami de François-Ferdinand. Ils étaient de la même génération et leurs personnalités s'accordaient très bien. Guillaume avait même fait l'effort unique chez un souverain de traiter Sophie comme l'égale d'une princesse de sang royal et cela n'avait pu que toucher François-Ferdinand. Cela ne l'empêchait d'ailleurs pas de dire du mal de Sophie en privé et d'expliquer en soupirant combien cette entorse aux règles lui semblait chaque fois pénible. Mais de toute façon l'empereur Guillaume disait tout et son contraire. Il n'est pas du tout impossible qu'il eût vraiment nourri de la sympathie pour cette femme intelligente et qu'il eût vraiment désiré faire plaisir à un prince de son âge appelé à une situation semblable à la sienne.

Le Kaiser est donc horrifié par le double attentat. Lorsqu'on parle de punir les Serbes il abonde dans ce sens ; mais il est aussi coutumier de ce genre de rodomontades mal définies. Les écarts de langage du Kaiser sont légendaires, et on sait qu'il ne les pense que par à-coups, quitte à changer d'opinion ensuite. La parole est pour le Kaiser un substitut de l'action. Lui aussi s'échauffe donc à la perspective de punir les Serbes sans savoir comment, et en se refusant à mesurer les conséquences. C'est d'autant plus regrettable que ce matamore bavard est certainement l'homme le plus intelligent du petit groupe qui se réunit comme autant de conspirateurs. Il connaît l'état des forces en présence en Europe, il sait comment fonctionne la politique, il a l'expérience des humiliations que l'on ne supporte pas, des jeux d'alliances, des entraînements solidaires. Mais sa faiblesse de caractère lui rend les plus mauvais services. Voulant se déplacer dans un univers d'orage wagnérien dont il serait le Siegfried brandissant l'épée de la nouvelle Allemagne galvanisée aux usines Krupp, il n'a pas son pareil pour rengainer dès que la situation s'obscurcit vraiment et que le danger d'une confrontation se fait sentir. Dans toutes les crises internationales qui se sont déroulées depuis une quinzaine d'années et qu'il a la plupart du temps provoquées par ses incartades, c'est lui qui s'est défaussé le premier, voire même qui a trouvé des solutions apaisantes. Alors, quand il dit « il faut punir la Serbie », peut-être pense-t-il qu'il saura une nouvelle fois trouver le moyen d'arranger les choses. Enfin plus tard.

Or, deux grains de sable viennent faire dérailler la machine déjà imprévisible de la politique du Kaiser. Le premier s'appelle Bethmann Hollweg. C'est son chancelier. Un homme sérieux, pondéré, un intellectuel informé qui est capable d'envisager les problèmes dans toutes leurs conséquences mais qui souffre d'un esprit d'indécision catastrophique et qui par opportunisme ou par anxiété écarte les hypothèses les plus redoutables comme on le ferait d'un cauchemar. Lui aussi pourrait insister pour connaître précisément le projet de punition des Serbes que revendiquent les Autrichiens. Mais tandis que Guillaume pense à court terme en imaginant que tout finit par s'arranger, Bethman Hollweg, lui, préfère repousser très loin les visions d'apocalypse. Il espère aussi qu'il va pouvoir gérer le problème s'il s'en occupe directement en neutralisant le Kaiser dont les emportements compliquent chaque situation. L'agitation permanente du Kaiser porte sur les nerfs de tous ceux qui le servent et qui l'entourent. On ne sait jamais non pas de quoi demain sera fait mais ce qui va se passer dans le quart d'heure à venir. Quelle réunion, quel rendez-vous il faudra annuler pour courir répondre à l'un de ses caprices, quel déplacement il faudra entreprendre, quel emploi du temps planifié il faudra bouleverser, quelle conversation importante se verra remplacée par des considérations amusantes, brillantes mais tout à fait hors de propos alimentées par l'encyclopédie fantaisiste des inépuisables marottes du maître de l'Allemagne. Donc, pour être un peu tranquille avec le problème austro-serbe, Bethman persuade le Kaiser qu'il ne faut surtout pas remettre sa croisière annuelle d'été dans les fjords de Norvège. Ne serait-ce que pour rassurer l'opinion internationale.

Il n'est pas nécessaire de beaucoup insister pour convaincre le Kaiser. Au fond, quand vient juillet, que les grandes parades sont achevées, qu'il se retrouve seul en tête à tête avec sa très respectable et bien conventionnelle épouse, Guillaume ne pense plus qu'à partir en vacances, avec ses amis, ses marins, dans cette atmosphère de camaraderie virile qu'il affectionne particulièrement. Ainsi, appareille-t-il sans se faire prier sur son yacht magnifique, le *Hohenzollern,* un monstre immaculé dont la proue s'avance dans la mer tel un espadon. Ce bateau immense est piloté par des matelots superbes, tellement beaux que les rumeurs narquoises qui ont couru autrefois sur le Kaiser reprennent chaque été à son grand agacement. Or la croisière de juillet 1914 est une catastrophe parce que, perdu dans ses fjords de Norvège, en compagnie de son habituelle camarilla de flatteurs qui ne songent qu'à le distraire et l'amuser, mal informé par les câbles que lui fait irrégulièrement parvenir Bethmann Hollweg, Guillaume perd tout contact avec la réalité de la crise en persévérant rageusement dans tous ces à-peu-près sur le thème de la punition des Serbes. L'ambassadeur d'Allemagne à Vienne veut freiner les Autrichiens. Guillaume répond au câble de Bethmann : « Faites taire cet homme, de quoi se mêle-t-il ? » Les câbles de Guillaume ne sont que des successions d'interjections, de mots crucls, d'appels à la bataille, d'autant plus irréalistes et enfantins que le Kaiser nc s'appuie plus sur aucune analyse sérieuse. Faiblesse dramatique de ce caractère double qui est capable de comprendre très vite et très clairement une situation mais qui préfère le plus souvent s'en tenir à des fantasmes enfantins. Or, en Norvège, la réalité est loin. Ne restent que les fantasmes.

Le deuxième grain de sable est d'ordre météorologique. Il fait si beau durant ce mois de juillet 1914. Une vague d'insouciance parcourt l'Europe. Hormis le prolétariat qui n'a pas vraiment le droit à cette fameuse Belle Époque dont on a parlé ensuite, et en dehors des paysans qui préparent leurs moissons, ce mois de juillet splendide vide les ministères et les chancelleries, endort les journalistes, disperse les tenants du pouvoir et de l'influence. Il est fascinant de constater comment, durant le mois de juillet 1914 où l'Europe va plonger dans une tragédie dont les conséquences se font encore sentir, un nombre impressionnant de responsables, d'hommes qui auraient pu prendre des décisions, considérer la gravité des faits, bloquer la situation, résoudre la crise, sont en vacances, en déplacement, injoignables et surtout totalement insouciants, dans des villes d'eaux ou à la campagne. La plupart des hauts fonctionnaires allemands sont à Marienbad, à Karlsbad ou sur leurs terres ou les plages du Nord. On refuse du monde à Ostende, à Deauville et à Brighton tandis qu'à Venise, la fine fleur de l'élite austro-hongroise disserte doctement sur la punition des Serbes sans la moindre idée des conséquences qu'elle pourrait avoir. Si on ajoute à cela que la saison des courses bat son plein à Vienne et à Budapest et que le comte Berchtold y consacre le meilleur de son temps, on peut mesurer à quel point la douceur de vivre et la frivolité, l'attrait du soleil et des vacances se sont funestement conjugués durant ce mois de juillet 1914. Au fond l'Europe vit dans une telle sécurité depuis si longtemps que personne ne songe à s'inquiéter sérieusement.

Néanmoins, parmi les déplacements de l'été, il en est un auquel la Ballplatz est bien attentive : le président de la République française, Raymond Poincaré, et le président du Conseil, René Viviani, doivent se rendre en visite officielle à Saint-Pétersbourg chez leurs alliés russes, à la fin du mois de juillet 1914. Les Autrichiens ont arraché un chèque en blanc à leurs alliés allemands, le chèque en blanc de la punition des Serbes. Et, munis de ce douteux viatique, ils sont en train de rédiger un ultimatum féroce à l'encontre des Serbes, conçu pour que ces derniers soient obligés de le refuser, de telle sorte qu'on se retrouve en guerre. Oh ! une petite guerre de rien du tout, une guerre limitée, une guerre entre l'Autriche toute-puissante et cette Serbie si arrogante à qui l'on va rabattre son caquet. À la Ballplatz tous se refusent à envisager clairement le jeu de dominos fatal qui peut s'ensuivre : la Serbie appelant ses alliés russes au secours, l'Autriche soudain confrontée à la nécessité d'affronter la Russie en même temps que la Serbie, l'Allemagne allant au secours de l'Autriche et la France au secours de la Russie. D'ailleurs, même si l'on poursuit ce raisonnement jusqu'au bout, dans un moment d'éthylisme ou de lucidité brève, on arrive à la même conclusion : cela n'ira pas bien loin car l'Angleterre, arbitre de l'équilibre européen, n'interviendra jamais dans une guerre semblable. Grave illusion que les événements vont contredire, et qui constitue pourtant la petite marge de sécurité dont croit disposer Bethmann quand le cauchemar vient le tarauder et qu'utilise Berchtold quand, au hasard d'une repartie brillante, un esprit avisé lui fait entrevoir l'enfer qui se dessine.

Tout de même, si on pense, à Vienne, que tout se passera bien, à l'arraché, vite fait, bien fait, on se méfie quand même un peu des complications possibles.

Donc la chancellerie autrichienne peaufine son ultimatum, le regard fixé sur le calendrier du déplacement de Raymond Poincaré et de René Viviani pour fixer le moment de bombarder les Serbes. C'est ce qui explique qu'il ne se passe rien pendant au moins trois semaines. Les Autrichiens n'en finissent pas de rédiger leur ultimatum et d'attendre que les dirigeants français soient à leur tour injoignables et pratiquement incapables de réagir.

Or Poincaré et Viviani, lorsqu'ils se rendent en Russie, selon cette alliance totalement contre nature entre la Russie autocratique de Nicolas II et la République radicale et laïque, sont frappés par la nervosité des Russes. Cela fait plusieurs années que les Autrichiens font des manœuvres militaires près de la frontière, les Russes leur répondant de l'autre côté, et ils ne sont pas prêts à accepter qu'un pays slave, orthodoxe, soit écrasé par l'Autriche. L'humiliation ressentie par les Russes, lorsque les Autrichiens les ont roulés pour annexer la Bosnie, n'est pas oubliée, et la Russie s'est relevée d'une manière impressionnante de la révolution de 1905. Peut-être pas autant que l'assurait Stolypine, l'homme qui fut à l'origine de ce redressement et qui déclarait en 1907 : « Il ne reste plus rien de la révolution, tout est oublié, tout est effacé », mais en tout cas la Russie s'est bien reprise. Et elle est inquiète, agacée par cette épine dans les Balkans qu'est la crise austro-serbe. Elle a de surcroît un problème d'intendance en cas de difficulté majeure. Pour mobiliser ses forces, il lui faut un mois tant les distances sont grandes, l'organisation des chemins de fer compliquée, et les masses à rassembler considérables. Les Russes confient cette difficulté aux Français et la nécessité pour eux de mettre en place une mobilisation partielle, tout de suite, pour ne pas prendre de retard afin de dissuader les Autrichiens de toute tentation belliqueuse. Les Français, loin de les freiner dans cette direction, les approuvent en pratiquant le « qui ne dit mot, consent ». La hâte des Russes les arrange. Tout le monde a des plans de guerre, les Français savent très bien qu'en cas de conflit les Allemands se jetteront sur eux : il faut que la Russie puisse organiser un contre-feu ou du moins qu'elle mobilise suffisamment tôt pour être prête. Poincaré est lorrain, c'est un homme raisonnable, mais il est né le regard tourné vers cette fameuse ligne bleue des Vosges au-delà de laquelle se trouvent les provinces perdues d'Alsace-Lorraine prises par les Allemands en 1870 et son patriotisme exigeant l'incite à ne pas freiner le tsar, surtout qu'il a de la sympathie pour lui bien qu'il se situe à l'opposé de ses convictions républicaines. Le tsar aussi l'apprécie car il le trouve honnête et courageux, beaucoup plus que ses propres ministres et notamment son Premier ministre, un vieux tâcheron qu'il a mis là parce qu'il n'en trouvait pas d'autre pour mener la politique de réaction à laquelle il se cramponne, faute de pouvoir en imaginer une autre. Laisser les Russes engager les préliminaires d'une mobilisation, c'est protéger la France qui peut continuer pour sa part à se draper dans un pacifisme un peu trop tonitruant pour être tout à fait sincère.

Quand Poincaré et Viviani quittent le tsar, et alors qu'ils sont sur leur bateau, les Autrichiens font parvenir leur ultimatum aux Serbes. Bien des clauses en sont inacceptables, rédigées de surcroît dans des termes plutôt humiliants. En fait depuis on a vu bien pire en matière d'ultimatum mais l'énoncé des demandes autrichiennes choque les habitudes diplomatiques. Pourtant les Serbes acceptent tout sauf une clause, celle selon laquelle des policiers autrichiens viendront faire eux-mêmes leur enquête sur les sociétés secrètes serbes. C'est une atteinte si évidente à leur indépendance que les Serbes voudraient un délai supplémentaire pour réfléchir et faire une contre-proposition. Tout le reste, le démantèlement desdites sociétés, l'abandon de la propagande antiautrichienne, les garanties de toutes sortes, ils l'acceptent. Mais le piège s'est refermé sur les Serbes. L'ambassadeur d'Autriche qui n'attendait que cela demande ses passeports et part aussitôt. Les Autrichiens se refusent à tout délai, toute discussion, et déclarent la guerre à la Serbie.

Le premier à prendre conscience de la gravité de la situation et à surgir comme dégrisé, avec une terrible et soudaine gueule de bois, c'est le Kaiser dont le grand bateau blanc est revenu à toute vapeur de Norvège. Le Kaiser est affolé. Voilà une crise qu'il n'a pas suscitée mais dont il a fait monter les enjeux et qui fume maintenant devant lui d'une manière inquiétante alors qu'il arrive bien trop tard et ne possède pas tous les éléments pour essayer de la résoudre. En fait, le Kaiser a peur, et cette crainte qui lui a porté conseil dans le passé va, cette fois-ci, l'inhiber de telle manière qu'il sera incapable d'imposer sa volonté hésitante.

« Je ne sais toujours pas comment c'est arrivé. »
Bethmann-Hollweg en 1917.

Sur leur bateau, Raymond Poincaré et Viviani prennent connaissance de l'ultimatum, abrègent leur visite dans les pays scandinaves et font pousser les feux pour rentrer le plus vite possible.

Poincaré et Viviani sont stupéfaits par l'état de l'opinion lorsqu'ils arrivent à Paris. La foule considérable qui les accueille manifeste des intentions bellicistes. La situation s'est rapidement dégradée depuis que les Autrichiens ont déclaré la guerre à la Serbie et commencé à bombarder Belgrade. C'est comme si tout le monde se réveillait d'un coup. À Paris, on oublie la grande affaire du mois de juillet que fut le procès de Mme Caillaux dont l'incroyable acquittement [1] coïncide quasiment avec la déclaration de guerre autrichienne à la Serbie. Les pères de famille rentrent précipitamment à Paris, les hommes politiques se rassemblent, on prend conscience que la guerre entre l'Autriche et la Serbie n'a aucune chance de rester localisée. Et déjà la droite nationaliste réitère ses incantations sur l'Alsace-Lorraine.

En effet, les préparatifs de mobilisation russe répondent à l'agression autrichienne. En fait, le tsar est encore très hésitant. Il est, face à son gouvernement, l'un des hommes les plus réticents à engager la Russie dans la guerre. Il garde un souvenir cuisant du précédent conflit contre le Japon. De plus, il a le pressentiment que cette guerre, non seulement va entraîner d'énormes souffrances mais peut déclencher une nouvelle révolution après celle qu'il a réussi à écraser en 1905.

Il faut comprendre l'état de l'opinion russe à cet instant. Bien qu'elle connaisse un formidable essor économique, intellectuel et

---

1. Mme Caillaux, épouse d'un homme politique de premier plan, avait assassiné à coups de revolver le directeur du *Figaro* qui traînait son mari dans la boue.

technique et que l'organisation politique et sociale y évolue très rapidement dans le sens d'une modernisation en profondeur, la Russie est encore ce curieux emboîtement d'un pays capitaliste, actif, moderne, cultivé, celui d'environ 20 % de la population, et d'un autre pays féodal, avec des masses énormes, peu instruites qui vivent dans un état de grande pauvreté – il y a encore eu des famines en 1911 ; ces deux pays ne communiquent en fait pas vraiment. Peut-être parce que l'homme qui est au sommet et qui devrait en être la charnière est un être timide, à la fois faible et entêté, écrasé par la lourdeur de sa tâche, dominé par une épouse réactionnaire, intelligente mais sujette à de perpétuelles angoisses hystériques et qu'ils sont de surcroît, l'un et l'autre, ravagés par l'inquiétude que leur inflige la santé de leur fils, le tsarévitch hémophile. En somme, à un moment de bouleversement économique qui devrait entraîner une adaptation politique fondamentale, et alors qu'il faudrait autant d'imagination que d'énergie au pouvoir, l'homme qui devrait pratiquer cet accouchement en est tout simplement incapable. C'est d'autant plus regrettable que le tsar est un homme bon, animé d'excellentes intentions, et que la famille impériale est attachante et délicieuse. Les Romanov sont à la fois la grâce de la Belle Époque et de la poésie tchekhovienne, exprimant une nostalgie très forte des bonheurs impossibles et perdus ainsi qu'une innocence quasi dostoïevskienne. Il est d'ailleurs fascinant de voir comme cette famille, d'origine allemande et anglaise par la tsarine Alexandra, à moitié danoise avec des antécédents allemands du côté de Nicolas, est en fait profondément, intrinsèquement russe. Avec ce mélange de désintéressement, de bohème, de religiosité qui est attaché pour nous à la représentation souvent simpliste de l'âme russe dont on ne sait si elle existe comme dans les clichés ordinaires. En tout cas, chez les Romanov, elle s'en approche très fidèlement.

Avec la crise austro-serbe, Nicolas II se trouve confronté à un problème qui dépasse ses capacités. La Russie moderne, en pleine expansion, qui ressent la concurrence allemande sur le plan économique et intellectuel, cette Russie humiliée par sa défaite devant le Japon, s'enflamme tout d'un coup pour la guerre. Quant à la Russie agraire et médiévale, elle fera ce qu'on lui dira de faire, comme cela a toujours été le cas, avec le risque qu'elle échappe à ses manipulateurs et qu'elle se retourne contre eux, avec la terrible violence dont elle est capable, fortifiée par son gigantesque poids démographique. Cette partie du pays est toujours celle des grandes jacqueries du xviiie siècle mais augmentée de populations considérables, qui peuvent transformer une jacquerie paysanne en une véritable révolution. D'autant plus que dans les villes s'est installé un prolétariat important qui ne vit pas toujours dans des conditions aussi misérables que celles que l'on a décrites mais qui est profondément déraciné et sensible aux idées des révolutionnaires et des terroristes, peu nombreux mais acharnés à détruire ce régime impérial.

Nicolas qui se veut le Tsar de toutes les Russies se laisse finalement entraîner dans la guerre parce qu'il y voit une manière de fédérer tous ces mondes et de noyer la nébuleuse terroriste qui a repris ses attentats depuis l'assassinat du meilleur de ses ministres, Stolypine, en 1911. Et s'il redoute très fortement d'envoyer des millions d'hommes sur le front, ses ministres et son état-major le poussent à l'irréparable. Parmi eux, le plus compétent est Sazonov, qui ne souhaite pas la guerre mais veut faire reculer l'influence de l'Autriche une fois pour toutes. Il travaille main dans la main avec Izvolski, l'ancien ministre des Affaires étrangères qui avait été roulé à l'époque de la Bosnie et qui, comme par hasard, se trouve en poste à Paris en qualité d'ambassadeur. La guerre contre l'Allemagne et l'Autriche pour défendre la Serbie, « c'est ma guerre », selon les propres mots d'Izvolski complaisamment claironnés quelques semaines plus tard quand déjà les morts s'amoncellent. Et bien sûr, l'oreille du haut état-major est acquise aux plus aventureux. Le problème, c'est qu'il y a deux patrons à l'organisation militaire. D'un côté, le ministre de la Guerre, lui-même, Soukhoulmikov qui a, dit-on, bien réformé l'armée après les défaites de 1905, ce qui se révélera tragiquement faux car il est en fait très corrompu. De l'autre, le grand-duc Nicolas Nicolaïevitch, chef des armées. Les Français l'adorent parce qu'il est à l'image de la Russie éternelle, grand, noble, avec un solide accent, le sens du faste, le goût de la vodka, un vrai Russe de caricature. C'est un homme valeureux, intimement dévoué à son neveu le tsar mais un stratège sans grande imagination, même s'il dispose d'un prestige certain auprès des soldats dont il partage le sort. Il vit dans l'illusion mystique d'une armée d'autrefois, très loin de la réalité que vont lui opposer les Allemands, avec leurs tanks, leurs avions, leurs canons, leur équipement ultramoderne, leur discipline à la prussienne. Or, Nicolas Nicolaïevitch et le ministre de la Guerre se haïssent et ils ne vont cesser de s'affronter et de se pousser l'un et l'autre à la faute. Mais pour l'instant ils font le siège du tsar et du ministre des Affaires étrangères Sazonov ; ils veulent être prêts et ils poussent à la mobilisation générale désormais en précisant, bien sûr, que celle-ci n'est qu'une manière de garantie pour que la guerre n'éclate pas.

Au fond personne n'ignore que si la Russie, ce corps de géant, arrive à bouger un bras, c'est qu'elle se réveille, et que la mobilisation partielle a déjà déclenché un rouleau compresseur qu'il sera très difficile d'arrêter. Et le tsar sait aussi très bien que venir au secours de la Serbie, c'est engager le processus de guerre avec l'Allemagne. On change dangereusement d'échelle de grandeur. Or Nicolas est soumis aux tirs groupés de ses ministres, de son haut état-major, et d'Izvolski. Nicolas est un soldat. Conscient de ses manques, il ne se sent vraiment à l'aise, en dehors de sa famille, que lorsqu'il est avec ses officiers. Des militaires comme lui, c'est-à-dire des aristocrates au contact des hommes de troupe d'origine paysanne ; en somme une hiérarchie conforme à l'ordre social de l'ancienne Russie, du pays que Nicolas préfère à celui des industriels, des journalistes, des avocats qui envoient à la Douma, ce semi-parlement arraché par la révolution de 1905, des intellectuels libéraux qui réclament à grands cris une monarchie constitutionnelle. Et auprès des officiers avec qui il s'accorde les seules licences de son existence, boire un peu d'alcool, rire, chanter jusqu'à trois heures du matin, il se sent solidaire de leur vision du monde. De surcroît Nicolas se fait une fausse idée du fonctionnement de l'armée ; il passe beaucoup de temps en revues, parades, manœuvres qui se déroulent dans l'enclos impérial, sur l'esplanade de Tsarskoïe Selo, ou sur le terrain de Krasnoïe Selo, à proximité de Saint-Pétersbourg, où l'on a reconstitué une sorte de champ de bataille idéal. Et là tout est organisé comme un jeu de soldats de plomb, les tenues, les harnachements des chevaux, les drapeaux, la musique, les mouvements, tout est magnifique. Rien à voir avec ce que serait une guerre. Nicolas s'en doute vaguement mais il se prend cependant à espérer que ces parades serviront à quelque chose et que l'esprit valeureux et l'enthousiasme de l'armée russe se manifesteront avec autant de discipline et d'éclat en cas d'offensive. Après de longues heures d'hésitation, Nicolas signe donc la déclaration de mobilisation générale en disant : « Que la volonté de Dieu soit faite. »

C'est une étape décisive dans le déclenchement de la guerre. Il est très curieux de constater qu'à ce stade d'un conflit armé les deux pays qui avaient le moins à gagner dans un conflit appuient les premiers sur le bouton : l'Autriche, qui jusque dans ses rêves les plus fous ne songeait pas sérieusement à annexer complètement la Serbie et n'avait, en conséquence, aucun autre territoire à conquérir, et la Russie qui n'avait seulement qu'à se défendre contre une menace d'humiliation et à exercer une solidarité avec un peuple relativement obscur des Balkans. Lorsqu'on a dit que les grands trusts voulaient la guerre de 14 et notamment les entreprises russes, on est tombé dans une simplification absurde. Les trusts russes étaient bien les plus déterminés à ne pas souhaiter la guerre et à préférer un partage pacifique des marchés avec l'Allemagne. Non, c'est l'opinion publique qui poussa au conflit, en acceptant avec empressement les justifications que lui fournissaient les politiques. À ses débuts, la guerre est extrêmement populaire, à tel point que les révolutionnaires, dans leurs réunions semi-clandestines en Europe, sont totalement désarçonnés par l'ampleur que prend le mouvement patriotique en Russie, et certains sont même tentés de s'y rallier. Toutes les ambiguïtés de cette folle entreprise, où chaque groupe social poursuit une obsession, se rassemblent dans un mouvement d'une ampleur gigantesque. Nicolas l'avait bien senti : la mobilisation, c'est déjà la guerre. Mais la guerre contre qui ? A priori, uniquement contre l'Autriche pour l'empêcher d'annexer la Serbie. D'ailleurs, l'Autriche piétine. Elle bombarde Belgrade, mais il est très difficile de progresser sur le territoire serbe où les combattants sont farouches et annoncent une résistance opiniâtre. Contre l'Autriche, donc, ou contre l'Allemagne, la force qui se cache derrière elle ? En vérité, le sentiment général est antiallemand bien plus qu'antiautrichien. L'Allemagne occupe tout de suite le rôle du véritable adversaire, amplement diabolisé, conformément aux traditions retrouvées d'une rivalité ancestrale.

Guillaume II freine maintenant des quatre fers. Dès lors que la guerre n'est plus un fantasme mais une réalité tangible qui se rapproche à toute allure, il veut désespérément y échapper. Alors il cherche à gagner du temps en tentant d'amadouer le tsar. La tsarine est sa cousine germaine parce qu'ils sont l'un et l'autre des petits-enfants de la reine Victoria. Il a toujours posé à l'ami-protecteur de Nicolas, traité comme une sorte de petit frère. Il les bombarde donc de télégrammes éperdument familiaux en les adjurant de rester en dehors de tout cela, et Nicolas ne cesse de lui répondre que la mobilisation n'est pas la guerre et que ses intentions sont essentiellement pacifiques ; tout s'arrangera si les Autrichiens quittent le territoire de la Serbie. Ce en quoi il est parfaitement sincère. Mais en vérité, Guillaume tergiverse. S'il continue dans un affolement bien perceptible à envoyer des télégrammes à Nicolas, pour l'adjurer de rester calme, en même temps il ne peut se résoudre à arrêter l'Autriche. Il est bloqué par son chèque en blanc et par son état-major. D'avoir trop longtemps joué au seigneur de la guerre, Guillaume est devenu l'otage du haut commandement et celui-ci se moque bien de savoir si les Autrichiens vont ou ne vont pas évacuer Belgrade. Le haut commandement sait seulement que la Russie a mobilisé et la tentation de la guerre est maintenant la plus forte. Il serre à son tour Guillaume, qui se débat en vain pour faire attendre Nicolas, en se raccrochant à un raisonnement que chaque preuve rend plus absurde. « Laissons les Autrichiens et les Serbes se débrouiller, quant à moi, je freinerai mon état-major et Nicolas freinera le sien. » Or Nicolas est trop faible pour freiner son état-major, Guillaume est trop irresponsable pour tenir le sien, et il est évident que la France n'acceptera pas que la Serbie soit écrasée dans l'attente du moment où l'on s'installera à une table de conférence. En fait on ne peut plus arrêter le conflit.

Guillaume place ses derniers espoirs dans l'Angleterre. Il est persuadé qu'elle n'entrera pas en guerre. D'abord parce qu'il est en partie anglais. Ensuite parce que le roi George V est également son cousin, un autre petit-fils de Victoria. George V ressemble à Nicolas, il en a le caractère aimable, effacé, tranquille, et Guillaume croit le tenir sous sa coupe intellectuellement, comme il a l'impression de dominer le tsar. Malheureusement, Guillaume, dans ses dangereuses habitudes de monarque tout-puissant, néglige quelques détails importants concernant l'Angleterre : un roi d'Angleterre n'a pas vraiment de pouvoir et ce n'est pas lui qui peut décider ou non d'une guerre, qui peut prendre une telle décision et influer personnellement sur le cours des choses. De plus, l'opinion anglaise est exaspérée par Guillaume qui a toujours nourri une relation perverse à son égard : l'Angleterre le fascine et il l'admire éperdument, en même temps qu'il déteste les Anglais. Il ne cesse de jalouser leur Empire, leur puissance, leur culture et leur manière de vivre, et de se moquer de leur « ridicule petite armée ». Sur le plan économique, la rivalité fait rage entre les entreprises allemandes et les grandes sociétés anglaises qui manifestent un sérieux essoufflement. Enfin, au cours des quinze dernières années, le Kaiser a multiplié les provocations dans le domaine où les Anglais étaient vraiment susceptibles, en construisant une flotte énorme dont le but est de concurrencer la flotte anglaise et de dominer les mers. Ensuite, il n'a rien trouvé de mieux que de développer le système des zeppelins, ces énormes ballons dirigeables, dont l'usage est, selon lui, avant tout militaire, et qu'avec un tact parfait la presse allemande désigne comme des « cuirassés volants ». Des cuirassés volants, mais pour aller où, si ce n'est pour survoler la mer du Nord et se poser en Angleterre !

Guillaume pense que tous ces griefs sont oubliés, et que les Anglais désormais vont faire cause commune avec les Allemands pour éviter la guerre, selon une solidarité saxonne, qui correspond à un sentiment assez répandu dans une partie de l'opinion anglaise et parmi certains parlementaires. Mais là encore, Guillaume se trompe : l'entente cordiale anglo-française est la plus forte. Il commet une dernière erreur : il oublie que, si l'Angleterre est traditionnellement très prudente, cela ne préjuge en rien de sa décision finale. Mais il préfère imaginer que l'Angleterre n'interviendra pas, que la France va hésiter, et que la guerre sera finalement évitée.

Alors, on passe trois ou quatre jours à échafauder des plans de conférence internationale pour arrêter le conflit. Les Français, qui ont laissé le tsar s'enfoncer et qui maintenant ne savent pas dans quel sens se diriger, appuient toutes ces tentatives de conférence. Et les Anglais aussi qui paraissent d'ailleurs avoir du mal à mesurer la gravité de la situation et laissent Guillaume s'enferrer dans ses faux espoirs. Mais les projets de discussions butent sur un préalable : il n'y aura de conférence internationale que si les Autrichiens lâchent leur proie serbe. Les Allemands répondent : « Ce n'est pas notre problème, rencontrons-nous et laissons les Autrichiens se débrouiller tout seuls. » En fait, le haut commandement allemand poursuit une seule obsession : « Nous avons un mois devant nous avant que les Russes aient fini de mobiliser, si nous ne profitons pas de ce laps de temps pour écraser la France, nous serons battus par les Russes et les Français nous attaqueront ensuite. »

Au fond se retrouvent dans un miroir de poche toutes les peurs qui agitent l'Europe depuis plusieurs décennies. Les Russes ont peur des temps nouveaux, le tsar parce que ce sera la fin de l'autocratie, et les masses parce qu'elles redoutent les effets d'une économie de plus en plus complexe en contact avec l'étranger. Les Autrichiens ont aussi peur. Ils redoutent la mort prochaine du vieil empereur qui sert de rempart à l'idée de l'Autriche-Hongrie, ils craignent ces nationalités qui s'agitent de plus en plus et que l'on ne sait comment contenter, tels ces Hongrois qui ne cessent de faire du chantage à l'intérieur de la double monarchie pour réclamer toujours plus, et ils ont peur des terroristes bosniaques ou serbes qui menacent la sécurité publique. Les Français ont peur de l'Allemagne qui les a battus en 1870, leur a pris deux provinces, ne cesse de les humilier avec sa puissance économique, et qui d'une manière bien tangible les a fait reculer en 1905, lors de la crise de Tanger au Maroc, même si, ensuite, ils ont réussi à rétablir la situation. Ils haïssent le Kaiser, l'expression même de cette Allemagne menaçante contre laquelle leur presse ne cesse de se déchaîner. Les Anglais ont peur de perdre leurs routes commerciales vers l'Inde, l'absolue maîtrise de leurs colonies, de leurs comptoirs et de leurs belles affaires. Et ils sont en train de la perdre. Les représentants des entreprises allemandes de Leipzig ou de Stuttgart, qui vendent des lunettes ou des appareils mécaniques, font de bien meilleures conditions aux pays qui s'équipent. Ils disposent d'un système bancaire performant, utilisant un capitalisme bien plus dynamique que celui de l'Angleterre restée financière et boutiquière, spéculative et marchande. Les Anglais ont également peur d'une nationalité toute proche : ils n'arrivent pas à résoudre la question de l'Irlande qui persiste à s'agiter. Cette Irlande, c'est leur Pologne. Ils la dominent mais elle se soulève et ne cesse de réclamer plus d'autonomie. Ils aimeraient bien laver tout cela au grand torrent d'une guerre européenne où ils ne s'impliqueraient que de loin.

Mais ceux qui ont le plus peur, ce sont les Allemands. Comme un bébé robuste et surdoué mais trop vite grandi, qui n'a jamais suffisamment travaillé son raisonnement, et qui n'a fonctionné qu'au dressage, l'Allemagne prend pour vérités des illusions et des fantasmes. Au lieu de réfléchir calmement, elle s'appuie sur sa toute-puissance économique pour s'enfuir dans une utopie de légendes anciennes : le Saint-Empire ressuscité par la sidérurgie. L'Allemagne se croit encerclée, elle pense qu'il y a une conjuration entre l'Angleterre, la France et la Russie pour l'écraser. Et cette obsession de l'encerclement est partagée par toutes les opinions, même par les socialistes qui passeront sans trop d'états d'âme à la guerre, alors qu'ils étaient pourtant convenus avec les socialistes français, notamment lors d'un congrès à Berlin quelques années plus tôt, que le prolétariat saurait empêcher la guerre des capitalistes. La crainte de l'étouffement de l'Allemagne est la plus forte. Guillaume, pourtant instruit, avec un esprit délié, a trouvé cette excuse à ses manquements. S'il se trompe, s'il commet des impairs, c'est la faute des autres. Et comme « les autres », ce ne peut être le gouvernement qu'il a lui-même choisi, « les autres », ce sont ces étrangers qui enserrent l'Allemagne, cette république française qui a juré la fin des rois comme les rois eux-mêmes qui ont oublié qu'il est le plus brillant de leurs cousins.

Les déclarations de guerre et le jeu des alliances

Après l'attaque autrichienne en Serbie et la mobilisation russe, l'Allemagne franchit le troisième échelon qui conduira à la guerre. En effet, poussé par son état-major, Guillaume déclare brusquement la guerre à la Russie. À partir de ce moment-là, plus rien n'est contrôlable. Il le fait d'ailleurs avec une grande duplicité dans la mesure où l'ordre de mobilisation de l'Allemagne est déjà parti quand il envoie encore à Nicolas et à Alexandra des télégrammes invoquant leur cousinage, leur amitié, leurs liens d'affection et la nécessité absolue qu'ils demeurent calmes et tranquilles. Cette hypocrisie exaspère le tsar car Nicolas est un homme d'honneur qui ne supporte pas qu'on lui mente, surtout au nom de l'affection familiale, attitude qu'Alexandra partage d'autant plus aisément qu'elle s'est toujours méfiée de Guillaume. Lorsque d'une main il tient un télégramme de Guillaume les assurant de son affection éternelle et que dans l'autre il lit la nouvelle de la mobilisation allemande, Nicolas ne se fait plus d'illusion. Il sait que l'offensive allemande va se déclencher et qu'il ne peut plus rien arrêter. C'est là qu'intervient l'étonnante psychologie de la tsarine. Alexandra est une princesse de Hesse, c'est-à-dire qu'elle est née dans l'une des plus prospères et des plus riantes principautés allemandes, un de ces grands duchés que l'on dépeint toujours comme une sorte de confetti mais qui représente tout de même trois ou quatre départements français, avec une forte identité régionale. Elle y a vécu comme une princesse anglaise émigrée, selon l'éducation que lui faisait donner sa grand-mère Victoria. Mais quand même, elle est allemande. De plus, l'une de ses sœurs, Irène, dont elle est très proche, a épousé le frère du Kaiser. Donc, Guillaume est à la fois son cousin germain et son beau-frère. À partir de là, ceux qui n'aiment pas Alexandra, et Dieu sait s'ils vont devenir nombreux, vont lui construire une réputation à la Marie-Antoinette. Marie-Antoinette était « l'Autrichienne » pour les Français, Alexandra sera « l'Allemande », pour les Russes, celle qui ne veut pas la guerre et qui trahit au profit de son ancien pays et de son beau-frère Guillaume. Or rien n'est plus faux. Par son mariage la princesse anglo-allemande est devenue russe, fanatiquement, à un point tel que cela l'entraîne à tous les égarements nationalistes. Enfin, pour la part allemande qu'elle reconnaît encore en elle, elle est violemment hostile au Kaiser. Lors du voyage de plusieurs mois en Hesse, qu'elle a fait en 1910 avec Nicolas et ses enfants, elle a été très choquée de voir comme l'Allemagne s'est prussianisée sous l'influence du Kaiser. Alexandra est issue d'un grand duché qui se sent bien plus dominé par les Prussiens que véritablement confédéré de l'Empire allemand. Et si dans la famille Romanov une personne vibre encore plus que les autres à l'unisson de l'enthousiasme patriotique russe teinté d'orthodoxie et d'apostolat guerrier, c'est bien la tsarine. On comprend que Nicolas se sente cerné entre son haut état-major, ses ministres et sa femme, et qu'il a d'autant moins de raisons d'empêcher ce qui pourrait l'être encore, quand lui arrive la nouvelle de la déclaration de guerre allemande.

Pour l'entrée en guerre de la Russie, il reste des images émouvantes et impressionnantes de la venue du tsar et de la tsarine à Saint-Pétersbourg, qui deviendra bientôt Petrograd. On découvre une foule gigantesque brandissant drapeaux et banderoles proclamant le soutien à la Serbie sur la place du Palais d'hiver, devant laquelle le tsar se présente, frêle silhouette au balcon que rejoint celle entièrement vêtue de blanc, couronnée d'une aigrette, de la tsarine. Sur le balcon voisin se trouvent les ministres et les diplomates alliés, trop contents que la Russie se soit laissé entraîner et qu'il y ait donc un contrepoids puissant à la poussée prévisible des forces allemandes. Les films sont muets mais on croit entendre les chants patriotiques et le fameux « Dieu sauve le tsar », entonné par ces milliers de gens qui s'agenouillent sur cette place en attendant la bénédiction de Nicolas redevenu, l'espace d'un instant, « le petit père du peuple », le maître de la sainte Russie aux pouvoirs autant religieux que politiques. Nicolas semble légèrement confus comme un enfant qui voudrait être à la hauteur de la situation et qui serait inquiet. La scène se reproduit quelques jours plus tard, lorsque la famille impériale se rend à Moscou. Toutes les décisions importantes, tous les moments clés de l'histoire russe doivent se dérouler aussi à Moscou, le cœur de l'Empire. On voit donc aux actualités la dernière de ces processions où les Romanov, escortés par toute la cour, passent tout près des caméras, avec les grandes-duchesses et les ministres. C'est une image très émouvante parce qu'on sent un engouement délirant et totalement irrationnel pour la guerre. L'impératrice paraît extatique, tétanisée par cette vague d'enthousiasme et d'hystérie collective. On voit aussi Nicolas, toujours maître de lui, avec dans le regard une tristesse mélancolique, et puis, dans les bras d'un cosaque, le tsarévitch. Et c'est ce trio étrange qui s'avance vers la guerre : elle, fanatisée, lui, secrètement tourmenté, et l'enfant, malade, que l'on doit porter.

Les Allemands, le surlendemain du jour où ils déclenchent la guerre contre la Russie, déclarent la guerre à la France. La France n'est sans doute pas directement responsable de la guerre. Elle n'a pas « poussé les feux », comme dirait Poincaré. Mais son attitude n'est pas sans rappeler celle de l'Angleterre : elle a laissé faire avec une sorte de fatalisme hypocrite. En ne pesant pas de tout le poids de son alliance sur la Russie pour qu'elle sursoie à sa mobilisation la France a objectivement favorisé la guerre. On le reprochera plus tard vivement à Poincaré. Bien sûr, les armées françaises se sont tenues en arrière de la frontière pour éviter des incidents avec les Allemands ; bien sûr, on a veillé à assurer la protection des diplomates allemands alors qu'en Russie l'ambassade d'Allemagne a été pillée ; mais chaque fois les décisions ont peu à peu glissé vers l'état-major tandis que la presse se déchaînait contre l'Allemagne. Bref, les Français montent sans rechigner dans le train de la guerre. Ils connaissent les grandes lignes du plan des Allemands. Ils savent qu'ils vont se jeter sur eux avant que les Russes ne puissent rassembler leurs troupes, et qu'il ne faut plus perdre de temps. Reste une inconnue. Comment les Allemands vont-ils faire pour entrer en France ? Vont-ils attaquer par les cols des Vosges ? Passer par la Lorraine ? Les Allemands décident de traverser la Belgique, par la grande plaine ouverte sur le nord de la France. Guillaume a cru intimider les Français en leur lançant un ultimatum qui réclame Toul et Verdun, comme gages : « Je ne vous ferai pas la guerre si vous désarmez ces deux villes et si vous les laissez sous contrôle allemand. » Quand on sait à quel point les Français sont inconsolables de la perte de l'Alsace et de la Lorraine, on est confondu devant la provocation d'une telle demande ! C'est vraiment agiter un chiffon rouge pour faire monter en France l'agitation belliciste. Or il y a aussi une dimension révolutionnaire dans l'attitude de la France contre l'Allemagne. La République s'est définitivement enracinée sur le terreau amer de la défaite de 70 : il ne lui manque plus que la revanche. Déjà se dessine l'un des thèmes essentiels du conflit : la guerre des démocraties contre les régimes autocratiques, de la république contre le despotisme, avec cet extraordinaire paradoxe que le plus autocratique des régimes, la Russie, est précisément dans le même camp que les démocraties. On comprend d'autant mieux que les démocraties se soient si facilement et si ingratement accommodées de la disparition de cette Russie autocratique lorsqu'elle a été frappée par la révolution, permettant de clarifier définitivement le partage des rôles entre les bons et les méchants.

On a toujours montré l'entrée en guerre comme un grand déferlement d'enthousiasme ; de chaque côté, des masses inconscientes se précipitent la fleur au fusil vers l'apocalypse sans rien présumer de ce qui les attend, ce qui est somme toute compréhensible puisque on ne sait ce qu'est une guerre moderne. C'est à la fois vrai et faux. C'est vrai en Russie où l'exaltation est générale et où l'homme le plus inquiet est sans doute le tsar, c'est-à-dire à peu près le contraire de ce qu'a dit la propagande soviétique pendant soixante-dix ans ! C'est vrai, aussi, en Allemagne, mais plus en Prusse qu'en Bavière et plus dans les grandes villes que dans les campagnes. C'est vrai en Autriche, mais moins dans les pays slaves, bien que ces nations réputées si difficiles à manier pour l'Empire, se soient engagées sans réticence : Tchèques et Ruthènes, Croates et Polonais, Roumains, voire même Italiens enfermés dans l'Empire, tous sont allés sous les drapeaux de la dynastie des Habsbourg. Et cependant à travers toute l'Europe bien des esprits mieux informés gardent une image angoissante des guerres balkaniques récentes qui ont été très meurtrières, et dans les faubourgs ouvriers des grandes métropoles c'est avec une morne résignation que l'on s'enrôle. Bien que gagné par la propagande, le cinéma d'actualités montre aussi des foules silencieuses, des femmes qui pleurent, des soldats aux visages fermés. En France, il y a, bien sûr, des manifestations patriotiques sur les boulevards mais il y a aussi dans les banlieues ouvrières des gens qui résistent et qui désertent, et Jaurès, qui tente éperdument d'arrêter l'engrenage, avant d'être assassiné le 31 juillet par un déséquilibré peut-être manipulé par des bellicistes.

Reste l'Angleterre. L'Angleterre aurait pu servir de dernier recours. Mais elle ne fait rien, elle n'est pas assez ferme pour faire reculer l'Allemagne, pas assez neutre pour inciter la France à la prudence. Sir Édouard Grey, le ministre des Affaires étrangères anglais – un homme charmant qui connaît tout sur les oiseaux, qui cultive les fleurs de son jardin, passe ses week-ends dans un cottage délicieux et travaille trois heures par jour –, n'impose aucune attitude tranchée au gouvernement britannique et à ses ambassadeurs. Il court après sa conférence alors qu'elle est impossible à tenir. Mais, avec l'invasion de la Belgique, cette attitude n'est plus tenable. Désormais les Anglais sont coincés. Eux qui répugnent à signer des traités pour ne pas avoir les mains liées, sont quand même les garants de l'intégrité de la Belgique. Ils sont bien obligés de respecter leur parole. Et puis la Belgique aux mains des Allemands est un revolver pointé sur la Grande-Bretagne. Alors les Anglais cèdent et, le 4 août, ils rejoignent la France et la Russie. C'est une entrée peu glorieuse puisque tardive ; elle ne servira pas à soulager véritablement l'effort allié, alors qu'elle n'a fait qu'aggraver le sort de la paix. C'est ainsi que s'achève le beau mois de juillet 1914 où l'Europe a profité, dans la plus totale inconscience, d'un merveilleux début d'été.

2

LE SYSTÈME VICTORIA

Lorsque la reine Victoria fête ses soixante ans de règne, en 1897, elle est certainement la souveraine qui bénéficie du plus grand prestige au monde. Son règne couvre quasiment tout le siècle, puisqu'elle est devenue reine en 1837 au large d'une Europe organisée par le chancelier autrichien Metternich depuis le congrès de Vienne en 1815. Victoria est non seulement reine d'Angleterre, mais impératrice des Indes, depuis que le ministre conservateur Disraeli l'a persuadée d'accepter cette couronne, et la puissance anglaise est solidement installée sur les cinq continents, veillant jalousement à la protection de ses lignes de communication. Il lui faut, à la fois, assurer la route des Indes, donc dominer la Méditerranée et le Moyen-Orient et tenir les côtes de l'océan Indien en Afrique. La puissance de Victoria est, en fait, celle de l'Angleterre, car son pouvoir personnel est beaucoup plus symbolique.

Victoria est souveraine constitutionnelle. Elle en est très fière. Elle considère que le système anglais est le meilleur du monde. Ses relations avec ses Premiers ministres sont empreintes de majesté et elle revendique trois prérogatives essentielles, « être informée, pouvoir encourager et mettre en garde », auxquelles elle se limite. Ce système marche très bien. Elle règne avec éclat, et les politiques gouvernent. Ce qui ne l'empêche pas d'entrer en conflit avec certains de ses ministres et d'avoir des inclinations marquées pour d'autres. Ce n'est un secret pour personne qu'elle a de loin préféré Disraeli à tous les autres. Disraeli est un artiste de la politique, aventureux et romanesque qui traite la reine avec une déférence charmeuse et dont elle lit et relit les notes amusantes avec une délectation juvénile. Victoria éprouve à son égard une faiblesse quasi amoureuse, comme celle qu'une grande dame pourrait ressentir à l'égard d'un marlou un peu trouble mais émouvant et protecteur. En revanche, le froid, raisonnable, autoritaire et désespérément correct Gladstone, chef du parti libéral, l'ennuie et l'insupporte sans qu'elle en fasse mystère.

Son règne a connu des hauts et des bas qui préfigurent étonnamment celui de la reine Elizabeth aujourd'hui. Quand son mari qu'elle adorait, Albert de Saxe-Cobourg, meurt, bien qu'elle soit encore jeune elle s'enferme dans un veuvage rigoureux, assorti de toutes les obsessionnelles représentations morbides courantes à l'époque. Elle se fait photographier avec ses enfants devant son buste, elle lui consacre de nombreux mémoriaux, elle évoque son souvenir constamment. Cette théâtralité démontre un peu plus comme la notion de morale victorienne est souvent mal interprétée. On croit qu'elle ne plaide que pour l'effort, la pudeur, le refoulement inflexible des passions, une sévère vertu qui bannirait le corps et ses plaisirs et dont la bourgeoisie conservatrice serait totalement imprégnée. Loin de là, l'attitude victorienne est bien plus complexe. La reine laisse clairement entendre qu'elle a été comblée par ce mari si beau et si intelligent qui devait certainement exercer sur elle une attirance physique très forte, autant qu'un ascendant intellectuel considérable. Les photographies, d'ailleurs, montrent bien comme cet homme était beau, avec une physionomie ouverte et intelligente, tandis que Victoria paraît grise et sans grâce à ses côtés, avec tout de même un air de contentement marqué ; celui d'avoir mis la main sur un mari si séduisant. Pendant les premières années de son veuvage où elle demeure dans une quasi-réclusion volontaire, une partie de la classe politique anglaise et de l'opinion se détache d'elle, considérant qu'elle ne fait plus son travail de reine et qu'il ne sert à rien de financer à grands frais une monarchie absente. On reste stupéfait de voir la violence des attaques de la presse à ce sujet et le cynisme avec lequel elle traite la famille royale. L'un des principaux journaux titrera, lors de la naissance d'un prince dans la famille royale : « Encore un malheur pour l'Angleterre ». Et quand le prince meurt le lendemain de sa naissance : « L'Angleterre délivrée d'une nouvelle catastrophe ». Et personne ne songe à saisir le journal...

La longévité de son règne permettra quand même à Victoria de venir à bout de ces critiques en même temps qu'elle finira par se laisser convaincre par ses Premiers ministres de revenir sur le devant de la scène. Mais celle qui réapparaît n'est plus la Victoria dont les Anglais se souvenaient. La petite femme laide, un peu boulotte mais fraîche, avec un sourire agréable et beaucoup de vivacité d'esprit à défaut d'intelligence, est devenue une sorte de champignon à coiffe blanche qui ne se déplace qu'avec grande difficulté, et morigène ceux qu'elle appelle « ma famille », « mes ministres », « mon peuple » avec une redoutable autorité. Cette métamorphose en fait une figure immuable et mythique, le caractère même de la couronne anglaise, incarnation à la fois spectaculaire et rassurante de l'idée que les Anglais se font alors de leur droit quasi mystique à régenter le monde.

Dans sa vie privée, Victoria est aussi bien plus intéressante qu'on ne l'a dit en voulant simplifier les choses. Victoria est une hyperactive qui, même lorsqu'elle n'apparaissait plus, continuait à exercer ses prérogatives sur ses ministres. C'est aussi une épistolière infatigable qui bombarde ses enfants, ses petits-enfants, ses arrière-petits-enfants de longues lettres fourmillant de considérations sur la politique, la vie familiale, comme sur les nécessités de s'amender pour les uns, les marques de son contentement et les récompenses qu'elle réserve aux autres. D'une certaine manière, elle considère que ce n'est pas uniquement l'Angleterre ou l'Empire qui relèvent de sa sphère d'influence mais le monde entier, à travers les familles royales auxquelles elle est apparentée. En somme, Victoria n'exerce pas directement le pouvoir, mais elle le représente et le personnifie avec l'ambition d'une dimension planétaire.

Les fêtes du jubilé sont extraordinaires. L'Angleterre tout entière organise des cérémonies triomphales. Comme Victoria ne peut pratiquement pas bouger de sa voiture attelée, le grand office d'action de grâces qui doit se tenir à la cathédrale Saint-Paul de Londres se déroule en fait sur le parvis. Elle reste dans sa calèche, et sa fille Béatrice ne se prive pas de remarquer qu'il est un peu gênant d'être obligés de célébrer une fête si exemplaire dans la rue. Mais c'est une chance pour nous puisque les caméras du cinéma qui vient de naître filment cette journée et qu'on voit très distinctement Victoria dans la voiture, accompagnée de sa belle-fille Alexandra et de Béatrice, celle de ses filles dont elle n'a jamais consenti à se séparer. Béatrice n'obtint d'ailleurs le droit de se marier qu'après plusieurs mois de brouille avec sa mère, où les deux femmes communiquaient en s'écrivant des billets au petit déjeuner. L'autorisation fut finalement accordée sous réserve que l'heureux élu vienne vivre avec sa morose belle-mère. Il tint vaillamment quelques années à ce régime austère, avant d'aller se faire tuer aux colonies, comme on saute d'un corbillard en marche.

À l'exception de la France, république bourgeoise où subsiste un fort courant monarchiste, et de la Suisse ou de Saint-Marin qui n'ont pas un grand poids sur l'échiquier international, toute l'Europe politique fonctionne sous forme de monarchies et une grande partie des souverains procèdent du système victorien par un cousinage naturel. La famille de Victoria possède de surcroît encore un fort enracinement germanique par les anciens rois de Hanovre, ses ancêtres, ou par les Saxe-Cobourg-Gotha à travers Albert ; et sans cesse de nouveaux mariages rappellent les liens qui unissent Victoria aux multiples États allemands.

Victoria a veillé attentivement aux mariages de ses enfants. Seul un de ses fils qui était hémophile a fermement insisté pour suivre son inclination, et elle n'a pas insisté, tant elle avait peur pour sa santé, pour lui faire faire un de ces mariages prestigieux qu'elle exigeait de tous ses autres enfants. De fait, il s'est quand même marié avec une princesse allemande avant de mourir à trente ans. Curieusement ce premier cas d'hémophilie n'a pas attiré l'attention de qui que ce soit. Personne ne savait ce qu'était cette maladie et ne s'est demandé si tous ces mariages que Victoria organisait à travers l'Europe ne risquaient pas d'étendre les ravages du mal à toutes les familles royales. Lorsque Victoria fête son jubilé, aucune conséquence de cette propagation de la maladie dont elle est porteuse ne s'est encore fait sentir à l'exception de son fils et d'un petit-fils en Hesse qui est mort mystérieusement en tombant de la fenêtre du rez-de-chaussée. Une thèse a été soutenue récemment par des chercheurs britanniques selon laquelle Victoria serait en fait une enfant naturelle, parce que dans la famille de son père et de sa mère il n'y a aucun cas d'hémophilie parmi les ascendants. La mésentente de ses parents étant de notoriété publique les chercheurs en ont conclu qu'elle serait peut-être la fille d'un inconnu qui aurait apporté le gène de la terrible maladie. Cette hypothèse a suscité une certaine agitation en Angleterre où l'on aurait désormais tendance à soupçonner d'inconduite même les ancêtres de la famille royale !

La famille de Prusse est directement apparentée au couple que formaient Victoria et son mari, Albert de Saxe-Cobourg. Leur fille aînée, Victoria dite Vicky, a épousé en 1858 Frédéric, prince héritier de la couronne de Prusse, devenu en 1871 l'héritier de la couronne d'empereur allemand. Ce mariage a beaucoup plu à Victoria parce que l'Allemagne est un pays de proches cousins. Prussiens et Anglais font encore plus nettement partie du même monde en pratiquant la religion réformée. En fait ce ne sont là qu'apparences et similitudes superficielles comme l'avenir le démontrera rapidement. Victoria est très fière de sa fille aînée qui a hérité de l'intelligence d'Albert et qui, bien qu'étant petite comme elle, a un physique agréable. Elle admire cette fille cultivée, curieuse d'esprit et qui se préoccupe aussi de la politique. Vicky est une princesse active, lisant les journaux et s'intéressant autant à l'évolution sociale qu'au fonctionnement parlementaire et à celui des relations internationales. Son mariage n'aura d'ailleurs connu aucun orage. En fait, Vicky a pris son mari sous son emprise, et le prince prussien, un homme doux et rêveur, extrêmement peu à l'aise dans l'univers militaire et rude de la Prusse, éprouve une vénération absolue pour sa femme qu'il juge remarquable. Elle l'est à bien des titres, même si sa trop forte personnalité contribuera finalement à l'isoler des austères Prussiens et à faire de sa vie un destin raté. Victoria pour sa part est très attentive à ne pas intervenir dans les affaires de la Prusse. En Prusse règne le vieux roi Guillaume, le triomphateur de Napoléon III, qui a fait renaître de ses cendres le Saint Empire romain germanique sous la forme de cet Empire allemand qui n'est plus uni par les liens mystiques du Moyen Âge mais par les liens tout aussi forts de la victoire militaire et de la puissance industrielle en plein essor. Victoria est bien trop prudente pour s'immiscer dans les affaires d'un régime en pleine ascension comme celui-là, même si le roi Guillaume est finalement, un peu comme elle, beaucoup plus le paravent que le moteur du véritable régime politique qui existe dans le pays. En effet, le pouvoir en Allemagne est entre les mains du chancelier Bismarck. C'est cet homme de fer qui a tout manigancé depuis que le roi Guillaume de Prusse l'a appelé au pouvoir alors que la révolution menaçait : Bismarck a forgé l'empire d'Allemagne en écartant à tout jamais l'Autriche de la sphère allemande et en écrasant la France.

Or, Vicky se retrouve dans la Prusse et l'Allemagne de Bismarck, bien plus que dans celles du roi Guillaume ou de son fils, le doux Frédéric, qu'elle a épousé et qu'elle aime. Elle a bien du mal à s'adapter à la rudesse de la vie prussienne. La cour de Berlin est provinciale, presque rustique, le vieux roi Guillaume porte toujours un manteau râpé, vit très simplement et tout paraît terne et ennuyeux à Vicky dans des palais immenses et glacés. Elle essaie d'y imposer un mode de vie anglais, de doter son propre palais d'un confort moderne, d'y faire pénétrer l'amour de la nature et de la « country life », mais c'est sans espoir et même cela se retourne contre elle. La jeune puissance toute fière de son nationalisme, sur laquelle Vicky est appelée à régner un jour, n'est pas prête à accepter l'anglomanie de la princesse héritière. La jeune femme est donc sourdement isolée, rejetée par la société prussienne et elle en souffre parce qu'elle perçoit l'abîme qui existe en fait entre son pays d'adoption et sa culture d'origine. Ce divorce de plus en plus net jouera un rôle très important dans ses relations avec ses enfants et notamment avec son fils aîné, le futur Kaiser Guillaume.

Cette situation est aggravée par ses rapports détestables avec le chancelier Bismarck. Comme par un enchaînement naturel, la princesse Vicky et son mari Frédéric sont libéraux. Ils ne cessent de se heurter au système bismarckien, sorte de dictature militaire tempérée de paternalisme. Bismarck a bien conscience de la guerre d'usure que le jeune couple entretient contre lui, mais il sait aussi qu'ils ne sont pas de taille. Néanmoins, il va les tenir très serrés, les espionner, faire courir toutes sortes de rumeurs sur la princesse héritière, anticiper tous leurs mouvements et les abaisser en toute occasion. Sous l'apparence d'un fonctionnement monarchique impeccable où toute la cour de Potsdam serait censée marcher à l'unisson, se cache la mécanique formidable de l'Empire allemand comme celle d'une locomotive lancée à toute vapeur dont Bismark serait le mécanicien, l'empereur Guillaume une sorte de contrôleur sans pouvoir, et parmi les passagers, trimbalés, bringuebalés, sans avoir même la possibilité de tirer le signal d'alarme, Vicky et Frédéric. Guillaume tient son fils écarté de toute décision politique, et quand bien même il voudrait l'associer un peu plus à la vie du pays, il ne le pourrait pas car Bismarck lui poserait immédiatement la question de confiance. Que peut faire un militaire vénérable chargé d'ans et de victoires, mais peu au fait de la politique, en même temps homme d'honneur plein de reconnaissance, contre le chancelier machiavélique qui a permis à sa maison d'atteindre une gloire éclatante ?

Les années passent. L'empereur est très âgé maintenant et la princesse Vicky et Frédéric pensent qu'ils hériteront bientôt de cette admirable « affaire » qu'est l'Allemagne et qu'ils pourront, à ce moment-là, lui donner la direction qu'ils souhaitent en écartant Bismarck. Or si Guillaume a plus de quatre-vingts ans, ce vieux soldat jouit d'une santé de fer. Il mène des revues et des parades par un froid plus que germanique, à cheval, sans paraître le moins du monde fatigué ou incommodé. C'est comme si Bismarck était derrière lui à lui insuffler une part de son énergie. Alors les princes héritiers attendent, animés d'un sentiment peu chrétien qui les trouble car ils n'ont pas uniquement des pensées petites-bourgeoises d'héritage comme Bismarck feint de l'imaginer. Habités par le rêve d'une Allemagne humaniste et paisible comme par l'ambition de réaliser cette utopie, ils sont bel et bien pris au piège, se dépensent inutilement, s'épuisent et s'étiolent.

La jeunesse du futur Kaiser Guillaume

Plusieurs enfants sont nés. Le premier est celui qui deviendra l'empereur Guillaume. Cet héritier est à la fois un argument, un atout pour la conquête du pouvoir et se révélera très vite un danger, une rivalité, une menace. Or, dans ce contexte, survient le drame même de Guillaume II. Malgré la demande de Vicky, qui voulait suivre l'exemple des accouchements au chloroforme de sa mère, sa délivrance est confiée à des médecins prussiens. Pour des raisons psychologiques car elle n'est pas prête à se mettre entre les mains de médecins en qui elle n'a pas confiance, ou naturelles car elle est d'une complexion fragile, l'accouchement est catastrophique, un véritable cauchemar. Confrontés à la question qui a agité des générations et des générations de familles bien-pensantes : « Faut-il sauver l'enfant ? Faut-il sauver la mère ? », les médecins choisissent finalement la mère et négligent l'enfant. Ils le font naître en le disloquant littéralement, avant de le remettre, en le regardant à peine, à des nounous sans beaucoup d'imagination, alors qu'il est difforme, mutilé par les fers, avec le bras gauche à moitié arraché. Il faudra plusieurs jours avant que l'on se rende compte que ce bras demeure inerte. Il va ensuite plus ou moins se ressouder au prix de traitements à l'électricité qui tortureront l'enfant mais il restera atrophié, incapable de se mouvoir librement et avec une main qui peut à peine esquisser un mouvement. Cette blessure a des conséquences psychologiques immenses. D'abord sur la princesse Vicky, qui n'admet pas avoir donné naissance à un enfant infirme et qui vivra le handicap de son fils avec un mélange d'exaspération, de remords pour sa propre attitude et d'extrême répugnance. Elle surmonte mal le sentiment de dégoût que suscite cet enfant avec son vilain petit bras malade qu'il est obligé de porter avec l'autre bras qui deviendra, lui, d'une puissance phénoménale. Il n'est pas impossible qu'elle voie dans le bras meurtri de son fils comme un reflet de sa propre situation. Elle devait être l'impératrice d'Allemagne, la plus brillante, la plus remarquable, compte tenu de ses dons indéniables et de la haute estime qu'elle a d'elle-même et elle se retrouve princesse marginalisée, espionnée par le chancelier, sans aucune influence sur le cours des choses et donnant naissance à un infirme. En somme, elle est atrophiée comme Guillaume. De ce fait, il lui est insupportable, et d'autant plus qu'elle se reproche évidemment sa propre attitude.

L'enfant hérite des qualités de sa mère, de son intelligence, de son ouverture d'esprit, de son appétit de savoir et de son ambition. Il est de surcroît animé d'un énorme amour à son égard. Guillaume, le Kaiser, aura adoré sa mère. Il l'aura d'autant plus aimée qu'elle le rejette et le repousse. Ainsi affronte-t-il son handicap et le drame qu'il fait peser sur ses relations avec sa mère comme une épreuve surhumaine dont il lui faut absolument triompher. Et il retire de ce combat une volonté et une énergie exceptionnelles. En même temps il veut être à la mesure de la gloire militaire de son grand-père, qui représente tout ce dont un enfant peut rêver en termes de grandeur et de gloire face à sa mère qui le repousse. Il devient un excellent nageur, un très bon danseur, un escrimeur, et surtout il apprend à monter à cheval, alors que le fait de ne pouvoir disposer que d'un bras lui pose d'énormes problèmes d'équilibre. Il triomphe de toutes ces épreuves au point que l'on oubliera plus tard, quand il sera empereur, le drame de son bras. Il est frappant de voir à quel point il aura réussi à dissimuler son infirmité. Lorsque l'on regarde les films, les photos de Guillaume, il est difficile, si on l'ignore, de se rendre compte qu'il a un tel problème à résoudre en permanence. Or sa main inerte est toujours dans sa poche ou posée, immobile, sur le pommeau d'une épée. Une partie des attitudes théâtrales, martiales, superviriles et militaires, adoptées par Guillaume tout au long de sa vie, et qui susciteront tant de caricatures et de sarcasmes est sans aucun doute due au désir d'en rajouter dans l'expression de la puissance et de la maîtrise de soi, de manière à effacer le complexe du bras. Il ne le sera en définitive jamais, enfonçant Guillaume dans de dangereux délires de gloire qui pèseront très lourd pendant son règne. Si le nez de Cléopâtre a influencé, paraît-il, le cours de l'histoire, le bras de Guillaume a joué un rôle capital dans les événements de la première partie du siècle.

Dans la difficile relation entre la mère et le fils, advient ce qui était prévisible. À force de vouloir obtenir l'amour de cette mère qui lui ressemble par tant de côtés et de ne pas y parvenir, Guillaume nourrit à son égard des sentiments de plus en plus agressifs. Amour et haine s'enchaînent, s'entraînent l'un l'autre, avec une violence accentuée au fur et à mesure qu'il devient lui-même un personnage important, l'héritier en second que chérit son grand-père. Dans ses mémoires, qu'il écrit après la mort de sa mère, il parle beaucoup d'elle, avec une grande douceur, comme si enfin il l'avait pour lui tout seul. Il la décrit telle qu'il l'aimait, intelligente, cultivée, brillante. On sent tout l'ascendant qu'elle exerçait sur lui. En même temps, à partir de l'adolescence, il devient un fils infernal, Néron face à Agrippine, trouvant toutes les occasions de la rabaisser et de lui faire du mal et se vengeant de son comportement par tous les moyens possibles : évidemment, en se rapprochant de Bismarck, mais aussi en provoquant sans cesse des scènes auxquelles son père si fragile ne peut résister. Car Guillaume le mal aimé, qui s'est affirmé tout seul contre un sort funeste, est devenu d'un orgueil incommensurable...

Il en résulte également cette attitude dangereusement ambivalente qu'il adoptera à l'égard de l'Angleterre, mélange de fascination et de détestation à l'image des relations qu'il entretient avec sa mère. En fait, au fond de lui-même, Guillaume paraît regretter de ne pas être né anglais. Sa vie sera marquée d'une rage constante contre l'Angleterre, d'un désir éperdu de l'égaler, de la battre là où elle est triomphante, de la conquérir, au sens littéral.

Tous les éléments de sa petite enfance façonnent sa personnalité. Or, sa mère, malgré sa répugnance à son égard, lui est aussi étrangement soumise. C'est un jeu de vases communicants, car au fur et à mesure qu'il devient le monstre filial qui en viendra à la torturer moralement, elle subit cette soif de domination avec un certain envoûtement comme s'il était cet homme de la famille auquel elle voudrait s'arrimer, face au doux et tendre Frédéric. D'autant plus que, hormis son infirmité, Guillaume est devenu très beau et qu'elle retrouve en lui ses propres qualités. Les lettres de Vicky à la reine Victoria ne sont qu'une suite de récriminations contre son horrible fils qui multiplie les éclats, les scandales publics, les caprices à son encontre, et qui est en même temps devenu un jeune prince aux grandes capacités. Il y a dans ces lettres pleines d'acrimonie et de rébellion contre celui qui la fait souffrir une sorte d'admiration qui s'inscrit entre les lignes.

Enfin, pour aiguiser le caractère passionnel de leur relation, arrive le grand jour de la mort de l'empereur allemand. Le vieux Guillaume remet son âme au Dieu des militaires, à quatre-vingt-dix ans. Pour la princesse héritière et le Kronprinz Frédéric, ce pourrait être, enfin, l'heure de faire leurs preuves si, par un mélange de causes psychosomatiques et de hasard malfaisant, ce nouvel empereur n'était atteint d'un cancer dans sa phase terminale. Frédéric de Prusse souffre d'un cancer de la gorge depuis un an, qui a été mal diagnostiqué et mal soigné. Comme cela arrive dans les familles où les gens s'entendent mal, c'est aussi l'occasion de drames internes particulièrement violents, Guillaume reprochant à sa mère d'avoir imposé un traitement suggéré par des professeurs anglais alors que, selon lui, des médecins prussiens auraient sauvé son père. En tout cas, le règne de l'empereur Frédéric n'est que le récit d'une atroce agonie. Il est à San Remo, essayant de retrouver un peu de souffle au soleil de la Riviera italienne quand il apprend qu'il est devenu empereur allemand. Il nous reste des images, sur des estampes, de son retour sépulcral à Berlin par un froid terrible et une tempête de neige. C'est un mourant que l'on ramène. Un mourant qui vient pour hériter d'une couronne tant attendue et pour la partager avec une femme ambitieuse alors qu'ils ne peuvent en fait déjà plus l'assumer. Toute la prometteuse histoire allemande de la princesse Vicky s'achève prématurément par cette tragédie : mépris de l'Allemagne, maladie de son mari, méchanceté de son fils, et bientôt retraite et solitude. À l'heure où meurt le vieil empereur ce ne sont déjà plus Frédéric ou Vicky qui sont importants, mais le petit-fils, l'homme clé de l'Empire allemand – tout le monde préparant la prochaine succession. On imagine avec quelle avidité le bouillant jeune homme se saisit de l'occasion pour régler tous les comptes de sa neuve existence.

Malgré son attitude ambivalente, Vicky a veillé très attentivement à l'éducation de son fils. C'est au moins un domaine dans lequel elle a pu faire valoir ses idées très modernes. Les Saxe-Cobourg-Gotha sont des éducateurs de qualité. Albert avait été bien élevé, au fait de la pensée libérale, aimant lire, voyager et se cultiver, et il avait su transmettre ses qualités de pédagogue à sa femme Victoria. Ils ont ainsi suivi de très près l'éducation de leurs enfants ; Vicky est elle-même pétrie de principes pédagogiques étonnamment audacieux pour l'époque. Elle confie son fils à un précepteur implacable, un homme sec, froid, qui n'est pas tendre avec l'enfant bien qu'il lui porte au fond beaucoup d'amour soigneusement dissimulé ; Vicky l'a choisi parce qu'elle sait qu'il ne le traitera jamais en infirme mais comme un enfant normal. Le précepteur encourage ainsi son désir de dépassement. Dans ses mémoires, il raconte les premières leçons d'équitation, les chutes constantes, les souffrances infinies. Mais, au bout du compte, ce traitement à la dure était ce dont l'enfant avait sans doute besoin et le résultat obtenu le rendra très reconnaissant à l'égard de celui qui contrôlait son éducation. Avec le temps, une relation d'amitié virile est d'ailleurs née entre eux et de nombreuses pages des mémoires de Guillaume racontent leurs promenades, et comment ils se retrouvaient bloqués par la pluie en pleine campagne, se mêlaient aux paysans, aux ouvriers des faubourgs. À l'initiative du précepteur et de sa mère, Guillaume fait des stages chez un maréchal-ferrant, dans des boutiques, autant de choses invraisemblables dans le contexte des familles royales de l'époque. Vicky souhaite que son fils connaisse beaucoup plus précisément la situation sociale que ne le fait l'ensemble des princes de ce temps. De la même manière, elle arrache au vieil empereur allemand l'autorisation que Guillaume et son frère Henri, qui sera toujours sous la coupe de son aîné, aillent ensemble au lycée, ce qui était également inimaginable à l'époque.

Évidemment, la tradition militaire prussienne a aussi une importance considérable dans l'éducation de Guillaume. C'est dans l'univers de l'armée, qui lui offre l'occasion de ce dépassement constant de lui-même, qu'il se sent le plus à l'aise. La Prusse en pleine ascension, qui a battu la France et l'Autriche, exalte ainsi les rêves héroïques de l'adolescent et il pensera d'ailleurs bientôt qu'il manque à son pays une véritable dimension maritime. Quand il rend visite à sa grand-mère Victoria, il dort sur des bateaux anglais, et il lui arrive de faire des stages dans la marine britannique : ce sont, pour lui, des moments merveilleux dont il revient avec un sentiment d'enthousiasme doublé d'une jalousie féroce.

C'est là où l'on bute sur les limites fondamentales du caractère de Guillaume. En fait, ce garçon, qui malgré un début si difficile a su développer beaucoup d'atouts, se contente de ce qu'il a acquis sur lui-même et en retire un égocentrisme et un penchant pour la fanfaronnade qui renforceront sa mégalomanie. Or il n'est pas impossible que ces défauts soient aussi ceux de sa mère, parce que, si Vicky n'a pas tenu ses promesses, c'est parce qu'elle en est en partie responsable. Si elle ne s'est pas adaptée à l'Allemagne, si elle n'a pas réussi à contourner ou à séduire Bismarck, si elle n'est pas parvenue à surmonter la répugnance que lui inspirait son fils, c'est aussi parce qu'elle a une trop forte idée de ses propres capacités. Elle est intellectuelle mais avec dilettantisme, curieuse et cultivée mais sans jamais approfondir ni aller jusqu'au bout de ses élans, peintre de talent qui n'a jamais véritablement construit une œuvre, épistolière brillante mais irrégulière. Tous ces inachèvements, elle les lègue à son fils qui devient empereur d'Allemagne en ayant l'impression de pouvoir dominer le monde entier comme il a dominé son infirmité, et construit sa personnalité. De ce fait, son caractère séduisant mais dangereux se dévoile lorsqu'il se retrouve dans un système où personne n'a la force ni la volonté de lui résister.

Or, personne ne résiste au Kaiser et surtout pas sa femme, la fade et bonasse Augusta-Victoria de Schleswig-Holstein qu'il épouse peu après ses vingt ans. C'est une règle de marier très jeunes les princes de familles royales. On redoute comme la peste les liaisons avec des femmes légères ou ambitieuses qui apporteraient la mésalliance, le désordre, la maladie même en ces temps où les affections vénériennes sont courantes. Guillaume n'échappe pas à cette règle. Il a éprouvé, tout jeune, une inclination amoureuse pour une de ses cousines, une petite-fille de Victoria, Élisabeth de Hesse. Elle était certainement l'une des plus belles femmes de son temps, un être comme on en rencontre rarement par l'élévation de la pensée, le rayonnement et le charisme extraordinaire. Mais Élisabeth n'a pas eu envie d'épouser Guillaume car elle l'a trouvé impoli, agité, brouillon, trop bruyant. Par dépit et pour régler le problème comme on arrangerait une affaire, Guillaume a donc épousé une princesse de Schleswig-Holstein, ce qui est nettement moins brillant. Le Schleswig-Holstein est une région triste et froide, où on a l'impression de vivre un siècle en retard de tout ce qui se passe ailleurs dans l'Empire. Augusta-Victoria est une brave, grosse fille, plutôt laide et dévote, qui ne connaît pratiquement rien du monde, qui se laisse épouser sans aucune résistance et qui va éprouver envers son bouillonnant jeune mari une passion qui ne s'éteindra jamais. En tout cas, ce n'est pas elle qui sera un obstacle pour Guillaume. Elle lui beurre ses tartines le matin en confiant que c'est le plus grand bonheur de sa vie et, pour le reste, elle élève docilement et selon ses préceptes la ribambelle d'enfants qu'il lui fait, au rythme d'un tous les dix-huit mois : Augusta Victoria est le modèle de la ménagère allemande idéale, à la cuisine, à l'église et au foyer, telle que Guillaume veut le promouvoir avec la bénédiction machiste des conservateurs prussiens.

Le monde bismarckien

La seule personne qui pourrait tenir tête à Guillaume, c'est le chancelier Bismarck. À vingt-neuf ans, Guillaume est fondamentalement immature, et il se comporte avec Bismarck comme lorsqu'il était enfant et qu'il faisait des caprices. Toute la famille se racontait encore avec effroi la scène qu'il avait faite au mariage de son oncle, le prince de Galles. Il avait alors quatre ans, cela se passait en Angleterre, au milieu de toutes ses parentés royales. Sous l'œil horrifié de sa grand-mère Victoria, Guillaume avait mordu jusqu'au sang ses oncles qui avaient été chargés de le tenir comme on garrotte un individu malfaisant et, finalement, il avait fallu le sortir de l'église. Cette fois-ci, Guillaume est empereur d'Allemagne et c'est lui qui va sortir Bismarck.

Guillaume admire très sincèrement le chancelier. Depuis sa plus tendre enfance, il baigne dans l'exceptionnelle aventure de la saga bismarckienne. Quoi de plus enthousiasmant pour un enfant que l'action et l'œuvre de ce forgeron de l'histoire qui a fait naître l'empire d'Allemagne des parcelles éparpillées du monde germanique ? Le petit Guillaume si fluet, avec son bras malade et si désireux de devenir un homme fort était aussi évidemment sensible à l'apparence physique du prince de Bismarck, géant aux traits nobles de héros des épopées germaniques, force de la nature qui mangeait plusieurs poulets par repas et jetait les restes par-dessus son épaule, qui méprisait les intellectuels et les artistes et qui était cependant l'un des hommes les plus intelligents de son temps. Et quel meilleur exemple y a-t-il que l'homme qui fait de sa vie non seulement un roman, mais l'épopée de toute une nation ? Bismarck a tout apporté aux rêves de Guillaume. La gloire militaire, l'ivresse d'un monde en train de naître, la promesse d'un avenir radieux, et ce qui est déjà exaltant pour un enfant normal l'est évidemment d'une manière superlative pour l'enfant, l'adolescent, le jeune homme qui héritera de tout cela. Car le roi de Prusse, empereur allemand dans le système bismarckien, est à la fois au sommet et au centre du monde germanique.

C'est une admiration d'autant plus vive que le fait d'aimer Bismarck, chanter ses louanges, c'est aussi tourmenter sa mère. Bismarck, pour sa part, traite le jeune prince avec une condescendance amusée et il s'en sert assez rapidement comme un pion supplémentaire dans le jeu diabolique qu'il organise contre le couple que forment Vicky et Frédéric. En somme, il le manipule, se sert de ses sentiments et le flatte sans retenue. Il l'utilise notamment comme informateur pour ses espionnages, et Guillaume se prête volontiers à ce jeu sordide. Cependant, Bismarck a aussi quelques inquiétudes. Il trouve ce garçon trop agité et bouillonnant. Il passe par des périodes où son légitimisme fondamental lui fait apprécier les qualités du jeune prince, et à d'autres moments il le juge dangereusement imprévisible. Quand Guillaume devient empereur, le chancelier continue à exercer le pouvoir en son nom. Or Bismarck vieillit. Il n'a rien perdu de son acuité intellectuelle, de sa morgue et de la poigne avec lesquelles il traite les problèmes allemands, mais le sentiment de sa toute-puissance lui fait oublier sa méfiance coutumière. Il n'imagine pas que le jeune Kaiser pourrait se rebeller contre lui. Et la manière dont Bismarck gouverne est imprudente : il ne vient quasiment jamais à Berlin. Il se plaint constamment de maladies diplomatiques plus ou moins imaginaires pour rester dans sa propriété où il travaille peu, consacrant la plupart de son temps à raconter ses hauts faits à un entourage admiratif ou à se promener avec d'énormes dogues qui sèment la terreur dans tout le voisinage. Cela ne veut pas dire qu'il ait perdu le contact avec la politique et notamment avec les affaires internationales. Mais il traite le jeune empereur à distance respectueuse, sans guère le consulter, comme s'il était naturel que ce fût lui le maître.

Ainsi, Bismarck est loin, omniprésent mais loin. Tandis que Guillaume sillonne l'Allemagne dans tous les sens avec une boulimie de pouvoir, de faste et de théâtre, en ayant l'impression d'être en prise avec la réalité des choses. Et il constate que son empire sommeille, marqué par les années d'atonie de la vieillesse de son grand-père et par la terrible agonie de son père, l'empereur Frédéric.

Il est possible que Guillaume ait éprouvé du chagrin face au destin brisé de son père. Il veille à lui faire des funérailles magnifiques et à se réclamer très bruyamment de son exemple. Alors que tout le monde sait que le fils et le père ne s'entendaient sur rien. Avec sa mère, la séparation est brutale : Guillaume se saisit des archives personnelles de ses parents de peur qu'elles ne tombent en d'autres mains, et il contraint Vicky à quitter Potsdam. Elle vivra à la campagne dans une demeure dont elle ne sortira quasiment plus et où il viendra la voir, de temps à autre, alternativement doux et tendre, violent et vindicatif. Lorsqu'il est doux et tendre, sa grand-mère Victoria lui écrit pour lui dire qu'il est sur la bonne voie, lorsqu'il est vindicatif elle lui demande d'être un peu plus gentil avec sa mère. Mais désormais c'est à lui que l'on s'adresse pour décider du sort des autres.

Or l'Allemagne est sans doute lasse de la semi-dictature imposée par Bismarck. Elle se laisse prendre à l'élan, au dynamisme, à la jeunesse du prince qui vient d'hériter d'elle, et qui reprend sous une forme imagée toutes les aspirations qu'elle ressent. Il y a à l'égard de Bismarck en Allemagne un peu le sentiment que l'on a pu éprouver, en France, à l'égard de de Gaulle. C'est un grand homme, on lui doit énormément, mais il vit dans un autre monde et dans un autre temps. Et Guillaume sent cela et il veut le pouvoir.

Il faut être très habile pour succéder à Bismarck et notamment dans le domaine de la politique étrangère. Bismarck a mené ses guerres comme des opérations chirurgicales, et son impérialisme n'est militaire que par besoin. En fait, le système bismarckien fleurit surtout à travers la paix. Il n'aura finalement commis qu'une seule grande erreur politique, celle de prendre l'Alsace et la Lorraine à la France. D'ailleurs, il l'a regrettée. Cette prise de guerre est un boulet et elle empêchera à tout jamais la réconciliation entre la France et l'Allemagne. Mais c'est trop tard maintenant. Il s'en console en mesurant comme son système de relations internationales en temps de paix est efficace. Il a réussi à obtenir que l'Allemagne soit au centre d'un jeu très compliqué dont il est le seul à détenir les clés et selon lequel la Russie, l'Autriche et l'Italie se retrouvent ses alliés. En somme, par ses mains, l'Allemagne exerce une primauté sur toute l'Europe, arbitre des puissances qui sont généralement hostiles les unes aux autres et qui, devant elle, font taire leurs différends. Cela demande une grande adresse qu'il exerce justement loin de Berlin, dans un calme propice pour réfléchir et ajuster patiemment des équilibres aussi instables.

L'éloignement de Bismarck, sa manie du secret et la complexité de ses manœuvres offrent à Guillaume l'occasion de s'en débarrasser. Guillaume considère que vouloir une alliance avec l'Autriche-Hongrie et la Russie, alors qu'elles sont rivales, assortie de tout un ensemble de clauses secrètes, est intenable. Il s'en sert contre le chancelier en réclamant de connaître toute la vérité sur ses engagements. Or Bismarck a du mal à se justifier auprès de l'opinion publique car il est exact que sa politique internationale est à la fois trop compliquée pour que les gens la comprennent, trop secrète pour qu'il la divulgue complètement et trop cynique pour qu'il se justifie en toute clarté. Et, à partir du moment où la crise éclate entre le chancelier et Guillaume, tout va très vite car Bismarck a le défaut de son grand âge : il est susceptible. Quoi ? Ce gamin vient se mêler au jeu si expérimenté des grandes personnes ? Eh bien, puisqu'il en est ainsi, qu'il se débrouille tout seul ! Et Bismarck démissionne sans qu'ils aient même eu le temps de se dire des choses désagréables. Guillaume se saisit avidement de cette démission, et l'Allemagne en prend son parti avec une facilité déconcertante qui ne fait qu'augmenter l'acrimonie du vieil homme. Il s'ensuit une brouille officielle assez brève car, une fois le pouvoir entre ses mains, Guillaume est suffisamment habile pour conférer toutes sortes d'honneurs au grand homme, et pour agiter les lauriers d'une reconnaissance éternelle. Et Bismarck, pour protéger aussi l'avenir de sa maison et de sa famille, se prête finalement au subterfuge d'une réconciliation semi-sincère, en attendant le jour où le Kaiser le rappellera. Illusion bientôt dissipée par la mort du chancelier...

En fait, Guillaume tient à préserver l'héritage que lui laisse Bismarck et ce legs, magnifique en apparence, est aussi porteur de multiples dangers. L'Allemagne n'est pas démocratique, elle n'est même pas parlementaire, à peine réglée par une constitution obscure. Elle est commandée plus que gouvernée. Au fond, Guillaume et l'Allemagne se ressemblent et ils vont se servir sans le moindre esprit critique et sans la moindre idée d'évolution démocratique de ce que leur a laissé Bismarck pour le malheur de l'Europe, et finalement pour le malheur des Allemands eux-mêmes. La popularité du jeune empereur de trente ans suffit à dissimuler tous ces manques dont la facture à payer plus tard sera terrible.

Dès le début, Guillaume fait la grave erreur que Bismarck redoutait : il se mêle de politique étrangère et abandonne l'alliance avec la Russie. Il n'a pas la force, l'épaisseur, le souffle pour tenir l'étonnant jeu d'équilibrisme international de Bismarck et en quelques mois la Russie et l'Allemagne s'éloignent l'une de l'autre. Il revendique haut et fort cette normalisation et proclame à qui veut l'entendre qu'il se rapprochera, le temps venu, de la Russie, dans des conditions beaucoup plus honorables que par les maqui-gnonnages secrets et les chausse-trappes machiavéliques du chancelier Bismarck. Mais, en vérité, il commet une faute majeure : les États vivent tous avec la crainte de l'isolement face au rempart que constituent l'Allemagne et son alliée, l'Autriche. La Russie va donc se chercher un nouvel allié, et pourquoi pas, à l'autre extrémité de l'Europe, cette pauvre France, humiliée par l'Allemagne avec sa république méprisée ? Guillaume, sans le savoir, sème les graines de ce qui fera naître bientôt en lui l'idée obsessionnelle de son propre encerclement et de sa solitude.

À l'époque du jubilé de Victoria, Guillaume est au faîte de sa gloire. Son crédit en Allemagne est énorme. Il n'a pas encore eu à supporter les désagréments qu'il connaîtra plus tard avec ses per-pétuels écarts de langage. Il est jeune, plein de dynamisme et de gaieté, avec ce désir de charmer qui en fait un véritable Frégoli politique séduisant à peu près tous ceux qui l'approchent. Quel que soit son interlocuteur, il entreprend de le charmer, en abondant dans son sens : tsariste avec le tsar, démocrate avec des républicains,

militariste avec l'état-major, ouvriériste avec le prolétariat, anglo-
phile lorsqu'il rencontre des Anglais. Quand on lit la presse de cette
époque, on est stupéfait de constater l'avalanche de jugements favorables sur cet empereur si populaire et si plein d'allant, et de voir,
sur les images, comme il se déplace en maître au milieu de foules
admiratives, ébahies d'amour et d'enthousiasme.

Guillaume n'aura jamais varié, dans l'affection qu'il porte à sa
grand-mère pas plus qu'elle n'aura lésiné sur les sentiments qu'elle
lui porte en retour. Les lettres que Guillaume écrit à Victoria sont
émouvantes, d'une gentillesse et d'une attention un peu brute, une
attention de sale gosse qui viendrait voir sa grand-mère pour se
faire pardonner, parce qu'il a cassé les carreaux d'une voisine et
que sa bonne vieille mamie va payer la facture, lui fera les gros
yeux et le consolera ensuite. Victoria, avec cette admiration qu'elle
porte si facilement aux hommes, n'est qu'indulgence pour ce gamin
impérial qui inflige à l'Angleterre ses fanfaronnades et ses provocations et qui la traite, elle, avec une fidélité sans faille. En fait
Victoria représente encore un garde-fou pour le règne de Guillaume. Elle lui impose un certain nombre de limites affectives et
familiales et il ne peut pas aller trop loin dans ses agressions ver-
bales ou ses rivalités industrialo-militaristes à l'encontre de l'Angleterre malgré la satisfaction gourmande qu'il éprouve à la voir empêtrée dans la terrible guerre des Boers, en Afrique du Sud. Une fois
Victoria disparue, Guillaume pourra tout se permettre à l'égard de
l'Angleterre.

Enfance et mariages des orphelins de Hesse

Si Guillaume suscite chez Victoria un sentiment d'affection
plus ou moins éplorée, en revanche une petite-fille de la reine
d'Angleterre, Alix de Hesse, éveille en elle une constante émotion
maternelle. Alix est la fille cadette de la deuxième fille de Victoria,
Alice. Celle-ci a épousé le grand-duc de Hesse en 1862 et ce mariage
a resserré un peu plus les liens de Victoria avec l'Allemagne. Le
grand-duché de Hesse est en effet un État ancien, situé près du
cours moyen du Rhin, avec pour capitale une très jolie ville provinciale et tranquille, Darmstadt. À sa tête se trouve une maison
vénérable qui a donné des époux et des épouses à de nombreuses
cours européennes. Alice était certainement moins intelligente que

sa sœur aînée, la mère de Guillaume. Beaucoup plus réservée, plus repliée sur sa vie de famille et, il faut bien le reconnaître, dénuée des complications et des velléités de Vicky. En revanche, elle nourrissait une attirance assez curieuse pour les sciences ésotériques, une nature superstitieuse et un penchant déclaré pour le spiritisme, contre lesquels sa mère la mettait en garde au long de ses innombrables lettres.

Alice n'était d'ailleurs pas la seule dans cet univers des cours royales à être tentée par ce genre de pratiques. Le xixe siècle finissant est caractérisé par une grande attirance pour le surnaturel, l'étrange, le magique. Il n'y a qu'à voir l'évolution de la religion catholique dans la seconde moitié du xixe siècle avec la prolifération des anges, des saints, des apparitions. Le xixe siècle est celui de Bernadette de Lourdes et de Catherine Labouret. Cette manière très nébuleuse d'envisager l'au-delà, qui se traduit par le côté saint-sulpicien que l'on voit dans les images pieuses, est aussi fortement teintée de couleurs morbides. On parle avec les morts, on croit qu'ils viennent vous visiter, on veut établir un contact avec les esprits, par les tables tournantes. Cette morbidité est présente dans le caractère de Victoria qui aura passé tout son veuvage à dialoguer avec Albert, sans aller jusqu'à tomber dans les délires du spiritisme. Alice a hérité du mysticisme maternel, mais en s'abandonnant peu à peu à toutes sortes d'excès, la présence d'une importante communauté juive en Hesse contribuant à la passionner pour les rites cabbalistiques. À tel point que certains esprits chagrins l'accusèrent même d'être la maîtresse d'un jeune et sémillant rabbin...

Ce caractère aurait pu être facilement déséquilibré ou chimérique si Alice n'avait eu auprès d'elle un solide mari bien germanique et toute une nichée d'enfants avec cinq filles et deux ravissants petits garçons dont l'un meurt en bas âge, victime d'un accident anodin où personne ne songe encore aux ravages de l'hémophilie. L'avant-dernière fille d'Alice, c'est Alix qui deviendra la préférée de sa grand-mère Victoria. Il faut se représenter ce qu'était la cour d'un État allemand de taille moyenne à cette époque-là pour mesurer comme certains travers s'y dissolvaient dans une atmosphère paisible et familiale. Thomas Mann en a très bien rendu compte dans un livre charmant intitulé *Altesse royale*. Le palais se trouve en général dans la ville, et au fond du jardin on est déjà à la campagne. La petite Alix passe donc son enfance dans un milieu rustique et agreste, et les photos d'elle à cette époque nous montrent souvent une petite sauvageonne pieds nus sur les chemins, vivant au contact permanent de la nature, et des galopins de son âge.

Cette sauvageonne est ravissante avec son visage fin et ses yeux d'un bleu intense. Elle vit presque comme une paysanne mais elle parle aussi bien le patois de Hesse que l'anglais que l'on pratique dans sa famille, ainsi que le français qui est la langue des cours. Elle est si gaie, si gentille et si aimée qu'on lui a attribué un surnom qui lui convient parfaitement. On l'appelle « Sunny », le rayon de soleil. Elle est effectivement rayonnante sur ces photos de son enfance, Or, lorsqu'elle est âgée de six ans, surgit un drame qui va la marquer d'une manière indélébile. Elle attrape la diphtérie, une maladie extrêmement grave à l'époque. Non seulement elle manque d'en mourir, mais la contagion s'étend à ses sœurs. L'une d'elles y succombe et leur mère, après avoir passé plusieurs semaines à leur chevet à les soigner sans discontinuer, tombe malade à son tour et meurt.

Une immense désolation s'abat sur cette famille heureuse. Le grand-duc ne veut pas se remarier, ses quatre filles et son jeune fils l'entourent et resserrent leurs liens réciproques. Mais c'est une mère que ces enfants attendent et Victoria joue ce rôle depuis l'Angleterre en s'occupant de leur éducation, en bombardant, comme d'habitude, leur père de lettres de recommandations et en les faisant venir fréquemment en Angleterre pour les vacances, où elle les suit de très près. Elle fait même l'effort de se rendre à plusieurs reprises à Darmstadt pour passer d'assez longs séjours auprès de ses petites-filles. Les orphelins s'attachent très profondément à cette grand-mère si attentive et si affectueuse. Comme on l'a vu, Victoria est une très bonne éducatrice avec des principes que l'on pourrait juger aujourd'hui rétrogrades mais dont la particularité, peu répandue à l'époque, est qu'elle s'occupe réellement elle-même des enfants. Loin de se tenir dans une tour d'ivoire où l'on serait venu, de temps à autre, lui présenter ses descendants, elle se soucie de leurs régimes, de leurs leçons, de leurs bains, de leur hygiène de vie, et de ce fait elle entretient avec eux une relation bien différente de celle qui existe dans les autres familles royales. Une relation très simple, très naturelle et très fidèle.

Alix est la plus jeune, elle a évidemment encore plus besoin de réconfort que ses autres sœurs dont certaines sont déjà au seuil de l'adolescence. Elle va aimer sa grand-mère d'autant plus qu'elle a profondément intériorisé le drame survenu dans sa petite enfance. Elle se sent responsable de ce qui est arrivé. Une petite fille qui apporte la maladie et la mort, une petite fille qui, en quelque sorte, a tué sa mère et l'une de ses sœurs. Et le poids de ce crime imaginaire est tellement lourd qu'elle ne peut jamais s'en délivrer. Même si elle évitera d'en parler et refoulera ce terrible fardeau, c'est un tel effort, une telle croix que Sunny, le rayon de soleil, s'éteint en se repliant sur elle-même. Elle devient réservée, inquiète, sujette à des cauchemars, des angoisses et une émotivité sourde. Cela se lit jusque sur son visage. À partir de six ans, le sourire disparaît, le beau regard qui brillait devient pensif quand il n'est pas profondément mélancolique ou triste. Ses relations avec le reste du monde s'en trouvent aussi totalement transformées. Elle souffre d'une timidité maladive, ne supporte pas le contact avec des inconnus, pleure pour un rien et bâtit entre le reste de l'univers et elle-même un mur de froideur que l'on prendra plus tard pour de la hauteur ou de l'arrogance. Rien ne saurait la ramener à son premier état d'innocence. La seule chose qui la rassure, c'est quand les gens lui donnent la preuve de l'amour qu'ils lui portent. Alors, elle redevient, uniquement pour eux, la Sunny confiante, aimable et douce de son enfance. Ces altérations de son caractère ne diminuent pas son intelligence. Bientôt, c'est une jeune fille beaucoup mieux instruite que la majorité des princesses d'Europe. Non seulement elle parle plusieurs langues comme souvent dans ce milieu, mais elle lit beaucoup et elle a un très grand désir de connaissances. Ses loisirs sont tout à fait surprenants : adolescente, elle étudie le socialisme, elle s'intéresse au syndicalisme et à l'histoire de son temps, et ces travaux de l'esprit calment ses inquiétudes. Avec un livre on n'a pas besoin de parler aux étrangers, l'étude protège et rassure la solitude.

Mais il y a toujours autour d'elle une atmosphère de morbidité fin de siècle, aggravée par l'hérédité de ce drame familial. Alix et ses sœurs, à leur tour, se font photographier constamment sous la photo de leur mère, collectionnent les précieuses reliques de la défunte, portent pendant un temps infini les tenues de deuil avec toutes les gradations qui nous semblent aujourd'hui surréalistes : le noir complet, le demi-noir, le demi-deuil, le gris, les rubans, etc.

Elle intègre tous ces éléments qui faisaient la particularité de sa mère comme une manière de se rapprocher d'elle, de se disculper auprès d'elle. Il n'y a pas de frein à son penchant pour l'évasion dans les rêves, pour les songes qui concernent l'au-delà, à sa volonté de substituer un autre monde à la réalité.

Tout cela pourrait sembler excessivement analytique pour définir le caractère d'une jeune princesse vivant dans l'atmosphère à la fois compassée et provinciale d'une cour allemande. Mais il est nécessaire de bien comprendre le traumatisme violent d'Alix dans son enfance pour expliquer son étrange attitude et certains de ses comportements délirants lorsqu'elle deviendra, plus tard, Alexandra, la tsarine de Russie.

Les sœurs d'Alix ne seront pas non plus épargnées par le destin. L'une d'elles, Irène, épouse Henri, le frère de Guillaume ; ce frère terne et effacé que son aîné a étouffé. Elle se révélera d'une réelle capacité et d'une grande dignité dans une situation effrayante puisque, belle-sœur du Kaiser, elle retrouvera en sa sœur, la tsarine de Russie, une ennemie officielle. Or Irène fera tout ce qu'elle pourra pour tenter de sauver la famille impériale russe au milieu de l'hostilité générale. Peut-être aussi cette solidarité aura-t-elle été accentuée par le fait qu'Irène connaîtra les mêmes malheurs qu'Alix en ayant un fils hémophile ; et peut-être deux, tant le secret de la maladie aura été difficile à divulguer.

L'aînée de la famille qui s'appelle Victoria, comme il se doit, épousera l'un de ses cousins Battenberg ; on constate avec stupeur qu'elle a vécu jusqu'en 1950. C'est elle qui, dans les années 20, mènera la plupart des enquêtes pour savoir ce qui est arrivé à ses sœurs en Russie. Mais la plus belle des sœurs, et celle qui a la personnalité la plus extraordinaire, c'est Élisabeth, qui est née entre Victoria et Irène. Ella, comme on la surnomme, est la splendeur sur la terre, encore plus belle qu'Alix, parce qu'en fait, tout ce qui chez Alix se trouve replié, refoulé, éclôt dans la nature d'Élisabeth. Ella a toutes les caractéristiques de la famille : le mysticisme, le goût des rêves, une grande fantaisie mais, au lieu d'avoir évolué vers une sorte d'hystérie inquiète, ces traits de caractère se sont fondus en une bonté tendre et généreuse. C'est un personnage au rayonnement incroyable et, lorsque l'on regarde des photos d'Ella et d'Alix, Ella a quelque chose de serein et d'ouvert, d'heureux et de gracieux, qui contredit le visage inquiet et douloureux de sa jeune sœur. Or Ella va être l'instrument du destin d'Alix.

Après avoir rejeté Guillaume séduit par sa grâce et sa beauté, elle épouse un compagnon d'enfance, un de ces princes russes auxquels toutes les familles allemandes sont facilement apparentées. C'est une coutume des Romanov d'aller chercher leurs épouses en Allemagne, dans ces principautés qui ont un statut royal, même si certaines d'entre elles sont très modestes en comparaison de l'immense Russie. Plusieurs tsarines sont nées allemandes. L'épouse d'Alexandre III, le père de Nicolas, était danoise, mais c'était une exception et Alexandre II, le tsar assassiné par les révolutionnaires, était déjà marié à une princesse de Hesse.

En 1884, Ella épouse donc le grand-duc Serge. Il est l'un des jeunes frères du tsar Alexandre III et jouit d'une position considérable en Russie. Cependant le mariage d'Ella avec Serge qui semble être un mariage d'amour est une union très étrange. En vérité, Serge, un bel homme que l'on voit, sur les photos de jeunesse, riant dans des pique-niques ou des parties de campagne, est un névrosé profond doublé d'un pervers. Il a la chance d'épouser l'une des plus belles femmes de son temps et pourtant il ne la touchera jamais. Bien évidemment, comme Ella est vertueuse elle n'ira pas chercher ailleurs des compensations à l'attitude de son mari, demeurant son épouse, vierge et magnifique, portant son secret avec la splendeur altière de la plus belle fleur des cours royales.

Hormis cette bizarrerie d'avoir épousé une femme si belle et de ne jamais lui faire l'amour, Serge, intelligent, instruit, doté d'une superbe prestance, a aussi d'étranges obsessions. Il est farouchement réactionnaire sur le plan politique, imprégné d'une obsession à la fois religieuse et nationaliste qui accuse son antisémitisme viscéral. On colporte à Moscou, dont il est le gouverneur implacable et, il faut le reconnaître relativement compétent dans certains domaines, des rumeurs terribles à son sujet. On dit qu'il torture les prisonniers lui-même et qu'il en retire un plaisir, celui-là même qu'il ne partage pas avec sa femme. Mais tout cela reste, bien évidemment, dans le domaine de l'invérifiable et du mystère. Ella, pour sa part, joue aux yeux du monde le rôle de l'épouse heureuse et comblée. Et comme c'est une femme profondément généreuse et rayonnante, elle en rajoute dans cette image d'un bonheur conjugal qui se refuse à tous les aveux et à toutes les vérités. Elle est donc l'un des astres de la galaxie Romanov, hôtesse dont les bals sont les plus recherchés et dont la beauté laisse pantois les ambassadeurs. Elle éclaire la vie frivole de Saint-Pétersbourg et la vie austère de Moscou. Elle est aussi un lien, dont les Romanov se félicitent, entre leur dynastie et la famille de Hesse, favorisant les escapades de vacances vers Darmstadt.

Naturellement, sa petite sœur Alix lui rend visite à Saint-Pétersbourg et Moscou. C'est ainsi qu'à l'âge de seize ans, après avoir croisé déjà une première fois le tsarévitch Nicolas à Darmstadt, elle le voit plus longuement un jour où, comme toujours, gauche, maladroite et timide, elle suit tel un oisillon apeuré le sillage scintillant de sa grande sœur. Pour Nicolas, c'est le coup de foudre. Cette jeune femme, qu'il a très vite perçue comme plus intelligente et plus instruite qu'il ne l'est, lui paraît le sommet de tout ce qu'il peut espérer de mieux comme épouse. Alors qu'il n'a que quatre ans de plus qu'elle, il prend tout de suite son parti de l'épouser. Il n'y en aura pas d'autre, désormais il ne veut qu'Alix. Mais si les Romanov sont satisfaits que le grand-duc Serge, sur qui planait une réputation inquiétante et douteuse, ait réussi à épouser Élisabeth de Hesse, ils pensent en revanche que le tsarévitch serait en droit de se marier avec une princesse d'une famille plus importante. On lui cherche, d'ailleurs, une fiancée du côté de la famille royale italienne ou de l'ancienne famille royale française. Mais demeurent les problèmes de religion qui, à l'époque, avaient tellement d'importance, et de toute façon Nicolas n'en démord pas, il n'épousera que la petite sœur d'Ella. Or la réticence de sa famille est d'autant plus forte qu'Alix fait mauvaise impression lorsqu'elle séjourne à Saint-Pétersbourg. À être toujours près de sa sœur rayonnante, elle a paru encore plus terne et renfrognée, et la société de la capitale russe, facilement médisante et légère, n'a pas apprécié cette jeune fille belle mais trop froide et compassée. Alix et l'aristocratie russe se sont réciproquement profondément déplu. Mais Nicolas persiste et il écrit sans cesse à Alix après son retour en Hesse ; cet homme jeune, beau, qui lui fait la cour d'une manière si pressante, c'est exactement ce dont la jeune fille a besoin pour être rassurée et pour s'épanouir. Alix, qui veut tant être aimée et qui reste en retrait pour cacher ses angoisses et ses complexes, tombe à son tour amoureuse de son soupirant.

Nicolas, un bien jeune tsar pour la Russie

Lorsqu'il décide d'épouser Alix, Nicolas a tout juste vingt ans. Il a été un enfant d'une beauté renversante. Il l'est un peu moins maintenant, de taille médiocre mais, avec des traits délicats, un regard d'une tendresse infinie et un air de gaieté enfantine qui se transformera assez vite en mélancolie. Il est le parfait produit d'un milieu aristocratique, extrêmement bien élevé. Tout est délicieux et élégant dans ses manières, tout est nimbé de charme et de poésie pour ceux qui le rencontrent. Il est le fils aîné du tsar Alexandre III et de la princesse Dagmar de Danemark, devenue par son mariage Maria Feodorovna. Mais il a plus hérité de la grâce de sa mère que de la force de son père. Il n'y a pas d'êtres plus dissemblables que ses parents. Alexandre est un géant, une force de la nature. Bien qu'il soit à moitié allemand par sa mère, il réunit toutes les caractéristiques que l'on utilise pour définir le géant russe, une sorte d'ours d'une puissance et d'une force phénoménales qui peut exercer son emprise avec une brutalité impressionnante. Alexandre était lui-même très beau dans sa jeunesse, avec quelque chose d'animal, de sauvage et de sensuel qui attirait les femmes. Cependant, très vite, il a perdu ses cheveux, il est devenu monumental et Nicolas n'aura connu son père qu'avec ce physique de géant barbu dominant sa famille.

Alexandre a fait un mariage d'amour en épousant Dagmar de Danemark. En réalité, elle devait épouser son frère aîné, mais celui-ci étant mort prématurément, elle s'est unie au cadet. Cela arrivait souvent dans les familles royales : en Angleterre, quelques années plus tard, la reine Mary devait également épouser le frère aîné de George V. Il est amusant de constater que ces unions un peu hasardeuses ont souvent fait de bons mariages et il n'est pas impossible que Dagmar devenue Maria Feodorovna ait finalement préféré ce mari que la mort lui apportait. Maria Feodorovna est toute petite, elle a l'air d'une poupée, elle est gaie, frivole, d'une amabilité extrême, c'est un oiseau qui chante et qui séduit tous ceux qui l'approchent. À côté de son mari renfrogné, elle crée un monde ravissant, fantaisiste, léger, et ces deux contraires forment un couple très uni. Ils sont extrêmement attachés l'un à l'autre par tout ce qui aurait dû les séparer. Alexandre est devenu tsar jeune encore, à la mort de son père Alexandre II, celui que l'on appelle « le tsar libérateur » parce qu'il a affranchi les serfs de leur condition de semi-esclaves. Cela ne lui a pas porté chance car sa tentative d'adaptation de l'Empire russe et de la couronne des Romanov au libéralisme éclairé de l'Occident s'est terminée par un désastre. Les mouvements nihilistes et révolutionnaires en ont profité pour fleurir, et Alexandre II a été assassiné par des terroristes le jour même où il traversait Saint-Pétersbourg pour aller signer l'oukase qui accordait une constitution à la Russie. L'attentat est le dernier d'une longue série à laquelle il a échappé, et le jour de sa mort c'est la seconde bombe des terroristes qui l'abat. Une première a répandu la mort autour de lui, il sort de son fiacre pour porter secours aux blessés quand les terroristes jettent la deuxième bombe. Il a les jambes arrachées par l'explosion et met des heures à mourir en se vidant de son sang devant toute sa famille et notamment devant son fils Alexandre III, qui par sa complexion et son caractère n'est pas prêt à entonner les chants du libéralisme. Pour venger son père ou parce qu'il pense que le processus initié par le défunt est responsable du désastre qui accable la Russie, il se veut un tsar implacable de zèle réactionnaire. Sa main de plomb s'abat sur la Russie et, parmi les terroristes envoyés à la potence, on trouve même le fils d'un petit noble de province, un dénommé Oulianov, le frère du futur Lénine, compromis dans une autre tentative d'attentat.

Alexandre III exerce son pouvoir de tsar, habité par une foi mystique pour le rôle qu'il incarne. C'est un homme privé, vertueux, incorruptible, très attaché aux siens. Il refuse de se prêter aux intrigues de la vie de Saint-Pétersbourg et il promeut sans relâche tout ce qui est russe au détriment de ce qui est étranger. Et cette politique d'extrême droite, appliquée à une population encore imprégnée de croyances médiévales, assure provisoirement un grand calme, qui est peut-être le calme des cimetières. Ce qui est certain, c'est qu'on ne rigole pas avec Alexandre III. Ni en Russie ni dans sa famille parmi tous les grands-ducs volontiers dissipés, à l'exception de Maria Feodorovna qui fait régner une atmosphère délicieuse autour d'elle. Les enfants n'échappent pas à la règle, ils craignent leur père. C'est d'ailleurs, un cas de figure assez classique : ils redoutent leur père, mais leur père les aime, et on trouve beaucoup d'images tendres où le père chérit manifestement ses enfants. Mais comment ne pas craindre un personnage qui fait trembler tout l'univers autour de lui ?

Alexandre III et Marie Feodorovna ont eu plusieurs enfants : Nicolas, l'aîné, son frère Georges, le plus intelligent, le plus éveillé et le plus ouvert sur le monde, une sœur Xénia, délicate comme un cygne, un autre frère, Michel, le seul à résister à son père parce que c'est un enfant gâté, drôle et charmeur, et qu'étant le troisième fils, on n'y prête pas grande importance, et enfin la petite dernière, Olga, la douceur et l'angélisme personnifiés. Frères et sœurs sont très attachés les uns aux autres et Nicolas et Georges ne se séparent jamais. Nicolas ressemble à sa mère par le manque de prétention intellectuelle, le côté ludique et enfantin qu'il gardera longtemps, ainsi que la bienveillance, la gentillesse déconcertante qu'il manifeste à l'égard des autres. Comme le dira Witte, un de ses meilleurs ministres : « C'est quelqu'un qui est incapable de faire du mal à quiconque. »

On impose à Nicolas une éducation empreinte de tradition militaire et concentrée d'orthodoxie slavophile. Son précepteur, Pobiedonotsev, fut celui d'Alexandre III ; procureur du saint-synode, qui contrôle la toute-puissante église orthodoxe, c'est l'idéologue du conservatisme le plus strict, un homme très intelligent mais rigide et soupçonneux, contre-révolutionnaire acharné et théoricien inlassable de la lutte contre l'esprit des lumières. Il est la référence intellectuelle et politique des Romanov, père et fils, le chantre de la slavitude, du retour en arrière, du repli sur les traditions mal interprétées de Pierre le Grand.

Ainsi pour le jeune Nicolas, le monde se résume simplement. Avant tout, il y a la sainte Russie, que lui ont enseignée Pobiedonotsev et son père, une réalité mystique détachée de l'évolution économique et sociale à laquelle il faut se dévouer jusqu'au sacrifice de sa vie. Mais, paradoxe du règne d'Alexandre III, la Russie fait de gigantesques progrès économiques, de nouvelles classes sociales se développent, le Transsibérien traverse les immenses étendues asiatiques. Avec le train, les usines, les mines, c'est une révolution industrielle considérable qui se déroule en une quinzaine d'années. Il en résulte la naissance d'une bourgeoisie diversifiée, active et lettrée ; qu'elle soit bourgeoisie d'affaires ou intellectuelle, elle est critique à l'égard du régime et de son conservatisme étouffant, sans parler de tous ceux qui, par un idéalisme qui relève sans doute de la culture russe et fermente à l'université, passent purement et simplement du côté des révolutionnaires et des terroristes engagés dans une confrontation radicale dont l'assassinat d'Alexandre II n'est que l'exemple le plus spectaculaire. Et c'est précisément sous Alexandre III que ce monde prend son essor, ce monde qu'il exècre, qu'il ne voit même pas et dont il aura pourtant favorisé le développement en confiant le gouvernement des affaires économiques à des gens compétents. Avec aussi toutes les injustices que ces changements impliquent : le prolétariat chassé des campagnes qui arrive dans les villes et devient une masse de manœuvre efficace ou dangereuse, selon le point de vue duquel on se place. En tout cas, un instrument pour la révolution. Règne de silence et de paix apparente, le temps d'Alexandre III est celui d'un bouleversement social sans précédent, du divorce entre le tsarisme et l'intelligentsia, et l'antisémitisme officiel aggrave encore les tensions prévisibles.

Nicolas pense donc que « la vraie Russie », c'est la Russie mystique, fanatiquement slave qui ne représente plus en fait l'élément dynamique de la société, même si elle demeure majoritaire en nombre. Comme son père, il voit cette Russie éternelle cernée par toutes sortes d'ennemis, qui ont pour nom élections, démocratie, socialisme, parlementarisme, liberté de la presse, tout ce qui porte atteinte aux principes sacro-saints que son père respecte et qu'il entend remettre intacts à son fils : le gouvernement par un seul, le tsar, investi d'une légitimité à caractère religieux, l'autocratie.

On reste frappé aujourd'hui par l'incroyable schizophrénie qui en résulte dans le fonctionnement mental de Nicolas, accroché à l'autocratie la plus féodale mais se comportant en jeune bourgeois ouvert et tolérant dans la vie de tous les jours. Ainsi Nicolas a un réel plaisir à se promener en vêtements civils dans la petite cour tranquille de Copenhague, où l'on dit simplement « apapa », « amama », quand on s'adresse à ses grands-parents, où l'on joue au croquet, où l'on vit de la manière la plus simple du monde, où l'on partage sa table avec des précepteurs français et sans doute républicains et où l'on professe les idées les plus benoîtement libérales sans que personne s'en offusque.

En dehors de Pobiedonotsev, l'essentiel de l'éducation de Nicolas se passe de manière militaire. Discipline, uniformes, entraînements, casernes : c'est toujours la sainte Russie dans l'illusion d'un contact avec le peuple et l'atmosphère d'un patriotisme foncièrement légitimiste. Il en gardera d'ailleurs une marque indélébile et, comme il se montrera peu à l'aise dans ses relations avec les gens qu'il connaît mal, c'est toujours auprès des militaires qu'il se sentira le mieux, auprès des officiers qui ont été ses camarades de promotion. Cependant au fur et à mesure qu'il prend conscience de l'ampleur incroyable de la tâche qui l'attend, il paraît s'éteindre comme si le sens de la fatalité s'emparait de lui. Plus tard, il dira qu'il se voit telle la victime expiatoire d'un drame russe qu'il pressent mais ne peut expliquer, comme il rappellera souvent, être né le jour de Job, présage de malheur et d'abandon. Mais ce jeune homme dont le regard s'est voilé d'une ineffable nostalgie demeure instinctivement attaché au paradis perdu de son enfance. Il s'amuse puérilement avec ses frères, comme le font ses cousins danois qui – heureusement pour eux – n'hériteront pas de la Russie, mais d'un petit royaume tranquille. Son père d'ailleurs le tient en grande affection mais en piètre estime sur le plan intellectuel. Un jour que l'on propose de nommer le tsarévitch au conseil de surveillance d'une grande administration, Alexandre III éclate de son énorme rire, qui terrorise les fonctionnaires et dit : « Vous n'y pensez pas ! le tsarévitch est encore un enfant » alors qu'en vérité Nicolas a déjà plus de vingt ans. Pourtant, dès la fin de l'adolescence, il dispose d'une maison, de domestiques, de moyens financiers importants, et, bien qu'il partage les goûts très simples de son père – Alexandre III et Maria Feodorovna résident dans le triste château de Gatchina à quarante kilomètres de Saint-Pétersbourg et ne reçoivent pratiquement personne sauf pour les cérémonies exceptionnelles, au regret inexprimé de la tsarine qui aime tant les bals, les bijoux, la société –, il vit sa vie de jeune homme riche et court les ballerines de l'opéra. Ce sont des histoires plutôt classiques. Nicolas devient ainsi l'amant de la danseuse étoile la plus recherchée et admirée, la Kchessinskaïa. C'est une femme intelligente, de grand talent, qui a mené sa carrière seule et avec caractère. Cette liaison le fait mûrir. Il se laisse pousser la moustache et la barbe, ce qui adoucit encore ses traits. À vingt ans il a la physionomie qu'on lui connaît et qu'il gardera toujours avec ce très beau regard, cette manière de se tenir face aux gens avec une écoute et une attention qui désarment tous ceux qui l'approchent. Mathilde Kchessinskaïa qui se mariera plus tard en exil avec un cousin de Nicolas a laissé un livre de souvenirs où elle raconte ses amours avec Nicolas et où elle manifeste, bien des années après la révolution, une tendresse et une fidélité touchantes à celui qui était le tsarévitch.

Nicolas qui se sent incompétent, dénué de responsabilités, écrasé par son père, retrouve un peu de confiance en lui-même auprès de cette jeune femme brillante. En même temps, il se refuse à mentir à la Kchessinskaïa : il est toujours amoureux d'Alix. Il l'a été depuis le premier jour de leur rencontre et s'en tient à la décision qu'il a prise en son for intérieur. Son aventure avec la célèbre ballerine est nimbée d'une réelle affection sensuelle, mais il ne lui cache pas qu'elle sera forcément brève. C'est un autre trait du caractère de Nicolas, que de se fixer sur un choix comme s'il voulait par cet entêtement effacer son indécision profonde, ou se raccrocher aux seules certitudes qu'il possède, puisqu'il n'a en l'occurrence aucun doute concernant son amour pour Alix.

Et puis Nicolas voyage. Il a accompli tous les stages militaires obligatoires pour un prince impérial et il s'en est d'ailleurs plutôt bien sorti. On lui fait alors faire les voyages inévitables à l'éducation d'un héritier du trône en espérant peut-être aussi qu'il en oublie Alix et s'éloigne de la Kchessinskaïa, trop libre pour ne pas être ambitieuse. Un grand périple qui le conduit en Égypte, en Inde, en Thaïlande et jusqu'au Japon. La Thaïlande, bizarrement, est un parcours obligé des familles royales. Pour toutes sortes de raisons, ce royaume a échappé à la colonisation ; les souverains de Thaïlande sont allés visiter l'Europe, ils en ont retiré un parfum de cousinage avec les dynasties royales, et sont très populaires auprès d'elles. Comme la Chine reste dangereuse, en pleine décadence et soumise à de nombreux désordres, que le Japon a été longtemps fermé, la Thaïlande représente le rêve d'exotisme des familles royales. Nicolas part avec une bande de jeunes princes de sa génération. Mais Georges, qui pourrait le mieux apprécier ce voyage et en faire sentir l'intérêt à son frère, s'il n'était atteint de tuberculose, retombe gravement malade et se voit contraint de rebrousser chemin. Durant ce périple au long cours, Nicolas multiplie les expériences de jeune touriste fortuné. Il monte au sommet des pyramides, rend visite au Khedive, fait une croisière sur le Nil. En Inde ce sont les parties de chasse au tigre à dos d'éléphant ; à Bangkok, de frissonnantes visites aux fumeries d'opium ; la découverte du Japon passe par celles des maisons de thé et des geishas où son cousin Sandro prétend avoir rapidement pris ses habitudes... Mais l'empire du Soleil Levant lui réserve une bien désagréable surprise. Un ex-samouraï illuminé, sans doute réduit à la misère et au désespoir par l'ouverture de l'archipel aux étrangers et au modernisme, se précipite sur Nicolas et lui donne un terrible coup de sabre sur la tête qui l'aurait tué si un de ses cousins grecs n'avait eu le réflexe de détourner le bras du fanatique. Nicolas en conçoit une très grande émotion. Non qu'il ait eu peur, car il n'est pas sans courage, mais parce qu'il ne lui vient pas l'idée qu'on puisse le détester et qu'il puisse y avoir, hors le monde doré dans lequel il s'est toujours déplacé, une autre vie faite de violences, de rancunes et d'agressions. Ce réveil brutal et surtout sa réaction en disent long sur sa vision encore enfantine de l'existence. Il en retire un profond mépris à l'égard des Japonais qu'il considérera désormais comme des sauvages, dangereux et imprévisibles, « des macaques, des petits singes jaunes » selon sa propre expression. Ce très mauvais souvenir et la conclusion qu'il en retire joueront un très grand rôle dans le déclenchement de la guerre désastreuse de 1904. Il n'est d'ailleurs pas le seul à professer ce genre de préjugés à l'époque et il suffit de parcourir *Madame Chrysanthème* de Pierre Loti pour lire ce racisme ingénu à longueur de pages. Mais c'est plus ennuyeux et nettement plus grave lorsque l'on est l'héritier d'un énorme Empire qui n'arrête pas de se cogner dans son essor extrême-oriental à la puissance ascendante du Japon.

Lorsque Nicolas revient de son voyage, traumatisé par l'attentat japonais et passablement ragaillardi par toutes sortes d'aventures plus sensuelles, lorsqu'il retrouve ses parents, son confort, ses parties de bridge, ses soirées entre amis à Saint-Pétersbourg et ses nuits avec la Kchessinskaïa, il n'a pas abandonné pour autant son projet d'épouser Alix. Or, en Hesse, la famille est sur le point de s'agrandir. Le frère d'Alix, Ernest-Louis, devenu grand-duc de Hesse à la mort de son père, a décidé de se marier, au soulagement général, car les aventures masculines de l'enfant chéri de la famille ne sont déjà plus un secret pour personne. Et qui peut-il épouser d'autre qu'une petite-fille de Victoria, c'est-à-dire une de ses cousines germaines, Victoria-Mélita de Saxe-Cobourg ? Victoria-Mélita est belle, intelligente, fantasque, elle croit qu'elle fait un mariage d'amitié en épousant Ernest-Louis ; elle découvrira peu à peu que son cher cousin est incorrigible, et sa personnalité au demeurant originale et intéressante va la rendre très malheureuse, à tel point que cette union, fait rarissime dans les annales des familles royales, se conclura par un divorce. En tout cas pour l'instant, c'est le grand mariage de la fin du xixᵉ siècle. Toutes les familles royales se retrouvent à Cobourg et c'est pour Nicolas la meilleure chance de revoir Alix, qui a maintenant vingt ans, et de se déclarer officiellement. Il a réussi à vaincre les réticences de ses parents, il ne lui reste plus qu'à vaincre celles d'Alix, qui ne veut pas changer de religion, même si elle est amoureuse de lui.

La reine Victoria, bien que quasiment indéplaçable, est venue d'Angleterre et l'empereur d'Allemagne, son petit-fils, le volcanique Guillaume, est également présent au mariage. Nicolas en profite pour faire sa cour à Alix. Comme nous sommes en Allemagne, il n'a plus cette aura qui entoure le tsarévitch, et il n'est qu'un jeune homme plutôt mal à l'aise dans son costume civil, avec redingote et chapeau melon ; il a plus l'air d'un employé de bureau expert aux écritures que du futur héritier du plus grand empire du monde. À côté de lui, Alix, tout empruntée soit-elle, paraît magnifique, un bel oiseau inquiet mais souverain. Et Nicolas a beaucoup de mal à conquérir définitivement celle qu'il aime. Elle résiste à l'idée de quitter la religion protestante, et d'aller vivre en Russie, ce pays qui l'effraie. Nicolas ne sait pas trouver les mots pour la persuader. Finalement, il s'en ouvre à son lointain cousin, l'empereur d'Allemagne, qui a le même âge que lui, et Guillaume fait le fanfaron. Il est très flatté de l'ascendant qu'il exerce sur ce novice de Nicolas et il le remonte en faisant un vacarme d'enfer pour dire à la cantonade qu'Alix ne trouvera jamais un meilleur parti. Il incite Nicolas à persévérer en lui prodiguant force conseils. On est là encore dans une configuration bien classique : le bon cousin, plus expérimenté, qui pousse ce grand timide à conquérir sa belle. En fait, c'est Ella qui persuade sa sœur Alix en lui expliquant que la religion orthodoxe lui a apporté bien plus que ne l'avait fait la religion réformée. Et Alix accepte de se convertir et d'épouser Nicolas. Ils sont officiellement fiancés à l'issue de la grande réunion de famille. À son retour en Russie, Nicolas écrit des lettres d'amour éperdues à sa promise. Elle lui répond sur le même ton. Certaines de ces lettres ont été conservées et s'avèrent d'une fraîcheur et d'une pureté touchantes. Elles sont souvent agrémentées de petits dessins, de fleurs séchées, de rébus, de devinettes, comme autant de jeux d'amoureux très sincères et très épris.

En revanche, si quelqu'un résiste encore à l'idée de ce mariage, c'est bien la reine Victoria. Victoria professe des idées simples en termes de civilisation et de culture. Pour elle, le monde organisé s'arrête au channel. Avec des degrés divers. L'Allemagne est sans doute ce qu'il y a de plus proche de l'Angleterre. La France est à part, car il y a la Riviera où, en somme, ne vivent que des Anglais parmi de pauvres égarés républicains. Au-delà, il y a les colonies qui, heureusement, « nous aiment et nous respectent » et qui ont droit à une considération bien définie puisqu'elles font partie des domestiques. Le même statut féodal qui vaut aux serviteurs indiens entourant Victoria toute l'affection qu'elle leur porte, en les protégeant constamment contre les agressions des autres membres de la cour. Quant au reste du monde, il n'existe pas ou à peine, et il est ressenti comme barbare, et inquiétant. La Russie notamment. Pour Victoria, la Russie est une terre d'obscurantisme, de despotes et de révolutions où l'on pratique une religion incompréhensible et dont aucun progrès ne pourra jamais surgir pour l'humanité. Elle éprouve une vague solidarité pour les Romanov comme pour toutes les familles royales. On lui parlerait des Papous, qu'elle demanderait des nouvelles de la reine des Papous avec une exquise urbanité. Mais cela ne lui rendrait pas les Papous plus sympathiques pour autant. Il en est de même pour les Russes. Elle est d'ailleurs animée de pensées plutôt ambivalentes à l'égard des Romanov qu'elle juge trop « petits-bourgeois » dans leur manière de vivre et trop nouveaux riches dans leur ostentation publique, mais elle considère surtout que leur empire est une sorte d'enfer semi-primitif, et l'assassinat d'Alexandre II n'a rien fait pour la faire changer d'avis. Que sa petite Alix, déjà si fragile, épouse le tsarévitch de ce pays redoutable et qu'elle soit un jour appelée à en devenir la tsarine l'effraie au plus haut point. Elle tente donc de dissuader sa petite-fille. En même temps, Victoria n'est pas quelqu'un qui va longtemps contre la volonté de ses enfants lorsque l'amour est en jeu. Elle se laisse donc fléchir, s'apitoie et demande à en savoir plus sur le prétendant qu'elle fait venir à Windsor. Et là, elle est séduite par la douceur et la gentillesse spontanée de Nicolas. Victoria est sentimentale et adore jouer les chaperons, en apparence très à cheval sur les principes, mais favorisant toutes les occasions pour que les jeunes gens soient l'un avec l'autre. Ce seront peut-être les jours les plus heureux de l'existence de Nicolas et d'Alix, passés dans un pavillon tranquille du parc de Windsor, où ils se retrouvent après avoir faussé compagnie aux dames lancées à leur poursuite, sans grande conviction, par Victoria. Ils y flirtent abondamment et Alix sous sa froideur et sa réserve se découvre un tempérament passionné qui lui fait aimer Nicolas encore plus fort. Ils reviennent transformés de ce séjour auprès de Victoria qui, pour sa part, est définitivement conquise par son futur petit-fils. Il ne reste plus qu'à fixer la date du mariage.

C'est alors que surviennent l'aggravation de la maladie et la mort d'Alexandre III. Au moment où dans la vie de Nicolas le timide et d'Alix l'inquiète s'annonçait une période de bonheur tranquille, le destin apporte dans leur prochaine corbeille de mariage le cadeau le plus diabolique qu'on puisse réserver à un jeune couple démuni devant la difficulté de la vie : l'immense, le tourmenté et dangereux empire de Russie.

On ne saura jamais exactement de quoi est mort Alexandre III. Quand on voit ce géant en pleine possession de ses facultés physiques se déliter en quelques mois, on se perd en conjectures sur sa maladie. Un cancer ou une tuberculose des reins ? Alexandre III n'était pas comme Victoria qui refusa jusqu'à l'extrême limite de se laisser ausculter par des médecins. Le tsar fut certainement bien soigné, mais le fait est que, lorsque Nicolas revint de son grand voyage en Extrême-Orient et lorsqu'il retrouva son père, celui-ci donnait déjà l'impression d'être gravement atteint. Alexandre III n'avait pas cinquante ans quand il mourut. Lors de chasses en Pologne, à l'automne de 1893, les signes de la maladie se faisaient déjà sentir. Il devait toujours s'appuyer contre un arbre ou une calèche. À cet égard, il fut aussi à l'image de la Russie : un colosse aux pieds d'argile.

Nicolas a l'impression de plonger dans l'épouvante en apprenant la maladie incurable de son père. Son père, ce père si fort qu'il en a infantilisé tout son entourage, n'est plus maintenant qu'un moribond. Et Nicolas ne se sent absolument pas prêt à lui succéder. Il se rend en Crimée où les médecins ont envoyé Alexandre III en espérant que le climat plus clément lui ferait du bien, et il a besoin d'Alix auprès de lui pour affronter la situation. La jeune femme arrive au terme d'un voyage épuisant où elle peut mesurer le poids de l'inertie et de la mauvaise organisation russe, et dans ce palais où Alexandre III est en train de mourir, tout le monde a autre chose à faire que de se préoccuper d'elle, à l'exception de Nicolas. Une fois de plus, sa rencontre avec la Russie se déroule péniblement. La première fois, elle n'était qu'une adolescente froide et gauche auprès de ce soleil rayonnant d'Ella dans les bals de Saint-Pétersbourg où elle faisait tapisserie malgré sa beauté, et maintenant elle arrive avec ses projets de bonheur au milieu d'une famille qui est prise dans un tourbillon de drame et de mort. Quelques semaines après l'arrivée d'Alix, Alexandre III disparaît, après avoir mis tout ce qu'il lui restait d'énergie pour l'accueillir affectueusement. La mort d'Alexandre III est un cauchemar pour sa famille qui non seulement l'aimait, mais ne vivait qu'à travers lui. La confusion est telle que Victoria dépêche le Prince de Galles pour tenter de ramener chacun à la raison.

Nicolas est d'autant plus pressé d'épouser Alix qu'il est maintenant un jeune tsar écrasé de chagrin et en proie à la panique. Alors, on lève le deuil pour quelques heures et ils se marient à Saint-Pétersbourg dans une atmosphère singulièrement mélancolique. Elle dira plus tard qu'elle n'a pas senti la différence entre les cérémonies de deuil interminables de la liturgie russe, sans cesse renouvelées, et celles de son mariage. L'aristocratie de Saint-Pétersbourg à qui elle déplaît aussitôt murmure de son côté : « Cette Allemande qui nous arrive derrière un cercueil. » Cependant le lien affectif et sensuel qui unit Alix, devenue Alexandra Feodorovna par le mariage, à Nicolas est extrêmement fort. Il cimente l'union de leurs caractères pourtant dissemblables. Ce sont des amoureux éperdus l'un de l'autre qui se construisent un univers à part. Très vite, cet univers se heurte à celui de la cour. Et la cour est représentée par la mère de Nicolas, Maria Feodorovna. Elle est peut-être inconsolable de la mort de son mari Alexandre III, mais passé le temps du deuil, elle n'est pas d'âge à vivre le reste de sa vie enfermée dans un monastère à pleurer son cher défunt. Maria Feodorovna est jeune et beaucoup trop aimée des cercles élégants et amusants de Saint-Pétersbourg, pour mettre fin à sa vie mondaine. Le monde de l'aristocratie russe flambe en permanence au jeu, dans les fêtes, par ses équipages et ses bijoux, et Maria Feodorovna n'envisage pas d'y renoncer. Comme dans toutes les familles se produit l'inévitable conflit entre une belle-mère et sa belle-fille dont l'enjeu est sans doute l'affection du nouveau chef de famille. Cette rivalité prend un tour tout aussi ordinaire dans la mesure où Marie Feodorovna refuse d'abandonner à Alexandra les joyaux qui reviennent à une impératrice de Russie, alors que c'est Alexandra maintenant l'impératrice. Drame, bouderie réciproque ; on n'en vient jamais aux mots parce que l'on est dans un domaine où le non-dit est roi, mais Nicolas vit déchiré entre sa femme qu'il aime et sa mère qu'il passe voir tous les soirs. Leurs relations mutuelles s'aigrissent jusqu'au moment où Nicolas, écartelé entre les deux femmes, choisit de soutenir sa jeune épouse.

Pour l'instant, cela ne prête pas à conséquence en politique dans la mesure où Alexandra parle à peine le russe et où elle ne se préoccupe pas encore de ce genre de choses. Cela en aura plus tard parce que, toute frivole et enfant gâtée qu'elle soit, Maria Feodorovna a sur la politique un jugement beaucoup plus sûr que sa belle-fille, mélange contradictoire mais relativement efficace de l'éducation qu'elle a reçue dans la paisible cour de Danemark et de l'exemple que lui a transmis son mari. Et Nicolas, qui pendant toute la période de sa jeunesse écoutait ce que lui disait sa mère et souvent lui demandait conseil, perdra l'habitude de le faire. Et cela, pour quelques diadèmes âprement refusés, non moins âprement réclamés, et finalement aigrement transmis. Quelques semaines après le mariage, Alexandra est enceinte et elle accouche d'une fille, Olga, alors que se préparent les cérémonies du couronnement.

Ces cérémonies sont d'une très grande importance politique dans la mesure où elles célèbrent l'alliance de la famille des Romanov avec la nation russe. Elles doivent se dérouler à Moscou, la capitale traditionnelle, le cœur de la Russie, là où le fondateur de la dynastie des Romanov, bien que peu enthousiaste à la perspective de devenir tsar, a été traîné par ceux qui l'avaient élu et sacré, et solennellement investi dans ce rôle à la fois politique et religieux. Pour Nicolas, cette importance politique est accrue parce qu'il ne s'agit pas seulement de renouveler une fois de plus le pacte entre les Romanov et le peuple russe mais aussi de réaffirmer l'absolutisme dans la continuité du règne d'Alexandre III. Le sacre doit être empreint de toutes les traditions impériales comme si rien n'avait changé et comme si rien n'était appelé à changer. Alexandre III a donné l'exemple : son couronnement et celui de Maria Feodorovna, quinze ans plus tôt, avait été une cérémonie digne du temps d'Ivan le Terrible, où la liturgie orthodoxe imposait une succession d'offices et de prières, de déambulations à l'intérieur de l'énorme Kremlin avec d'interminables arrêts à chacune des églises. Une véritable opération de propagande, de communication politique. Par le sacre, on comprend ce que sera le règne. Et si Alexandre III n'y était pas allé de main morte dans l'évocation de toutes les traditions de la slavité, le sacre de Nicolas s'inscrit dans la même ambition. Dur moment en perspective pour Alexandra. Pour elle qui a déjà tellement de mal à se comporter avec un minimum de naturel dans une cérémonie, un bal ou une manifestation officielle, l'obligation de se retrouver avec des milliers de gens et de devoir rencontrer pendant plusieurs jours les représentants du peuple russe est une épreuve qui l'épouvante et à quoi elle se résigne en prenant le contre-pied psychologique d'une sorte de sublimation altière et extatique. Comme elle ne peut soutenir le regard de tous ces gens qui la dévisagent avidement, elle ne les considérera donc qu'à travers le halo d'un mysticisme aveugle et déformant.

Or, tout commence plutôt bien. Les cérémonies du sacre impressionnent les ambassadeurs du monde entier par le faste extraordinaire des rites impériaux. Les quinze années qui se sont déroulées depuis le couronnement d'Alexandre III montrent aussi à quel point la propagande s'est améliorée. Pour le sacre d'Alexandre III, l'Europe avait été submergée d'estampes, mais ce n'est rien à côté de celui de Nicolas et d'Alexandra dont les frères Lumière filment les cérémonies et qui suscite un engouement extraordinaire à travers une multitude d'images pieuses, de chromos et de photographies. Elle a vingt-trois ans, lui vingt-sept, et au milieu de ces cortèges énormes qui descendent le grand escalier du Kremlin, ils ont l'air fragiles et désemparés, mais accomplissent impeccablement tous les gestes qu'ils ont appris au cours des répétitions. L'enthousiasme est tel qu'on a l'impression, curieusement, que le message traditionaliste du sacre est celui que la Russie avait envie d'entendre. Pourtant, dès son avènement, Nicolas a profondément déçu par son premier manifeste officiel, murmuré et ânonné car il n'y a pas de plus piètre et de plus terne orateur. Il n'y était pas question de changer quoi que ce soit à la politique d'Alexandre III ni de revenir sur le principe sacro-saint de l'autocratie, pouvoir d'un seul sur une Russie divinisée qui ne connaît « ni la critique ni l'étranger », – et il faut entendre « la critique qui conduit à la démocratie » et « l'étranger » qui se trouverait en Russie, c'est-à-dire celui qui ne pratiquerait pas la religion orthodoxe, avec comme victimes toutes désignées les Polonais, les Baltes, les Finlandais, mais aussi, bien entendu, les juifs. Cette déclaration d'adhésion fanatique à l'autocratie avait fait passer un vent glacé parmi ceux qui espéraient que le nouveau tsar n'aurait pas la main aussi lourde que son père, même si certains esprits de progrès qui n'avaient pas entièrement versé du côté des terroristes ou des révolutionnaires s'étaient dit qu'il était encore bien jeune, qu'il fallait lui laisser le temps et qu'en épousant cette princesse allemande, instruite et intéressée par les idées modernes, il s'était uni avec une jeune étrangère offrant des espoirs de libéralisme. Et voilà qu'avec le sacre la déception du premier discours paraît balayée ! La magie de l'ancienne et sainte Russie fonctionnerait-elle encore ?

Malheureusement pour Nicolas et Alexandra l'illusion se dissipe tragiquement le soir même du couronnement. Sur une grande esplanade, dans les faubourgs de Moscou, se pressent des dizaines de milliers de personnes à qui les autorités ont promis un banquet populaire de réjouissance. L'autorité suprême en est le grand-duc Serge, oncle de Nicolas, mari d'Ella et gouverneur de Moscou. Et le grand-duc Serge est un organisateur imprévoyant, entouré de flatteurs dont l'incurie est manifeste. Ainsi les festivités tournent au désastre. Lorsque les charrettes se présentent avec les pâtés, les boules de pain et la vodka, une bousculade survient et le drame prend des proportions à la mesure d'une multitude gagnée par la panique : plusieurs centaines de personnes sont piétinées, étouffées par la foule. Dans la confusion, une tribune s'effondre, écrasant sous son poids une partie de ceux qui assistent à l'horreur de la scène en cherchant à s'échapper. C'est à la lumière des torches que l'on ramasse les cadavres disséminés dans la boue et la poussière, tandis que la rumeur de la catastrophe se répand dans Moscou.

La malchance, dès le premier jour, d'un règne qui vient d'être sanctifié frappe Nicolas et Alexandra en plein cœur. C'est déjà un présage particulièrement funeste pour le couronnement, dans un univers où l'irrationnel a tant d'importance ; « L'oint du Seigneur » est puni d'un châtiment obscur et terrible au cours même de son sacre. Or, il est de surcroît prévu que le tsar et la tsarine se rendent à la réception donnée en leur honneur par l'ambassadeur de France. La France est l'alliée de la Russie, et la République laïcisante et franc-maçonne multiplie les actes de prévenance à l'égard de l'empire absolu des Romanov. La France a toujours peur que la Russie ne reprenne sa parole et ne s'en retourne vers des amitiés plus naturelles ; elle vit dans la crainte perpétuelle de se retrouver seule, et couve donc l'alliance franco-russe. À l'occasion du couronnement, elle met les petits plats dans les grands pour honorer le nouveau tsar et son épouse. Les Français qui ont fait venir de Paris une foule d'invités, de traiteurs et de cadeaux prévoient une fête éblouissante. Il ne peut être question de les décevoir. On voit donc passer, dans les rues de Moscou, à l'heure où la police et les autorités sanitaires sont encore en train de dénombrer les victimes, le carrosse du tsar et de la tsarine en grandes tenues de soirée, lui le visage fermé, elle livide, qui vont danser au bal de l'ambassadeur. Et bien sûr, nul ne se prive d'évoquer le couple inconscient qui s'amuse alors que les blessés sont en train d'agoniser.

C'est l'un des exemples de l'injuste falsification des faits qui poursuit encore Nicolas et Alexandra. En vérité, ils se traînent au bal après des heures de conciliabule avec les oncles de Nicolas qui le poussent à s'y rendre. Ils ne dansent pas, partent très tôt, et passent les journées suivantes à hanter les hôpitaux où se trouvent les blessés. Mais de cela, on ne veut pas se souvenir dans les récits de la tragédie. Ce genre d'omissions, passablement orientées, alimenteront la légende noire de Nicolas et Alexandra. Or, ils ne se placeront jamais sur le même plan que leurs détracteurs, par hauteur aristocratique comme par innocence, étant incapables de soupçonner l'intensité de la haine qu'on pourrait leur porter. Quelques heures après que le sacre eut ébloui l'Europe, parviennent, dans les gazettes, les nouvelles du désastre de Moscou relayant au-delà des frontières l'impression macabre de cette fête ratée.

La première à en être désolée est évidemment Victoria qui connaît le caractère de sa petite-fille et de Nicolas et qui ne peut croire un seul instant qu'ils aient réagi avec la sécheresse de cœur que l'on décrit avec horreur jusque dans les cours royales. Mais que peut-elle opposer à une faute dont personne ne songe à éclairer les circonstances ? Et puis maintenant les destins de Victoria, de Nicolas et d'Alexandra se séparent, ils n'auront plus guère l'occasion de se revoir, sauf une fois, avant la mort de l'aïeule de l'Europe...

Victoria et les Habsbourg

Victoria n'a pas de liens de parenté avec les Habsbourg, pour la simple raison qu'ils marient leurs enfants dans des familles catholiques quand Romanov, Hohenzollern ou Windsor sont orthodoxes, luthériens, ou anglicans. La sphère des mariages, chez les Habsbourg, se limite aux maisons souveraines du sud de l'Allemagne, à l'Espagne, au Portugal et à cette nouvelle opportunité qu'offre la Belgique, qui va se révéler d'ailleurs désastreuse avec l'union de

Rodolphe et de Stéphanie. Un autre cercle de mariages pour les Habsbourg est certes l'Italie ; quand certaines principautés catholiques étaient plus ou moins sous le protectorat de la puissante maison de Vienne, les unions ont été nombreuses. Avec l'unité italienne, il devient difficile de trouver à marier ses enfants dans la péninsule, car les dynasties détrônées ont rejoint leurs terres en Autriche. La maison de Savoie est catholique mais, à force de guerres avec l'Autriche, elle a construit son essor et sa puissance contre les Habsbourg et, depuis qu'elle s'est installée à Rome, elle est devenue la geôlière du pape qui, enfermé au Vatican, bombarde bien sûr la maison de Savoie de ses malédictions. Quand on est un Habsbourg, on n'épouse pas un membre de la famille des geôliers du pape.

Cependant, Victoria éprouve une profonde estime pour François-Joseph qui la lui rend bien, par un légitime souci de solidarité sans doute : ils se talonnent en quelque sorte, dans la course de fond au plus long règne. Étant parti dix ans plus tard, François-Joseph se montre infiniment plus gaillard que la reine d'Angleterre, pour accomplir la dernière partie du parcours. Quand Victoria, à près de quatre-vingts ans, se fait véhiculer comme une poupée par ses vigoureux serviteurs indiens, les remplaçants du serviteur écossais qu'elle a tant aimé et dont elle a partagé sans rechigner le whisky et le parler populaire, François-Joseph continue à monter à cheval tel un jeune homme, à se déplacer d'un pas vif et militaire, la silhouette un peu courbée mais sèche et nerveuse, et à abattre une masse de travail que Victoria pourtant si consciencieuse n'a même jamais été capable de maîtriser à ce point. Pour apprécier cette aimable concurrence, il faut aussi considérer le siècle où ils règnent. Quand on dit que le XIXe siècle était stable, et que ce qui tourmenta tant les gens avec la survenue de la guerre fut précisément la fin de cet équilibre, on oublie que ce siècle fut également une période de convulsions, de révolutions, d'attentats sans nombre et de trônes offerts et perdus comme à la loterie. Disraeli s'en émerveillait : « Nous vivons un siècle extraordinaire où des royaumes se créent, où l'on élit des rois, où le plus obscur des princes, pour peu qu'il soit un peu ambitieux et qu'il sache bien négocier, peut se faire une situation considérable, où des familles disparaissent dans la tourmente tandis que d'autres surgissent au premier plan de la fortune et du pouvoir. » Non, le XIXe siècle est le contraire d'un siècle tranquille ; Victoria et François-Joseph ne peuvent que s'apprécier pour leur étonnante survie et leur souple résistance aux épreuves.

Victoria ressent également beaucoup de respect, et même de sollicitude attristée, pour les malheurs de la vie privée de François-Joseph, notamment le naufrage de son mariage et la perte de son fils. Victoria, toute au souvenir de son union extrêmement heureuse, est d'autant plus émue par ceux qui n'ont pas eu sa chance. Et quand, de surcroît, la fidélité se retrouve, dans un cas comme dans l'autre, trahie et trompée par le destin, cela tisse encore un lien supplémentaire. Victoria est fidèle au prince Albert alors qu'il lui a été arraché par la mort ; François-Joseph a aimé l'impératrice Élisabeth, Sissi, alors qu'elle lui a été enlevée par tout un ensemble de névroses sur lesquelles il n'avait pas de prise. Bref, ils sont tous deux des vieux veufs, régnant à perpétuité, et qui se reconnaissent dans l'idée favorable qu'ils se font l'un de l'autre et de leur sort commun.

L'impératrice Sissi, assassinée à Genève

De loin en loin, François-Joseph se rend à Cap-Martin pour y passer quelques jours en compagnie de Sissi, et c'est un des rares moments où il peut se retrouver avec celle qu'il aime depuis plus de quarante ans, et qui l'a virtuellement abandonné. Dans la vie de François-Joseph, Sissi est l'irruption de la poésie, du charme, de la fantaisie, de tout ce à quoi il se refuse toujours, lorsqu'il est en Autriche, pour gérer avec une méticulosité d'horloger son immense empire au mécanisme essoufflé.

En revanche, les brèves périodes où Sissi consent à ce qu'il la rejoigne pour quelques jours sont les seules où il accepte de prendre de vraies vacances. Or, dans ces années 1890, la reine Victoria profite également du climat de la Riviera ; c'est une époque où l'on va sur la Côte d'Azur en hiver et non pas en été et où l'on se protège du soleil avec des ombrelles plutôt que de s'y exposer. Mais enfin la lumière et la douceur de l'air attirent déjà l'élite des villes plongées dans la brume et la neige, et il est inévitable que des touristes aussi peu ordinaires se rencontrent. Cependant François-Joseph est souvent seul à Cap-Martin. En fait, comme toujours, il redevient un petit garçon, lorsqu'il est en face de Sissi et se plie à ses sautes d'humeur tandis qu'elle l'attire et lui échappe. Or Sissi passe des journées entières sans quitter sa chambre ou bien elle part se promener en laissant son mari derrière elle, avec une dame de compagnie ou avec cette grosse personne bavarde et sympathique qu'est l'impératrice Eugénie. On a encore quelques photos, presque des photos de paparazzi des années 1890 où l'on voit ces deux dames, en noir, floues et de dos, mais où l'on reconnaît très bien la silhouette juvénile de Sissi, cette silhouette à laquelle elle consacre des régimes démentiels où elle se fait quasiment mourir de faim. Et François-Joseph passe fréquemment ses journées à l'attendre. C'est fascinant de voir comme jusque dans le grand âge les relations de ce couple en restent à ce divorce fondamental des comportements, corrigées ou atténuées par l'indulgence éperdue de François-Joseph à l'égard de sa femme, et par une tendresse mélancolique nuancée de remords de Sissi pour son pauvre mari qui ne cesse de la suivre des yeux, la protège de loin avec sa police et qui, bien qu'elle s'en moque, paie ses considérables factures. Car « l'impératrice de la solitude » dont parlait Barrès n'est pas le petit oisillon des films avec Romy Schneider ni le personnage décadent et romanesque de Visconti, mais plutôt une rebelle foncièrement égocentrique et autodestructrice. Elle n'est jamais tout à fait seule. Elle épuise des dames de compagnie qui essaient d'ailleurs de la suivre et de s'adapter à ses fantaisies, et elle est toujours escortée dans ses voyages par un équipage de cuméristes, de médecins, de policiers, de secrétaires, en tout une vingtaine de personnes. Et l'entretien de ce petit monde représente d'énormes factures qui partent pour Vienne et que François-Joseph honore sans même les regarder car rien n'est trop beau pour celle qu'il aime toujours. Dans ces années 1890, à Cap-Martin, la situation pour François-Joseph n'est donc pas des plus agréables, mais il y est habitué. Il a quitté Vienne dans une atmosphère morose ; Catherine Schratt traverse une période difficile où elle commence à vieillir ; elle lui reproche de ne pas s'occuper de sa carrière et développe toutes sortes d'exigences inhabituelles, à la manière de Sissi dont elle tente parfois, maladroitement, de copier le caractère. Les pointes de Catherine Schratt ne sont pas graves car elle aime vraiment l'empereur. Mais ces pulsions inattendues de « Sissimania » sont ridicules et pénibles pour François-Joseph. Ainsi fait-elle des régimes sévères pour essayer d'être aussi mince que Sissi, ce qui aigrit son humeur, au grand dam de François-Joseph qui ne lui demande pas de tels sacrifices... et la préfère plus naturelle et plus aimable. Donc, d'un côté François-Joseph laisse à Vienne Catherine qui se montre nerveuse et lui envoie des lettres aigres-douces et de l'autre, il tente de retrouver Sissi tant aimée, dans cette station des Alpes-Maritimes où il se demande parfois ce qu'il est venu faire et où, pour se consoler de sa solitude, il s'absorbe une nouvelle fois dans les dossiers qu'on lui fait parvenir. Comme vacances, il y a plus gai ! Sa seule consolation est de s'occuper de son petit-neveu Charles, un gentil petit garçon, blond et docile, qui est pour lui l'exemple même de ce que devraient être les gens qui l'entourent. Hélas, dans le fonctionnement compliqué de l'Empire, personne n'a cette douceur et cette bonne volonté. Alors il passe beaucoup de temps avec lui dans les jardins du Cap-Martin remplis de citronniers et de palmiers ; il se laisse photographier, et l'on voit ce vieil homme, qui a l'air d'un grand-père de réclame pour une marque de biscuits, tenant la main d'un enfant dont ni l'un ni l'autre ne soupçonnent qu'il sera son successeur et le dernier empereur d'Autriche.

Si le comportement de François-Joseph et de Sissi est alors à l'image de ce que fut leur mariage pendant quarante ans, il est cependant certain qu'en atteignant l'un et l'autre le rivage de la vieillesse ils ont aussi trouvé une relative harmonie dans leurs relations. Sissi fait ainsi l'effort de passer chaque année plusieurs semaines à Vienne. François-Joseph lui a fait construire la merveilleuse villa Hermès où elle habite plutôt qu'à la Hofburg et Schönbrunn et où les meilleurs artistes d'avant-garde ont été appelés pour assurer la décoration intérieure. On y voit, notamment, des fresques et un portrait de Sissi par Gustave Klimt. François-Joseph, qui redoute les excès en tout genre, et qui est pour lui-même d'un ascétisme monacal, une fois de plus n'a pas lésiné sur la dépense pour tenter de retenir son épouse bien-aimée. La villa Hermès est le symbole de l'amour qu'il lui porte ; il en est pour une fois récompensé, puisqu'elle s'est attachée à cette villa et qu'elle y vient chaque année. Il n'en demeure pas moins que Sissi n'aime pas Vienne, n'aime pas l'Autriche, et pas plus la maison de Habsbourg avec toutes les règles qu'elle impose. Elle est toujours cette républicaine utopique, poétesse romantique, et admiratrice de Heine, et cette voyageuse impénitente, en fuite de tout et surtout d'elle-même qui a rompu avec les obligations de sa jeunesse. Mais, avec les années, elle a aussi fait la paix avec ce qu'elle avait refusé le plus violemment et notamment avec cet homme qui continue à la regarder avec des yeux de chien triste et affectueux. Elle ne lui reproche plus leur nuit de noces où elle eut l'impression d'être violée, sa belle-mère qui l'opprimait, leur premier enfant dont elle ne put s'occuper et qui mourut alors qu'ils étaient en voyage et puis le drame affreux de Mayerling avec la mort de leur fils Rodolphe. Et lui, qui ne l'a jamais critiquée et la juge avec une constante indulgence, il s'est accoutumé à sa manière de vivre. Il y a entre eux une tendresse distante mais sincère, tandis qu'elle reste l'impératrice d'Autriche, reine de Hongrie, et qu'ils accomplissent ensemble un minimum de fonctions officielles qui permettent de respecter les convenances. François-Joseph sait qu'il peut compter sur elle dans un certain nombre de domaines. Ainsi, quelques mois avant l'attentat de Genève où elle trouvera la mort, elle se montre auprès de lui pour fêter le millénaire de la Hongrie. C'est un événement extraordinaire de voir Sissi dans une cérémonie aussi importante, mais elle sait que sa présence est essentielle pour l'empereur, car c'est en partie à cause d'elle qu'a été élaboré le compromis entre l'Autriche et la Hongrie, ce fragile partage de l'immense empire entre les deux nations, que l'évolution des temps ne cesse de mettre en péril. Sissi a toujours pris le parti des Hongrois contre les Autrichiens, ces Hongrois qui lui ressemblent avec leur exaltation romantique, leur liberté à l'image des vastes steppes qui composent leur pays. Le caractère noble, chevaleresque, désintéressé des Hongrois a conquis celui de Sissi alors que Vienne menaçait une fois de plus d'écraser Budapest. Bavaroise qui a toujours parlé allemand et qui ne savait à peu près rien de la Hongrie jusqu'à ce qu'elle devînt souveraine magyare, elle se veut désormais totalement hongroise. Elle signe ses lettres « Erzebet », ses dames de compagnie sont hongroises et elle parle leur langue la plupart du temps. Le hongrois est horriblement difficile à apprendre et pourtant Sissi s'y est jetée à corps perdu à trente ans, et le maîtrise depuis à la perfection.

Sissi se rend donc aux célébrations de Budapest et il y a si longtemps que personne ne l'a vue en public que sa venue suscite une intense curiosité populaire. Est-elle toujours aussi belle ? Elle assiste aux cérémonies, le visage nuancé par une légère voilette qui lui donne une aura de douceur. Mais elle est tellement transportée d'émotion par la manière dont les Hongrois l'ont accueillie, qu'elle soulève son voile de mousseline. Pour cette foule qui l'idolâtre, c'est un désenchantement terrible car on découvre soudain son visage de femme de soixante ans, marqué par l'âge, avec le teint fané et les dents gâtées. Elle s'en rend compte et la cérémonie s'achève en silence, dans un climat triste et funèbre.

Pour la reine Victoria, comme pour le reste du monde, la relation de François-Joseph et de Sissi est à peu près incompréhensible. Cette énigme sera d'ailleurs la chance de Sissi pour sa postérité. En surgiront les multiples livres, les films, les thèses historiques, selon lesquels le lent suicide de Sissi est celui de l'empire d'Autriche même. De fait, Sissi, princesse de la romantique Bavière, Wittelsbach de la branche cadette, impératrice d'Autriche par surprise alors que c'est sa sœur aînée qui devait le devenir, reine de Hongrie par esprit chevaleresque et voyageuse d'une errance éternelle, est bien le symbole le plus évocateur de cet Empire qui n'arrive jamais à échapper à la pente fatale sur laquelle il glisse doucement.

À cet égard, la mort de Sissi est tout aussi exemplaire. En 1898, elle passe une partie de l'été à Ischl auprès de François-Joseph, qui n'en revient pas de la voir rester si longtemps, et puis elle commande soudainement son train, ce magnifique train impérial dans lequel elle parcourt régulièrement l'Europe. On pourrait faire un autre livre avec l'histoire de tous les moyens de déplacement de Sissi : son train, son yacht, mais aussi le tramway qu'elle a pris à Paris et qu'elle n'a pas su comment payer, suscitant une bousculade autour d'elle, ses séances endiablées d'équitation qui terrorisent ceux qui tentent de la suivre, ses calèches, ses voitures à chevaux, ses voitures à ânes à Corfou, ses marches délirantes au plus loin du moindre village comme si, dans ces déplacements sans fin, elle se sentait enfin en paix avec elle-même.

Elle descend à l'hôtel Beaurivage à Genève, à la fin de l'été, et obtient de la direction de l'établissement qu'on n'informe personne de son séjour. Mais les autorités cantonales de Genève sont si fières d'avoir la visite de l'impératrice d'Autriche qu'elles ne respectent pas la consigne. Sa présence est signalée dans les pages mondaines des journaux locaux. Comme il se doit, elle n'est pas seule. On peut encore lire sur le registre des arrivées de l'hôtel qu'un employé – certainement de première qualité et réservé aux grandes personnalités – a noté avec une calligraphie parfaite les noms de l'impératrice reine de Hongrie, mais aussi ceux de son entourage, ce qui remplit toute une page. On constate d'ailleurs qu'au bas de la même page le nom de la comédienne Sarah Bernhardt est inscrit, d'une manière nettement plus désinvolte. On peut même imaginer qu'elles se sont croisées dans les couloirs en se dévisageant avec une fiévreuse curiosité. Il y a chez les grands de ce monde, déjà en ce temps-là, une réelle fascination pour les gens du théâtre. La reine Victoria n'a-t-elle pas demandé, alors qu'elle était à Cap-Martin et que Sarah Bernhardt se produisait dans un théâtre de la Riviera, qu'on lui rapportât des programmes dédicacés ? Mais il est vrai que Sarah était aussi une reine dans son propre royaume...

Il fait très beau à Genève en ce début du mois de septembre, comme souvent en cette période sur les bords du lac Léman. L'été se prolonge avec des brumes le matin qui donnent au paysage une teinte nacrée, un peu floue et très poétique. Sissi apprécie cette atmosphère douce et délicate. D'ailleurs, depuis quelque temps elle se sent mieux. On est loin des périodes de dépression noire et de rébellion aiguë qu'elle a traversées quand elle avait quarante ou cinquante ans où, obsédée par l'inévitable flétrissement de sa beauté, elle se cachait d'une manière obstinée et névrotique. À Genève, il n'y a pas grand-chose à faire mais comme toujours, avec ses habitudes de vie éclectique, elle s'est liée d'amitié avec la baronne Julie de Rothschild qui l'invite à déjeuner au château de Prégny. C'est un merveilleux château très XIXe, un des chefs-d'œuvre de cette architecture rothschildienne qui a bâti des châteaux aussi confortables que de grands hôtels. Lorsque Sissi s'y rend, à la stupéfaction de son hôte elle fait honneur au déjeuner, elle boit même du champagne, elle se montre si satisfaite qu'elle décide de revenir en répondant à une nouvelle invitation de la baronne de Rothschild.

Elle se prépare donc, en ce jour de septembre, à prendre le bateau pour rejoindre Prégny. Il n'y a rien de plus charmant que ces bateaux sur le lac Léman. Ce sont, encore aujourd'hui, des bateaux à aubes et, en somme, très peu de choses ont changé dans l'apparence des lieux et des paysages. L'hôtel Beaurivage est tou jours là, les bateaux à aubes aussi, le château de Prégny également et, sur le quai où Sissi a été assassinée, le promeneur un peu attentif peut lire le nom de l'impératrice d'Autriche sur une plaque entre l'hôtel Beaurivage et l'embarcadère.

Toutes sortes de potins et de versions fantasmatiques ont entouré la mort de Sissi qui favorisait elle-même sa propre légende. Sissi se surnommait « la mouette », elle se voyait précisément comme cet oiseau blanc qui s'envolerait toujours plus loin au-delà du monde des vivants. Les romanciers peuvent donc fabuler sur son réveil en pleine nuit, apercevant depuis la fenêtre de sa chambre la Dame blanche des Habsbourg, cette créature mythique qui apparaîtrait aux membres de la famille chaque fois qu'ils vont être frappés par une tragédie, ou rapporter qu'elle aurait été suivie par un corbeau noir quelques heures avant sa mort. Vrai ou faux, on constate que Sissi a eu la mort qu'elle appelait de ses vœux en vivant d'une manière si dangereuse pour une femme de sa condition. Il faut rappeler qu'elle n'avait pas hésité à traverser plusieurs fois la Méditerranée sur son yacht *Le Miramar,* demandant à se faire attacher au mât du navire en pleine tempête, pour rester sur le pont tandis que les embruns submergeaient la coque et que sa suite s'enfermait terrifiée dans les cabines, il faut aussi relire les récits de ses folles équipées à cheval en Normandie ou en Irlande, avec le beau cavalier anglais dont on rapporta à tort qu'il fut son amant. Dans toutes ses escapades, plus ou moins clandestines, elle eut sans doute bien des mésaventures dont on n'a pas d'échos ; lors de ses séjours à Alger, au Caire, dans les bas quartiers de Paris, tous ces lieux où elle parvenait à tromper la vigilance de la police impériale que François-Joseph lançait en permanence à ses trousses et dont il attendait des rapports quotidiens.

Or en ce temps-là, les anarchistes réglaient à leur manière et avec une efficacité sans frontières le sort des tenants du pouvoir et de tous ceux qu'ils associaient à l'idée de la tyrannie de l'État. Compte tenu des risques que Sissi prenait en permanence, elle s'exposait évidemment à celui d'être tuée par un anarchiste.

Luccheni, un Italo-Français abandonné par son père, qui fut à plusieurs reprises valet de ferme dans des familles où on le battait, qui servit plus tard chez un prince où il acquit un peu d'instruction, traîne dans Genève, en ces jours de septembre 1898. Il a le projet d'accomplir un de ces crimes libérateurs qui sont la règle ou la philosophie de l'anarchie. Luccheni est à Genève parce qu'il veut tuer un prince de la maison de France qui serait en cure à Évian. Renseignements pris, le prince en question ne s'y trouve pas, mais en revanche la feuille suisse locale précise que l'impératrice d'Autriche réside à l'hôtel Beaurivage. Luccheni est un garçon fruste, qui veut agir seul et sans complice. Sur les photos, il ressemble à un de ces voyous de banlieue, qui font tant fantasmer la presse aujourd'hui comme hier. Et, comme eux, Luccheni a « la haine » pour tous les favorisés de ce monde. Sissi, le bel oiseau, qui cherche en vérité la mort depuis tant d'années, qui la côtoie, qui lui sourit et qui, fidèle à son attitude de ne jamais imposer quoi que ce soit, attend qu'elle se déclare, est la proie idéale.

Luccheni n'a aucune idée de la réelle personnalité de sa victime, il ignore qu'au fond il lui rend service, que Sissi ne s'occupe pas de politique et n'a plus aucune influence auprès de François-Joseph dans ce domaine. Il surgit devant Sissi et la comtesse Sztarey qui se hâtent depuis l'hôtel Beaurivage jusqu'à l'embarcadère pour prendre le bateau qui les amènera à nouveau vers le château de la baronne de Rothschild ; il plonge un poinçon dans la poitrine de Sissi qui, croyant avoir affaire à un chemineau, s'apprêtait à lui donner quelque argent. Luccheni s'enfuit en tenant toujours son arme et Sissi continue son chemin en disant : « Non, non, ce n'est rien. Cet homme m'a fait mal, peut-être voulait-il me voler mon sac... » Elle embarque sur le bateau, de plus en plus pâle. La comtesse Sztarey, croyant à un malaise, dégrafe son corsage et aperçoit une petite tache brune. Sissi est devenue livide. Le commandant, alerté par la comtesse qui s'est fait connaître, fait rebrousser chemin au bateau. On imagine le soleil, le calme dans ces lieux si paisibles, le clapotis de l'eau et des roues à aubes, et puis la rumeur qui monte : « C'est l'impératrice d'Autriche ! », les gens de l'hôtel qui accourent, la civière improvisée, les curieux, les passagers qui cherchent à s'entremettre, cette femme dont le corsage est ouvert, dont on a remonté la voilette, et dont le bras pend de la civière. On emmène Sissi à toute allure alors qu'elle expire. Il y a d'ailleurs une photo très émouvante, sans doute retouchée parce que Sissi paraît très jeune, où elle est étendue dans sa chambre d'hôtel avec un voile transparent sur le visage, comme si elle dormait, tandis que la directrice de l'hôtel la considère avec une expression de tristesse épouvantée.

C'est le comte Paar, le chef de cabinet de François-Joseph, qui informe l'empereur alors qu'il se trouve toujours à Ischl : « Majesté, j'ai de très mauvaises nouvelles à vous annoncer. » François-Joseph comprend aussitôt. C'est comme s'il attendait ce dénouement depuis toujours, depuis que Sissi âgée de vingt-trois ans a commencé à le quitter pour se rendre à Madère. C'était il y a très longtemps, au début des années 1860. Il dit seulement cette phrase qui exprime toute sa détresse et sa solitude : « Personne ne sait à quel point je l'ai aimée. » La perte de Sissi est assurément le plus grand chagrin de sa vie et on le voit pleurer, ce qui était jusqu'alors inimaginable pour son entourage.

Les obsèques à Vienne sont froides et sans véritable émotion. Il y a longtemps que la capitale des Habsbourg considère que Sissi est morte et même son souvenir n'est pas agréable aux Viennois. Cela importe peu au vieil empereur qui assiste aux funérailles, muet comme un fantôme. Il gardera autour de lui tout ce qui attestait de la présence de Sissi, et même ce qui l'exaspérait le plus en elle, comme ces anneaux accrochés au plafond de la Hofburg, les barres parallèles, tous ces instruments de gymnastique, ces miroirs, ces coiffeuses, signes et objets d'un narcissisme qui laissait peu de place à l'amour qu'il lui portait. Jusqu'à la fin de sa vie, François-Joseph traversera sans mot dire des pièces qui étaient les chambres de Sissi imprégnées de tout son univers et qui étaient autant de témoignages de leurs différences fondamentales. Aujourd'hui, tout est resté en l'état.

Politiquement, historiquement, la mort de Sissi n'a pas d'importance. Mais on va habilement se servir du culte qui se développe autour d'elle. En effet, par sa mort, elle devient un personnage définitivement romantique que la maison de Habsbourg peut annexer, une héroïne et une martyre de la dynastie sur laquelle s'acharne l'adversité. C'est ainsi qu'il y aura, partout dans l'Empire, de Trieste à Vienne, des monuments édifiés à la mémoire d'Élisabeth, tout comme à Budapest où on lui dédie l'admirable pont Erzebet sur le Danube, merveille de la technique comparable à la tour Eiffel de Paris. Un pont suspendu de fonte, miracle de grâce, de légèreté, à l'image de celle qui lui donne son nom. Le pont Erzebet a été détruit pendant la guerre et les communistes l'ont reconstruit depuis, avec deux arches de béton très banales. Débaptisé durant quarante ans, il a récemment retrouvé son nom.

Quant à Luccheni, il fut emprisonné en Suisse, et il ne fut pas condamné à mort notamment parce que Sissi était hostile à la peine capitale. Il finit par se pendre sans jamais avoir expliqué son geste.

Le drame de Mayerling

Dénuée de signification politique, la mort de Sissi a énormément d'impact sur le plan symbolique. Elle clot en forme d'épilogue une série de catastrophes dont la dernière est la mort de sa propre sœur, la duchesse d'Alençon, brûlée vive ou asphyxiée dans l'incendie du bazar de la Charité, à Paris, en 1896.

Mais le premier et le plus irrémédiable de ces drames est évidemment la mort de l'archiduc Rodolphe, fils de François-Joseph et de Sissi, dans le relais de chasse de Mayerling. C'est aussi l'un des événements où les débuts de la presse moderne mettent pour la première fois en péril la réputation d'une maison royale. Des suicides, des scandales, des meurtres, des vices, il y en a toujours eu, ils prirent parfois des dimensions spectaculaires comme lorsque le roi George IV d'Angleterre interdit à sa femme de se faire couronner en même temps que lui et lui fit fermer les portes de Westminster. Mais dès qu'il y a la photographie, la possibilité de transmettre des informations rapidement par le télégraphe et que la presse est libre dans un nombre grandissant de pays, la manière dont les maisons royales informent leurs sujets doit changer radicalement pour demeurer crédible. Le drame de Rodolphe à Mayerling est le premier fait divers royal, et c'est en ce sens qu'il porte le plus de tort à la maison des Habsbourg. L'horreur du geste de Rodolphe assassinant Marie Vetsera et se donnant la mort ensuite, c'est une chose abominable en soi. La manière dont la famille impériale et surtout François-Joseph tentent de ne pas informer l'opinion, de canaliser les rumeurs, et de faire taire les hypothèses les plus délirantes en leur substituant les pires mensonges, en est une autre, alimentant, jusqu'à l'effondrement de la maison de Habsbourg, des campagnes de doutes et de suspicions, qui l'auront certainement affaiblie tout autant que le drame lui-même.

Il est curieux de constater à quel point Rodolphe, enfant de parents qui avaient forcément de très grandes ambitions pour leur fils, héritier de la maison Habsbourg, futur empereur d'Autriche et roi de Hongrie, aura passé son enfance dans un état de semi-abandon. Sa mère est constamment en voyage ; elle lui fait parvenir des cadeaux, elle exalte l'amour qu'il lui porte, à chacun de ses passages, en étant la merveille d'élégance et de poésie qu'un enfant romanesque peut sublimer, mais elle est absente. Quant à son père, enfermé dans des principes d'éducation rigide, désireux de transmettre à son fils le sens du devoir, de la discipline, du travail régulier qui sont les seules règles qu'il connaisse, il laisse son enfant aux mains de précepteurs secs et d'un esprit uniquement militaire. Il est possible que François-Joseph soit inquiet à l'idée que cet enfant ressemble trop à sa mère et vive dans un perpétuel état d'exaltation romanesque qui serait préjudiciable à l'exercice des fonctions d'héritier et plus tard d'empereur, et qu'il choisisse en conséquence de se cuirasser en face de lui et ne lui donne que très peu d'amour en apparence afin qu'il s'endurcisse. Mais en même temps, François-Joseph n'est pas un monstre ainsi que le prouve cette anecdote : un jour où il regarde par la fenêtre, il voit dans la cour de la Hofburg des militaires à l'entraînement, et le petit archiduc, âgé de huit ans, qui tremble de froid sous une mince capote réglementaire, manifestement incapable de supporter ce moment de dressage militaire. François-Joseph donne alors l'ordre de le faire remonter, de lui servir un chocolat chaud et de lui éviter à l'avenir des exercices aussi rigoureux. Mais il y a bien d'autres moments où le dressage militaire s'exerce avec toute sa rigueur et marque cet enfant, déjà solitaire par essence, puisque l'héritier du trône est tenu à l'écart des autres enfants de son âge, hormis ses deux sœurs pour qui l'existence est cependant bien plus douce.

Certaines photos de Rodolphe enfant témoignent de ce bonheur refusé, lorsqu'on le voit avec son père à la chasse, et qu'ils semblent très proches l'un de l'autre. Le petit garçon est fier d'accompagner François-Joseph. Il regarde le photographe, il est gai et charmant. Ce sont des scènes très posées, comme prises dans l'atelier d'un photographe, charmantes, mais un peu irréelles ; à croire que ces moments d'intimité entre le père et le fils étaient en fait plutôt rares. Quant aux photos avec Sissi, on en trouve encore moins, car elle n'était jamais là. Il y a aussi les photos où Rodolphe pose seul, comme une poupée que l'on attife avec les costumes des différentes nationalités de l'Empire sur lesquelles il sera appelé à régner un jour. Il est en petit Hongrois, en Croate, en Tyrolien, en Bohémien, et tous ces déguisements lui vont à ravir. Sur toutes ces photos, l'enfant est joli et gracieux mais très mélancolique. Rodolphe est un enfant triste, ignorant ses jouets, souvent bouteur et qui regarde l'objectif de la caméra comme s'il y cherchait quelque chose qui l'emmènerait ailleurs, peut-être près de sa mère absente ou d'un père moins sévère.

Rodolphe grandit. Il a maintenant les traits Habsbourg, un visage longiligne, légèrement prognate, avec des yeux qui brillent d'intelligence et de nostalgie, les mêmes que Sissi. Ce bel adolescent a aussi un air secret, fiévreux et exalté qui laisse commé une impression de malaise. En fait, dès l'âge de quatorze ans, il a déjà une vie cachée. Comme le fut son père durant sa jeunesse, il est un grand amateur de femmes, et dès l'adolescence il fait des conquêtes. Certaines appartenant au monde des initiatrices qui sont une spécialité répandue dans les cours royales, et d'autres qu'il trouve dans les milieux mélangés vers lesquels il s'échappe. Bien qu'en partie brisé par l'éducation à laquelle il a été soumis, il est quand même un jeune militaire qui prend, comme tout Habsbourg qui se respecte, des postes en garnison dans des provinces éloignées de Vienne où il s'ennuie énormément et où il occupe son temps en lisant des livres qui lui permettent de nourrir sa rébellion naissante contre son père. De ce fait, le jeune homme passe très rapidement pour un esprit libéral adepte de la littérature socialiste, démocratique, voire républicaine. Il franchit même le pas d'écrire à son tour dans des journaux avancés. Il se lie notamment avec Julius Szeps, le directeur d'un journal démocratique, le *Neue Wiener Tagblatt*, et ils deviennent très proches. Rodolphe y propose des articles extrêmement virulents contre le régime impérial, à tel point que le rédacteur en chef ne les fait pas toujours paraître ou bien sous un pseudonyme que la police n'a aucun mal à percer.

C'est un étrange héritier que François-Joseph a donc en face de lui, lorsqu'il dispose de l'autonomie relative que l'on accorde au prince de la couronne, et que se pose la question inquiétante de savoir ce que l'on va faire de lui en attendant le jour lointain où il succédera à son père. Or Rodolphe sait très bien ce qu'il veut. Il souhaite continuer à étudier le fonctionnement de l'Empire et y apporter les remèdes qu'il juge les plus appropriés qui, en fait, répondent à sa contestation du système des Habsbourg. Et c'est ainsi qu'il s'enfonce peu à peu dans une sorte de dérive, davantage celle d'un enfant qui voudrait briser ses jouets par provocation que celle d'un authentique révolutionnaire. Il vit sa révolte intérieure d'une manière extrêmement fiévreuse, comme le sont ses nuits de débauche. Cette effervescence constante entre la lecture, l'écriture, les rencontres et les plaisirs auxquels il s'abandonne, consume rapidement son existence. À vingt-cinq ans il a l'air d'en avoir dix de plus, ce qui lui donne, d'ailleurs, un surcroît de charme. Il demeure néanmoins le prince héritier avec tout ce que cela a d'officiel, qui assiste à un certain nombre de cérémonies, est confronté à toutes sortes de devoirs et aussi de privilèges. Chaque fois qu'il se soumet à ce décorum on peut s'attendre à divers débordements de sa part, qui sont en fait de vrais caprices : par moments, il se déclare républicain tandis qu'à d'autres, il réclame l'étiquette et les avantages de sa fonction. Mais la révolte de Rodolphe va très loin : il écrit des articles de plus en plus incendiaires contre l'archaïsme du régime, il préconise l'instauration du suffrage universel, la lutte contre toutes les oppressions et la libération des nationalités dans le cadre de l'Empire. Il va même jusqu'à se lier avec Georges Clemenceau, le farouche républicain, qui vient chaque année faire sa cure en Autriche. Ce comportement plaît beaucoup au petit groupe de gens qui traînent dans son sillage ou aux journalistes progressistes qu'il traite à sa table et qui se sentent honorés de cette relation. Grâce à l'efficacité de sa police, François-Joseph est au courant de tous les faits et gestes de son fils ; il reçoit chaque jour une note sur ce qu'il a fait la veille, les gens qu'il a rencontrés et les articles qu'il a écrits. Ces rapports exaspèrent François-Joseph : la manière d'être de son fils est, pour lui, plus proche de l'extravagance et de la pose que de la raison politique ; elle met la dynastie et l'Empire en danger.

Rodolphe souffre, en fait, d'une tendance compulsive à l'autodestruction. Marqué par l'hérédité de sa mère, comme par la dureté de son éducation, il se rattache à toute une lignée d'héritiers, névrosés par l'attente oisive, ingrate et vaine de lourdes responsabilités, tout en partageant avec certains jeunes archiducs Habsbourg l'appel de la liberté et de l'évasion en une fin de siècle bruissante des tentations du monde. Ainsi l'un des cousins préférés de Rodolphe a quitté la famille impériale, abandonné son titre pour disparaître en Amérique du Sud sous le nom de Jean Orth, causant un énorme scandale parmi la population. Jamais aucun Habsbourg ne s'était débarrassé ainsi des dignités et des honneurs de la famille. D'autres s'affichent avec des comédiennes ou passent de longs mois à l'étranger.

Hormis Jean Orth, avant sa disparition, et Julius Szeps, Rodolphe n'a pas d'amis. Seul son cocher le connaît vraiment, car c'est lui qui le conduit comme un complice à n'importe quelle heure du jour et de la nuit dans tous les endroits inhabituels pour un prince de sa condition. Ses fréquentations régulières sont ses compagnons de beuverie, et des politiciens ambitieux flattés par son attention mais qui en profitent pour le manipuler. Quelques clichés montrent aussi Rodolphe et Guillaume, qui va devenir empereur d'Allemagne, se tenant par le bras comme deux frères. Mais c'est une amitié

« pour la photographie ». Ils sont de la même génération et sont appelés l'un et l'autre à hériter de formidables situations, toutefois ces images ne font pas illusion : les deux jeunes gens sont totalement différents. Guillaume est fier de s'emparer du pouvoir allemand pour en faire une machine à accomplir ses ambitions et il vit à l'unisson de la puissance germanique. Rodolphe paraît ne souhaiter accéder au pouvoir que pour lui faire prendre un tournant si dangereux qu'il risque de le détruire. En cela, ils sont l'un et l'autre à l'image des pays qui leur sont destinés : Guillaume énergique et fringant comme l'Allemagne, et Rodolphe mélancolique et destructeur, sourdement décadent comme l'Autriche-Hongrie.

De loin en loin, Sissi constate l'étendue des dommages que son fils s'inflige à lui-même. Mais elle arrive et repart presque aussitôt. Comment pourrait-elle influer sur la conduite d'un fils qui lui ressemble tant et la conforte dans sa propre neurasthénie ? Finalement François-Joseph et Sissi, décident d'avoir recours à l'habituel remède, c'est-à-dire le mariage. Leur choix se porte sur une toute jeune fille, Stéphanie de Belgique, la fille du roi Léopold II. C'est un homme d'une intelligence remarquable et d'une ambition féroce. « Le roi des Belges, ce géant condamné à vivre dans un entresol », est aussi un être tyrannique et amer, qui fait subir à son entourage des accès de méchanceté quasi sadiques. La jeune princesse qu'on « expédie » à Vienne est une petite fille fade et timorée, mal remise de ces traitements pervers. Elle n'est même pas encore formée, quand on la jette en pâture comme un animal au jeune prince héritier pour qu'ils assurent la continuité de la dynastie, et il faut attendre quelques mois pour fixer la date du mariage. Il n'y a évidemment ni amour ni attachement réciproques du côté des fiancés dans cette affaire menée rondement par deux familles intéressées et par des diplomates trop cérémonieux. Stéphanie de Belgique n'est pas vraiment laide, juste un peu trop blanche et trop blonde, comme inachevée, fragilisée par sa mère trop pieuse, et par son père qui n'aimait personne sauf ses rêves de gloire. Elle est tout de suite affolée et perdue face à cette cour et cette maison de Habsbourg tellement impressionnantes. Le clan des archiduchesses et des dames de l'aristocratie ne lui laisse aucune chance et se moque sans indulgence de ce tendron si naïf et si maladroit. Or Stéphanie n'a pas la capacité de rébellion de Sissi.

En apparence, l'arrivée de Stéphanie de Belgique, les fiançailles, le mariage sont un moment de réjouissances familiales et populaires. Vienne est largement décoré d'oriflammes et d'arcs de triomphe, et tout se déroule dans une liesse joyeuse. François-Joseph se montre affectueux avec sa belle-fille. Il attend tellement d'elle, espérant qu'elle saura apaiser Rodolphe et que son innocence et sa douceur toucheront ce viveur blasé et cynique. Il se trompe. Le mariage tourne inévitablement à la catastrophe. Les historiens et la postérité ont été très sévères à l'égard de Stéphanie en lui faisant porter la responsabilité du drame qui a suivi, et en affirmant qu'elle avait été incapable de donner à Rodolphe l'amour et la sécurité dont il avait besoin. Mais comment une enfant de son âge, prisonnière de l'univers étouffant de Vienne, ne possédant aucune des clefs de l'existence aurait-elle pu stabiliser un être aussi déséquilibré que Rodolphe ? De fait l'archiduc héritier ne fait aucun effort pour ménager l'innocente. La première nuit est un viol dont elle reste marquée. Cet être sensible et délicat que pouvait être Rodolphe se jette sur elle avec une brutalité de noceur, habitué aux femmes faciles, comme s'il voulait lui faire payer le piège dans lequel ils se retrouvent l'un et l'autre. Cahin-caha, pourtant, pendant quelques années, ils vont se supporter, Stéphanie avec une bonne volonté touchante et Rodolphe avec une impatience cruelle traversée d'éclairs de remords où il lui montre une brève tendresse. Stéphanie possède un cœur simple qui s'attache ; elle tente absolument de plaire à son mari et ne sait pas comment s'y prendre. Elle se tourne de tous côtés, mais ne rencontre que des alliés douteux, comme cette cousine de la famille impériale, la fameuse comtesse Larisch qui est en fait une des âmes damnées de Rodolphe, après avoir été l'une des affidées les plus troubles de Sissi. Une fois qu'elle sera chassée de la famille impériale, Marie Larish publiera des livres à succès fourmillant de ragots crapuleux, expressions de sa rancœur et de sa haine. Pour l'instant, elle est une des confidentes des plaisirs secrets de Rodolphe, et dans son aveuglement, c'est à elle que Stéphanie demande des conseils pour retenir son mari. Les rares moments où Rodolphe se laisse émouvoir par sa femme s'achèvent pratiquement toujours par des scènes. Quand il l'emmène avec lui, la nuit, dans les cafés les plus sordides de Vienne, la petite Stéphanie ne peut cacher son malaise, prend peur, veut rentrer. Il le lui reproche, elle pleure, la gêne et le malheur s'installent. Bientôt, il entend lui faire admettre que ses besoins sensuels sont tels qu'il faut absolument qu'il la trompe. Elle commet alors toutes les erreurs, au risque de le perdre définitivement. Elle le fait espionner, le surveille, le suit. Elle survient même une fois chez l'une de ses maîtresses alors qu'ils sont encore couchés : on patauge dans un sinistre vaudeville. Une petite fille naît à laquelle Rodolphe semble très attaché. Mais cela ne suffit pas à resserrer une union qui se distend irrémédiablement.

À trente ans, Rodolphe est désormais un être usé par la vie, agité de toutes sortes de pulsions morbides et qui paraît avoir perdu ses dernières illusions. La catastrophe qui va survenir dans le pavillon de chasse de Mayerling ne paraîtra extraordinaire qu'à ceux qui ne voyaient pas régulièrement Rodolphe en ces temps d'inexorable dérive.

Aujourd'hui on sait à peu près ce qui s'est passé à Mayerling malgré les rumeurs qui entourent encore ce drame longtemps mystérieux. Une nuit de janvier 1889, l'archiduc héritier Rodolphe de Habsbourg se suicide d'une balle de revolver après avoir tué une jeune fille de dix-sept ans, la baronne Marie Vetsera qu'il connaissait depuis quelque temps et qui l'aurait suivi dans la mort par exaltation amoureuse. Les deux amants sont arrivés au pavillon de chasse de Mayerling quelques heures plus tôt ; la veille au soir ils ont paru manifester un comportement normal et ce n'est qu'au petit matin que le valet de chambre de Rodolphe aurait entendu les détonations. Tout a été reconstitué depuis d'une manière très précise et il semble bien qu'il n'y ait plus d'équivoque sur le fait que Rodolphe a bien tué Marie Vetsera et s'est bien suicidé ensuite. Mais il est vrai que dans l'affolement de la découverte l'effroyable réalité semble d'abord très confuse. C'est Sissi que l'on informe en premier car personne n'ose dire la vérité à François-Joseph. Sissi, toute bouleversée qu'elle soit, fait preuve d'une grande maîtrise d'elle-même. C'est elle qui annonce la sinistre nouvelle à François-Joseph, mais elle fait appeler Catherine Schratt auprès de lui, pour tenter d'adoucir la détresse générale. On peut imaginer cet étrange ménage à trois de personnes vieillissantes se lamentant devant ce drame affreux et tentant de savoir ce qui s'est passé ; les conseillers, les policiers qui n'osent raconter vraiment ce qu'ils ont vu car c'est trop épouvantable, le crâne fracassé de Rodolphe, le corps de Marie Vetsera, l'héritier marié, père d'un enfant, qui se suicide avec une jeune fille ; la soudaineté et le mystère ; la jeune veuve qui ne sait rien encore ; cette plongée de toute une famille dans un cauchemar déjà terrible pour le commun des mortels, mais compliqué du fait qu'il frappe de plein fouet une maison souveraine et le gouvernement d'un immense Empire.

Les plus invraisemblables rumeurs se répandent bientôt dans Vienne, attisées par la succession des tentatives maladroites de François-Joseph pour étouffer l'affaire, afin qu'on ignore que Rodolphe est à la fois un assassin et un suicidé. L'obsession, à vrai dire compréhensible, de François-Joseph est que son fils puisse avoir des obsèques religieuses. L'héritier de la maison des Habsbourg jeté en fosse commune comme un réprouvé est une idée qui lui est humainement et politiquement insupportable. La vérité étant également inenvisageable, François-Joseph écrit au pape une lettre déchirante dans laquelle les circonstances sont habilement arrangées pour faire penser à une crise cardiaque. Manifestant une louable aptitude à la surdité et à l'aveuglement, le pape accepte d'admettre ce qui est désormais la thèse officielle et Rodolphe a les obsèques d'un archiduc héritier victime d'un malencontreux accident de santé. La famille Vetsera, en revanche, vient reprendre le corps de la jeune fille dans une clandestinité honteuse, avec l'ordre absolu, et dont l'accomplissement est durement surveillé, de faire enterrer Marie Vetsera dans le plus grand secret.

Rodolphe est donc mort d'une attaque d'apoplexie comme on disait alors pour tous les problèmes cardiaques. Mais il y avait du monde à Mayerling cette nuit-là, des domestiques, des gardes-chasse, des gens alentour qui ont vu arriver les amants, leur cortège, leur équipage, et comme les rumeurs ne s'apaisent pas et qu'elles commencent à courir toute l'Europe, grossies des récits de toutes les fredaines passées de Rodolphe, la cour laisse filtrer officieusement la version plus crédible d'un accident par armes à feu, à la chasse ou à la suite d'un maniement imprudent dans la chambre de Rodolphe. Mais toute cette valse-hésitation de vérités successives n'a finalement comme effet que d'aggraver les soupçons qui agitent l'opinion publique.

L'éventail des hypothèses concernant Mayerling est un bon exemple des rêveries sentimentales de la fin du XIXe siècle. Selon la plus simple, Rodolphe et Marie Vetsera sont fous l'un de l'autre ; dans un moment de fièvre amoureuse et se sachant condamnés à ne pouvoir vivre ensemble, ils s'enfuient dans la mort par quête d'absolu. C'est le thème qui aura fait rêver des générations de jeunes filles et qui sera repris au cinéma. C'est certainement faux. Rodolphc connaît pcu Marie Vetsera, et il semble qu'elle l'importune plus qu'autre chose. Une autre thèse voudrait que Marie Vetsera ait été plus ou moins manipulée par on ne sait trop quelle conjuration, pour obtenir des renseignements de Rodolphe, qu'il s'en soit rendu compte, et qu'ayant parlé ou commis des imprudences il ait décidé de supprimer et l'espionne et le délateur malgré lui. Pure fantaisie quand on songe à l'âge de Marie. D'autres encore font état d'une machination organisée par des francs-maçons et des républicains français, menés par Clemenceau. Connaissant Rodolphe il aurait jugé qu'en tuant l'héritier on allait préparer la ruine définitive de l'Autriche-Hongrie. Conjectures auxquelles Zita accordera plus tard un certain crédit. On évoque aussi la vengeance d'un mari trompé, la haine d'un garde-chasse, le chantage aux dettes de jeu. Mais il n'y a aucun indice dans ce domaine. Une autre version franchement délirante a le mérite de la poésie des mélodrames : Marie Vetsera serait la fille de Rodolphe. En effet, si l'on se reporte au charme indéniable qu'exerçait Rodolphe adolescent et si l'on interroge son existence à cette époque, on s'aperçoit qu'il y avait déjà eu dans sa vie une baronne Vetsera ; la mère de Marie, fort belle, ambitieuse, alors âgée de trente-cinq ans, aurait été l'une de ces initiatrices de la cour, trop contente de mettre le jeune archiduc dans son lit après avoir échoué auprès de François-Joseph. Le fait est que Rodolphe et la mère de Marie Vetsera se sont bien connus alors que l'adolescent n'avait que quatorze ans, et qu'ils se sont vus d'une manière suivie, à tel point que François-Joseph a été obligé de mettre le holà et d'interdire l'accès des appartements du jeune garçon à cette femme qui le bombardait de cadeaux certainement peu désintéressés.

Il est bien établi que Rodolphe tue Marie avant de se donner la mort, et qu'ils ne sont pas les amants passionnés et de longue date des futures fictions émouvantes. Il ne la voyait pas souvent, il en voyait beaucoup d'autres, et c'est par la ténacité de sa mère et de ses intrigues que Marie partage finalement le sort peu enviable de Rodolphe. Aussi tout est peut-être beaucoup plus simple. Il est concevable que Rodolphe veuille mourir parce qu'il a l'impression d'avoir épuisé tous les chemins de traverse sur lesquels il s'est perdu et parce qu'il est pris par toutes sortes d'humeurs noires en même temps qu'il est ému et touché par cette jeune fille qui sans doute l'aime avec candeur. Selon un mécanisme très fréquent dans ce genre de névrose morbide, on emmène en se suicidant une personne douce et aimable, comme on l'emmènerait dans un voyage sans retour.

Les conséquences politiques de la mort de Rodolphe se révèlent considérables. Dans le climat de décadence suave et d'apocalypse joyeuse qui règne à Vienne, elle est le signe annonciateur de la maladie de l'Empire bien plus nettement que le comportement de Sissi ; François-Joseph ne peut évidemment en supporter l'idée. D'où la confusion, la panique, les maladresses pour cacher la vérité qui n'ont comme effet que d'aggraver la légèreté et le cynisme ambiants.

La mort de Rodolphe laisse aussi nombre de problèmes à régler, le premier étant de savoir ce que l'on va faire de Stéphanie. La pauvre épouse bafouée se retrouve, une fois de plus, devant une situation impossible à maîtriser. Rodolphe lui a écrit juste avant sa mort, une lettre fatale mais assez douce où il la délivre de toute culpabilité. Précaution inutile car, avec une grande sécheresse de cœur, François-Joseph reproche à Stéphanie de n'avoir pu réconforter et stabiliser son époux. Elle devient responsable du drame de Mayerling, et toute la société viennoise en rajoute. Princesse sans appuis, mère encore très jeune, en terre étrangère où elle n'a eu que des déconvenues, Stéphanie se voit accablée d'une injustice écrasante. Sur les photos qui la montrent à ce moment-là, elle paraît complètement désemparée, le regard perdu, serrant sa fille contre elle, avec une expression de désespoir très poignante. Contrainte de demeurer à Vienne pour s'occuper de sa fille, sa présence rappelant constamment un drame insupportable, elle devient une sorte de « non-personne » à la cour, aiguisant peu à peu son caractère pour se défendre contre l'humiliation constante de sa situation. Elle arrachera plus tard à François-Joseph l'autorisation de se remarier avec un comte hongrois qui la rendra enfin heureuse.

Le problème du successeur se pose aussi comme dans toute dynastie : la logique désigne le dernier frère encore à peu près capable de François-Joseph, l'archiduc Charles-Louis. François-Joseph a eu trois frères. Le plus beau, le plus intelligent, mais aussi le plus influençable par son ambitieuse épouse Charlotte de Belgique, fut Maximilien, l'éphémère empereur du Mexique. On se rappelle cette histoire : Napoléon III, dans l'un de ses rêves les plus fous, profite des désordres du Mexique pour imaginer créer là-bas un empire qui serait le contrepoids des États-Unis d'Amérique, pendant qu'ils se débattent dans leur guerre de Sécession. Il fait proposer cette couronne à Maximilien qui l'accepte malgré les objurgations de François-Joseph, plus réaliste que lui. Maximilien abandonne ses droits à la couronne autrichienne et se défait de sa nationalité pour partir avec sa femme prendre ce trône qui n'est en fait qu'un faux-semblant, mal défendu par le corps expéditionnaire français contre des populations indiennes révoltées, menées par l'Indien Juares. Et puis les Français réembarquent après avoir compris qu'on ne pouvait plus tenir le Mexique, et Maximilien est fusillé à Querataro tandis que Charlotte parcourt l'Europe en vain pour demander du secours, allant même faire le siège du Vatican pour forcer le pape à lui venir en aide. Elle sombre dans le délire et il faut marchander honteusement avec Juares pour rapatrier la dépouille de Maximilien à Vienne. Lamentable aventure où François-Joseph perd le plus intelligent de ses frères. Charlotte mourra à Bruxelles en 1927, totalement folle, saluée par des funérailles pathétiques avec en arrière-plan ce vague empire du Mexique qui n'aura été qu'un songe sanglant symbolisé par un drapeau sur le cercueil.

Le dernier frère de François-Joseph, l'archiduc Ludwig-Victor, est une manière de « crevette » délicate et charmante. Il adore jouer à la poupée avec les sœurs de Sissi, et passe de main en main parmi les soldats chargés de monter la garde à la Hofburg. À vingt ans, il est un objet de scandale, horrifiant pour son frère mais aussi pour toute une époque qui se refuse à imaginer que de telles choses existent. Avant même d'avoir eu le temps de remballer ses crinolines et ses éventails, l'infortuné archiduc se voit brusquement exiler dans un château près de Salzbourg avec l'ordre de ne plus jamais en sortir. On veille par un mélange de prudence et peut-être de vague compassion médicale à ce que les secrétaires et les gardiens chargés de s'en occuper aient plutôt bonne figure. Il s'adapte d'ailleurs assez bien à cette vie recluse, constitue une immense collection d'ombrelles auxquelles il donne des surnoms, empruntés aux hommes politiques importants de son temps, qu'il traite selon son humeur, avec une tendresse tournoyante ou en les fracassant de son talon. On ne sait pas quel sort il réserve à l'ombrelle François-Joseph ou à l'ombrelle Bismarck. Il reçoit des invités venus du monde extérieur, des messieurs artistes ou poètes qui, comme lui, s'amusent à des bals masqués où le dernier cri est de se travestir en Sissi malgré de solides favoris d'archiduc... Tout cela pourrait sembler invraisemblable s'il n'y avait des photos, sans doute faites par la police, transmises à François-Joseph et considérées avec l'horreur que l'on imagine, des photos qui existent encore et qui permettent de jeter un éclairage ironique et sarcastique sur ce qui se passait chez ce noble rejeton des Habsbourg. Ludwig-Victor s'éteindra après l'effondrement de l'Autriche-Hongrie, en 1919, totalement oublié depuis des décennies.

Reste l'archiduc Charles-Louis, frère idéal, peu intervenant, en aucun cas un rival, donc pouvant faire un héritier présentable, tranquille et terne, pratiquant le métier d'archiduc avec toute la lenteur et la dignité nécessaires, marié trois fois, sans aspérité ni intérêt particulier. Charles-Louis, malheureusement pour François-Joseph, meurt en 1896, à l'issue d'un pèlerinage en Terre sainte, où il a bu l'eau du Jourdain censée être bénéfique. En fait, cette eau est empoisonnée et, de retour à Vienne, il meurt de fièvre typhoïde. Son fils aîné devient alors le prince héritier. François-Ferdinand a un caractère difficile alors que celui de son père était de tout repos. François-Ferdinand, neveu direct de François-Joseph, est une personnalité pour laquelle l'empereur a d'autant moins d'attirance qu'il porte un grand intérêt à l'avenir de cet étrange Empire et de cette monarchie fatiguée, et professe déjà des opinions personnelles sur ses projets, en les faisant bruyamment connaître. De surcroît, la lancinante mésentente entre François-Joseph et son nouvel héritier est renforcée, comme on l'a vu, par le mariage de François-Ferdinand avec Sophie Chotek.

Néanmoins, l'avenir de la dynastie est à peu près sauf. Avec François-Ferdinand, François-Joseph a un héritier jeune, plein d'allant et d'énergie. Il y a ensuite un héritier en second qui est le neveu de François-Ferdinand, et le petit-neveu de l'empereur. Il s'agit du tout jeune et charmant Charles, l'enfant de Cap Martin, le plus aimable, le plus sage de tous les archiducs, consolation des vieux jours de l'empereur.

*

*　　*

Ainsi donc, en ce temps-là, l'Europe vit encore selon un système qui a toutes les apparences de la stabilité avec trois très vieux souverains, l'empereur d'Autriche – roi de Hongrie, le roi de Danemark et la reine d'Angleterre comme figures tutélaires d'une pyramide de monarchies et de familles royales plus ou moins imbriquées les unes dans les autres. C'est cette Europe si calme que Victoria quitte au début de l'année 1901 après un lent crépuscule de plusieurs mois durant lequel elle s'éteint peu à peu. Or deux hommes dont les convictions et les caractères sont diamétralement opposés, Édouard VII, nouveau roi d'Angleterre, et Guillaume II, roi de Prusse et empereur allemand, savent, l'un et l'autre, que le système de sécurité européen tel qu'il s'est maintenu jusqu'à la mort de la vieille reine est désormais caduc. Mais, tandis que l'un va tenter d'en reconstruire un nouveau, l'autre n'aura de cesse de vouloir tirer profit de la fin du système pour réaliser ses ambitions. Ainsi les dix années suivantes sont celles de la rivalité acharnée d'Édouard et de Guillaume, tandis que les orages levés par la première révolution russe s'apprêtent à bouleverser encore plus profondément toutes les règles du jeu jusqu'alors existantes.

3

ÉDOUARD, LE MAGNIFIQUE

Londres, janvier 1901. Les cérémonies des obsèques de la reine Victoria s'achèvent en apothéose de son règne. Le monde entier paraît s'être déplacé pour ces funérailles interminables qui se déroulent entre Londres et Windsor, dans une atmosphère opaque de brouillard et d'humidité glacée. Des milliers de soldats appartenant à tous les régiments de l'immense Empire sur lequel elle régnait rendent les honneurs, la plupart des chefs de maisons royales font partie du cortège et, durant le parcours à travers Londres, ses fils, le nouveau roi Édouard VII et son frère le duc de Connaught, son petit-fils préféré, le Kaiser Guillaume, suivent à cheval le cercueil en se tenant majestueusement ensemble sur la même ligne comme pour mieux souligner leur bonne entente monarchique et familiale. En fait, c'est autour d'Édouard et du Kaiser Guillaume que vont se cristalliser les fractures qui emporteront finalement l'ancien monde.

Les deux parents se connaissent bien mais ne s'aiment pas et se méfient l'un de l'autre. Ils ont pourtant donné dans le passé de multiples preuves d'apparente félicité familiale : Guillaume, rendant visite à sa grand-mère en Angleterre, se fait photographier aux régates et à la chasse avec son oncle, le prince de Galles, et celui-ci, de son côté, lors de séjours auprès de sa sœur en Allemagne, se plie à tous les rites que les Allemands apprécient en se faisant photographier à son tour en casque à pointe, affichant la plus grande affection à l'égard de son neveu. En vérité, il est difficile de trouver deux hommes plus dissemblables. Alors qu'il atteint la quarantaine, Guillaume est un empereur d'Allemagne superlatif. Il a le sentiment d'avoir des réponses sur tout et de pouvoir décider des êtres et des choses sans qu'on puisse lui opposer la moindre résistance. Il pense que son oncle est un aimable dilettante, incapable d'exercer un tel pouvoir, viveur sans réelle profondeur, imprégné de tout ce qu'il imagine être la décadence anglaise. Il est persuadé qu'il saura se jouer de lui ou le circonvenir sans aucun problème. L'obsession principale de Guillaume, cette relation névrotique qu'il entretient avec l'Angleterre, faite de désir, de jalousie et de rancœur, est désormais sans frein, depuis la mort de sa « chère grand-maman ». Édouard ne saurait être un obstacle sérieux. Or comme il arrive souvent en pareil cas, Édouard, dont toute l'Europe a pu apprécier les frasques et les aventures sentimentales et que peu de gens considèrent avec estime, est un être bien plus riche et plus complexe que sa réputation ne le laisse entrevoir. Certes, Guillaume n'a pas tort de mettre en parallèle le fait d'être à la fleur de l'âge empereur d'Allemagne depuis plus de dix ans, tandis qu'Édouard devient roi d'Angleterre et empereur des Indes à soixante ans passés, quand il devrait songer à la retraite après une vie de dissipation. Mais il a tort d'en tirer des conclusions concernant la suprématie de ses capacités sur celles de son oncle.

La réputation d'Édouard est donc médiocre, sinon désastreuse. Il fut dans sa jeunesse un bon gros garçon sans réelle originalité, son père et sa mère, chacun à sa manière se désolant de le voir si peu attiré par les études et d'une humeur constamment joueuse et badine. Il aimait alors le monde, la conversation, la frivolité, et ne s'y entendait que très peu dès qu'il s'agissait de réfléchir d'une manière approfondie aux problèmes du temps. Certains détails montrent cependant déjà que ce personnage prétendument léger n'est pas tout à fait ce que ses parents imaginent. Lorsque Victoria et Albert se rendent en visite officielle auprès de Napoléon III, l'adolescent se prend d'une profonde affection pour l'empereur des Français. Il trouve en lui une sorte d'aventurier rêveur et fonceur, amateur des plaisirs, spirituel et gai, qui tranche avec l'atmosphère si studieuse que ses parents lui imposent. À Napoléon III éberlué, l'adolescent se confie : « J'aimerais rester près de vous et ne pas retourner à Londres. Ne pourriez-vous pas intervenir auprès de mes parents pour que je continue mes études ici ? » Napoléon III voit alors briller dans son regard une lumière où se reflètent toutes les tentations, toutes les libertés et toutes les aventures du Paris du second Empire. Marié à la délicieuse Alexandra de Danemark, sœur de Maria Feodorovna, Édouard est un mari volage. Mais elle sait être une épouse indulgente, et au fond, les années passant et les passions s'apaisant, ils s'entendent l'un et l'autre excellemment bien. Ils ont eu plusieurs enfants qui ressemblent plutôt à Alexandra, c'est-à-dire qu'ils sont gentils mais pas d'une très grande intelligence, et Édouard, qui est un très bon père, qui s'occupe d'eux avec une grande tendresse, se sent parfaitement heureux dans cette famille aimable. Divers drames privés, enfants morts en bas âge, fils aînés aux mœurs indécises, n'ont fait que resserrer un peu plus leur compréhension mutuelle. Pendant toutes les années où il joue le rôle de prince de Galles, Édouard fait la joie des caricaturistes et le désespoir de sa mère. Il faut dire que sa situation est horriblement difficile. Victoria n'a aucune confiance en lui et ne lui accorde aucune responsabilité. Il doit faire des pieds et des mains pour présider des associations insignifiantes et mendier un confortable argent de poche qu'il dilapide trop facilement. On ne lui propose que des sinécures et il est soumis à toutes sortes de vexations : il est humiliant pour lui d'être constamment obligé de demander ce qu'il y a dans les fameuses petites serviettes rouges où Victoria serre la littérature officielle qui lui est transmise. De plus, c'est inutile, car il ne parvient pas à fléchir sa mère. Il doit rendre visite aux ministres, les supplier pour qu'ils jouent de leur influence et qu'on lui accorde un peu plus de responsabilités. Mais les ministres partagent l'opinion de la reine sur ce bon garçon, peu éveillé et qui pense surtout à s'amuser. D'ailleurs Édouard en rajoute dans la frivolité débridée. Il se retrouve pris au piège de quelques scandales qui ne font rien pour améliorer sa réputation : une sombre histoire de jeu où le tribunal insiste pour le citer comme témoin, plusieurs affaires de divorces où des dames qui ne sont pas forcément du grand monde se servent du prince de Galles comme alibi ou comme témoin, ce qui n'est pas du tout du goût de la reine Victoria et place Alexandra dans une situation pénible. Ainsi, seuls ses amis peuvent mesurer comme cet homme est de loin supérieur à la position qui lui est faite.

En vérité, Édouard s'intéresse au monde et surtout aux gens. Et s'il lui arrive beaucoup d'ennuis, car sa vie amoureuse est passablement désordonnée, ils ne sont que le revers de sa formidable aptitude à vouloir découvrir la vie réelle. Il est le seul membre de la famille royale à connaître tous les milieux et à avoir pu rencontrer un assortiment de personnalités et de caractères dont la diversité est stupéfiante pour un futur roi. Il a aussi beaucoup observé l'état réel de l'Angleterre comparée aux autres nations européennes, et ce viveur, qui traverse le monde comme une coulée de champagne, est en fait très averti des signes avant-coureurs de son déclin, tout comme il voit d'une manière exacte à quel point la société évolue et comme les idées de démocratie, voire de république éveillent de plus en plus d'intérêt et ne cessent de progresser de par le monde. Il en retire des conclusions simples : la première est qu'il ne faut pas diaboliser le seul important régime républicain qui existe en Europe, celui de la France. Il y a d'ailleurs ses habitudes ainsi que le bon souvenir de quelques petites amies. La deuxième est qu'il faut trouver la parade si l'on ne veut pas que les rois comme il est appelé à le devenir lui-même ne soient rapidement balayés. Selon lui, le meilleur moyen est de bien faire son métier en étant proche des gens et à l'écoute de leurs opinions. Peu intellectuel mais fin et bienveillant, sans préjugés excessifs, il a en fait totalement intégré le fonctionnement monarchique des temps modernes.

Après sa mort, survenue en 1910, il y eut toute une polémique pour savoir si Édouard avait été ou non un roi aussi influent que sa popularité le laissait imaginer. La vérité se situe certainement entre les deux. Édouard fut beaucoup trop lucide et trop astucieux pour ne pas avoir l'air de se soumettre à ses ministres et n'en être que le messager actif. Il fut aussi beaucoup trop paresseux pour perdre son précieux temps à lire avec attention les dossiers qu'on pouvait lui présenter. Mais il fut également beaucoup trop conscient de sa valeur réelle, de son intelligence éprouvée pour ne pas exercer sur ses ministres énormément d'ascendant et pour ne pas parvenir très vite à son but : peser sur la politique étrangère. Le règne d'Édouard VII fut caractérisé par une sorte d'euphorie pour les Anglais, car il mettait fin à la froideur compassée des dernières années du règne de Victoria, et par une flambée d'optimisme à l'image d'un roi bon vivant et toujours souriant, mais ce fut aussi une période où l'Angleterre exerça à nouveau une politique étrangère très active. Durant le règne d'Édouard VII, loin de camper sur son île en regardant l'Europe, quitte à intervenir par peuples interposés pour rétablir un relatif équilibre, l'Angleterre devint un des acteurs essentiels de la politique européenne.

Édouard comprend que les politiques familiales ne peuvent plus régler les conflits en Europe entre des sociétés infiniment complexes et dont la puissance économique et matérielle se développe d'une manière phénoménale. Il est persuadé qu'il ne faut plus être prisonnier de ce monde illusoire où l'on s'arrangeait entre cousins et où les conflits se soldaient par de petites guerres périphériques. Ce gros monsieur qui s'avance à soixante ans avec sa médiocre réputation, et notamment celle d'avoir constamment trompé sa femme, est certainement l'observateur le plus subtil du monde dans lequel il vit, bien décidé à ne pas le laisser déraper plus avant vers les dangers qui le menacent. Le changement radical que connaîtra son image provient autant de la révélation soudaine de ses surprenantes qualités que du bien-fondé de ses analyses.

Très vite, on prend d'ailleurs la véritable mesure d'Édouard. D'abord par sa manière de s'exprimer. Il a pu éprouver pendant des années de conversations brillantes les effets de son éloquence et il prononce ses discours sans lire de notes en les émaillant de mots amusants qui détendent l'atmosphère et divertissent l'auditoire. Ensuite, par son attitude : il décide de visiter avec Alexandra les quartiers défavorisés de Londres, ce qu'aucun membre de la famille royale n'avait jamais fait, et après que le couronnement a été reporté parce qu'il était malade, il opte pour un « petit » couronnement, plus léger pour les contribuables. Ces gestes comme son charme personnel le rendent rapidement populaire. Tous ses défauts se retournent alors en sa faveur comme par enchantement. Il trompait sa femme, oui, mais c'est un couple qui s'aime. Il a connu des scandales à propos du jeu et du baccara, oui, mais parce qu'il payait ses dettes. Des femmes l'ont fait citer dans des histoires de divorces, oui, mais parce qu'il est un homme d'honneur qui vole au secours des gens en difficulté quels que soient les dommages pour sa réputation. Il bénéficie bientôt d'un consensus et d'un soutien à la fois enthousiastes et enjoués à l'image de son propre personnage qui lui procurent un formidable capital de confiance. Or s'il observe les affaires de l'Europe avec calme et pragmatisme et veille à éviter que des conflits d'un nouveau genre n'apparaissent, son infatigable curiosité l'amène à s'intéresser à des contrées dont nul ne se soucie encore quand il les soupçonne déjà de porter en germe bien des difficultés imprévues. Il ressent notamment avec inquiétude la situation dans les Balkans, c'est-à-dire dans le sud-est de l'Europe. En fait, cela fait plus d'un demi-siècle que les Balkans se soulèvent comme l'écorce terrestre lors d'une éruption volcanique. La Turquie d'Europe s'étend sur la majorité de la péninsule, c'est une suite de provinces ottomanes la Macédoine, la Roumélie, la Thrace gérées de loin par la cour de Constantinople, contrôlées par de féroces garnisons turques, et administrées d'un peu plus près par des élites chrétiennes qui collaborent avec les Ottomans et se rétribuent en encaissant une partie des impôts dont ils pressurent les populations locales. Parmi les petits États voisins qui se sont libérés des Turcs quelques décennies plus tôt, l'atmosphère est à la curée pour se saisir de ces provinces d'où on les appelle constamment au secours, dans une perpétuelle spirale de soulèvements locaux, de répressions cruelles et d'escarmouches aux frontières. L'Empire ottoman se cramponne cependant à ses positions menacées ; il est entré dans une décadence profonde qui lui interdit d'imaginer une autre politique tandis que la perte des provinces donnerait le signal d'une incurable aggravation.

Le maître absolu de l'Empire ottoman est un souverain qui règne depuis la nuit des temps et qui, tout musulman qu'il soit, entretient des relations fort aimables avec les autres cours royales. C'est le fameux sultan Abdülhamid, éloquemment surnommé le Saigneur, qui ressemble à un renard et vit très simplement, sans aucun de ces aspects sardanapalesques que l'on pourrait imaginer d'un empereur ottoman. Dans son ravissant palais près du Bosphore, il mène une existence monogame très calme et retirée, travaillant sur ses dossiers avec une grande régularité comme son homologue François-Joseph. L'homme est d'une politesse raffinée, les princes étrangers reçus à sa table ne tarissent pas d'éloges sur ses bonnes manières et sur sa courtoisie, ses cadeaux sont célèbres et il arrive très bien à tenir à sa main les principaux aigles d'Europe. C'est avec les petits « faucons » qui se dressent dans le nid des Balkans qu'il a beaucoup plus de mal. Il réagit à leur égard en véritable souverain ottoman, c'est-à-dire en laissant perpétrer des massacres terrifiants dont il se lave ensuite les mains avec des airs navrés. Au début, ce furent les Grecs, ensuite les Macédoniens et les Bulgares ; quand aucune de ces populations ne relève la tête, les Arméniens, qui sont si proches du pouvoir, et si appréciés pour leurs qualités et leur intelligence, servent de bouc émissaire idéal, pour toutes les tares d'un empire rongé par la corruption.

On appelle à juste titre l'Empire ottoman « l'homme malade de l'Europe » et il est certain que, pour « l'après » Abdülhamid, dorment dans les cartons des chancelleries de multiples plans de partage. Les Russes, héritiers déclarés de la Byzance orthodoxe, aspirent à conquérir Constantinople pour s'ouvrir sur le sud en atteignant enfin la Méditerranée et les mers chaudes. Sans compter tous les avantages qu'ils pourraient acquérir du côté du Caucase en compensation de la libération des peuples slaves de la péninsule des Balkans. La très forte pression des Russes se heurte, comme il se doit, aux Autrichiens qui font tout pour les contenir. Autant les raisons des Russes sont offensives, autant celles des Autrichiens sont défensives. Il faut bloquer les Russes pour éviter qu'ils ne fassent de la surenchère auprès de leurs propres peuples slaves et ne sapent l'Empire austro-hongrois de l'intérieur. Et puisque les peuples slaves orthodoxes sont attirés par les Russes, les Autrichiens essaient de tenir le flanc sud de leur empire en séduisant les princes qui dirigent les pays déjà libérés ou en déversant sur eux de l'argent, des capitaux, des équipements, et pour cela ils sont considérablement aidés par les Allemands. Ces derniers tablent aussi sur une transformation de l'Empire ottoman, mais ils réfléchissent plutôt à une sorte de protectorat d'ensemble. Guillaume est si obsédé par la défense des monarchies qu'il préférerait que le sultan reste sur le trône de Constantinople à condition de pouvoir mettre la main sur le potentiel économique d'un État qui s'étend jusqu'aux portes de l'Inde. À cela s'ajoutent le projet pharaonique d'une ligne de chemin de fer « Berlin-Bagdad », l'assistance apportée à Abdülhamid pour terminer la ligne qui part de Constantinople et qui va jusqu'à La Mecque et Médine, la progression des intérêts allemands vers le pétrole du golfe Persique que l'on commence à prospecter, la menace sur la veine jugulaire de l'Empire britannique les ambitions du Kaiser et de l'industrie allemande supposent le maintien de l'intégrité d'un empire colonisé économiquement. Édouard est évidemment très attentif au dossier de l'Empire ottoman. Cet empire ne doit pas tomber entre des mains inamicales. Tout ce qui menace sa survie menace aussi la stabilité des possessions de la couronne britannique. Tant qu'il demeure, rien ne bougera. « La prochaine guerre viendra d'une étincelle dans cette poudrière des Balkans », avait dit Bismarck. Édouard est bien décidé à empêcher qu'il y ait une étincelle, ou veut, en tout cas, disposer de tous les extincteurs nécessaires.

Et pourtant, en ce début du xixe siècle, le trône d'Abdülhamid longtemps cimenté par le sang, les ossements et les larmes de ses victimes, tremble sur ses bases. Dans plusieurs garnisons de Thrace, de jeunes officiers préparent un coup d'État ; Abdülhamid s'en doute, mais il mesure à quel point il est difficile d'étouffer ces tentatives car il ne dispose plus de la force policière nécessaire. Donc,

depuis son charmant palais de Constantinople où il se terre sévèrement protégé, dans la hantise d'un attentat – et Allah sait si dans
la famille ottomane les attentats sont un moyen fréquent d'accélérer les successions –, Abdülhamid attend la révolution inévitable
en se demandant comment il aura suffisamment d'habileté pour
l'attraper au vol comme on attrape un cheval au galop et pour s'en
rendre maître.

Le bonheur menacé des Romanov

En Russie, Nicolas et Alexandra se sont maintenant apparemment habitués au fardeau écrasant qui pèse sur leurs épaules. Ils
ont quitté la triste résidence du Palais d'hiver de Saint-Pétersbourg
et ils se sont installés à Tsarskoïe Selo à une vingtaine de kilomètres
de là, non pas dans le somptueux palais de la grande Catherine,
mais dans une demeure aux dimensions raisonnables, juste une centaine de pièces, le palais Alexandria, ouvrant sur le merveilleux
parc. Là, ils disposent d'appartements confortables qu'Alexandra
a décorés, avec un goût exquis, de chintz anglais, de canapés moel-
leux, aux murs recouverts d'icônes, de photos de famille, dans un
désordre très apprêté. Il y flotte une délicieuse atmosphère d'harmonie et de tranquillité bourgeoise. Tsarskoïe Selo, le village du
tsar, est un univers enchanté où vivent des biches, des chevaux, et
dans un zoo privé toutes sortes d'animaux offerts au couple impérial, éléphants des Indes, bêtes exotiques venues du monde entier.
À travers les petits ponts de marbre, les statues, les allées ombra-
gées, les étangs et les multiples pavillons, s'étale un kaléidoscope
des beautés de la Russie et de tous les emprunts faits à des pays
étrangers. On pourrait rester à Tsarskoïe Selo toute sa vie en ayant
l'impression de connaître le monde, et c'est d'ailleurs l'un des
grands dangers qui menacent Nicolas et Alexandra. À tant vivre
dans ce domaine d'émerveillement, ils risquent de confondre l'illusion du monde avec sa réalité.

La cour fonctionne comme par le passé, lorsque Alexandre III
menait une vie que l'on jugeait déjà trop monacale. À l'instar de
son père, Nicolas n'est guère sensible aux réceptions, assiste à peu
de bals, peu de sorties, à l'exception des cérémonies officielles, généralement pour honorer les saints orthodoxes ou de grands événements de la dynastie, salués par des parades, beaucoup de parades.

Alexandra lui a donné quatre filles, Olga, Tatiana, Maria, Anastasia et elle s'en occupe avec amour et attention, veillant à leurs bains froids suivant les méthodes hygiénistes victoriennes, s'assurant du confort très mesuré de leur chambre pour ne pas les endormir dans une vie trop douillette, leur donnant en même temps énormément de tendresse, à tel point que les petites filles idolâtrent leur mère autant que leur père. Alexandra se prête aussi à ses devoirs de tsarine : charités diverses, participation aux cérémonies, interventions, audiences, courrier, bref les journées ne sont pas assez longues. Nicolas et Alexandra exécutent leurs tâches comme celles d'un programme trop bien réglé. Lorsqu'on lit leur journal, on s'aperçoit qu'ils font aussi bien qu'ils le peuvent, mais que, dès qu'ils ont terminé, ils se replient sur leur cercle de famille et redeviennent des enfants, lui un enfant rêveur, elle une enfant inquiète. Lorsque Nicolas se pose quelques questions sur l'avenir de son Empire, lorsque reviennent d'une manière lancinante les signes d'un dysfonctionnement grave, il interroge l'histoire de la Russie et cela ne fait qu'augmenter son inquiétude et son désarroi. Il se sent vraiment dans l'état du premier empereur Romanov, ce prince Michel qu'on vint chercher alors que la Russie était en pleine anarchie, que les Polonais y régnaient comme des seigneurs de la guerre, et qui accepta la couronne pour faire plaisir à sa mère tout en étant submergé par des larmes d'anxiété. Si Nicolas a bien mis les points sur les « i » dès son avènement en précisant qu'il ne changerait rien à l'autocratie, s'il a pu mesurer que sa politique étrangère, ses appels pour la paix, ses visites en France ont été bien reçus, il est obligé de constater que le pays est trop lourd, trop malade pour les méthodes de gouvernement qu'il pratique et que lui-même est encore trop inexpérimenté pour imposer la politique de fer et les remèdes de cheval de son père. La Russie devient chaque jour plus complexe à maîtriser. De plus, lorsqu'il regagne son appartement après avoir travaillé toute la journée sur des dossiers qui l'ennuient, Nicolas retrouve cette femme trop fragile et qu'il adore, souvent submergée par la détresse, parfois même en larmes, sans qu'elle sache exactement pour quelle raison.

Or la Russie change à toute allure. Alexandre II, le grand-père de Nicolas, en libérant les paysans de la servitude a aussi déclenché les effets pervers d'une révolution agricole. Les anciens serfs affranchis se retrouvent prisonniers de toutes sortes d'usures, d'autres s'enfoncent dans la condition prolétarienne et s'entassent dans les quartiers insalubres des grandes cités, déracinés, sans repères, tandis que le mouvement de la révolution économique qui s'est emballé sous Alexandre III continue sa progression avec l'aide des emprunts contractés auprès des Français qui permettent à la Russie de s'équiper et de se doter des bases d'une industrie moderne. Oh, bien sûr, dans l'immense Russie, bien des travaux se font encore à la main, dans les mines comme dans les champs pétrolifères de Bakou, selon des conditions effrayantes d'inhumanité et de rudesse. Il en est de même dans la ceinture industrielle qui ne cesse de s'agrandir autour de Saint-Pétersbourg, de Moscou, des grandes villes d'Ukraine, et des cités au-delà de l'Oural, alors que Nicolas n'a que peu de prise sur ces transformations économiques et sociales. Son ministre des Finances, Witte, pilote la machine industrielle et financière sans lui en référer. Certes, Witte est sans doute le mieux à même de combattre les maux traditionnels de l'Empire, mais cet autodidacte brillant, efficace et infatué de lui-même n'est pas non plus le Bismarck économique qu'il prétend être, il mesure mal le poids des frustrations sociales. L'infantilisation du tsar par le plus compétent de ses ministres exaspère également Alexandra, mais que peuvent faire deux jeunes gens bien intentionnés et insuffisamment formés aux nouvelles réalités face à cet homme si sûr de ses compétences ? Pourtant, Nicolas a aussi des idées modernes et s'intéresse à la technique. Alexandra et lui adorent la photographie, par exemple. C'est un de leurs loisirs favoris que de coller des photos dans de grands albums. Ils laisseront ainsi des milliers de clichés qui permettent aujourd'hui de reconstituer leur vie quotidienne avec un extraordinaire luxe de détails car un photographe vient chaque jour leur présenter les épreuves de la veille qu'ils choisissent, annotent et classent avec passion. Ils commissionnent aussi d'autres photographes pour reproduire, par exemple, toute la Sibérie en couleurs, au début de ce siècle. Ils s'intéressent également aux moyens de transmission modernes et Nicolas se sert couramment du téléphone ; ils utiliseront leur première automobile juste avant 1900, posséderont d'admirables Delaunay-Belleville dont le prince Orlov sera le grand ordonnateur, ce sympathique gros Orlov qui fait tellement rire le tsar. Nicolas s'intéresse autant à toutes les découvertes, à la chimie, aux recherches du savant Pavlov, il aime lire des ouvrages scientifiques, il procède aux nominations des savants et des chercheurs avec le plus grand soin. Mais il ne fait pas le lien entre la révolution technique dont il est partie prenante et ses retentissements sociaux. Comme si le progrès, la nouveauté étaient un monde à part et qu'ils n'entraînaient pas un bouleversement des productions et la naissance d'un univers totalement neuf, celui du travail prolétarien. Non, la Russie pour Nicolas est celle que la providence lui a confiée, que protège la sainte foi orthodoxe et qui vit au rythme éternel des saisons, du travail des moujiks illettrés mais qui connaissent les lois de la nature. Nicolas a devant lui le prêtre, le militaire et le moujik, la grande trinité russe, et il a près de lui sa femme et ses enfants qui collent de belles photographies sur des albums et s'émerveillent des bienfaits de l'électricité ; le monde est simple, et ce ne sont pas des grèves à Saint-Pétersbourg, que la police réprime comme le demande le gouvernement, qui pourraient le faire varier dans son jugement.

En 1901, sa quatrième fille est née, Anastasia. Il se réjouit des caractères de ses filles, si différentes les unes des autres. Olga, tendre et secrète, parfois butée ; Tatiana, énergique, organisée, supérieurement intelligente, Maria, bienveillante, qui ne pense qu'à protéger les faibles et les déshérités ; et la petite Anastasia, une espiègle sauvageonne, qui aime rire et jouer des tours aux adultes. Sa plus grande joie c'est de voir à quel point ses quatre filles s'entendent bien. Elles signent leurs lettres « O.T.M.A. », des initiales de leurs prénoms, et c'est sans doute grâce à elles et à l'harmonie de sa vie de famille, qu'Alexandra supporte ce qui lui est le plus pénible : exercer les nombreuses fonctions de représentation d'une tsarine. Alexandra parle russe maintenant, elle a gardé une pointe d'accent allemand ou anglais, quelque chose d'indéfinissable qui lui donne un charme supplémentaire aux yeux de ceux qu'elle admet auprès d'elle. Aussi tous ceux qui la connaissent vraiment l'aiment. La tsarine est ainsi : ou elle entretient des relations officielles très froides et très protocolaires empreintes d'une majesté mélancolique qui impressionne et déconcerte, ou bien elle est une mère de famille, amie, confidente pour un tout petit cercle qui a su conquérir sa confiance. Dans ces moments-là, c'est une autre femme, qui peint des aquarelles, chante d'une manière exquise de vieilles mélodies russes, qui se révèle confondante de simplicité et de naturel avant que soudain une angoisse noire vienne la refermer sur elle-même et l'oblige à s'enfermer dans ses appartements, terrassée par le désarroi. Ce que ses proches lui pardonnent d'autant plus volontiers qu'elle est manifestement la première à en souffrir. En revanche, Alexandra entretient des relations difficiles avec le reste de la famille impériale. Les Romanov sont une famille très prolifique, il y a des grands-ducs partout, de toutes les générations car le titre se porte depuis la descendance de Nicolas Ier ; c'est un monde très remuant avec des débauchés et des dépensiers, des savants, des hommes simples et sympathiques, d'autres hautains et batailleurs, mais tous réclament leur place, des responsabilités, de l'argent et des avantages. Alexandre III savait faire passer sur eux un souffle de peur, mais désormais face à Nicolas les grands-ducs sont d'une très grande outrecuidance. Et le jeune tsar se donne beaucoup de mal pour tenter de régler de perpétuelles histoires de famille ; il faut récompenser celui-là, dire à un autre de demeurer à l'étranger parce que sa conduite est mauvaise, il faut alors s'occuper des enfants restés en Russie, il faut aussi apaiser les jalousies, comprendre les soucis des grandes-duchesses ; il y perd un temps considérable. Alexandra, mal acceptée et mal aimée, ne peut pas l'aider car elle a toujours peur pour l'intégrité du seul endroit où elle est en paix, c'est-à-dire son nid familial, ce qui aggrave le malentendu constant avec l'ensemble de la famille. Les Romanov qui vivent à Saint-Pétersbourg, qui mènent une vie brillante et mondaine effrénée et parcourent le monde, colportent toutes sortes de malveillances et, comme ils ne peuvent pas trop charger Nicolas qui s'occupe d'eux, ils accablent l'impératrice. Ainsi, soir après soir, dans la société sophistiquée de Saint-Pétersbourg où l'on s'amuse tellement, passées les premières libations, la licence des propos devient totale et Alexandra qui condamne ces pratiques en fait évidemment les frais. Bien sûr, il y a encore un système d'honneur ; appartenir à l'armée, au régiment de l'empereur impose un ensemble de devoirs auxquels l'élite de la société accepte de se soumettre, mais c'est une survivance d'autrefois qui ne pèse guère à tous ceux qui s'amusent, maintenant que l'envol de l'économie permet de gagner tant d'argent et qu'une nouvelle classe de profiteurs s'approche avidement des grandes familles. Comment un empereur isolé avec ses convictions candides et une impératrice dépressive qui ne veulent surtout pas se mêler aux désordres du casino infernal qui emporte le monde de Saint-Pétersbourg avec les dernières vertus de la famille Romanov, pourraient-ils comprendre et réagir efficacement ?

Cependant, Nicolas et Alexandra ne sont pas complètement seuls. Ils ont leurs familiers, un petit cercle composé d'officiers d'ordonnance ou de la garde, d'obligés, de dames de compagnie souvent recrutés par affinité et qui ne sont pas forcément issus de la grande aristocratie, mais avec qui on mène une vie familiale et tranquille, à l'écart des intrigues de la capitale. De plus, le jeune couple peut faire confiance à quelques proches parents. En tête, il y a Ella, la magnifique et sublime Ella. Les deux sœurs ne se voient pas beaucoup, car entre Saint-Pétersbourg et Moscou la distance est grande, mais elles vivent à l'unisson. La plus belle femme de Russie hésite encore entre les deux pôles de sa vie : la vie brillante de Moscou et son cortège de fêtes qui lui impose de changer de toilette plusieurs fois par jour, et la foi orthodoxe à laquelle elle sacrifie beaucoup de temps, d'études et de méditations. Ella, la vierge que son mari n'aura jamais touchée, et qui sublime son étrange existence avec le secours de la foi orthodoxe. Alexandra, qui s'était pourtant convertie avec difficulté, partage maintenant les songes d'Ella et, tout comme elle l'avait prédit, la religion orthodoxe lui offre effectivement plus de secours que la religion réformée de son enfance. Alexandra rencontre des popes, écoute des prédicateurs, assiste aux offices, lit les prières, veille à ce que ses filles suivent les cours de religion dès la petite enfance et sans que nul y prête garde, elle glisse peu à peu dans un mysticisme dont la ferveur devient excessive. Si Ella est loin d'Alexandra, les sœurs et la mère du tsar sont relativement proches d'elle. Alexandra a trouvé un modus vivendi avec sa belle-mère, Maria Feodorovna ; les deux femmes évitent les froissements, Maria Feodorovna se comportant avec un louable souci de diplomatie. Et puis, la mère du tsar est avec sa cour de Saint-Pétersbourg, ses habitudes de vie étincelantes, ses déplacements en Russie, ses séjours au Danemark, ses voyages en Angleterre ou à Biarritz où elle est escortée d'un équipage d'au moins deux cents personnes. Elle s'est accommodée de son veuvage, use de son influence auprès de Nicolas avec prudence et discernement, a l'habileté de se faire passer pour frivole. Mais elle reste attentive et maintient tant bien que mal les contacts avec Alexandra. Avec les sœurs de Nicolas, c'est différent. Il y a Xénia, la plus intelligente, qui ressemble à un cygne blanc. Alexandra la considère avec une certaine jalousie. Ce n'est pas simple, parce que Xénia mène une vie de famille tout aussi exemplaire et heureuse avec son mari, le grand-duc Sandro, cousin et ami d'enfance de Nicolas, qui a ses entrées et ses sorties au palais. Alexandra s'absente souvent quand Sandro vient, elle a peu d'affinités avec sa belle-sœur et, si Xénia n'en dit rien, beaucoup de gens s'en étonnent bruyamment à Saint-Pétersbourg. Avec l'autre belle-sœur Olga, pas de problème.

C'est la plus jeune, un cœur simple et bon, qui a envie de faire plaisir à tout le monde. Nicolas la traite comme l'une de ses filles et Alexandra l'accepte très bien. Quant à Michel, le frère de Nicolas, il ne joue pas un grand rôle. Il court les jolies femmes, on le dit libéral, intéressé par les idées nouvelles, mais il est jeune et insouciant. Ce n'est pas de lui en tout cas que partent les mauvaises rumeurs concernant la cour. Non, la plus dangereuse de la famille, c'est la grande-duchesse Maria Pavlovna, princesse allemande comme Alexandra, mais qui, arrivée vingt ans plus tôt, est une femme imposante, majestueuse, très instruite, très cultivée, curieuse de tout, très à l'aise dans le monde, épouse du grand-duc Vladimir, c'est-à-dire d'un des oncles directs de Nicolas, l'un des frères d'Alexandre III. De ce fait, si la branche de Nicolas venait à disparaître Vladimir serait appelé au pouvoir. Et c'est comme si Maria Pavlovna enrageait sourdement de ne pas être la tsarine alors qu'elle juge en avoir toutes les qualités. Elle a organisé autour d'elle, comme un contre-pouvoir, une cour où l'on s'amuse infiniment plus qu'à Tsarskoïe Selo et où l'on reçoit tout ce qui compte à Saint-Pétersbourg. Il y a aussi un autre grand-duc, parmi les oncles, le grand-duc Paul, le dernier des frères d'Alexandre III qui pourrait être le meilleur soutien du jeune tsar, car il est instruit et loyal, mais il est tombé amoureux d'une femme à qui l'on prête, bien à tort, une réputation d'aventurière, l'a épousée, et Nicolas a été obligé de les bannir. Le grand-duc Paul et sa femme, titrée par complaisance du roi de Bavière comtesse de Hoenfelsen, vivent en France dans un ravissant château de Boulogne, cette maison même qui deviendra le cours Dupanloup de l'avenue Victor-Hugo. Ils sont très heureux, fêtés par le tout-Paris mais espèrent impatiemment un pardon impérial. Nicolas n'a pas le caractère de son cousin Guillaume qui se réjouit de son impérial survol des êtres pour pouvoir toiser le monde entier. Il se désespère de son état de chef de famille condamné à faire respecter des règles strictes qui accusent sa solitude. Il se sent tout autant désarmé devant des ministres jaloux de leur autorité sur leur administration et leur département, qui mènent la politique à laquelle ils tiennent. C'est le paradoxe de cet autocrate, de cet homme vu comme un despote absolu, de ce régime dont on dit qu'il est celui du bon vouloir du maître. En vérité, l'homme qui répond à la question d'un recensement : « Profession ? Maître de la terre russe », et que l'immense majorité de son peuple vénère encore en l'appelant « petit père du peuple », n'est qu'un jeune prince militaire, irrésolu et hésitant devant ses ministres dont il respecte la compétence et à qui il aurait trop peur de faire de la peine en leur adressant des remontrances dont il n'a pu vérifier lui-même le bien-fondé.

Il y a cependant un défi qu'Alexandra et lui jugent indispensable de relever, c'est celui de donner un héritier à la Russie. Leurs quatre premiers enfants sont des filles, et malgré tout les années passent. Bien sûr, en Russie, il y a eu des tsarines qui ont été parfois bien plus remarquables que des tsars ; Élisabeth, une des filles de Pierre le Grand, et la grande Catherine, allemande de naissance, qui propulsa la Russie au rang de puissance incontournable de l'Europe. Mais au XIXe siècle les lois de la famille ont changé, sur ordre du fils de Catherine qui détestait sa mère, et désormais le tsar doit être un homme. Donc, il faut un héritier. Pour Alexandra, cette quête devient une véritable obsession et elle se livre à toutes sortes de pratiques plus ou moins religieuses. Elle participe notamment à des pèlerinages auxquels vont des femmes stériles qui veulent avoir un enfant. À cette époque, la Russie est aussi un gigantesque va-et-vient de populations qui se rendent d'un monastère à l'autre. Dans leur vision fantasmatique de l'univers russe, qui n'intègre pas l'évolution et le progrès, Nicolas et Alexandra ont un certain nombre d'excuses pour se tromper. L'immense majorité de la Russie colle à l'image qu'ils s'en font, et Alexandra, en se baignant dans des sources sacrées réputées miraculeuses, ne fait qu'appliquer les méthodes reconnues par nombre de femmes russes. C'est si légitime qu'Alexandra fait ses premiers pèlerinages avec sa belle-mère au milieu de foules immenses édifiées par la piété de la tsarine. Et, curieusement, Alexandra, qui est prise de rougeurs et de suffocations lorsqu'elle entre dans un salon où se trouvent cinq personnes qu'elle ne connaît pas, se porte à merveille au milieu de dizaines de milliers de pauvres moujiks qui cherchent à lui toucher la main, exhibent leurs guenilles et leurs plaies et se serrent contre elle en l'appelant « petite mère ». Bientôt cependant Maria Feodorovna cesse de l'accompagner aux pèlerinages car la piété d'Alexandra lui paraît excessive. C'est donc Ella qui escorte désormais la tsarine et partage ses étranges pratiques pour que naisse un héritier. Alexandra reçoit aussi des charlatans, des guérisseurs, des devins, des prédicateurs mystiques plus ou moins inspirés. Les pèlerins vagabonds, « les starets », qui sans être prêtres passent pour des élus de Dieu et parcourent la Russie en tous sens, ont d'ailleurs leurs entrées dans les salons des grandes familles de Saint-Pétersbourg. Il n'y a pas de palais aristocratique qui n'ait porte ouverte pour « les hommes de Dieu » et toutes sortes de visionnaires dans un pays où les frontières entre la science, la religion et la culture ne sont pas clairement définies, où l'on confie ses enfants à des servantes illettrées et superstitieuses et où les professeurs les plus érudits peuvent se réclamer de l'orthodoxie la plus étroite et la plus traditionnelle. Au fond, personne n'est vraiment surpris qu'Alexandra soit à l'écoute de ce genre de prêcheurs. La tsarine va jusqu'à ramener d'un voyage en France une sorte de médecin des âmes alors en grande vogue, appelé Monsieur Philippe. C'est un brave homme qui, même s'il fait tourner les tables, donne surtout des conseils de bon sens. Mais il n'est pas orthodoxe et paraît s'effrayer le premier des outrances de son auguste disciple. Quand Alexandra perd l'enfant qu'elle portait, on se sépare à l'amiable. Le champ est libre pour d'autres voyants moins mesurés.

Cependant, à l'été 1903, après plusieurs années de labeur et d'obligations astreignantes, le tsar et la tsarine peuvent partir avec leurs filles pour passer quelques semaines chez le séduisant frère d'Alexandra, Ernest-Ludwig, grand-duc de Hesse, dans cette Allemagne chaleureuse, bon enfant et sympathique, qui n'a rien à voir avec la caserne militarisée du cousin Guillaume. On dispose d'un certain nombre d'images de ce séjour. Il est frappant de voir à quel point Nicolas et Alexandra redeviennent des gens presque ordinaires lorsqu'ils se retrouvent en Allemagne. Nicolas qui, en Russie, affectionne les tenues militaires et porte le plus souvent un uniforme de simple officier avec des bottes, sans apparat particulier mais affublé d'une connotation extrêmement réglementaire comme s'il était un moine-soldat, devient une manière de bourgeois en civil lorsqu'il séjourne en Allemagne. Il revêt des costumes plutôt mal ajustés et il a l'air d'un petit monsieur modeste et un peu guindé. Auprès de lui, Alexandra paraît refleurir, se détendre, dans des tenues confortables et sportives comme en portent les châtelaines sans fortune excessive. Toutes les inquiétudes qu'elle ressent en Russie s'effacent lorsqu'elle regagne la demeure de son enfance et cette petite cour allemande tellement teintée d'anglophilie. Elle ne s'est jamais pardonné de ne pas avoir revu sa grand-mère bien-aimée Victoria, entre le voyage qu'elle fit auprès d'elle après la naissance d'Olga et la mort de la reine en janvier 1901. Ce fut pour elle un déchirement ; à toujours être enceinte, à donner naissance à quatre enfants quasiment coup sur coup, elle s'est trouvée comme emprisonnée en Russie, et le souvenir de sa grand-mère la hante.

144

En Hesse, dans cette maison où elle ressentit si fortement sa présence, son affection, l'éducation qu'elle lui avait fait dispenser, elle a l'impression de retrouver Victoria : livrée à la nostalgie des souvenirs heureux, Alexandra se délivre du fardeau de la Russie.

Nicolas et Alexandra sont très jeunes encore, et Ernest-Ludwig, le grand-duc de Hesse, est de la même génération. Ensemble, ils profitent pleinement de leurs vacances, font des excursions, se livrent à toutes sortes de jeux de plein air, et les photos les montrent faisant des grimaces et des cabrioles, jouant au croquet, roulant à bicyclette. Le seul point noir du séjour à la cour de Hesse, c'est la mésentente qui règne entre Ernest-Ludwig et son épouse Victoria-Mélita. Elle est attachée à son mari mais il lui préfère toutes sortes d'aventures masculines, qu'il affiche sans la moindre gêne devant elle. Sans s'avouer des réalités qui sautent pourtant aux yeux, Nicolas et Alexandra sentent bien l'atmosphère tendue qui entoure le jeune couple dont le désaccord contredit l'harmonie de leur propre union. En excursion, en pique-nique ou à la chasse, les visages d'Ernest-Ludwig et Victoria-Mélita sont souvent graves et fermés tandis que Nicolas et Alexandra paraissent radieux. Victoria-Mélita et Ernest-Ludwig divorceront bientôt après la mort de leur unique enfant, survenue lors d'un de leurs séjours en Russie. Le bruit courut même un certain temps que cette enfant vive et charmante, qui s'installait toujours sur les genoux de Nicolas pendant les repas, fut empoisonnée en mangeant avant lui des plats qui lui étaient destinés, par des terroristes qui se seraient infiltrés dans les cuisines. Hypothèse abracadabrante mais qui montre bien le climat de soupçon morbide qui entourait dès cette époque la famille impériale et les rumeurs que l'on propageait à son endroit dans de nombreux cercles de Saint-Pétersbourg. De surcroît, au grand affolement des cours royales déjà effarées par le divorce, Victoria-Mélita se remariera ensuite avec l'un des cousins germains de Nicolas, le grand-duc Cyril. Situation fort compliquée puisque cette jeune femme belle, ambitieuse et vive, passera donc du statut de belle-sœur d'Alexandra à celui de tante par alliance tout en étant sa cousine par la naissance ! La tsarine ayant pris le parti de son frère lors du divorce, on imagine à quel point les deux parentes auront du mal à s'entendre et comme il se créera, là encore, à Saint-Pétersbourg, une sorte d'anti-cour, violemment hostile au couple impérial. Un marivaudage sentimental de plus contribuant à disloquer encore un peu plus l'ensemble de la famille Romanov...

Durant le séjour en Hesse où les caresses du malheur se font encore discrètes, il y a aussi quand même un moment franchement pénible, la visite de l'empereur Guillaume. Celui-ci, par son intelligence, son brio mais aussi sa manière de se donner en spectacle en éclipsant tous ceux qui voudraient partager la scène avec lui, écrase Nicolas. Le Kaiser aime bien le tsar quand il lui cède le pas et se montre docile, mais il le traite avec une condescendance appuyée. Et Nicolas subit son ascendant, et ne lui résiste pas, il n'a pas la capacité de lui donner la réplique ; aussi Guillaume abuse-t-il de sa position, car il exerce une mauvaise influence sur lui. Il entretient notamment Nicolas de toutes sortes de visions utopiques, en le poussant à ne jamais lâcher la bride de l'autocratie ou en lui faisant miroiter des rêves d'expansion en Extrême-Orient. Une fois qu'il n'est plus en présence de Guillaume, Nicolas se libère de son joug. Comme un enfant faible subissant un aîné plus fort et plus impétueux, Nicolas se plaint de ce qu'il a eu à endurer lorsqu'il se retrouve loin de son mauvais génie. Au fond de lui, Nicolas déteste le Kaiser. Et Alexandra partage les agacements tardifs de son mari. Elle l'aime beaucoup trop pour lui reprocher d'être faible à l'égard de Guillaume, mais elle ne peut que l'inciter à faire valoir sa propre personnalité et à éviter les conseils du terrible cousin. Le paradoxe des faibles est tel que Nicolas a à la fois tendance à assimiler les visions héroïques et dangereusement puériles que lui transmet Guillaume et à accumuler une sorte d'acrimonie silencieuse et refoulée, mais qui ne dormira pas toujours, à l'encontre de son cousin l'empereur d'Allemagne.

Les relations entre États en Europe au début du siècle

Or, en 1903, Guillaume se montre au mieux de sa redoutable forme. Il ne laisse pas placer un mot à Nicolas, il lui raconte tout ensemble le Pacifique, l'Orient et le Japon, et il insiste auprès de lui sur le danger qu'il y aurait à laisser les Japonais continuer leur expansion vers la Chine et la Sibérie. Il faut dire que Guillaume a des renseignements de première main. L'Allemagne développe des concessions chinoises près de Pékin, selon le grand partage colonial auquel les puissances occidentales se livrent en Chine, et Guillaume dont l'un des chevaux de bataille est « le péril jaune » estime que la seule rivalité qui soit dangereuse là-bas est celle des Japonais.

Ainsi, obtenir que ce soient les Russes qui fassent les gendarmes pour les puissances occidentales contre les Japonais et facilitent le dépeçage de la Chine est une chance inespérée pour l'Allemagne. Nicolas sera occupé, très loin, très à l'est, ce qu'il fera arrangera tout le monde et en même temps il ne pourra plus s'occuper des affaires européennes.

La rencontre entre le Kaiser et le tsar en 1903 est abondamment reproduite dans la presse internationale, pour inquiéter la France, alliée de la Russie. Cette alliance, l'empereur Guillaume voudrait bien la rompre, car elle lui semble dangereuse : Guillaume, ayant cassé le système de Bismarck, se retrouve avec deux puissances considérables, aux deux extrémités de son Empire, qui le prennent à revers et qui, en cas de conflit, pourraient s'unir contre lui. Donc Guillaume diffuse largement les informations sur la rencontre de Wiesbaden avec le tsar. Il insiste sur ses bonnes relations avec « son cher cousin Nicky » dont, par ailleurs, il se gausse à Berlin en se moquant de son côté « provincial ». Il dira de lui, plus tard, qu'il était juste « un brave petit hobereau à peine capable de cultiver un champ de navets », ce qui en dit long sur la sincérité de son affection pour « son cher cousin ».

Or les Français sont aux abois parce qu'ils n'ont personne d'autre que les Russes à qui faire partager l'inquiétude que leur inspire l'Allemagne. Il faut se reporter à ce qu'était l'opinion française au début du siècle. La France a perdu deux provinces dans la guerre de 1870 avec l'Allemagne. Elle vit dans un régime républicain méprisé par les monarchies d'Europe et subit la puissance allemande comme une fatalité détestée. Les Français ont beau éviter tout risque de confrontation avec les Allemands, ils ressentent une crainte révérentielle à leur égard. L'alliance avec la Russie est la première lueur qui leur permette de sortir d'un isolement, dû à leur infériorité démographique, économique, militaire. Les autres alliances leur sont interdites et notamment celle de l'Angleterre avec laquelle ils sont constamment en rivalité sur le plan colonial. 1900, c'est la période de Fachoda au Soudan où les Français reculent car les Anglais sont plus puissants. Or, à cause de cette entrevue entre le Kaiser et le tsar, l'alliance entre la France et la Russie entre dans une période de malentendus avec une pointe d'acrimonie réciproque ; les Français s'en émeuvent alors que ce sont les Russes qui y perdent le plus, puisqu'ils se laissent encore plus facilement emporter par le rêve extrême-oriental qui tournera au cauchemar. Et les Français ne peuvent les aider à éviter ce dérapage et toutes ses conséquences terribles, car la folie de l'entreprise les dépasse.

De leur côté, les Russes n'ont plus pleinement confiance dans les Français. Ils savent qu'une partie de la gauche républicaine ameute l'opinion française contre le régime tsariste. Les députés et les ministres de gauche peuvent aller à Saint-Pétersbourg pour rencontrer leurs homologues russes, les officiers mener des manœuvres communes, il n'en reste pas moins que les électeurs radicaux-socialistes de base ne sont pas enthousiasmés par une alliance avec l'autocratie russe même s'ils reconnaissent que le pragmatisme l'impose. Cependant, ce qui marche tout à fait, ce sont les emprunts russes. Les bourgeois et les rentiers versent massivement leurs économies aux banques qui émettent des emprunts, lesquels permettent à la Russie de s'équiper. L'achèvement du Transsibérien et des lignes qui desservent la frontière allemande, bien utiles pour d'éventuels transports militaires, les travaux d'infrastructure, la progression de l'influence russe en Asie centrale, les armements, tout passe par ces fameux emprunts dont la République vient seulement d'obtenir le remboursement dans des conditions inespérées pour les héritiers des porteurs, qui reviennent de loin mais réclament encore... Mais là aussi, à cause des considérables sommes investies, courent toutes sortes de rumeurs et de critiques. Il est vrai que le gouvernement russe corrompt certains hommes politiques français et la presse de droite pour donner l'impression que la Russie vit une période d'euphorie politique et de stabilité. Les socialistes, la presse de gauche dénoncent ces pratiques, à coups d'articles et de caricatures cruelles, et ce brouhaha revient aux oreilles des Russes qui poussent à leur tour des cris indignés en se drapant dans la défroque de la vertu outragée. En fait, on se trouve dans un cas de figure très actuel : celui des puissances occidentales prêtant de l'argent et entretenant de bonnes relations avec des gouvernements qui ne respectent pas un ensemble de droits élémentaires, au nom de raisons économiques et politiques supérieures. Ainsi tous les défauts du régime impérial sont mis sur la place publique en France et prennent beaucoup d'importance à cause de l'opacité de la politique russe et de l'utilisation ambivalente des informations par la presse et les politiques en France. En somme Nicolas II est l'objet de polémiques nombreuses parmi l'opinion, dans le pays même où l'on sollicite son alliance.

En Angleterre, le jugement que l'on porte sur Nicolas est encore plus négatif. Les Anglais, avec leur monarchie parlementaire, leur classe politique toute-puissante, leur alternance bien rodée entre les gouvernements conservateurs et libéraux, leurs luttes politiques ouvertes dont l'opinion publique est juge, sont très fiers de leur régime constitutionnel. Il n'y a pas de véritables intérêts anglais en Russie, et la presse britannique, qui s'achète beaucoup moins facilement que la presse française, multiplie les enquêtes à l'encontre des Russes. Les pogroms que couvre le puissant ministre Plehve, quand il ne les suscite pas, soulèvent l'indignation des Anglais. À juste titre car ces pogroms sont des monstruosités. Il faut imaginer ce qui se passe dans une petite ville où se trouve une communauté juive importante. Lorsque l'administration impériale fait preuve d'incapacité, comme c'est souvent le cas, ou lorsqu'il arrive on ne sait quelle calamité, les boucs émissaires sont immédiatement les juifs, et la population russe se livre à des exactions et des massacres avec, parfois, l'appui de la police ou celui des cosaques appelés soi-disant pour rétablir l'ordre. Et si Nicolas n'en est jamais l'ordonnateur, il est chaque fois désigné comme responsable par l'opinion occidentale. De fait il l'est en partie car il devrait mettre tout son poids pour que de semblables abominations ne soient pas perpétrées. Mais Nicolas vit dans un monde où l'on ne sait à peu près rien des juifs, hormis ce que colportent de tenaces préjugés massivement partagés par ses sujets : ils ont crucifié le Christ, ils refusent de se convertir à l'orthodoxie qui est la seule vraie foi, ils abusent des moujiks par leur usure et leurs pratiques de marchands. On accuserait Nicolas d'être antisémite, qu'il s'en désolerait bien sincèrement en faisant valoir sa propre attitude bienveillante à l'égard des juifs qu'il a parfois rencontrés. Quant aux pogroms, c'est un malheur regrettable dont il est toujours informé après, mais aussi un malheur comme il y en a tant d'autres sur cette immense terre russe où les juifs doivent bien avoir quelque chose à se reprocher pour s'attirer tellement d'ennuis... Or les pogroms sont une bombe à retardement, car ces populations maltraitées et vivant dans un statut de seconde zone deviennent d'irréductibles adversaires du tsar qui participeront bien évidemment un jour au mouvement collectif qui se soulèvera contre son régime. Ainsi la presse anglaise ne rate pas une occasion pour dénoncer les pratiques antisémites du régime impérial et pour mettre en garde Nicolas contre un inéluctable scénario de la vengeance qu'elle paraît appeler de ses vœux.

Édouard qui a tant d'amis juifs et à qui l'antisémitisme fait horreur n'est pas non plus enclin à diaboliser Nicolas dans ce domaine. Il connaît l'orthodoxe pesanteur russe. Mais il sait aussi que ce problème contribue à ce que le deuxième « homme malade » d'Europe après la Turquie, ce soit la Russie et il redoute que l'ours malade ne se livre à des crises de folie pour desserrer l'étau où ses propres erreurs l'ont placé. L'Empire ottoman est dangereux pour ses propres minorités qu'il massacre avec une cruauté encore bien plus grande que celle dont les Russes font preuve, mais l'Empire russe est inquiétant par sa puissance et par ses rêves impérialistes qui sont une tentation permanente pour dépasser ses propres faiblesses autant qu'une menace pour la paix internationale. Pour des raisons somme toute voisines, le risque de l'Empire ottoman, c'est l'implosion tandis que celui de l'Empire russe c'est l'explosion. Édouard voudrait d'autant plus y trouver une parade que l'ensemble de l'Europe a accumulé un potentiel économique considérable, qu'elle n'a pas résolu pour autant ses problèmes sociaux et que les autocraties absolues ou relatives qui la dirigent ont tendance à vouloir se maintenir en s'appuyant sur les secteurs les plus riches, les plus réactionnaires et les plus militarisés. À l'égard de la Russie, Édouard dispose d'un levier familial, celui dont se servait Victoria : les bonnes relations que la famille royale anglaise entretient avec les Romanov, via le Danemark et l'adorable Alexandra, son épouse, la sœur de Maria Feodorovna, la mère de Nicolas II. C'est ainsi qu'il s'ingénie à rencontrer aussi souvent que possible les membres de sa parentèle russe. Il se rend au Danemark pour le jubilé puis pour la mort du roi de Danemark, où les Romanov sont également présents, comme il fait passer autant de messages que possible par le biais des fréquentes rencontres entre Alexandra et Maria Feodorovna. Édouard jouit aussi d'une bonne image en Russie. Nicolas a été profondément touché qu'il soit venu à l'enterrement d'Alexandre III, en tant que prince de Galles, et le jeune tsar, malgré toutes ses fautes de jugement, est particulièrement sensible à de simples gestes comme celui-là. Malgré tout, ces liens sont sans grande conséquence, et ce ne sont pas les affectueuses rencontres entre deux sœurs qui préfèrent jouer aux cartes et échanger des anecdotes familiales plutôt que de s'interroger sur l'état du monde, qui permettent de mener la diplomatie active qui empêcherait l'ours russe de se livrer à des accès de brutalité. Édouard est obligé d'envisager une autre solution plus politique et solide pour arriver à raisonner cette Russie tellement imprévisible, mais il doit agir avec prudence car l'opinion anglaise est très remontée contre elle. Il faut aussi qu'il fasse vite : le temps joue contre la paix, les puissances économiques et militaristes aggravent leur rivalité, tandis que les idées de liberté et de démocratie progressent parmi les masses. Plus personne ne peut mener la barque de l'Europe comme au temps de Victoria où les souverains étaient encore quasiment de droit divin.

Or survient un événement dont Édouard saisit tout de suite qu'il menace gravement l'équilibre européen. Dans la ville de Belgrade, catapultée par un obscur chapitre de l'Histoire capitale de la Serbie, en vérité un trou perdu des Balkans, dont les rues sont des chemins boueux bordés de petites maisons de torchis et de bois, se déroule un règlement de comptes particulièrement sanglant entre les deux familles qui se disputent depuis un siècle la prééminence dans le pays, les Obrenovitch et les Karageorgevitch. Exerçant un pouvoir féodal sur leurs bandes, elles se sont succédé par la violence et l'intrigue sur le trône de Belgrade à la suite de la libération de la domination turque. En 1903, le jeune roi Alexandre de Serbie, un Obrenovitch, est l'objet d'une contestation grandissante. Ce qu'on lui reproche surtout, c'est d'aligner constamment la politique de la Serbie sur celle de l'Autriche et de se comporter comme s'il était sous le protectorat de la cour de Vienne. Les Serbes sont farouchement nationalistes et l'armée serbe ne supporte pas cette soumission à la puissance autrichienne. On dit aussi que le jeune roi collabore avec l'Autriche parce qu'il s'est laissé corrompre et qu'il en retire personnellement des avantages financiers. On lui reproche encore de s'être marié avec une femme de quinze ans son aînée, dont la réputation est plutôt controversée. Elle est perçue comme une intrigante et une usurpatrice détestée par les patriotes. Si l'on ajoute à cela que le jeune roi a l'air d'une brute et que son épouse, la reine Draga, n'est guère plus présentable, on comprendra que l'image de la Serbie à l'étranger ne soit pas des plus flatteuses et qu'il y ait, là encore, un motif d'humiliation supplémentaire pour les jeunes officiers serbes qui rêvent d'assurer l'essor de leur royaume.

Le prince rival, Pierre Karageorgevitch, est un homme mûr, très digne d'apparence, infiniment plus versé dans les affaires internationales. Il a fait une partie de ses études à Saint-Cyr, s'est battu pour la France en 1870 ; il parle plusieurs langues, il a de l'expérience et il dispose d'une réelle popularité auprès des officiers. Un matin de 1903, un groupe d'officiers pénètre à l'intérieur du palais royal, à l'aube, pendant que le roi Milan et la reine Draga dorment encore. Le massacre est d'une sauvagerie inouïe. Le roi et la reine sont traînés à travers le palais, frappés à coups de sabre et, finalement, tués et dépecés sur place. La chambre du couple royal, le boudoir de la reine sont dévastés, il y a du sang partout dans le palais, les photos du carnage sont largement diffusées dans la presse à sensation occidentale.

Les militaires désignent Pierre Karageorgevitch comme nouveau roi de Serbie. C'est le triomphe de sa famille, la fin de l'ancienne rivalité et un second départ pour le royaume. Pierre Karageorgevitch se fait couronner à Belgrade au cours d'une cérémonie qui flatte l'orgueil national. On y voit des ambassadeurs en calèche, quelques rares invités des cours étrangères, le roi du Montenegro, des envoyés du sultan qui se méfie nettement de la nouvelle dynastie, et c'est à peu près tout. En revanche, la population s'est massée dans les rues de Belgrade. Il suffit de voir ces visages farouches et manifestement enthousiastes pour sentir que le régime de Pierre Karageorgevitch va rompre avec les anciennes habitudes du roi assassiné, dont les restes ont été éparpillés avec ceux de sa femme. Malgré son âge, Pierre Karageorgevitch porte beau et ses jeunes fils caracolant à ses côtés paraissent pleins de fougue. Il achève les cérémonies du couronnement en présidant une parade impressionnante dans un champ près de Belgrade où l'on découvre cette armée serbe qui rongeait son frein sous le règne précédent et qui est maintenant appelée à exercer ses ambitions avec panache et énergie.

Pierre Karageorgevitch a-t-il commandité le crime ? Plus tard les Français feront de Pierre Ier de Serbie une figure de roi noble et héroïque, ce qu'il fut aussi certainement, et veilleront à étouffer soigneusement tout soupçon concernant son éventuelle implication dans le massacre de son rival. Les Serbes étant les alliés de la France, après 1914 plus personne ne se posera la question de savoir si la dynastie restaurée des Karageorgevitch l'aura été au prix de l'élimination physique de ses prédécesseurs. Quoi qu'il en soit, dès 1903, l'Europe comprend que la Serbie de Pierre Karageorgevitch redevient un redoutable adversaire pour la Turquie mais aussi pour l'Autriche, deux États qui l'enserrent et détiennent d'importantes minorités serbes. L'arrivée sur la scène européenne d'une nouvelle Serbie bien décidée à bâtir sa propre sphère d'influence et peu regardante sur les moyens d'y parvenir n'échappe pas à l'attention aiguë d'Édouard : horrifié par le massacre de Belgrade, il snobe avec constance la dynastie ressuscitée sur les cadavres de sa rivale. Mais, réaliste, il imagine aussi sans peine l'enchaînement de perturbations que son avènement risque d'entraîner.

Or à partir du moment où la Serbie décide de jouer un rôle actif dans la péninsule des Balkans, elle devient le levain des autres peuples slaves, à la fois contre les Turcs et contre les Autrichiens. Il suffit qu'une nation s'ébroue pour que toutes les autres veuillent faire sauter les mâchoires qui les retiennent. Leur seule alliée possible, c'est la Russie slave. C'est une option dangereuse parce qu'elle implique un risque de confrontation majeure entre deux superpuissances : les Russes qui veulent jouer la carte de la solidarité et du nationalisme slave et rêvent toujours d'entrer à Constantinople ; les Autrichiens, en face, qui vivent dans la hantise que les peuples slaves qu'ils dominent se séparent de la monarchie et rejoignent ceux des Balkans dans le projet de constituer des États indépendants, libérés des Habsbourg, agrandis à leur détriment.

Or, si Édouard n'a guère d'influence sur les Romanov, il en a encore moins sur les Habsbourg. Édouard, comme prince de Galles, s'est souvent rendu en Autriche-Hongrie. Il apprécie les agréables stations de Marienbad et de Karlsbad où toute l'Europe élégante se réunit pour la saison d'été, et il est aussi venu à Vienne assez souvent. Lorsque Rodolphe était encore prince héritier, il a entretenu avec lui une relation très amicale. Édouard le trouvait intelligent, et son attirance pour les êtres originaux ne pouvait que conforter cette inclination, même s'il ne partageait pas son étrange romantisme morbide. Ils ont fait beaucoup de parties fines ensemble, qu'Édouard savait gaiement conclure en disant à Rodolphe : « Maintenant c'est terminé, je retourne auprès d'Alexandra et tu devrais retourner auprès de Stéphanie pour te faire pardonner tes écarts en te montrant gentil avec elle. » Après la mort de Rodolphe, Édouard reviendra moins souvent en Autriche-Hongrie, bien que le vieil empereur François-Joseph l'aime beaucoup. Cet homme austère et qui ne s'amuse guère est évidemment charmé par Édouard qui raconte aux repas des histoires amusantes, étale toujours sa bonne humeur, et le traite avec une affabilité nuancée de respect filial.

Mais ces contacts entre le prince de Galles et le vieil empereur restent superficiels. Si l'on ajoute à cela que la diplomatie anglaise n'a en somme à peu près aucune idée de ce qu'est l'Autriche-Hongrie – sait-elle au moins où elle se trouve ? – tant l'Autriche-Hongrie appartient à l'Europe centrale et tant le gouvernement anglais se préoccupe avant tout d'assurer le bon fonctionnement d'un Empire britannique réparti aux quatre coins du monde, on peut mesurer à quel point il est difficile pour Édouard de concevoir et d'imposer une véritable politique austro-hongroise. Qui pourrait d'ailleurs en avoir une ? Les aventures coloniales, les conquêtes en Afrique, la construction des flottes entre les Russes, les Allemands, les Anglais, de tout cela les Autrichiens sont absents. L'Autriche-Hongrie sur le plan international est une sorte d'énorme Suisse qui ne bouge que lorsque ses intérêts immédiats sont en jeu. En dehors de cela, l'Autriche-Hongrie, aux yeux de l'étranger, est un lieu de plaisirs, de valses, de voyages touristiques agréables sous l'aile vénérable d'un empereur ressenti comme le dernier gentleman de la vieille Europe depuis la mort de Victoria. Édouard, qui n'est que très lointainement apparenté aux Habsbourg, ne peut exercer une influence quelconque à Vienne, ni changer quoi que ce soit à cet état de fait à Londres. De toute manière, l'Empire dort. À force d'avoir usé les unes contre les autres toutes les rivalités, toutes les causes de froissement entre les nationalités, François-Joseph a accrédité l'idée que sa politique à la petite semaine est appelée à durer toujours. On prévoit vaguement que l'Empire connaîtra un cataclysme mais personne ne peut envisager que ce soit pour bientôt. Bien sûr, il y a cette perpétuelle rivalité entre les Hongrois et les Autrichiens ainsi que la demande des Slaves du sud et du nord à l'égard de l'empereur Habsbourg pour qu'il leur accorde un statut similaire à celui des Hongrois. Mais tout se passe si lentement, et la prospérité générale est telle que chacun reporte à plus tard le moment d'une confrontation. La personne du vieil empereur en apparence immortel, comme une vénérable momie impeccable et bienveillante, sert à colmater toutes les brèches, et à assoupir tous les doutes.

En cela, on ne peut être trop sévère à l'égard de François-Joseph. Il est lui-même certainement le plus « supranational » des Habsbourg. Il n'a de préjugés à l'encontre d'aucune nationalité de son Empire et il traite les Tchèques comme les Croates, avec le même dévouement. En ce sens, il est l'incarnation même de l'utopie Habsbourg attachée aux principes d'une couronne multinationale.

Et c'est ce qui explique que personne ne reproche à François-Joseph la léthargie dans laquelle se trouve l'Empire. Les voyages qu'il fait à l'intérieur de l'Empire, alors qu'il se déplace très rarement à l'étranger, sont toujours triomphaux, quel que soit le peuple qu'il visite. Nul ne songe à porter atteinte à ce vieil homme qui a eu, de surcroît, tant de malheurs dans sa vie privée. C'est comme si les nations de l'Empire reportaient inconsciemment le moment du grand affrontement pour « après » sa mort et, comme l'empereur ne meurt pas, on prend, avec soulagement, le quotidien pour de l'éternité.

Ainsi François-Joseph, passé tous les drames qui ont parsemé sa vie, coule une vieillesse tranquille que ses États contemplent comme un miroir. S'il a fait son deuil du bonheur depuis son avènement à l'âge de dix-huit ans, le devoir accompli lui offre de grandes satisfactions. Et puis l'été, il y a Ischl, ses filles, ses nombreux petits-enfants qui viennent le voir, Catherine Schratt et ses chocolats, ses chasses avec ses gendres. Ainsi s'écoulent les années entre sombres hivers de Vienne, demi-saisons de Schönbrunn et beaux étés de la Kaiservilla, immobiles et identiques. L'empereur ne s'est pas décidé à utiliser le téléphone. Il laisse cela aux jeunes ambitieux de la Ballplatz, le ministère des Affaires étrangères. L'automobile ? Encore une fantaisie pour les jeunes. C'est Édouard qui lui fait faire sa première promenade en voiture, ce sympathique Édouard qui a toujours réussi à le dérider malgré sa fâcheuse réputation de libertin. Chaque fois que François-Joseph attend sa visite, il se montre très enjoué, alors que celles de son allié Guillaume le rendent morose. Certes l'alliance de l'Allemagne est le pivot de la politique étrangère de l'Autriche, certes Guillaume traite le vieil empereur avec tous les signes d'un respect théâtral, mais comme il est agaçant, ce Guillaume, avec ses interjections permanentes, son agitation frénétique, sa manière de tout savoir, et comme ses démonstrations d'affection sont suffocantes par leur sentimentalité profuse ! Tandis qu'avec Édouard, c'est tout simple. Il redonne à François-Joseph un parfum de cette jeunesse à laquelle il a renoncé, et où il était, il y a très longtemps, un jeune archiduc d'une grande beauté, qui avait le temps pour les bals et les plaisirs et dont les femmes étaient amoureuses. Ainsi Édouard parvient-il à obtenir de l'empereur ce qu'aucun membre de sa famille et aucun de ses ministres n'auraient osé lui proposer : qu'il monte dans une automobile ! Et devant sa maison stupéfaite, comme un enfant qui touche son premier beau joujou, François-Joseph monte dans l'automobile que conduit Édouard et part sur les routes des Alpes pour revenir une heure et demie plus tard, enthousiaste, le rouge aux joues, rajeuni de trente ans. Mais c'est un feu sans lendemain : il n'y aura pas de voiture à la cour impériale. François-Joseph se reprend très vite, retrouve ses tristes fiacres à deux places qui ressemblent aux louages regroupés devant la cathédrale St. Stéphen, avec juste l'aigle des Habsbourg sur la porte pour les différencier. Il aurait fallu qu'Édouard s'installât à demeure à Marienbad pour influencer réellement le vieil homme : quand il s'en va, le poids du passé et des habitudes est le plus fort.

D'un manière générale, François-Joseph ne peut que suspecter la jeunesse puisqu'elle prend pour lui le masque arrogant et vindicatif de son neveu François-Ferdinand.

Les souverains, en général, n'aiment pas beaucoup leurs héritiers. Toute l'histoire des monarchies est parsemée de rivalités entre les pères et les fils ; les fils parce qu'ils attendent la mort de leur père, les pères parce qu'ils savent que leurs fils vont leur survivre. Mais à ce conflit inévitable, certains échappent. Cela ne veut pas dire que le résultat soit forcément meilleur. Édouard aura été un père admirable pour son fils, George V, qui deviendra néanmoins un souverain très aimé mais très terne. François-Joseph n'a pas échappé à la règle commune. L'incompréhension mutuelle entre Rodolphe et lui a eu les conséquences que l'on sait. Mais les choses ne s'améliorent pas avec son autre successeur, François-Ferdinand. Il faut reconnaître que dans ce domaine les responsabilités sont partagées ; elles tiennent autant à la vieillesse et à la léthargie de l'empereur qui s'obstine à vouloir régler les problèmes en bureaucrate qu'au caractère impétueux de son neveu qui ne cesse de réclamer une autre politique. Cette attitude éveille un écho hostile auprès du vieil empereur, et de son administration profondément traditionaliste, lorsqu'en Europe, tous s'arrangent de l'atonie internationale de l'Autriche-Hongrie. La réalité est pourtant complexe et menaçante. L'Autriche-Hongrie est peuplée d'une communauté germanique considérable qui domine l'ensemble de l'Empire avec les Hongrois, et il est logique qu'elle fonctionne en symbiose avec l'Empire allemand, d'autant plus que les Hongrois sont encore plus pangermanistes que les Autrichiens parce que c'est une manière pour eux d'affirmer leur identité, leur autonomie au cœur de l'océan slave dans lequel ils sont immergés. Pour François-Ferdinand, cette politique de liens consubstantiels avec l'Allemagne n'est pas discutable, mais il préférerait que l'Empire ait aussi une attitude autonome et qu'il puisse, en tout cas en ce qui concerne ses affaires internes, être capable de se réformer lui-même sans avoir à subir constamment les intrigues des Hongrois qui disposent à Berlin de soutiens très actifs. En somme, François-Joseph s'est quasiment incliné devant l'Allemagne, tandis que François-Ferdinand est disposé à construire quelque chose de neuf en négociant avec elle. C'est d'autant plus étrange que François-Joseph a été chassé d'Allemagne au temps de Bismarck et qu'il aurait dû en ressentir une humiliation si forte qu'elle lui rendit l'alliance allemande difficile, mais enfin, tel est l'état de l'Autriche-Hongrie, grand corps magnifique et épuisé qui n'exerce plus d'influence internationale et se contente de vivre sous la protection étouffante que lui accorde l'Empire qui l'a autrefois vaincu.

Si quelqu'un en Europe regrette cet état de fait, c'est bien Édouard, qui tente de ranimer ses bonnes relations avec François-Joseph en reprenant ses visites à Marienbad. Il est si à l'aise avec François-Joseph qu'il va même jusqu'à plaider la cause de la veuve de Rodolphe afin que le vieil empereur lui permette de se remarier, ce qui représente une intervention inouïe dans le domaine très intime de la vie à la cour des Habsbourg. François-Joseph ne réagit pas aux suggestions d'Édouard qui dépeint en termes émouvants la vie de Stéphanie, condamnée à une solitude austère par la faute d'un homme qui ne lui a apporté que des malheurs. Il reste silencieux et paraît même agacé par cette intrusion. Mais l'intervention d'Édouard se révèle finalement utile puisque Stéphanie obtient de se remarier et qu'elle épouse le noble hongrois qui la rendra tout à fait heureuse. Ils sont morts en 1945, étroitement surveillés par l'armée Rouge.

Mais Édouard n'arrive pas à mordre sur l'apathie foncière du grand Empire. Toutes ses tentatives pour obtenir de l'empereur qu'il desserre un peu l'étau de l'alliance allemande et récupère un degré d'autonomie, et surtout pour que François-Joseph ait de bonnes relations avec l'empereur de Russie, se heurtent à la pesanteur silencieuse du système bureautique Habsbourg. Ainsi, ses séjours à Marienbad, en dehors du fait qu'ils sont fort agréables et qu'ils lui permettent de jeter ses regards sur quelques jolies femmes, se traduisent pour Édouard par des échecs sur le plan politique.

Or, selon François-Ferdinand, il faudrait faire payer à l'Allemagne le prix de l'alliance autrichienne, exiger d'elle qu'elle cesse de soutenir les revendications nationalistes outrancières des Hongrois et récupérer une marge de manœuvre dans les relations avec la Russie. Ainsi l'on pourrait gérer l'angoissant dossier balkanique, surtout depuis que la Serbie de Pierre Ier est devenue singulièrement active et offensive, et mettre les problèmes de chacun sur la table d'une manière positive et raisonnée. Cependant François-Ferdinand n'est pas écouté : lorsque Nicolas, le tsar de Russie, vient en visite officielle en Autriche-Hongrie, il est reçu par François-Joseph d'une manière extrêmement aimable, tout se passe selon le cérémonial habituel, et Nicolas a même droit à une partie de chasse à Ischl, mais cela ne va pas plus loin. Pour Édouard qui suit de près ces allées et venues et l'affrontement des tendances politiques à Vienne c'est une confirmation supplémentaire d'une réalité qui l'inquiète : dans chacune des grandes puissances européennes, les administrations, les ministères, les parlements, les grands journaux, l'expression de l'opinion publique ont pris un poids considérable et, quelles que soient les relations rapprochées que les monarques peuvent entretenir, ils sont maintenant, même s'ils affirment une attitude extrêmement volontariste, moins influents et moins capables de prendre des décisions que dans le passé.

Édouard est sans doute le souverain le mieux à même de s'adapter à ce nouvel état de fait. D'une certaine manière, sa famille, contrairement à ce qui était le cas pour Victoria, c'est désormais plus la famille anglaise que le reste des familles royales en Europe. Cet homme qui a eu tant d'aventures et qui a tant trompé son épouse est un mari fidèle pour tout ce qui lui paraît fondamental. Sa famille est une affaire privée qui n'a pas beaucoup d'influence dans le domaine politique, mais à laquelle il consacre beaucoup de temps avec une chaleur et une gaieté qui rendent les réunions particulièrement appréciées. Il existe encore un magnifique document filmé sur la manière dont Édouard organise les chasses où se retrouvent ses enfants, ses belles-filles, ses gendres, et on voit bien qu'il y règne une bienveillance, une sympathie mutuelle, une gaieté qui n'ont rien à voir avec les futures responsabilités politiques éventuelles des uns ou des autres. L'une des filles d'Édouard a épousé un prince de Danemark, qui deviendra roi de Norvège, une de ses nièces va épouser Alphonse XIII en Espagne : chaque fois, Édouard s'en sert pour sa politique internationale, mais cela ne peut plus suffire. Il va donc tenter de mettre au point un autre système pour équilibrer le nouvel état des forces en Europe. L'essor phénoménal de l'Allemagne le lui impose.

En effet, l'Allemagne de Guillaume II, avec son souverain jeune et imprévisible, lui paraît de plus en plus dangereuse. Depuis que Bismarck a été écarté, la puissance de l'Allemagne s'est encore considérablement accrue et le Kaiser, loin de songer à refréner ses propres élans, est persuadé qu'il doit exercer une primauté absolue en Europe. Cette certitude est le fruit d'un nationalisme forcené que personne autour de lui ne tente de raisonner. Ce n'est pas la cour des Hohenzollern, assez peu instruite, vivant des temps euphoriques, avec une frénésie de nouveaux riches, qui saurait le rappeler à la raison ; et pas non plus la classe politique, même divisée par la montée en puissance d'un parti socialiste important. Officiellement, Guillaume est un souverain constitutionnel qui doit respecter tout un ensemble de règles à vrai dire plutôt obscures selon le souhait même de Bismarck, avide de clauses qu'on puisse interpréter selon son humeur. En vérité, il dispose de chanceliers à sa main, qui bottent, pour lui, le Reichstag et les députés. Il peut donc se comporter comme un autocrate sans que personne ose s'y opposer sérieusement, si ce n'est la presse de gauche, mais de cela, le chancelier s'en charge. Sa fascination-haine à l'égard de l'Angleterre s'en trouve vérifiée. Si Guillaume n'a pas à redouter la France encore apeurée et s'il ne néglige la Russie que parce qu'il pense exercer un ascendant définitif sur Nicolas II, l'Angleterre ne cesse d'agacer son désir d'action et d'expansion. Quoi d'étonnant, s'il est grisé par son omnipotence alors que son Allemagne accumule les records économiques ?

L'animosité entre Édouard VII et Guillaume II

La manière dont Édouard considère le monde, avec beaucoup de libéralisme, en laissant leur place aux diverses opinions, et à l'expression de sentiments démocratiques, est étrangère à Guillaume. De surcroît, le Kaiser a toujours l'impression que son oncle le traite de haut et le prend pour un petit garçon inconséquent. À Guillaume tout est bon pour nourrir de tels sentiments : le mélange de franchise et d'hypocrisie des Anglais, leur subtilité face à une certaine brutalité prussienne, le chic de leur vie, l'anglomanie qui sévit dans les milieux élégants d'Allemagne et jusque dans le salon de son fils le Kronprinz, les préjugés de son épouse prude et moraliste qui est profondément choquée par la vie supposée licencieuse d'Édouard, autant de motifs personnels pour l'agressivité mal maîtrisée qu'il éprouve à l'égard de l'Angleterre et de son oncle.

Divers événements viennent aggraver cette opposition des sensibilités et susceptibilités, et chaque fois Guillaume est le principal responsable d'une nouvelle détérioration ; comme lorsque survient la mort de sa mère, Vicky, qui est donc également la sœur d'Édouard. Cette mort pèse très lourd dans le contentieux entre les deux hommes. On sait que Guillaume éprouvait exactement les mêmes sentiments pour sa mère et pour l'Angleterre. Un désir d'être reconnu et aimé et une grande amertume à constater que c'est quasiment impossible. Toutefois avec les années, ses relations avec sa mère se sont améliorées. Elle vit retirée, elle reçoit ses filles et ses petits-enfants, et elle s'incline devant la volonté de son fils de manière à éviter tout conflit. Mais Guillaume sait bien qu'elle porte sur son action un jugement très critique. Lorsqu'elle tombe gravement malade, au début de 1900, une fois de plus les difficultés d'autrefois resurgissent. Guillaume voudrait maîtriser complètement la maladie de sa mère ; il souhaite qu'elle consulte uniquement des médecins prussiens, il aimerait l'avoir tout à lui au moment où elle ne cesse de s'affaiblir. Évidemment, cette attitude ne peut que déplaire à Édouard, qui est très attaché à sa sœur. Il se rend donc en Allemagne pour la voir, pour la réconforter et s'occuper d'elle, et Guillaume ressent cette visite tout à fait naturelle comme une sorte d'intrusion ; il en éprouve un très vif surcroît de jalousie à l'égard de son oncle. Édouard passe plusieurs semaines auprès de sa sœur en lui témoignant beaucoup de tendresse et de gentillesse. Pour lui, elle sort de sa chambre, se promène dans le parc, participe à des pique-niques dans une atmosphère de gaieté qu'elle ne connaissait plus depuis longtemps. Mortifié, Guillaume tourne autour de la maison, gâchant les rares moments de répit ou d'harmonie qui seraient pourtant si nécessaires à celle qui se sait condamnée. En somme il rôde comme la mort. Et cette manière de venir constamment déranger le frère et la sœur exaspère Édouard. Il y voit une fois de plus le manque de tact habituel de son neveu. C'est d'autant plus dommage qu'Édouard a tenté de faire « sa paix » avec Guillaume car il a trouvé qu'il s'était plutôt bien comporté lors de la mort de Victoria. Certes, Guillaume s'était montré encore très théâtral, déclarant au monde entier que sa

L'archiduc héritier François-Ferdinand, son épouse morganatique Sophie, duchesse de Hohenberg, et leurs enfants (vers 1910).

L'archiduc Rodolphe et la princesse Stéphanie de Belgique au moment de leur mariage en 1881, soit huit ans avant la tragédie de Mayerling.

Ci-contre. François-Joseph, empereur d'Autriche et roi de Hongrie. Son règne, l'un des plus longs de l'histoire, commence en 1848 et s'achève en 1916.

Ci-dessous à gauche. Élisabeth de Bavière, impératrice d'Autriche, reine de Hongrie, épouse de François-Joseph et mère de Rodolphe; Sissi pour l'éternité (vers 1867).

Ci-dessous à droite. Catherine Schratt, l'amie fidèle que Sissi elle-même a choisie pour son mari François-Joseph. Ici, à l'époque de sa rencontre avec l'empereur, lorsqu'elle était une actrice renommée (vers 1880).

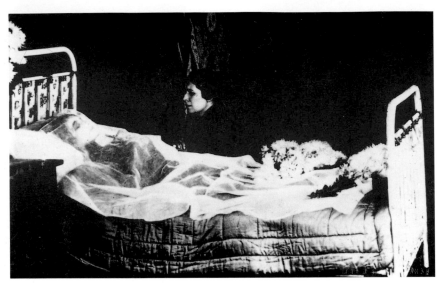

Sissi sur son lit de mort à l'hôtel Beau Rivage à Genève, veillée par Mme Mayer, directrice de l'hôtel. L'assassin de l'impératrice se suicidera en prison (1898).

Le mariage de l'archiduc Charles et de la princesse Zita de Bourbon-Parme. Ils ont vingt-quatre et dix-neuf ans et sont les héritiers en second. François-Joseph est présent, manifestement enchanté (1911).

Le couronnement de Charles et Zita, à Budapest, en décembre 1916. Le petit Otto, âgé de quatre ans, est associé aux cérémonies. Aujourd'hui, il se les rappelle parfaitement.

Charles, devenu héritier de la dynastie après l'assassinat de son oncle François-Ferdinand. Il sera le dernier empereur d'Autriche-Hongrie (vers 1915).

Zita en exil à Madère, peu après la mort de Charles, avec Otto, l'aîné de ses huit enfants, et Élisabeth sa dernière fille (1922).

Victoria, dite Vicky, fille aînée de la reine Victoria, veuve de l'empereur Frédéric, mère de Guillaume II. Un règne de quatre-vingt-dix-neuf jours… (vers 1890).

Guillaume II, roi de Prusse et Kaiser allemand. Cousin germain de la tsarine et neveu d'Édouard VII d'Angleterre. Sa pose martiale cache son bras gauche infirme (vers 1900).

Le prince de Bismarck, chancelier de fer d'un empire allemand qu'il a créé. Remercié par le jeune Kaiser peu après son avènement (vers 1880).

Le Kaiser Guillaume en hussard de la mort (vers 1905).

La Kaiserine Augusta-Victoria, dite Dona, épouse de Guillaume II. Fidèlement dévouée à son mari, elle ne survivra que peu de temps à la chute de la monarchie (vers 1907).

Le Kaiser Guillaume peu avant le déclenchement de la guerre mondiale.

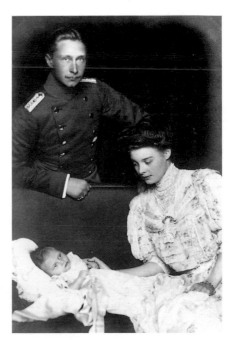

Le Kronprinz, son épouse Cécilie et leur premier fils, un autre Guillaume, qui mourra en France durant la Seconde Guerre mondiale (1905).

Les fils de Guillaume II. Eitel-Frédéric, le Kronprinz Guillaume, Adalbert, Oscar, Joachim, Auguste-Guillaume (1903). Ils connaîtront des destinées très différentes et parfois tragiques.

Victoria-Louise, fille de Guillaume et Dona, et mère de Frederika de Grèce. Son mariage en 1913 avec Ernest, duc de Cumberland, fut l'occasion des dernières réjouissances entre familles royales (vers 1911).

Guillaume II en exil à Doorn, en Hollande, avec sa seconde épouse, la « Kaiserine » Hermine, et son arrière-petit-fils Frédéric-Guillaume (1939).

Le Kaiser Guillaume et le tsar Nicolas, lors de l'entrevue de Bjorkö qui fut un échec (1905).

Nicolas et Alexandra, tsar et tsarine de Russie présentent leur première fille Olga à la reine Victoria, son arrière-grand-mère, et au prince de Galles, futur Édouard VII (1896).

Édouard VII, roi d'Angleterre de 1901 à 1910. Il fut le principal artisan de l'entente cordiale avec la France. Oncle du Kaiser et de la tsarine.

Alexandra, épouse d'Édouard VII, née princesse de Danemark, sœur de la tsarine-mère de Russie Maria Feodorovna, et mère du futur George V et de la reine Maud de Norvège.

Édouard VII et le Kaiser à Berlin en 1909. L'antipathie de l'oncle et du neveu est réciproque.

Réunion de famille au palais de Buckingham en 1907. Autour d'Édouard et d'Alexandra : Maud de Norvège leur fille, Augusta-Victoria d'Allemagne, Marie-Amélie de Portugal, Victoria-Eugénia d'Espagne, Alphonse XIII et Guillaume II. Tous enfants ou neveux, à l'exception de la reine de Portugal.

Les deux sœurs, Maria Feodorovna, tsarine-mère de Russie et Alexandra, reine d'Angleterre, à bord du *Victoria and Albert* (vers 1910).

Nicolas II, tsar de Russie, George V, roi d'Angleterre, lors du mariage de la fille du Kaiser. Les deux cousins germains se ressemblent étrangement. C'est leur dernière rencontre (1913).

George V et la reine Mary durant la guerre. La dynastie change son nom germanique de Saxe-Cobourg-Gotha contre celui de Windsor.

Fantômes d'après-guerre. Maria Feodorovna retrouve sa sœur Alexandra à l'occasion du mariage des parents de l'actuelle reine Élisabeth. George et Mary reçoivent sans remords la rescapée (1923).

Les orphelins de Hesse. Alix, la plus jeune, se blottit contre Élisabeth qui épousera le grand-duc Serge, oncle du tsar. L'une et l'autre seront assassinées à quelques jours d'intervalle par les bolcheviques en 1918 (vers 1890).

Les parents de Nicolas II, Alexandre III et Maria Feodorovna, aussi unis que dissemblables (vers 1890).

Nicolas II à dix-sept ans, alors qu'il n'est encore que tsarévitch (vers 1885).

La famille impériale peu avant la mort prématurée d'Alexandre III. Les enfants : le grand-duc Michel, tsar d'un jour en 1917, Nicolas derrière son père, le grand-duc Georges mort de la tuberculose en 1899, les grandes-duchesses Xenia et Olga qui survivront jusqu'en 1960 (vers 1893).

Le tsarévitch Nicolas et la princesse Alix de Hesse à Cobourg, en Allemagne, lors du mariage du frère d'Alix, où ils annoncent leurs propres fiançailles (1894).

Nicolas II et sa mère Maria Feodorovna (vers 1905).

Nicolas II et Alix, devenue Alexandra Feodorovna, jeunes tsar et tsarine de Russie. Ils ont déjà quatre filles, mais le tsarévitch n'est pas encore né (vers 1903).

Nicolas II et Alexandra lors du bal Romanov où toute la famille impériale devait personnifier les premiers princes de la dynastie (1903).

Elisabeth Feodorovna, Ella, sœur de la tsarine, après l'assassinat de son mari, le grand-duc Serge, par des terroristes, à Moscou, en 1905.

Ci-dessus. La famille impériale sur le pont du *Standard*. Olga, Nicolas, qui tient Alexis, Anastasia, Alexandra, Maria, Tatiana (1906).

Ci-contre. Alexandra Feodorovna, tsarine de Russie (vers 1904).

Les grandes-duchesses et leur petit frère, portrait officiel et plus détendu. Ils sont profondément unis et les grandes-duchesses signent leurs lettres OTMA (Olga, Tatiana, Maria, Anastasia) par ordre d'âge (vers 1910).

Le tsarévitch à dix ans en 1914.

Le tsar et la tsarine en 1914. Ils règnent depuis vingt ans, mais le pire est à venir…

La famille impériale vers 1915. Le tsar, Alexis, Tatiana, Maria, Olga, la tsarine, Anastasia.

Dernière photo de la famille impériale avant la révolution. Les grandes-duchesses sont venues rendre visite à leur père et au tsarévitch au grand quartier général. Alexandra, épuisée, est absente (novembre 1916).

Le grand-duc Dimitri. Jeune cousin germain du tsar, qui l'aime et le protège, il sera l'un des conjurés de l'assassinat de Raspoutine, âme damnée de la famille impériale. Banni, il échappera à l'hécatombe révolutionnaire.

Le colonel Romanov, prisonnier à Tsarskoïe Selo. La famille et lui-même n'ont plus qu'un an à vivre (été 1917).

Cobourg (1894). Autour de Victoria, le Kaiser, Alix, Nicolas, le prince de Galles, etc.

grand-mère était morte entre ses bras, et qu'il avait lui-même organisé toutes les funérailles dans l'accablement de la famille frappée par la douleur. Cette nouvelle mise en scène avait été bien agaçante, mais comme Guillaume avait aussi éprouvé une peine réelle, Édouard lui avait pardonné beaucoup de ses excès. Et voilà qu'avec la maladie de Vicky, il retrouve Guillaume sous son plus mauvais jour, envieux, agité, bruyant, intervenant sans cesse d'une façon intempestive. Et lorsque Vicky meurt, il reste entre Édouard et Guillaume le souvenir des circonstances de son agonie ; Édouard considère que l'attitude égocentrique et possessive de Guillaume a certainement fait souffrir sa sœur ; Guillaume se plaint qu'Édouard a capté toute l'affection qui devait lui revenir.

Édouard qui vient d'accéder au trône d'Angleterre est imprégné du désir de bien faire et d'accomplir sa tâche. En souverain constitutionnel au sens le plus strict du terme, il doit donc adapter son attitude aux volontés de la classe politique extrêmement active et expérimentée qui détient effectivement les rênes du pouvoir. De ce fait, il n'exerce pas du tout la même autorité que son neveu ; Guillaume ne parvient pas à comprendre ce genre de subtilités constitutionnelles, et pour lui les images d'Édouard et de l'Angleterre se confondent, d'autant plus naturellement que son oncle dispose précisément d'une véritable marge de manœuvre dans le domaine de la politique étrangère. Ainsi, lorsque Guillaume estime que son oncle a plus de pouvoir qu'il n'en a réellement, il se méprend aussi sur sa véritable capacité de nuisance à son encontre. Cependant les motifs de frictions entre les deux hommes sont innombrables, des plus sérieux aux plus futiles. Chaque année, par exemple, des régates sont organisées en face de l'île de Wight à Cowes. Ces régates sont un des rendez-vous des yachtmen du monde entier, et Guillaume a l'habitude d'y venir concourir. Il arrive avec des équipages particulièrement sophistiqués, des bateaux qui sont le dernier cri de ce que l'on peut fabriquer dans les chantiers allemands et, face à l'aristocratie anglaise qui veille à observer toutes les formes de la décence et de la politesse, il se comporte comme un parvenu qui veut littéralement « en mettre plein la vue ». Cette attitude amuse et agace Édouard car elle est ridicule, mais suscite aussi toutes sortes de plaintes de la part des équipages anglais ou étrangers. C'est à tel point qu'un jour on suspecte un équipage de Guillaume d'avoir triché dans une course et, comme à la faveur de cette tricherie l'équipage a remporté la coupe, une rumeur de scandale parcourt l'aristocratie présente aux régates. Édouard est obligé de sévir ; il demande à Guillaume de ne pas revenir aux régates de Cowes avant d'avoir remis de l'ordre dans ses équipages. Guillaume en est profondément vexé à un moment où il est décidé à affronter la puissance et le prestige de l'Angleterre dans tous les domaines, et notamment sur le plan mondain hypersensible des régates. Quand on sait les conséquences que les rivalités sportives peuvent avoir, on imagine à quel point la tricherie supposée et l'affront des régates de Cowes aigrissent les relations entre le neveu et son oncle.

Et leurs chères épouses n'arrangent pas les choses. Si Augusta-Victoria, la femme de Guillaume, juge la vie privée d'Édouard avec beaucoup de sévérité, Alexandra, pour sa part, ne cache pas le peu d'affection qu'elle porte à son impérial neveu et à la Prusse en général. Alexandra est fière de ses origines danoises, et le Danemark a été amputé d'un tiers de son territoire par Bismarck ; elle a vécu toute sa jeunesse avec ce traumatisme des Prussiens dépeçant le paisible et tranquille royaume du Danemark qui n'avait rien fait pour mériter un tel sort ; Alexandra, dans sa profonde bienveillance, est encline à tout excuser et notamment les frasques de son époux, mais elle ne peut pas pardonner à Guillaume d'incarner précisément le militarisme et la brutalité prussienne. Elle ne reviendra jamais sur ses sentiments, sa religion est faite : elle veille avec la plus grande attention à se rendre le moins possible en Allemagne alors que le fonctionnement des cours et les relations de famille supposent malgré tout des rapports très suivis et apparemment directs et chaleureux.

La classe politique britannique est partagée à l'égard de Guillaume. L'un de ses plus remarquables leaders, Joseph Chamberlain, est favorable à une alliance avec l'Allemagne, il considère qu'il y a une connivence naturelle anglo-saxonne sur laquelle on doit bâtir un système d'alliances. Mais d'autres dirigeants politiques raisonnent plutôt comme Édouard, considérant que Guillaume est décidément trop infernal pour que l'on puisse traiter avec lui. Or, dans ces années 1900, le Kaiser multiplie les écarts de langage qui lui aliènent les soutiens qu'il pourrait trouver dans l'opinion publique anglaise. Il y a tout d'abord son discours délirant au corps expéditionnaire allemand en partance pour la Chine lors des opérations menées contre la révolte des Boxers. Manipulés par la vieille impératrice Tseu-Hi qui se cabre contre les progrès de la modernisation, mais aussi contre toute tentative de colonisation de la Chine par l'Occident, des nationalistes chinois surnommés Boxers en raison de leur pratique du « noble art » attaquent les concessions européennes à Pékin et menacent la sécurité des étrangers, en réclamant le retour à l'Empire chinois de toutes les parcelles qui ont été volées, acquises, colonisées par les puissances européennes. Or les Allemands se sont installés dans une concession très importante, au nez et à la barbe des Russes qui la convoitaient, lorsque la révolte des Boxers survient. Ils s'associent aux puissances occidentales qui décident de venir au secours de leurs communautés et de leurs consuls assiégés à Pékin. Le Kaiser se laisse alors aller à des déclarations d'un sadisme et d'une puérilité inouïs sur la nécessité pour les soldats allemands d'éradiquer définitivement le péril jaune et de faire naître dans ces contrées lointaines une peur sacrée de l'Allemagne au prix de massacres définitifs qui sont pour lui des réponses naturelles à Attila et Gengis Khan. Ces déclarations intempestives font rire toute l'Europe en même temps qu'elles glacent d'horreur les gens un tant soit peu raisonnables. Elles sont largement répercutées en Angleterre où l'on a depuis longtemps appris à maîtriser un discours colonial bien correctement hypocrite, où il n'est pas question de faire du mal aux indigènes mais au contraire de les protéger contre eux-mêmes et de les amener à la civilisation. Pour avoir dit tout haut ce que les autres font tout bas, Guillaume commet une grave imprudence et il s'enferre ensuite à tenter de rattraper sa bourde, comme toujours. Il en sort ridiculisé aux yeux de l'opinion anglaise. Malheureusement pour lui, d'autres incidents contribuent à l'accabler davantage.

Lorsque Édouard devient roi d'Angleterre, la guerre des Boers continue à faire rage. Les Anglais ont le plus grand mal à venir à bout des robustes afrikaners qui leur résistent en Afrique du Sud sous prétexte qu'ils les ont précédés et ne veulent pas être inféodés à la couronne. Ce qui devait être une opération de police pour bousculer quelques barbus ayant perdu depuis longtemps le contact avec leur Hollande natale s'est transformé en une guerre implacable où les afrikaners rendent coup pour coup avec une maîtrise parfaite du terrain. La guerre des Boers largement couverte par la presse rend les Anglais très impopulaires. Ils recueillent évidemment l'animosité violente des Hollandais qui se sont rappelé les afrikaners et manifestent une solidarité bruyante à leur égard. Les Français en rivalité coloniale permanente ne perdent aucune occasion de fustiger la politique impérialiste britannique et leur presse ne cesse de se répandre en récits héroïques concernant la résistance des afrikaners et les atrocités que les Anglais commettent contre eux. Ainsi reproche-t-on aux Anglais, à juste titre, d'avoir créé en Afrique du Sud les premiers camps de concentration où sont enfermées des familles entières de déportés afrikaners. Édouard hérite de cette situation et, en tant que souverain constitutionnel, il ne peut pas y faire grand-chose sauf conseiller sans relâche à ses ministres de trouver une solution pour traiter le plus rapidement avec les afrikaners, sans perdre pour autant une guerre où tout le lobby colonial s'est engagé. Les afrikaners ont un leader, le président Kruger, un homme au physique de boxeur, toujours vêtu de noir comme un pasteur, et qui devient l'exemple de l'homme intègre, honnête, du bon sauvage hollandais, rude mais droit, que l'avidité et l'hypocrisie anglaises tentent de réduire en esclavage. Kruger jouit ainsi d'une popularité qui attire l'attention de Guillaume. Trop content de pouvoir « aider » les Anglais, il s'est fendu au début de la guerre d'un message de soutien au président Kruger. C'était encore au temps de Victoria et on imagine la réaction de la vieille reine à l'initiative de son petit-fils. Guillaume, comme toujours lorsqu'il s'est pris les pieds dans le tapis de la diplomatie, proclamera haut et fort que le calamiteux télégramme de solidarité au président Kruger lui a été extorqué par sa chancellerie et qu'il ne voulait pas l'envoyer. Mais en vérité il y est allé de bon cœur, et le résultat aura été évidemment dévastateur auprès de l'opinion anglaise qui a déjà l'impression d'être isolée dans sa lutte si difficile. Or, tandis que la guerre tourne à l'avantage des Anglais après l'avènement d'Édouard, Guillaume continue à se répandre en commentaires favorables aux afrikaners. En revanche, quand le président Kruger fait une tournée à travers l'Europe, après sa défaite, et se voit triomphalement reçu en Hollande et à Paris, Guillaume échaudé évite piteusement de le rencontrer ; politique de Gribouille où il soutient Kruger officiellement, en retire une brouille avec l'Angleterre, et abandonne ensuite toute cohérence et fierté en étant incapable de recevoir le proscrit à Berlin...

C'est dans ce climat désagréable que vont s'aigrir encore les mauvaises relations d'Édouard et de Guillaume alors qu'il suffirait d'un peu de bonne volonté réciproque pour effacer les froissements. Guillaume se rend régulièrement en Angleterre. Il affecte d'entretenir des relations amicales avec plusieurs familles de l'aristocratie et il s'adapte facilement à la vie anglaise. Il en apprécie les habitudes, le thé, le confort des manoirs, les promenades dans la campagne, toutes ces qualités superlatives de la vie anglaise qui manquent en Allemagne. Et chaque fois qu'il regagne son pays, il ressent ses retours comme un déchirement, agaçant tout son entourage et notamment sa pauvre épouse qui n'en peut mais, avec le récit de tout ce qu'il a fait et de tous les merveilleux moments passés en Angleterre. Puis, après quelques jours de récits enthousiastes, suit une période de brève prostration, comme une sorte de mue, où il retrouve sa peau prussienne, ses uniformes, ses casques à pointe ; il range alors ses vestes en tweed et ses costumes de Jermyn Street et redevient un Allemand acharné à prendre sa revanche sur un pays qui lui a fait tourner la tête. À chacune de ses visites, Édouard est inévitablement obligé de le recevoir, et il tente de placer ces réceptions uniquement sur le plan familial et privé. Car si l'on parle de politique avec Guillaume, on entre aussitôt dans une zone de conflits et de complications qu'Édouard est bien décidé à éviter parce qu'ils sont parfaitement déraisonnables. Ils se rencontrent donc à Sandringham, la maison de famille d'Édouard ou dans les demeures d'aristocrates qui les reçoivent, et l'oncle fait beaucoup d'efforts à l'égard de son neveu pour que tout se passe le plus amicalement possible. Mais malgré tout, Guillaume l'exaspère car il ne peut s'empêcher d'étaler ses connaissances et de faire valoir la prétendue supériorité allemande, jusque dans les domaines les plus dérisoires. Ainsi, il suffit qu'Édouard veuille montrer sa nouvelle automobile à Guillaume pour que celui-ci affirme immédiatement qu'en Allemagne il en existe de bien meilleures et qu'il dispose pour son propre usage de véhicules bien plus puissants. Parle-t-on de carburants et Guillaume explique que les carburants anglais sont tributaires du pétrole de Moyen-Orient tandis que l'Allemagne dispose des énormes ressources de la Roumanie et de la Russie avec qui on est en affaires et Dieu sait si les affaires allemandes sont plus actives que les affaires anglaises : et puis de toute façon, bientôt en Allemagne, on n'aura plus besoin d'essence et on fera rouler les voitures avec du jus de betteraves fermenté ! Ainsi, les exagérations, les à-peu-près de Guillaume suffisent à transformer d'aimables week-ends en séances de confrontations pénibles où Édouard se replie sur lui-même, où Alexandra ne paraît pas en prétextant de tenaces migraines et où le Kaiser se lance au milieu d'un silence consterné dans des descriptions professorales sur les qualités de l'Allemagne. Ainsi vont-ils l'un près de l'autre sans se comprendre, aggravant sans cesse leur aversion réciproque.

Cependant l'attitude de Guillaume n'est pas seulement irréfléchie et enfantine ; elle alimente aussi un grave différend politique. Dans sa folie de compétition à l'égard de l'Angleterre, le Kaiser a décidé de construire une flotte qui puisse rivaliser avec celle de l'Angleterre. Les besoins de l'Allemagne dans ce domaine ne relèvent pas du tout de ceux de l'Angleterre. L'Angleterre étant une île, qui doit entretenir des liens constants avec son immense Empire disséminé, il lui faut disposer forcément d'une flotte considérable comme bras armé. Cette flotte qui a toute l'attention des différents cabinets britanniques, comprend notamment les fameux dreadnoughts, d'énormes croiseurs à quatre cheminées, véritables monstres de la mer qui font la police contre toute tentative d'intervention sur les lignes coloniales ou dans les territoires possédés par l'Angleterre. Or Guillaume veut aussi avoir des dreadnoughts, comme un enfant qui convoite les jolies maquettes de son oncle mieux loti par l'existence. Il a fait engager, dès la fin des années 1890, un programme de construction navale et il a trouvé l'homme qu'il lui fallait pour mener à bien ce projet formidable : l'amiral Tirpitz. C'est un homme comme les aime Guillaume, intelligent et brutal pour ce qui est de l'organisation de son travail, et tout à fait borné pour en évaluer les conséquences politiques ; bref, un bel instrument irresponsable entre les mains de cet apprenti sorcier de Guillaume. Tirpitz fait appel à toutes ses capacités pour créer cette flotte dont Guillaume, par chancelier interposé, a réussi à arracher les crédits au Reichstag. Ainsi les années 1900 sont jalonnées de lancements de navires plus gros les uns que les autres dans une atmosphère d'exaltation patriotique insensée. Les images d'actualités dont on dispose à ce sujet sont particulièrement éloquentes. Guillaume, entouré d'un parterre des rois d'Allemagne, assistant au lancement d'un gigantesque paquebot, Guillaume félicitant les ouvriers du chantier naval de Stettin aujourd'hui en Pologne, avec des démonstrations affectées comme on en réserve aux champions d'un combat vital pour la patrie, Guillaume arpentant les ponts de fer qui surplombent les docks du port de Hambourg en compagnie d'Alfred Ballin, son financier, l'homme qui gère sa fortune privée et qui a la haute main sur la création de la flotte commerciale allemande. Car il s'agit de concurrencer l'Angleterre dans tous les domaines, celui de la flotte de guerre et celui de la flotte commerciale. Et finalement Guillaume obtient, lui aussi, ces dreadnoughts qu'il désespérait de ne pouvoir mettre en face de ceux de l'Angleterre.

Officiellement, il y a une raison à la création de cette flotte. L'Allemagne possède aussi un Empire colonial et elle a donc besoin d'être en contact avec lui et de le protéger. Cet Empire colonial rassemblé par Bismarck pour des trocs futurs n'est pas aussi important que celui de l'Angleterre. Mais Guillaume s'est attaché à ces colonies comme à autant de symboles de prestige. Il y a ainsi un vaste domaine dans l'est africain, le Tanganika, qui a l'énorme avantage de couper en deux la radiale britannique qui va du Caire au Cap. Il y a aussi la Namibie à l'ouest qui permet éventuellement de faire peser une menace sur l'Afrique du Sud où les Anglais ont finalement écrasé les Boers. Mais il y a également le Togo, le Dahomey, le Cameroun qui inquiètent les Français et puis encore des îles au large de l'Indonésie qui permettent d'avoir le pied dans le Pacifique. Et pour cet Empire, où de jeunes Africains apprennent « nos ancêtres, les Germains... » en parlant allemand, il faut une flotte. Guillaume est donc prêt à tous les sacrifices pour que le drapeau allemand claque des mers du Nord au pourtour de l'Afrique. Il accepte mêmc de troquer un de ces confettis d'empire pour récupérer l'île d'Heligoland, un rocher au large de Hambourg qui appartenait jusque-là à l'Angleterre comme un revolver pointé de la perfide Albion sur le cœur même de l'Allemagne. Tout cela coûte cher, et une partie de l'opinion allemande renâcle devant l'importance de la facture ; mais rien n'est trop beau pour le rêve de puissance maritime de Guillaume.

Évidemment, les Anglais, qui acceptent fort bien que les pays européens construisent des armées continentales monumentales destinées à se combattre les unes les autres, ne peuvent admettre que l'on vienne les concurrencer dans le domaine vital pour lequel ils ont le plus investi. Et tout le règne d'Édouard sera aussi l'histoire des marchandages pénibles et décourageants entre les ministres anglais et les responsables de la construction maritime allemande pour qu'ils restreignent cette course infernale aux tonnages lancés sur la mer. Or Guillaume fait la sourde oreille en expliquant que, sa flotte étant moins importante que la flotte anglaise, il lui faut continuer à la développer. Et de déclarer théâtralement, « Notre avenir est sur les mers », « À moi le trident de Neptune ! ». La rivalité navale entre l'Allemagne et l'Angleterre prend parfois des proportions totalement bouffonnes. Guillaume s'est fait construire le yacht le plus impressionnant d'Europe, le *Hohenzollern,* un continent de banquise, un monstre immaculé qui brille dans le soleil, pour lequel il faut une centaine d'hommes d'équipage et où il peut recevoir autant d'invités, un paquebot dont l'étrave incurvée a l'aspect d'une trirème romaine, comme un espadon agressif fendant la mer dans un éclair d'argent. Ce bateau a bénéficié des dernières techniques modernes, il est un show-room ambulant du savoir-faire allemand. Le *Hohenzollern* file à toute allure, le *Hohenzollern* emporte sur les mers l'empereur d'Allemagne et sa cour comme dans un songe qui pourrait être celui du *Hollandais volant* que nul n'arrive jamais à rattraper. Guillaume passe beaucoup de temps sur son yacht. Il est si remuant, toujours à parcourir les quatre coins de son Empire, ou à traîner son sabre dans d'autres pays d'Europe, que ce palais flottant colossal et magnifique est comme un prolongement de lui-même. Sur le pont de son bateau qu'il affecte de pouvoir barrer d'une seule main, il a l'impression d'être la figure de proue de l'Allemagne suractive appelée à régner sur tous les océans.

En revanche, Édouard ne dispose que du vieil *Albert et Victoria* qui craque chaque fois qu'on le fait virer de bord et, si l'on fabrique pour lui ce qui deviendra le *Britannia,* c'est au prix d'épuisantes conversations budgétaires avec ses ministres. Pour sortir de son île Édouard se sert énormément de ses bateaux lors des visites officielles dont les voyages sont encore lents et compliqués. L'histoire de Guillaume et d'Édouard est donc aussi celle d'une course-poursuite sur la mer du Nord, la Baltique, la Méditerranée ou l'océan Atlantique. Ainsi, chaque fois qu'Édouard arrive quelque part, le Kaiser se fait également annoncer comme par hasard. Édouard, par exemple, doit se rendre au Portugal qui est un allié traditionnel de l'Angleterre. Il y parvient après une tempête effrayante, et l'accueil des autorités locales à Lisbonne en est quelque peu désorganisé. Quelques jours plus tard survient le Kaiser. Et tout le monde s'est déjà tellement démené pour tenter de bien recevoir Édouard qu'il se heurte à une cour morose et lasse. Il suffit qu'Édouard rende visite au roi d'Italie pour que Guillaume décide de rejoindre sa propriété de Corfou et de faire relâche à son tour en Italie, obligeant ce pauvre roi d'Italie à traverser toute la péninsule pour aller le saluer sur son passage. Et, dans cette succession de courses effrénées sur les mers, on retrouve l'écho de la rivalité féroce entre l'oncle et le neveu où Édouard a toujours une longueur d'avance sur Guillaume. Édouard est toujours le bienvenu, partout où il se présente, et ses bonnes manières, la façon même dont son navire s'annonce dans les ports étrangers font sentir toute la différence d'avec ce *Hohenzollern* énorme qui s'approche des côtes étrangères comme s'il voulait les conquérir.

Il existe des films amusants qui rendent compte de cette course-poursuite burlesque. On voit Édouard sur le pont de son navire, fumant un cigare, dans une atmosphère de franche gaieté, le plus souvent avec Alexandra à ses côtés qui le photographie ou qui échange des amabilités avec leurs invités, dont le sempiternel et charmant Soveral, ami de la reine parce qu'il la distrait des errements de son mari, et aussi du roi parce qu'il lui présente de jolies créatures. Et après le navire d'Édouard où l'on a l'impression que toutes les visites d'État sont des visites amicales, on assiste aux « débarquements » fantastiques du Kaiser courant sur le quai, au milieu de fanfares, de drapeaux et d'oriflammes, avec des souverains étrangers le doigt sur la couture du pantalon, suivis de toutes leurs familles, le Kaiser toisant l'assistance devant une pauvre Augusta-Victoria essoufflée et une ribambelle d'enfants qui ont manifestement été giflés avant de descendre du bateau parce qu'ils étaient en retard. C'est une tragi-comédie qui éclate aux yeux du monde et qui montre bien qu'Édouard et Guillaume ne concourraient pas vraiment dans la même catégorie.

Finalement, l'Angleterre remporte la course à l'armement naval, même si à la veille de la guerre les Allemands se retrouvent munis d'une impressionnante armada, fabriquant déjà des sous-marins dont on sait le rôle d'importance qu'ils joueront dans la guerre, frappant d'un opprobre définitif toute l'entreprise militaire germanique.

En 1907, pourtant, Édouard tente, car il est très patient, de raccommoder sa relation avec Guillaume et de mettre au point un modus vivendi. Il l'invite donc officiellement en Angleterre. Guillaume est tellement surpris qu'il se ouate des meilleures résolutions pour se montrer le plus aimable possible. Évidemment, il ne peut pas s'empêcher d'arriver dans son uniforme de hussard de la mort, ce qui ne paraîtra pas du meilleur goût à des gens aussi raffinés qu'Édouard et Alexandra, mais enfin il fait assaut de bonnes grâces à l'égard de son oncle et de sa tante. On passe ainsi trois jours en cérémonies officielles où l'aristocratie britannique contemple d'un air navré les toilettes pompeuses d'Augusta-Victoria, et les mines martiales du Kaiser. Mais, après quelques heures seulement, Édouard ne peut déjà plus supporter Guillaume. Et finalement le voyage est un échec, à tel point qu'Édouard, oubliant sa politesse habituelle, n'hésite pas à s'écrier devant l'un de ses ministres : « Ouf ! il est parti ! » Cet échec pèsera un peu plus encore dans l'alourdissement sournois de la situation internationale en Europe. En effet, Guillaume humilié d'avoir sans cesse le dessous, et de ne pouvoir en imposer aux Britanniques s'enfonce dans le sentiment que l'Angleterre manigance la perte de l'Allemagne, et qu'elle veut l'étouffer pour la détruire. Malheureusement, cette paranoïa est partagée par beaucoup d'Allemands, aveuglés dans leur nationalisme.

On peut s'interroger sur l'incapacité de Guillaume de s'entendre avec un homme comme Édouard qui ne demande qu'à être aimable avec lui. Mais tant de gens qu'il aurait voulu séduire ne le prennent déjà pas au sérieux tandis que ceux qu'il domine ne lui semblent pas dignes d'intérêt. En 1900, Guillaume, par exemple, a enfin le chancelier qu'il avait toujours rêvé d'avoir. Pour succéder à Bismarck, il a fallu essayer plusieurs personnalités qui étaient toutes bien loin de valoir le modèle original. Il y eut Caprivi, un terne haut fonctionnaire, puis le vieux prince de Hohenlohe, qui témoignait au Kaiser une affection paternelle ; un cousin éloigné de Victoria, ce qui avait l'avantage de pouvoir mettre un peu de liant avec la cour de Windsor, tant que durerait la vieille reine. Enfin arrive le prince de Bülow. Celui-ci est exceptionnellement intelligent, il maîtrise bien les dossiers internationaux, il tient le Reichstag, il organise des dîners où il convie l'empereur et Augusta-Victoria pour leur faire rencontrer toutes sortes de savants, d'artistes, d'esprits avancés, des gens qu'ils ne connaissent pas, et Guillaume en est ravi. Il subit l'ascendant de Bülow et déclare à qui veut l'entendre : « Ce sera mon Bismarck. » Bülow bientôt bombardé prince est sincèrement attaché à Guillaume, il lui pardonne ses caprices et le manie avec habileté. Les deux hommes s'entendent comme des complices, car il y a une part de séduction mutuelle dans leurs comportements réciproques. Mais, très vite, s'il est l'homme le plus puissant d'Allemagne, juste après l'empereur, Bülow se heurte malheureusement à de fortes difficultés pour contrôler les égarements à répétition de Guillaume. Et ce rôle de « balayeur » qu'il exerce à la suite de son empereur n'est pas sans aigrir progressivement son caractère. Ainsi, l'inégalable chancelier

Bülow, qui fait rire l'empereur par son esprit, par ses reparties, par son usage du monde, par sa connaissance de l'univers, par sa manière de fermer le caquet des membres de l'opposition au Reichstag, commence à trouver qu'il est fatigant de se donner tant de mal pour rattraper les erreurs de son protégé-maître. Et les dîners se font moins fréquents, les mots d'esprit du chancelier deviennent plus rares, moins drôles quand ils ne portent pas sur la personnalité de l'empereur ; si Guillaume a beaucoup de défauts, il a en plus celui d'être susceptible. Lorsqu'on lui rapporte les paroles quelquefois cruelles que Bülow a désormais à son égard, cela le met dans une rage stupéfaite et désolée parce que Guillaume a surtout besoin qu'on l'aime même s'il cache bien ce trait de son caractère. Or Guillaume va bientôt connaître une nouvelle déception, la plus cinglante de la part de son chancelier, et l'Angleterre en sera une nouvelle fois la cause.

Lors de son voyage en Angleterre, en 1907, Guillaume reçoit plusieurs journalistes. Sévèrement corseté par Bülow, il a pris l'habitude, depuis un certain temps, de ne plus parler à la presse sans en référer à son chancelier. Il ne peut s'empêcher pourtant de faire des déclarations imprudentes à l'un des journalistes les plus importants d'Angleterre en lui confiant d'une manière puérile le rêve qu'il nourrit d'une alliance entre l'Angleterre et l'Allemagne, présentées comme deux nations d'élite face au reste du monde, avec une légère prééminence pour l'Allemagne, nation plus jeune et plus dynamique. Ces propos où il se présente comme le protecteur providentiel de l'Empire britannique sont totalement irresponsables. Ils devraient, selon lui, faire plaisir aux Anglais, mais ils sont en fait empreints d'un paternalisme tout à fait propre à les exaspérer. Or, pendant quelques mois, le journaliste anglais ne dévoile pas cette interview. Lorsqu'il est question de la publier, il en adresse le texte à Guillaume, en lui demandant d'apporter son visa de manière qu'il soit bien en accord avec les propos qu'il a tenus. Et Guillaume, sentant obscurément qu'il a commis une nouvelle bourde, fait parvenir le texte à Bülow en lui demandant ce qu'il en pense. Et Bülow, par légèreté, par fatigue, par envie de se distraire, ne regarde pas l'interview car, comme souvent les beaux esprits qui ont beaucoup de facilités, il n'est pas le travailleur qu'il prétend être. Il se contente de faire dire à l'empereur que ce texte ne pose aucun problème. Guillaume, dédouané, donne donc son visa au journaliste anglais et celui-ci publie l'interview qui soulève un scandale fracassant et entraîne les relations déjà passablement chaotiques entre l'Angle-terre et l'Allemagne dans une de leurs crises les plus graves. Guil-laume est totalement ridiculisé pour les propos qu'il a tenus, et s'attire un torrent de moqueries de la part de la presse anglaise, déclenchant en retour la colère de la presse allemande. Rien de tel pour le vexer jusqu'au sang, d'autant plus que Bülow, comprenant son erreur et son inconséquence, tente de se sortir de ce guêpier en abandonnant Guillaume aux critiques du Reichstag sans rien faire pour le défendre. Au contraire, Bülow prend acte de la demande de nombreux députés pour que l'empereur cesse désormais de faire des déclarations hors le contrôle de ses ministres et laisse passer une motion votée par le Reichstag qui est une sorte de blâme adressé à l'empereur. Rien de tel n'était jamais arrivé au Kaiser. Le choc est tellement brutal pour Guillaume qu'il en fait une sorte de dépression nerveuse. Il s'enferme dans sa chambre, il pleure pendant des heures devant Augusta-Victoria qui ne sait plus à quel saint se vouer, il fait appeler son fils, le Kronprinz, en lui disant qu'il a décidé d'abdiquer et qu'il quitte le pouvoir, écœuré de l'ingratitude des hommes. Il n'en fera rien mais il faut vraiment le mettre en quarantaine, hors de tout contact, pour qu'il reprenne peu à peu ses esprits. Une fois requinqué, Guillaume voue une haine sans limite à Bülow. Il ne peut pas le chasser tout de suite puisque, aux yeux de l'opinion, Bülow ayant habilement manœuvré, c'est l'empereur qui est responsable du désastre. Il affecte même une manière de réconciliation après plusieurs mois où les deux hommes se sont battu froid. Mais à la première occasion, c'est-à-dire un an plus tard, il se sépare de son chancelier avant de se répandre en calomnies auprès du tout-venant de ses visiteurs en se félicitant d'avoir, selon ses propres termes, « balayé cette ordure ». Or, la fin de cette relation avec l'homme sans doute le plus intel-ligent qu'il ait eu à sa portée laisse Guillaume plus seul qu'il ne l'a jamais été. Désormais, il retombe dans l'ancien système consistant à prendre des chanceliers et des conseillers dociles, hommes compé-tents dans leur travail mais qui n'osent pas formuler de véritables critiques à son encontre. Cette crise à la fois politique et sentimen-tale lui aura fait perdre un peu plus le contact avec les réalités en aiguisant son immaturité affective. Le dérapage mental qui l'amè-nera jusqu'à la guerre s'en trouvera encore facilité.

Les héritiers : le Kronprinz et George

Guillaume, s'étant marié jeune, se retrouve dès la quarantaine, non seulement avec une grande famille de sept enfants, mais avec un prince héritier dont la personnalité n'est pas rassurante. Le Kronprinz est un garçon au physique étrange, agréable mais un peu trouble à qui les yeux transparents font un regard de loup et suscitent un indéfinissable malaise quand on tente de les saisir. Il est élégant, son visage est fin, sa taille élancée, ses manières raffinées. Il a manifestement beaucoup de charme, il est réputé pour sa gaieté et il entraîne ses frères à sa suite en profitant non seulement de son statut d'aîné mais de ses qualités de séduction indéniables. S'il a reçu une éducation à la prussienne, tempérée par l'indulgence de sa mère, c'est surtout un enfant gâté, livré à lui-même, et dont l'apprentissage n'a pas été sérieusement surveillé. Déjà tout jeune, c'est un tombeur de filles, et là encore intervient la règle sacrosainte : il faut le marier le plus vite possible. Augusta-Victoria, sa mère, lui trouve une princesse de Mecklembourg, à moitié russe, qui devrait être l'épouse idéale. La princesse Cécilie est en effet très belle, spirituelle et gaie, un chef-d'œuvre de la bonne éducation des jeunes filles allemandes.

Elle est tout à fait celle que le Kronprinz pouvait espérer, lui apportant un parfum de grand monde, de frivolité, de chic dont il est très friand. La Kronprinzessin Cécilie fait venir ses robes de Paris, entretient des relations mondaines anglaises et américaines et reçoit la fine fleur de l'élite cosmopolite. Elle invente à sa manière, dès le début du siècle, ce qui sera la « café-society » de l'entre-deux-guerres. Rien ne pourrait faire plus plaisir au Kronprinz qui a la certitude d'avoir épousé la femme qui lui permettra de conquérir le monde ou du moins le monde qui l'intéresse, c'est-à-dire, celui de la noce et de la fête internationale. Car le Kronprinz n'est pas un garçon sérieux, qui trompe bientôt sa femme avec autant d'ardeur qu'il en mettait à collectionner les aventures avant son mariage. Ses débordements défraient la chronique, notamment lorsqu'il séduit en Inde l'épouse d'un maharajah qui menace de l'étriper sur place, et qu'il lui faut s'enfuir dans des conditions particulièrement honteuses avec des journalistes anglais à ses trousses, trop contents d'en faire leurs choux gras. Ce genre d'aventures bouffonnes et hautes en couleur valent au Kronprinz la désastreuse publicité que l'on imagine. Cependant, de la même manière que des gens énergiques se reconnaissent parfois dans l'activisme brouillon du Kaiser, une bonne partie de la jeunesse rêve de ressembler au Kronprinz avec les plus belles voitures, les plus belles femmes et les plus beaux uniformes. Ses parents tentent bien de le reléguer du côté de Dantzig, au régiment des hussards de la mort, mais il s'échappe sans cesse pour revenir à Berlin, à l'occasion de permissions à répétition qui lui permettent de hanter les cabarets, les casinos, les mauvais lieux, tous les endroits où se déverse le trop-plein de vie et de plaisirs d'une Allemagne en pleine euphorie. Or le frivole Kronprinz n'a pas un jugement très avisé en politique. Il se laisse manipuler par les éléments les plus réactionnaires de la clique militariste prussienne, porte sur son père des jugements critiques, manifeste bruyamment chaque fois que s'annonce une crise internationale en faveur d'un interventionnisme musclé de l'Empire ; bref il a un avis sur tout et se conduit comme un garnement qui croit que le monde lui appartient. Guillaume aurait aimé être plus proche de son fils et pouvoir s'appuyer sur lui ; son narcissisme sentimental souffre des travers de son héritier. Malheureusement pour son père, le Kronprinz, toujours élégamment vêtu, le corps soigneusement corseté par un attirail de baleines lui donnant la silhouette d'un page, et courant les filles dans des proportions telles que c'en est gênant pour son épouse, est incurablement léger. En plus des siennes propres, l'empereur a fort à faire pour rattraper les gaffes du Kronprinz, et cela ne contribue pas pour autant à le rendre plus raisonnable. Il a au contraire l'impression qu'il est indispensable et que, tant qu'il sera là, l'Allemagne sera protégée par un empereur qui appartient à la race des héros tandis que son fils appartient peut-être à celle des voyous.

Tout autres sont les relations filiales dans la famille royale anglaise. Édouard est âgé, il sait qu'il va mourir bientôt, et il voudrait que son fils soit bien préparé pour lui succéder. Il s'occupe donc beaucoup de lui et, comme il est très bienveillant, il le fait avec une indulgence et une tendresse que l'on a rarement vues dans l'histoire des dynasties. Malheureusement son fils est plutôt terne ; il a hérité de la grâce aimable de sa mère, mais pas de la curiosité ni de l'habileté de son père. Les leçons d'Édouard auront peu d'influence sur le comportement futur de George. Ainsi, George, devenu roi, donnera l'impression de ne pas épouser les griefs d'Édouard à l'égard de Guillaume, à tel point que le Kaiser pensera avoir trouvé en lui un autre Nicolas, ouvert à son influence. Erreur fatale dans la mesure où George ne se disputera peut-être jamais avec Guillaume mais où il lui déclarera quand même la guerre...

Édouard VII choisit la France : l'entente cordiale

En somme, le climat est progressivement devenu détestable entre le vieux roi d'Angleterre et son neveu. Mais alors vers qui se tourner pour arriver à raffermir cette Angleterre si isolée en un temps où elle ne peut plus se le permettre ? On a vu que les contacts d'Édouard avec François-Joseph sont tout à fait charmants mais finalement sans conséquences. La Russie est loin, malgré l'opinion bienveillante qu'Édouard nourrit à l'égard de la famille Romanov grâce à ses liens familiaux, et il a beaucoup de mal à aller à l'encontre d'une opinion publique très hostile à l'autocratie russe. Comme l'alliance ou le rapprochement est impossible avec l'Allemagne, il ne reste qu'une seule grande puissance en Europe, c'est la France.

En ces temps d'Europe l'Amérique ne compte pas. Certes, l'américanisme fleurit dans le salon du Kronprinz et de la Kronprinzessin, certes les grandes familles aristocratiques françaises sacrifient les puînés de famille pour épouser des milliardaires américaines qui permettent de réparer la toiture des châteaux, certes en Angleterre de grands aristocrates s'abandonnent au même calcul, comme le père de Winston Churchill, par exemple, mais au fond nul ne songe sérieusement à construire un système d'alliance avec l'Amérique lointaine, imprégnée d'isolationnisme, si exotique avec ses institutions incompréhensibles et sa réputation de vulgarité. C'est entre pays d'Europe que se passent encore les grandes affaires.

Évidemment, l'option d'un rapprochement avec la France est compliquée à mettre en œuvre pour Édouard ; la faire avaler à ses ministres représente un sacré tour de force. D'abord la France est une république. Pour l'Europe des rois, le seul mot de république résonne encore comme une épouvante. Les républicains français ont guillotiné leur roi. Ils proclament une rhétorique extrêmement progressiste : Liberté, égalité, fraternité, c'est une devise qui pose le principe de la souveraineté populaire, en face de rois persuadés de détenir encore leur légitimité de Dieu ou de la providence. Si en Angleterre la monarchie est devenue constitutionnelle, elle continue à se considérer comme étant d'essence mystique et religieuse plus que populaire. Pourtant, comme elle est sage, cette République française du début du siècle ! Si elle s'est enracinée profondément en quarante ans à la faveur d'un certain nombre de crises qu'elle a su retourner et utiliser à son profit et si la classe politique, volontiers franc-maçonne, a su gagner les campagnes à l'idée républicaine, par la vigueur de ses idées et la réalité de la démocratie, au quotidien comme par l'instruction publique, ou même par l'attribution de bureaux de tabac aux militants républicains les plus sûrs, cette République impose un fonctionnement politique désormais tranquille, en faisant primer la raison sur la tradition et la confrontation pacifique sur l'autorité. En somme, la République, qui n'a cessé de faire reculer les éléments monarchistes pourtant encore majoritaires à sa naissance, est maintenant un régime solidement établi prêt à s'entendre avec des royautés étrangères pourvu qu'elles soient pacifiques, à son image.

La République s'est considérablement renforcée lors de deux crises qui ont paru bien difficiles à comprendre à l'étranger. La première, c'est l'affaire Dreyfus. On connaît l'histoire de cet officier supérieur, juif, soupçonné d'espionnage, condamné aux peines les plus infamantes, la dégradation, l'envoi au bagne, alors qu'il est innocent et que l'espionnage qu'on lui reproche est la machination d'une coterie militaro-aristocratique. On sait comme la France s'est divisée en deux au fur et à mesure que l'innocence de Dreyfus paraissait de plus en plus évidente, et comme en fin de compte c'est la France de la justice qui l'a emporté avec la réhabilitation de Dreyfus. Or, cette France de la justice, c'est la France républicaine, et en réhabilitant Dreyfus, en donnant une conclusion éclatante à ce drame personnel si symbolique des affrontements de l'époque, la République a brisé moralement ses adversaires et réglé le problème du loyalisme de l'armée. Désormais l'armée, à défaut d'être complètement républicaine, lui sera fidèle. En effet pour avoir trempé dans la conjuration anti-Dreyfus et pour s'être lourdement trompée, l'armée reçoit la sanction de la réhabilitation de Dreyfus comme une punition sévère, mais la bénévolence de la République, qui ne la poursuit pas plus avant, est aussi l'occasion pour elle de se rallier sans perdre trop d'honneur. La seconde crise, c'est la séparation de l'Église et de l'État. À la fin du xixe siècle, la République engage le processus de laïcisation de l'État. On se souvient de cette lutte farouche et de la victoire des forces laïques menées par des républicains intraitables, le fameux petit père Combes, l'admirable

Waldeck Rousseau ou Georges Clemenceau qui signe le dernier chapitre au moment où les forces religieuses ont déjà perdu la bataille. Là aussi, la République a gagné sur tous les fronts puisque même le pape Léon XIII, qui exerce évidemment une énorme influence sur les catholiques, les engage à accepter la République ou du moins à ne plus la combattre. Ainsi, la France des radicaux en faisant la preuve pacifique des qualités d'efficacité de la république, lui confère une singulière force d'attrait pour tous les progressistes du monde entier ; la famille des rois, en revanche, considère avec inquiétude de telles avancées, qui menacent ses dogmes et ses traditions.

Pour Édouard donc, comment se rapprocher de cette France républicaine si mal vue en Europe et qui est de plus la rivale directe de l'Angleterre dans le domaine colonial ? Étrange aventure coloniale de la France en vérité, qui se révèle laïque avec son église, autoritaire avec ses militaires, et laisse la bride sur le cou à ses missionnaires et à toutes sortes d'officiers pour conquérir un immense Empire. Or cette France de l'expansion coloniale est entrée en conflit ouvert avec l'Angleterre pour le partage de l'Afrique, et l'anglophobie traditionnelle des Français s'en est embrasée. Le drame de Fachoda au Soudan où les Anglais font reculer les Français est vécu comme une humiliation nationale et, juste après la haine que les Français portent à l'Empire allemand, il y a la haine qu'ils ressentent pour les Anglais. Dans les caricatures, dans les articles de journaux, les Anglais sont toujours représentés comme des personnages avides, hypocrites et sournois, dégingandés avec de longues dents, tels des rats ou des lapins, occupés à ronger cette pauvre République qui réclame sa place au soleil. Et en France, rares sont les hommes politiques qui ont le courage d'aller à l'encontre de l'opinion publique dans ce domaine. Pourtant Édouard reste persuadé que, pour sortir de l'isolement dans lequel glisse l'Angleterre, la seule alliance qui mérite d'être construite est celle qui lui permettrait de lier son destin à celui de la France.

Il y a toutes sortes de raisons à cette attitude singulièrement iconoclaste. La première, toute simple, c'est qu'Édouard a toujours aimé la France. Il aime son climat, ses villes d'eaux, et, bien sûr ses jolies femmes. Il a une passion pour Biarritz où il va à plusieurs reprises jusqu'à la fin de sa vie en louant un étage entier à l'hôtel du Palais, généralement à la fin du printemps, et dont il repart toujours avec une intense nostalgie. Cela ne veut pas dire qu'il se soit converti aux vertus du républicanisme, mais il est suffisamment subtil pour comprendre que cette république bourgeoise n'a pas vraiment rompu avec l'univers de l'aristocratie dans lequel il se sent bien. Et si le faubourg Saint-Germain, où il a l'essentiel de ses relations, est demeuré monarchiste, il constate qu'il n'est pas en marge du fonctionnement politique, bien au contraire. Lorsqu'il se rend à Paris, en visite privée, et cela arrive souvent durant le règne de sa mère, il rencontre dans les salons de l'aristocratie l'essentiel des leaders républicains, et il a l'occasion à la fois de s'informer et d'exercer son charme auprès d'eux. Autant de relations qu'il saura utiliser plus tard. Il préférerait sans doute que la France redevînt une monarchie avec cet étrange paradoxe qu'il la verrait plutôt bonapartiste que légitimiste. C'est d'ailleurs un point curieux de l'histoire de la monarchie anglaise, qui a tant redouté et combattu Napoléon, de s'être toujours comportée d'une manière très chevaleresque avec ses héritiers. La reine Victoria a protégé l'impératrice Eugénie, sa vie durant, et Édouard lui-même a recueilli Napoléon III chez lui après la défaite de Sedan. Mais Édouard sait aussi que la République est désormais solide. En fait il convainc assez facilement ses Premiers ministres de la nécessité d'approcher les Français, en se gardant de préciser jusqu'à quel point. Il leur arrache une visite en France, contre leurs préjugés et contre le souvenir cuisant de Fachoda. Cette visite sera le chef-d'œuvre du règne d'Édouard. Il passe par Alger avec son bateau, puis remonte la Méditerranée vers Marseille avant d'arriver enfin à Paris par le train. C'est comme le déroulement progressif d'une campagne de France. Lorsqu'il arrive à la petite gare de la Muette à Paris, accueilli par le président Loubet, l'atmosphère est très froide malgré le beau printemps de mai 1903. Beaucoup de Parisiens sont venus, poussés par la curiosité, mais les caricatures qui ont été publiées dans la presse sont cruelles pour Édouard, et le mot de Fachoda court sur toutes les lèvres. Cependant, ce charmeur d'Édouard retourne la situation en trois jours avec la gaieté d'un vieux boulevardier et l'habileté d'un diplomate chevronné. Il multiplie les occasions de mettre les Français dans sa poche, dispensant tous les trésors de sa galanterie, les bons mots et les gestes symboliques, à tel point qu'à l'issue de son séjour il quitte la France dans une atmosphère entièrement changée, d'où sortira l'Entente cordiale. Il n'y a pas vraiment de traité d'alliance en bonne et due forme. Mais quelque chose de plus impalpable et d'aussi efficace : la certitude mutuelle que les deux nations sont absolument complémentaires. Français et Anglais prennent désormais l'habitude de se consulter régulièrement et d'aborder ensemble la plupart des problèmes diplomatiques de l'Europe. Par ce voyage bref, mais mûri, organisé avec intelligence et mené avec maestria, Édouard rompt définitivement l'isolement de l'Angleterre. Et il s'attache la sympathie des Français dont le seul recours est jusqu'alors celui de la lointaine Russie des tsars.

L'Entente cordiale ne cesse de s'approfondir tout au long du règne d'Édouard. Elle se conforte de voyages d'agrément, de visites officielles réciproques ; le président Loubet va en Angleterre, ensuite ce sera Fallières et chaque fois les liens se resserrent. À tel point que, lorsque Édouard meurt en 1910, la France et l'Angleterre ont désormais étroitement lié leur destin pour les années suivantes.

Le Kaiser manœuvre contre l'Entente cordiale

Comme c'était à prévoir, l'Entente cordiale suscite l'exaspération de Guillaume. Il se sent pris au piège et n'a pas assez de sarcasmes pour accabler un rapprochement où il voit la preuve même de la politique hypocrite et sournoise d'encerclement de l'Allemagne que son oncle mène contre lui. Et les premières années du siècle résonnent de la montée en puissance de ses railleries et de ses soupirs de rage mal étouffés. En fait, si la politique étrangère maladroite de Guillaume se retourne contre lui, il ne peut s'en prendre qu'à lui-même, bien qu'il éprouve aussi le désir profond de s'entendre avec la France. En effet, la République française le fascine et le dégoûte à la fois. Il la voue aux gémonies, car elle est l'exact contraire de tout ce qu'il souhaite, mais elle le surprend par sa longévité et son efficacité et il ne peut s'empêcher d'avoir de l'estime pour elle comme pour tout ce qui est fort et qu'il ne comprend pas. Il connaît d'ailleurs très bien son fonctionnement quotidien à travers la presse qu'il lit avidement. Guillaume n'a pas pour les Français la sympathie instinctive que nourrit Édouard, sa vie privée ne l'incitant pas aux mêmes indulgences. Mais il garde des souvenirs éblouis d'un séjour sur la Côte d'Azur en 1869 lorsqu'il était petit garçon. Il parle le français à la perfection, quasiment sans accent. Et dans le mépris dont il accable « les Gaulois », comme il les appelle, perce on ne sait quelle revendication de parenté barbare. D'ailleurs il reçoit beaucoup de Français. Et il y a en France une coterie pro-Guillaume autour de la comtesse Greffulhe, la future princesse de Guermantes de Proust ; dans plusieurs salons aristocratiques mais aussi dans les milieux d'affaires, dans divers cercles intellectuels, chez certains militaires, beaucoup sont acquis à la personnalité de Guillaume et sont sensibles à son charme. À plusieurs reprises la rumeur circule à Paris, de visites du Kaiser incognito, invité chez ses amis du grand monde et séduisant ses hôtes après avoir pris bien soin de laisser retomber ses moustaches. Cependant, l'opinion publique et la classe politique font de la perte de l'Alsace-Lorraine un point de rupture incontournable. Et Guillaume n'envisage pas une seconde de rendre les provinces annexées à l'Empire. Il y fait même des voyages fréquents, en sachant bien que chacun de ses pas y est ressenti comme une agression par les Français. L'ire de la droite nationaliste est d'autant plus virulente qu'elle mesure l'affaiblissement progressif du sentiment pro-français en Alsace-Lorraine ; elle revendique d'autant plus bruyamment la récupération des provinces « sacrées ». Chaque fois que la déception l'emporte sur ses brouillonnes avances à l'opinion française, Guillaume se livre à une provocation qui aggrave les choses. Une des plus importantes, c'est sans doute la reconstruction au cœur même de l'Alsace, à Sélestat, d'un énorme château fort, le Haut-Kœnigsbourg, ancienne commanderie des Habsbourg datant du Moyen Âge. Dans un site imprenable, sauvage et magnifique, la forteresse commande toute la vallée du Rhin. En faisant d'elle une sorte de place forte symbolique de l'Empire allemand, planant sur les deux rives du Rhin, il souligne le lien irrévocable de l'Alsace avec l'Allemagne. La reconstruction est d'ailleurs une entreprise colossale. Il y engloutit des fortunes. Son architecte très compétent la conçoit « à la manière » d'un château de légende, médiéval. À vrai dire, totalement inconfortable, surtout si on songe que Guillaume s'est mis en tête d'y séjourner. Les murailles sont énormes, les salles gigantesques mais en même temps les pièces où résider sont minuscules, très malcommodes, obscures et glacées. Guillaume se fait aménager un appartement au cœur d'un immense panorama, mais son bureau est éclairé par des lucarnes, difficile à atteindre et, après tant de millions de marks investis, il ne couchera finalement jamais au Haut-Kœnigsbourg. Néanmoins, c'est une provocation de plus pour les Français et il n'en retire que des ennuis. L'inauguration elle-même du Haut-Kœnigsbourg suscite les lazzis des Alsaciens francophiles et de la presse parisienne. Une armée de hallebardiers façon Moyen Âge a été convoquée. Soudain un orage fantastique crève juste au-dessus des figurants et des invités. On n'a pas prévu suffisamment de parapluies, et la septième merveille de l'architecture wilhelminienne devient le sépulcre boueux des rêves de puissance féodale du Kaiser, les journalistes s'empressant de publier les photos où l'on voit les invités triés sur le volet, trempés et crottés, pataugeant dans un ruisseau de boue qui dévale du cœur de la forteresse. Aujourd'hui, le Haut-Kœnigsbourg est un des monuments les plus visités de France, remarquablement mis en valeur par ses conservateurs. Qui sait, parmi les visiteurs, la véritable histoire de sa renaissance ?

Incapable de se réconcilier avec la France, abandonné par la Grande-Bretagne, attaché à une alliance avec l'Italie qui ne lui dit rien qui vaille, parce que l'Italie est encore un petit pays et qu'elle n'est pas fiable, traînant l'amitié somnambule de l'Autriche-Hongrie comme un boulet, Guillaume n'a pas tort lorsqu'il évoque aigrement l'encerclement de l'Allemagne. Son erreur est de ne pas vouloir admettre qu'il s'est enfermé lui-même. Cependant Guillaume espère encore que, pour des raisons de famille et par l'ascendant qu'il exerce sur Nicolas, la reconstruction d'une alliance avec la Russie n'est pas du tout hors de sa portée. Il a l'optimisme des poltrons : plutôt que de reconnaître ses erreurs, il pense que tout s'arrangera plus tard. Et comme Nicolas n'est pas capable de s'opposer à lui lorsqu'il lui fait face, Guillaume se persuade qu'il récupérera un jour ou l'autre le gentil et innocent cousin Romanov.

C'est ainsi que Guillaume met les bouchées doubles pour tenter de suborner son cousin Nicolas lors de la rencontre de Wiesbaden en 1903. Il connaît la situation réelle de la Russie, et il se doute que le tsar, jeune, incertain, avec une femme si peu équilibrée, serait content d'obtenir un grand succès international, une vraie réussite de politique étrangère pour assurer son prestige et son pouvoir. Alors Guillaume injecte lentement le venin de folles ambitions dans l'esprit d'un Nicolas trop crédule. Cette manœuvre, comme souvent chez Guillaume, part d'une analyse assez exacte de la situation. « Nicolas, ton pays est-il un pays d'Europe ou un pays d'Asie ? » Nicolas est irrésolu, il ne sait que répondre. Guillaume tranche pour lui : « Soit la Russie est un pays d'Europe, soit un pays d'Asie. Dans le premier cas, nous travaillerons à nous allier. Dans le second, tu dois refuser tout danger et rassembler ton attention et tes efforts sur la frontière du Pacifique. » En fait, Guillaume a compris que la seule véritable animosité qu'éprouve Nicolas se

181

concentre sur les Japonais. Il le pousse donc à ne rien tolérer du Japon. Et que connaît le jeune tsar de la situation réelle dans les ports de Vladivostok et de Port-Arthur, si ce n'est par le contenu des rapports que lui envoient depuis cet autre bout du monde des fonctionnaires qui ont peut-être peur pour leur carrière, et qui de toute manière ont le désir de lui plaire ? Les rapports disent que le Japon est en train de mettre la main sur la Corée, qu'il s'apprête à tronçonner la Mandchourie en autant de parts égales qu'il mangera peu à peu en fonction de la construction de ses propres lignes de chemin de fer. Et les fonctionnaires ajoutent que la pénétration de la Russie vers les mers chaudes de l'Extrême-Orient est sur le point d'être refoulée, tandis que le grand port de Port-Arthur, construit, armé, organisé par les Russes, avec d'énormes moyens, va bientôt se retrouver isolé. Les fonctionnaires, relayés par de puissants affairistes qui ont leurs entrées dans tous les ministères et les grands-ducs, appellent la guerre de leurs vœux pour desserrer l'étau. Les mines, les forêts, les ports libres de glace de Mandchourie, le marché de la Chine sont à ce prix, au risque de se faire tout rafler par l'ambition des Japonais si on continue à les laisser faire. Et Nicolas est sensible à ce qu'ils racontent parce que cela rejoint sa vieille rancune à l'égard des Japonais. C'est sur ces braises mal éteintes que Guillaume souffle avec vigueur durant l'entrevue, puis, à travers les messages débordants de protestations d'amitié et de sempiternelles considérations alarmistes sur « le péril jaune », dont il abreuve le tsar.

Cependant Nicolas hésite encore à suivre les conseils du Kaiser et à répondre aux appels de ses fonctionnaires et des milieux d'affaires. Il sait que le Japon est l'allié de la Grande-Bretagne et que les Français ne le suivront pas dans une aventure où ils n'ont rien à gagner. De plus, il flaire un piège dans les visions héroïques que lui dépeint Guillaume. Des négociations s'engagent avec les ambassadeurs du Mikado, mais le gouvernement de Saint-Pétersbourg évalue mal le danger, se comporte avec arrogance et traîne les pieds. Les ambassadeurs repartent bredouilles. Ce sont finalement les Japonais eux-mêmes, son gouvernement et son opinion publique qui vont forcer la main du tsar.

4

L'ORAGE SE LÈVE

Les Japonais prennent Nicolas de vitesse. Au Japon, le groupe militariste très actif qui influence la politique de pénétration en Chine et multiplie les incidents avec les comptoirs russes en Mandchourie a déjà arrêté ses plans de guerre. Un matin d'hiver de 1904, la flotte japonaise se présente devant Port-Arthur et sans prévenir coule l'escadre de protection russe. L'événement soulève une émotion considérable dans tout l'Empire : la Sainte Russie traîtreusement attaquée par des macaques ! L'opinion enfourche naturellement le racisme enfantin de Nicolas : malfaisants petits singes jaunes, dangereux microbes juste bons à être anéantis, l'ours russe va vous ramener à la raison. L'incompétence, la méconnaissance des rapports de force, la suffisance intellectuelle, ces trois défauts majeurs du régime tsariste, jouent à plein pour entraîner Nicolas dans un désastre dont il aura le plus grand mal à se relever. On décide de résister aux Japonais et de leur donner une leçon. Ce sera facile, une sorte de partie de plaisir. Le haut commandement russe, qui n'a fait aucune guerre depuis celle de 1876 contre les Turcs, monte un corps expéditionnaire qui part en plein hiver en traversant la Sibérie. Mal équipées, mal informées, mal commandées, les troupes russes qui rallient Port-Arthur après de longs mois d'épreuves pour desserrer l'étau du siège japonais y parviennent très affaiblies. À Moscou, à Saint-Pétersbourg, de grandes manifestations de patriotisme saluent les valeureux combattants en partance. Le tsar est longuement acclamé partout où il se présente. Ce ne sont que messes, parades, collectes publiques pour les héros de la guerre de Mandchourie. Sans savoir qu'une bonne partie de ces héros sont déjà morts gelés pendant le trajet, et qu'en Extrême-

Orient, dans la ville de Port-Arthur infiltrée par les espions japonais, bombardée en permanence, la survie est un enfer et la résistance impossible.

Le printemps, l'été passent et les nouvelles sont de plus en plus mauvaises. Les Japonais continuent à envoyer par le fond les navires russes jusqu'alors rescapés et l'un des amiraux parmi les plus prestigieux de la marine impériale disparaît au cours d'un torpillage particulièrement meurtrier. Sur la terre ferme les insaisissables soldats nippons sabotent les lignes de chemin de fer russes, immobilisant et isolant les renforts qui continuent à arriver de Sibérie. Confusion sur le front, doute à l'arrière : l'enthousiasme des premiers temps laisse la place à l'inquiétude et la presse commence à critiquer timidement la mauvaise organisation des opérations militaires. Au fond personne ne sait ce que valent les armées japonaises, ni ce que prépare cet ennemi méprisé et mystérieux dans son archipel où les Russes ne disposent d'aucun informateur sérieux. On persiste à se raccrocher à des certitudes désormais bien vacillantes : la sainte Russie orthodoxe et son tsar « oint du Seigneur » ne peuvent que vaincre les barbares jaunes, car ils sont dans leur droit. Or les barbares jaunes sont bien entraînés, maîtrisent un terrain qui leur est proche et s'avèrent fanatiquement armés d'une autre mystique impériale qui leur est propre. Cependant le destin paraît enfin sourire au couple impérial, comme s'il lui adressait une récompense après plusieurs années d'un dévouement si total aux devoirs de sa tâche. À la suite d'une succession d'espoirs déçus, Alexandra met un cinquième enfant au monde, et c'est enfin un garçon. À quoi bon s'émouvoir si les Japonais ne cessent de progresser, la Russie a raison puisque le Tout-Puissant vient d'accorder à son empereur l'héritier qui assurera la pérennité de la dynastie. Avec la naissance du tsarévitch, une nouvelle vague d'enthousiasme submerge la Russie. Des foules immenses emmenées par les popes défilent dans les rues pour des actions de grâces, tandis que résonnent cloches et carillons. On veut tout savoir sur les détails de l'accouchement, de la naissance de l'enfant. Et pour son baptême, auquel selon la règle orthodoxe les parents n'ont pas le droit d'assister, la vieille princesse Galitzine commise pour cet emploi le porte comme s'il s'agissait du bien le plus précieux : carrosse attelé de huit chevaux, gardes d'honneur, harnais spécial pour retenir le couffin au cas où la princesse aurait une faiblesse et où le bébé tomberait durant le transport. Tous ces détails édifiants sont repris largement dans la presse internationale et notamment chez les alliés français dont l'attendrissement très politique tente de dissimuler le désarroi devant l'aventure d'Extrême-Orient. L'héritier est un très bel enfant, très éveillé, avec des traits d'une grande finesse. Mais cet enfant, c'est fou comme il se blesse. Un petit choc et il a tout de suite un énorme hématome. Après un mois, Alexandra et Nicolas commencent à s'inquiéter. Mais qu'a donc l'héritier tant attendu, si beau et si sage ? Pourquoi ces ecchymoses en permanence ? Réveil dans l'épouvante pour Alexandra qui connaît l'histoire de sa famille et a déjà tout compris. Le tsarévitch, l'orgueil de la Russie, est hémophile. Il peut mourir à tout instant et, s'il survit, il ne sera jamais comme les autres.

Mais il faut surtout ne rien dire. La Russie est engagée dans une lutte de plus en plus terrible contre les Japonais, et il ne faut pas démoraliser l'effort de guerre. Le tsarévitch va très bien. Nul ne doit savoir de quoi il souffre. D'ailleurs, les médecins ne connaissent à peu près rien de cette maladie ; ils espèrent follement que l'enfant est atteint d'une forme bénigne du mal mystérieux et qu'il guérira. On doit garder le secret, quoi qu'il advienne. Le piège infernal dans lequel glissent les Romanov va se refermer sur eux...

Cependant le régime impérial s'alarme de la déroute en Mandchourie et il change le haut commandement. Un général sorti de la troupe, bien plus compétent que les généraux de salons qui avaient d'abord été dépêchés, entreprend à son tour le grand voyage de Sibérie pour aller défendre la ville de Port-Arthur de plus en plus menacée. Il galvanise la résistance, le moral remonte à Saint-Pétersbourg. On décide d'envoyer la grande escadre de la Baltique, qui possède aussi quelques-uns de ces fameux dreadnoughts qui hantent les cauchemars de Guillaume. Mais quand la malchance s'en mêle elle ne relâche pas son étreinte. La flotte russe s'est à peine ébranlée que son amiral, passablement embrumé par des excès de vodka, et ses officiers mal entraînés, confondent des chalutiers britanniques avec une escadre japonaise. On reste consternés devant le mélange de paranoïa, d'ignorance et d'éthylisme qui a pu faire croire à des officiers supérieurs russes qu'une escadre japonaise serait venue se risquer jusque dans la mer du Nord ! Toujours est-il que la flotte russe coule certains des chalutiers anglais tandis que les rescapés cinglent à toute allure vers les côtes britanniques dans l'état d'émotion que l'on imagine. Dégrisé et prenant conscience de l'ampleur du désastre, l'amiral, loin de porter secours aux victimes, s'éloigne à toute vapeur. Atmosphère de catastrophe à Londres, clameur indignée de l'opinion, silence consterné en Russie. Édouard a le plus grand mal à calmer les esprits et à obtenir de Nicolas une lettre d'excuses et des réparations en bonne et due forme, car le tsar ne peut pas désavouer sa marine au moment où les nouvelles du Japon sont si mauvaises, et il a bien du mal à exprimer ses regrets comme un enfant submergé de honte et de rage impuissantes. Les relations entre les deux pays en seront sérieusement altérées. Édouard VII est d'autant plus exaspéré par les bourdes des Russes qu'il s'est allié avec les Japonais de manière à se partager les marchés d'Extrême-Orient. Il lui faut déployer des trésors d'habileté pour éviter que la Grande-Bretagne ne prenne parti et ne s'engage à son tour dans le conflit : le traité avec les Japonais ne prévoit pas ce genre de renfort, mais l'opinion publique est chauffée à blanc par les maladroites tentatives d'explication et les excuses contournées de Nicolas.

Rien à attendre des Français pour calmer l'agitation internationale et modérer les belligérants. Ils se contentent d'envoyer des correspondants de guerre comme ceux du *Petit Journal*, qui publient des articles orientés mettant l'accent sur l'héroïsme des troupes russes, l'excellent moral qui règne dans les avant-postes, la solidarité et l'enthousiasme dans la ville de Port-Arthur cernée par les Japonais. À cet égard, la guerre russo-japonaise est sans doute la première à susciter un tel déferlement de reportages illustrés. Déjà une guerre d'aujourd'hui, en somme. Mais, malgré toute la presse de propagande, la vérité perce quelquefois et on voit bien, à la lecture des articles de Jack London par exemple, que la situation ne cesse de s'aggraver en Extrême-Orient pour les Russes.

Le seul qui pourrait se réjouir de la situation parce qu'elle répond, au-delà de ses espérances, aux stratagèmes qu'il a contribué à mettre en place, c'est l'empereur Guillaume : le lourd char russe s'est embourbé en Mandchourie et a le plus grand mal à s'en dépêtrer, comme Gulliver ficelé par les Lilliputiens. Pendant ce temps le Kaiser a les mains libres en Europe. Or si Guillaume est certes grossièrement machiavélique, il n'est pas non plus stupide et l'ampleur du désastre lui paraît bientôt excessive. Il est alors l'un des seuls souverains à porter quelque réconfort à Nicolas : il fait ravitailler en charbon, depuis ses colonies africaines, l'escadre russe qui poursuit poussivement son périple vers l'Asie. Cependant, il fonctionne toujours de la même façon : il a poussé Nicolas dans un traquenard et il se penche maintenant au bord du gouffre en lui disant : « Tiens bon », consolation dérisoire que Nicolas commence à trouver perverse. Finalement, au début de janvier 1905, Port-Arthur tombe. Les Japonais entrent dans la ville et multiplient toutes les humiliations possibles à l'encontre des généraux russes obligés de défiler derrière le cortège de leurs vainqueurs triomphants.

La révolution de 1905

La nouvelle de la chute de Port-Arthur parvient en Russie au moment où s'achèvent les fêtes de l'Épiphanie orthodoxe, c'est-à-dire à une période d'intense communion religieuse et nationale. À Saint-Pétersbourg, par un froid terrible, le haut clergé descend le long de la Néva, bénit les eaux tandis que des fidèles avides de sanctification plongent dans les eaux glacées pour en rapporter le crucifix que l'on y jette. Les esprits sont tellement troublés par ce qu'on vient d'apprendre que la garde tire des salves d'honneur en direction de l'escorte impériale. On relève des blessés : funeste erreur et sinistre présage. De fait la défaite de Port-Arthur répand un sentiment de détresse intense dans l'ensemble de la société : ceux qui gardent leur confiance au tsar tout en critiquant les militaires incompétents s'effacent devant ceux qui réclament la fin d'un système responsable de la tragédie qui frappe le peuple russe.

En 1905, la misère urbaine s'aggrave quand la révolution économique en cours entasse un nombre croissant de moujiks déracinés dans les faubourgs. Et puis les terroristes n'ont pas desserré leur étreinte. Bon an, mal an, ils continuent à porter des coups terribles à la haute administration impériale. C'est une guerre très étrange qu'ils mènent depuis l'assassinat d'Alexandre II, « le tsar libérateur » en 1882. Ils sont pour la plupart des enfants de « l'intelligentsia », de la bourgeoisie, de la petite noblesse, grandis dans les universités impériales et connaissant parfaitement le milieu contre lequel ils se révoltent. Ils savent espionner, s'infiltrer à l'intérieur du corps impérial et y placer leurs bombes. Ils pratiquent un code d'honneur tel qu'ils restent sur les lieux, lorsqu'ils ont réussi un attentat, dans l'attente du procès qui leur permettra de clamer pourquoi ils ont tué et pourquoi leurs successeurs tueront à leur tour. Bien que certains d'entre eux soient déjà marxistes, d'autres nihilistes, d'autres encore appartenant à l'obscure nébuleuse des divers rebelles à l'autocratie, leurs actes revêtent une dimension mystique singulière qui tient à la fois de leur appartenance à la société russe et d'un fanatisme irrationnel qui préfigure celui des terroristes kamikazes d'aujourd'hui. Leur martyrologe suscite des émules aussi fanatisés qu'eux-mêmes. Ainsi le fameux Plehve, le ministre de l'Intérieur tout-puissant de Nicolas qui organisait des pogroms à chaque période de tension et a poussé à la guerre après l'attaque japonaise, meurt assassiné en 1904 par un révolutionnaire qui lance une bombe sur son fiacre. L'habitude d'utiliser pour les enquêtes des anciens révolutionnaires repentis ou qui affectent seulement de l'être rend la police inefficace et fait peser sur elle un soupçon constant. Ainsi à l'intérieur de la police même, tout le monde se suspecte : qui sert vraiment le tsar, et qui le trahit en ayant l'air de le servir, qui louvoie, marchande et négocie avec les terroristes ? On s'aperçoit que la contamination de la police monte jusqu'aux niveaux les plus élevés. Dans cette atmosphère délétère c'est la société tout entière qui engendre des personnages ambigus et exaltés. Le moine Gapone par exemple. C'est un moine rebelle de Saint-Pétersbourg, en rupture avec la hiérarchie, qui prône un évangile social, organise des syndicats ouvriers, bénéficie auprès du prolétariat d'une position considérable, et intimide l'aristocratie où sa piété et son sens de la mise en scène ont fait de nombreux émules. Ses fidèles ignorent que Gapone donne aussi des informations à la police et trahit les militants du monde ouvrier qui pourraient être des rivaux pour lui. C'est à la fois un prêtre remarquable de dévouement, un stratège politique ambigu, un trouble ambitieux : le modèle même des dangereux agitateurs qui enracinent leur arrivisme dans la misère de Saint-Pétersbourg où les usines augmentent les cadences pour servir la guerre.

Ainsi le 9 janvier, Gapone entraîne une foule considérable d'ouvriers à travers la capitale pour remettre une supplique au tsar. La ville est en grève depuis plusieurs jours, tout est arrêté. C'est un dimanche, jour de célébration religieuse et Gapone mêle, comme à son habitude, incantations mystiques et rhétorique politique. Nicolas n'est pas à Saint-Pétersbourg, mais comme le plus souvent, à Tsarskoïe Selo. Il est à peine au courant du climat qui règne dans la ville, et on ne lui en donne que des indications lénifiantes. Oui, il y a de l'agitation à Saint-Pétersbourg ; oui, il est prévu que les ouvriers fassent une manifestation, mais rien de bien redoutable. Et Nicolas demande que l'ordre soit respecté, sans mesurer l'impact de cette instruction ni ce qui pourrait en résulter. Il aurait dû savoir qu'en vérité la ville est très inquiète et que l'immense cortège qui s'ébranle en direction du palais impérial est le plus grand rassemblement de population depuis son sacre à Moscou, dix ans plus tôt. La foule qui se présente devant le Palais d'hiver, en croyant que Nicolas s'y trouve, chante des cantiques, brandit des icônes et des banderoles à son effigie, mais Gapone en première ligne est aussi complètement débordé par la détermination des manifestants. Les suppliques adressées au tsar réclament les libertés fondamentales, des lois de protection sociale, et en filigrane l'octroi d'une constitution. Le général Trepov, chargé de la sécurité de la famille impériale et qui a la haute main sur les forces de l'ordre, donne des consignes à la mesure de l'affolement général : « N'épargnez pas vos mitrailleuses. » Or Trepov est un homme intelligent et généralement mesuré, tout à fait capable d'analyser la situation, mais il est seul entre l'inconscience de Nicolas replié à Tsarskoïe Selo, et la panique des hauts fonctionnaires ; il est confronté à un véritable déferlement révolutionnaire sans exemple et d'une soudaineté stupéfiante. Alors il donne à ses troupes les ordres particulièrement répressifs qu'elles attendent de lui. La troupe tire sur la foule après qu'elle a refusé de se disperser, et c'est une épouvantable boucherie où l'on dénombrera plusieurs centaines de morts. Toute la soirée, dans Saint-Pétersbourg plongé dans le noir, résonnent les cavalcades des gardes cosaques poursuivant de pauvres diables devenus ivres de rage et de désespoir devant la réponse que le tsar a faite à leurs prières. « À compter de ce jour, il n'y aura plus ni tsar ni Romanov en Russie », s'écrie Gapone, très miraculeusement rescapé de la tuerie.

Comment « le petit père des peuples » a-t-il pu prendre la décision de faire tirer sur ses enfants ? La commotion est terrible à travers l'immensité de l'Empire russe. « Le dimanche sanglant » manifeste l'irruption très nette du phénomène révolutionnaire moderne dans l'histoire de la Russie, et la première atteinte au prestige impérial et au crédit de confiance dont jouissait jusqu'alors Nicolas dont la bienveillance faisait pardonner le manque d'expérience et de perspective intellectuelle. Le divorce progressif entre le tsar et son peuple commence ce jour-là. Mais c'est aussi un terrible camouflet à l'égard des autres pays européens dont la presse relate avec indignation les détails de l'affreux massacre. S'il n'est pas certain que Nicolas ait personnellement mérité ce jour-là le titre de « Nicolas le sanglant » que les révolutionnaires lui feront porter durant toute la période de la révolution, il a gagné auprès de l'opinion française et de l'opinion anglaise celui de « tsar rouge » ou « tsar meurtrier », qui lui fera un tort immense.

Nicolas lui-même apprend la tragédie pendant la nuit. Il en fait mention dans le journal qu'il tient depuis l'adolescence, et qui est plutôt un agenda documenté, dans lequel il note le temps qu'il fait, les repas qu'il a pris, ses occupations ordinaires. Au jour du dimanche sanglant, sa main tremble en notant ses réactions devant les nouvelles qui lui parviennent. On voit bien qu'il n'avait absolument pas prévu ce qui allait se passer et qu'il subit l'événement avec une stupeur désolée. Alexandra a plus de sang-froid. Assez intelligente pour comprendre que l'événement est dramatique, elle défend son mari et veut justifier la situation dans laquelle ils sont empêtrés l'un et l'autre d'une manière si préjudiciable à leur image. Elle écrit aux autres cours royales pour leur donner sa version des événements. En vain, le mal est fait. Nicolas pour sa part reçoit quelques jours plus tard des délégations d'ouvriers triés sur le volet, qu'il tente de raisonner maladroitement alors qu'ils attendent de lui des paroles de réconfort, des regrets et surtout une réflexion sur l'intensité de la crise. Nicolas les assure de son pardon et les exhorte à la patience ; les ouvriers n'osent même pas transmettre un message aussi navrant à leurs camarades. L'échec de cette rencontre approfondit davantage le fossé qui le sépare de la classe ouvrière de Saint-Pétersbourg. En revanche, le ministre Witte en profite pour assurer son ascension. Cheville ouvrière de l'industrialisation de la Russie depuis quinze ans, il voit bien qu'on est arrivé à un tournant historique. Il pressent l'onde de choc qui se lève bientôt à travers l'immense territoire au fur et à mesure qu'une succession de grèves disloquent l'appareil de production et paralysent les communications. Or les distances sont telles, qu'en cas d'arrêt de la poste et des chemins de fer l'Empire sombre dans le chaos rapidement. Witte insiste donc auprès de Nicolas pour qu'il mette fin à la guerre et pour qu'il engage un programme de réformes politiques de fond. Nicolas prend alors peu à peu conscience de la gravité de la situation. Mais il est bien tard et l'on sent déjà les prémices d'une révolution sans précédent. Dans les campagnes, les jacqueries paysannes qui parsèment l'histoire de la Russie reprennent tout d'un coup ; elles se confortent de ce qui se passe dans les villes, où les terroristes se déploient sur tous les fronts. Les châteaux des aristocrates sont pillés, les récoltes brûlées, le brigandage et les massacres sauvages se développent dans une Russie paralysée par des grévistes que les charges de cosaques ne matent plus. En réaction, des ligues surgies du néant le plus conservateur et qui se proclament « centuries noires », « action du peuple russe », « soutien à l'autorité du tsar » déclenchent des pogroms, dont l'horreur est immédiatement répercutée en Occident.

Si les cosaques terrorisent les populations des villes, on tue et on pille dans les campagnes. Un foyer d'insurrection est à peine éteint, qu'un autre se rallume ailleurs aussitôt. Et si le pouvoir politique qui se raccroche désormais à Witte tente de persuader Nicolas de faire les concessions nécessaires, les terroristes poursuivent leur programme d'assassinats systématiques ; trois semaines après le Dimanche rouge, ils lui donnent une réplique sanglante en assassinant l'oncle de Nicolas, le grand-duc Serge, gouverneur de Moscou, aux idées profondément réactionnaires, et qui faisait régner l'ordre en pratiquant la terreur. Serge est déchiqueté par une bombe qui pulvérise complètement sa calèche. Comme le diront les opposants à sa politique obscurantiste « quelque chose a tout de même fini par entrer dans la tête du grand-duc »... Ella qui a entendu l'explosion depuis le Kremlin, ce qui prouve la violence de la déflagration, court sur les lieux de l'attentat. Elle consacrera des heures à recueillir avec un calme impressionnant les morceaux éparpillés de son mari dans la neige. Puis elle se rend en grande tenue de deuil dans la prison où se trouve le révolutionnaire qui a assassiné Serge. Il faut imaginer Ella, l'une des femmes les plus admirées de Russie, traversant la sinistre prison de Moscou, en plein hiver et en pleine nuit, pour se rendre dans la cellule de l'assassin, et passant la nuit entière à tenter de le convertir et de lui faire demander pardon en échange de sa grâce. C'est d'ailleurs un des thèmes dont Camus s'inspirera pour sa pièce *Les Justes*. Toute la nuit, Ella parle avec le révolutionnaire ; incroyable dialogue où elle prie pour lui et où il respecte sa peine sans rien changer à sa résolution. Finalement Ella repart à l'aube sans avoir obtenu son repentir, et demande néanmoins la grâce qui lui est refusée ; l'assassin marche à la potence, comme tous ceux qui l'ont précédé, en proclamant sa foi révolutionnaire, tandis qu'Ella continue à prier pour son salut. La révolution est faite de ces exaltations contradictoires. De la mort de Serge, de sa rencontre avec l'assassin, de ses heures passées près de lui, Ella sort transformée. Après avoir été abondamment photographiée dans les journaux dans l'attitude sublime d'une martyre de la révolution, Ella choisit d'entrer en religion en fondant son propre ordre, devenant une sorte de sainte nimbée d'un prestige considérable auprès de la population russe. Mais cette ascension spirituelle l'éloigne, peu à peu, de la famille impériale et fait d'elle une rivale d'Alexandra elle-même engagée sur une autre voie mystique exaltée. C'est le début du drame entre les deux sœurs qui s'aimaient tendrement et deviendront peu à peu des étrangères l'une à l'autre.

La révolution ne cesse de s'étendre. Durant l'été de 1905, on a l'impression que même le trône impérial commence à vaciller, bien que Witte occupe le devant de la scène et qu'il se montre d'une grande compétence et d'une grande pugnacité. Personnage curieux que ce Witte, serviteur intensément dévoué à Nicolas et en même temps critique acerbe des limites du jeune tsar, et de l'attitude de l'impératrice qui, loin de l'aider à acquérir la clairvoyance nécessaire, l'isole des réalités en le surprotégeant et en pesant sur ses capacités de réflexion avec ses propres préoccupations. Alexandra exprime déjà sa vision slavophile et orthodoxe exaltée de l'avenir de la Russie qui se révélera si maladroitement réactionnaire. Cherchant ses références dans l'autocratie de Pierre le Grand et d'Ivan le Terrible, qu'elle connaît pourtant mal, elle fait s'enfoncer son couple dans une névrose d'irréalité lourde de danger.

À l'étranger on s'inquiète devant ce trône qui tremble sur ses bases, alors que Witte se déploie sans succès pour essayer de colmater les brèches. Chacun réagit de manière différente. Édouard a réussi à calmer son opinion publique. Mais quel message peut-il faire parvenir au tsar pour l'inciter à réfléchir au moment où la Chambre des communes envoie une mission d'enquête en Russie et où Nicolas l'adjure de ne pas laisser partir des députés qui feront forcément un rapport catastrophique ? Édouard de lui répondre qu'en Angleterre ce n'est pas comme en Russie, et qu'on ne peut pas imposer aux députés des idées qu'ils désapprouvent...

En France, c'est la consternation. L'allié privilégié est traité d'assassin à longueur de pages dans les journaux de gauche, et des caricatures effrayantes circulent à son sujet. Les républicains patriotes sont écartelés entre deux réalités de plus en plus inconciliables : la haine de la gauche pour le tyran et la fidélité pour un ami sincère. En plus, il n'est même plus certain que Nicolas parvienne à garder son trône ; dans ce cas, ce serait sans doute la fin de l'alliance alors que la France a mis tellement de temps à construire un fragile contre-feu à la puissance allemande.

En Allemagne, Guillaume est cette fois franchement inquiet et il veut ausculter de près le grand malade russe. Durant l'été 1905, il se rend auprès de Nicolas dans la Baltique ; le *Hohenzollern* mouille auprès du *Standard*. On a beau être en pleine révolution, la vie continue et le tsar n'a pas annulé l'habituelle croisière prévue sur les côtes de Finlande. La famille impériale vit dans une bulle protégée et ne conçoit pas de changer sa manière de vivre et ses projets. C'est dans ce climat d'inconscience que survient Guillaume. Il entend circonvenir Nicolas en se servant de l'affaiblissement de sa position, et une fois de plus le timide cousin le laisse parler sans le contredire. Guillaume l'entraîne vers une crique tranquille, à Björko, et lui tend un traité d'alliance qui ferait de l'Allemagne et de la Russie un couple inséparable. Guillaume est diabolique dans son argumentation, il tourne autour de Nicolas avec ce maudit papier qu'il a rédigé le matin même. Il alterne les cajoleries, les promesses et aussi les descriptions apocalyptiques de ce qui menace Nicolas s'il ne se sépare pas de ses alliés habituels qui l'aident si peu, pour revenir vers son allié naturel, son cousin si aimant, qui vient en pleine révolution lui proposer son aide. Finalement, Nicolas signe. Guillaume, tel Méphisto, se saisit du papier alors que l'encre n'est pas encore sèche et le plonge dans sa poche avec un rire de triomphe. Nicolas se rend bien compte qu'il a sans doute fait une erreur de plus, mais il est trop tard pour la rattraper. Une fois le traité empoché, Guillaume se volatilise pour rapporter à son cher chancelier Bülow la preuve du coup fumant qu'il vient de réussir. Évidemment, quand Nicolas explique à ses ministres qu'il a l'impression d'avoir été manipulé mais qu'au fond cette alliance est peut-être une bonne chose, il les voit se décomposer devant lui et s'entend dire qu'il vient de remettre en cause, sur une simple signature, vingt ans d'alliance avec la France. Nicolas mesure enfin un peu plus la gravité de sa faute et il écrit à Guillaume la liste des précisions qu'il veut apporter au traité et qui le rendent forcément caduc. Guillaume, qui ne doute jamais de rien, s'offusque de ce revirement subit ; il bombarde Nicolas de missives d'un sentimentalisme larmoyant où percent un fort mécontentement et une très grande amertume. Mais, hors de sa présence, Nicolas désormais ne cède plus. L'un comme l'autre en retireront un surcroît de méfiance et de rancœur réciproques.

Cependant Guillaume profite de cette année où la Russie est comme un bateau à la dérive, pour multiplier les initiatives et administrer les preuves de sa vitalité débordante. Ainsi Björko intervient après qu'il a frappé un énorme coup dans la fourmilière des animosités françaises à son égard. La France est engagée depuis plusieurs années dans une politique de prépondérance au Maroc. En 1905, les Français sont bien installés au Maroc, surtout sur la côte ; ils accumulent les investissements à Casablanca et, bien qu'il ne s'agisse ni de colonisation ni de protectorat officiels, ils bénéficient dans le pays d'une influence que personne ne saurait leur contester. Or, la Russie étant bien empêtrée dans ses problèmes internes, Guillaume a les mains libres pour reprendre ses projets européens et réaliser toutes ses ambitions. Là encore, le chancelier Bülow, loin de le modérer, souffle sans cesse sur les braises de ses désirs enfantins. Le Maroc reste en travers de la gorge de Guillaume. Les Français ont déjà la Tunisie, l'Algérie, alors pourquoi veulent-ils aussi le Maroc ? Dans ce contexte, Bülow décide de faire un éclat pour tester la volonté réelle de l'engagement français au Maroc. Il persuade Guillaume de débarquer à Tanger, sous la forme d'une visite officielle « auto-invitée », pour y affirmer le désir des Allemands d'exercer leur part d'influence au Maroc et d'avoir les mêmes privilèges commerciaux et administratifs que les Français.

C'est une aventure assez bouffonne que ce voyage de Guillaume au Maroc. Chemin faisant, sur son cuirassé, il reçoit toutes sortes d'informations inquiétantes sur l'état d'esprit qui règne dans la ville de Tanger. De nombreux révolutionnaires et anarchistes espagnols sont repliés à Tanger. La police espagnole a le garrot facile, tandis qu'au Maroc le laxisme ambiant permet de trouver un asile assez sûr. Ces anarchistes ont leurs habitudes et connaissent parfaitement les failles d'une police locale inefficace. Guillaume, apprenant tout cela, est de moins en moins chaud pour le débarquement martial que lui a fait miroiter Bülow. En même temps, il est trop tard pour reculer. Les Français savent déjà que le Kaiser va faire cette démonstration et ils sont aussi mécontents que possible. S'il tournait casaque, ils crieraient évidemment victoire.

Le séjour de Guillaume à Tanger se déroule à la vitesse de l'éclair pour ne pas laisser le temps à d'éventuels terroristes de préparer un hypothétique attentat. Il débarque donc. C'est peu de dire qu'il est terrorisé, il suffit de voir sur les photos l'armada de gardes et de policiers qui l'entourent : cette opération de relations publiques éclatante est devenue pour lui un voyage dans le train des épouvantes. Il fait froid, la ville est balayée par la tempête, des milliers de Marocains se sont pressés dans les rues pour l'arrivée de l'escadre allemande et, comme prévu, elles grouillent d'anarchistes, et d'aspirants comploteurs venus de tous les bords de la Méditerranée, qui font un vacarme effrayant pour accueillir le Kaiser. Sans compter que les Français qui sont plus ou moins en charge de l'ordre n'ont ni les moyens ni l'intention de maîtriser le débordement confus de curiosité, de distraction et d'animosité qui entoure l'arrivée du Kaiser. Il est accueilli par des princes marocains qui se demandent manifestement ce que Guillaume vient faire d'autant plus qu'ils ont déjà à subir les Français et qu'ils n'ont pas très envie de voir se surajouter la présence allemande.

Guillaume est venu en grande tenue, casque à pointe, uniforme constellé de décorations, et son apparence est totalement saugrenue dans cette ville remplie de pauvres bougres en djellabas. Comble d'infortune pour Guillaume, qui jette déjà en tous sens des regards inquiets dans l'attente de la bombe fatale que lui lancerait un anarchiste espagnol, on lui a confié un étalon arabe extrêmement fougueux qui le change nettement de ses chevaux saxons paisiblement entraînés pour suivre le commandement de son unique bras valide. Et dans le tohu-bohu général, sur ce port qui n'est pas prévu pour ce genre de parade, son étalon arabe prend le mors aux dents. Guillaume est sans cesse obligé de tirer à hue et à dia et son parcours se déroule comme une fantasia échevelée qui le dépose au consulat d'Allemagne encore plus apeuré qu'il ne l'était en touchant le sol marocain. Il ne songe qu'à repartir au plus vite. Au bout du compte, le voyage de Guillaume à Tanger n'aura duré qu'un peu plus de deux heures ! Il rembarque enfin après avoir reçu la colonie allemande et les diplomates étrangers, notamment le vice-consul de France à qui il explique précipitamment qu'il est simplement venu protéger les intérêts allemands et qu'il serait temps que l'Allemagne ait, elle aussi, la liberté de commerce au Maroc, paroles prononcées la voix blanche plus par peur que par désir de se faire craindre. Le vice-consul transmet le message à Paris.

Cette visite éclair, où les plus grandes ambitions se sont dissoutes dans une complète confusion, suffit pourtant à créer un ouragan politique à travers l'Europe et notamment en France où l'opinion publique se dresse contre ce qu'elle juge être une véritable agression. Elle retient essentiellement l'image du Kaiser en casque à pointe, traversant au triple galop la ville de Tanger comme si elle lui appartenait déjà, alors qu'en vérité Guillaume se plaint amèrement auprès de Bülow en l'accusant de l'avoir abandonné dans un traquenard où il a failli perdre la vie. Le ministre français des Affaires étrangères, l'habile et tenace Delcassé, un petit homme fougueux et accrocheur comme un roquet, est prêt à aller jusqu'à une crise majeure, pour que l'Allemagne abandonne ses prétentions sur le Maroc. Mais Delcassé est bien seul, il démissionne, et la France se couche littéralement devant la position de l'Allemagne en se ralliant frileusement à un projet de conférence internationale, pour déterminer les droits et les usages de chacun des pays d'Occident au Maroc. Elle se tient à Algésiras, on s'arrange d'un compromis provisoire, la tension s'apaise.

Le voyage de cauchemar aura donc été une sorte de victoire pour Guillaume ; on comprend qu'il en ait retiré l'intention de porter un second coup en tentant d'éloigner le tsar de son allié français, quelques mois plus tard, lorsqu'il lui rend visite à Björko.

Le tsar cède au soulèvement russe : la première Douma

Sur ces entrefaites, les Russes subissent une nouvelle défaite, catastrophique et définitive. La fameuse flotte de la Baltique parvient au mois de mai 1905 au large des îles Tsou-Shima en mer de Chine. Il faut imaginer cette flotte, l'une des plus puissantes et des plus belles du monde, une flotte trop importante pour passer par le canal de Suez, qui fait le tour de l'Afrique par le Cap de Bonne-Espérance, et qui, parvenant au terme d'un tel périple, n'a qu'une envie : en découdre pour laver un honneur écorné par les défaites et l'incident anglais. Les Russes engagent le combat contre la flotte japonaise, embusquée parmi les récifs de l'archipel, et se retrouvent dans une bataille navale cataclysmique où la flotte nipponne envoie en moins d'une heure presque l'intégralité des bateaux russes par le fond. À l'exception d'un ou deux croiseurs qui parviennent à s'échapper, des millions de tonnes de ferraille calcinée par les obus s'enfoncent dans la mer de Chine en emportant des centaines de marins héroïques qui meurent sur le pont des navires en chantant *Dieu sauve le tsar.*

La nouvelle de ce désastre plonge la Russie dans un nouvel abîme de désolation, et il ne reste à Nicolas qu'un cuirassé, quelques croiseurs, rien qui puisse soutenir un effort militaire. Le désastre de Tsou-Shima est aussi un drame pour la France qui est condamnée, durant les années à venir, à subir les provocations allemandes sans pouvoir tirer les basques du géant russe pour l'appeler au secours. Le géant russe est nu, sans armée, sans flotte et ligoté par les révolutionnaires et les terroristes.

Finalement, au mois d'octobre, poussé par Witte, Nicolas signe un oukase qui modifie profondément toute la philosophie du régime impérial. Le manifeste du tsar reconnaît la liberté de pensée, la liberté de la presse, la liberté de religion, affirme l'égalité de tous les citoyens devant la loi, annonce un programme de réformes et surtout convoque une assemblée élue, la Douma, appelée à devenir le parlement de la Russie constitutionnelle que l'on voit poindre. Ce manifeste de la Douma fait l'effet d'une bombe. Bientôt les partis jusqu'alors plus ou moins clandestins commencent à préparer les élections. C'est le triomphe de Witte, c'est-à-dire de la bourgeoisie réformatrice et modérée, tandis que Nicolas II paraît avoir retrouvé le souffle nécessaire à son règne, celui qui lui avait manqué au lendemain de la défaite de Port-Arthur. Mais, une fois de plus, rien ne se passe comme prévu. Loin d'apaiser les passions et de rétablir une paix civile en lambeaux, le manifeste de la Douma ouvre la boîte de Pandore de toutes les pulsions révolutionnaires qui s'agitaient en Russie depuis déjà un demi-siècle. Et Nicolas ne sait vraiment plus à quel saint se vouer pour tenter de trouver son chemin dans un désordre à l'échelle de son Empire.

Nicolas et Alexandra vivent plus que jamais comme des reclus à Tsarkoïe Selo car ils sont soumis à des mesures de protection extrêmement sévères. Nicolas s'ensevelit dans des dossiers, des notes, des projets de lois, des décrets à ratifier, une multitude de détails, sans parvenir à avoir ni une vision d'ensemble du gigantesque craquement qui secoue la Russie ni une perspective claire de ce qu'il voudrait faire à l'avenir. Il faudrait une personnalité d'acier, une intelligence peu commune et une volonté farouche pour trouver la combinaison idéale entre l'autocratie slave et les aspirations à plus de liberté sans qu'elle verse dans le chaos et l'anarchie. Et Nicolas subit plus qu'il n'approuve les initiatives et l'énergie débordante de Witte qui l'a incité à publier le manifeste de la Douma et qui pense arriver à instaurer ce régime mixte entre la tradition et le parlementarisme.

Witte écrase la personnalité timide de Nicolas par le manque de tact avec lequel il indique la politique à suivre, et le tsar souffre en silence de cette situation. En plus, l'issue de la guerre russo-japonaise renforce considérablement l'autorité de Witte. Il se rend en Amérique pour négocier les conditions de paix avec le Japon, après l'entremise du président américain. Son voyage est une véritable opération de promotion personnelle : il se montre exubérant et bonhomme, traite les Japonais avec une courtoise assurance, manie habilement la presse américaine en expliquant que, si la guerre russo-japonaise est une défaite majeure pour l'Empire, il a quand même les ressources de la prolonger indéfiniment quand les Japonais ne sont plus en mesure de le faire. Bref il analyse la situation avec sa brutalité et son astuce coutumières, et parvient à obtenir pour la Russie des clauses de paix beaucoup plus douces que prévues. Les Russes auraient aussi pu sortir de ce guêpier avec l'animosité de l'Amérique, cette grande puissance démocratique en pleine émergence. Or ce n'est pas le cas, et Witte, lorsqu'il revient en Russie, est considéré comme l'homme politique le plus capable et le plus remarquable de son temps. Cependant, il s'affaiblit et s'use peu à peu, au contact de la réalité révolutionnaire. Alors qu'il incitait Nicolas II à faire preuve de clémence et à laisser s'exprimer tous les partis qui ont surgi comme des champignons, il ne parle plus maintenant que de répression et manifeste à certains moments un véritable affolement. Et dans le calme de son palais de Tsarskoïe Selo où les échos du monde lui parviennent comme assourdis, Nicolas est forcé de constater que son remarquable et orgueilleux Premier ministre est en train de perdre le contrôle de lui-même.

La première Douma est inaugurée à Saint-Pétersbourg par une cérémonie grandiose qui rappelle l'ouverture des États Généraux en France avec Louis XVI. Nicolas arrive de Tsarskoïe Selo et reçoit les députés dans la salle du trône du palais d'hiver. C'est le premier contact frontal entre le tsar et le peuple russe désormais travaillé en profondeur par les élans révolutionnaires. La cour est au complet : Maria Feodorovna, la mère de Nicolas, Alexandra et tous les grands-ducs et les grandes-duchesses Romanov. Les hommes sont en tenue de gala, les femmes portent des robes de cour et des tiares. Nicolas a revêtu sa tenue habituelle d'officier de l'armée russe, une tenue presque rustique, son magnifique manteau impérial étalé sur le trône qui fait face à l'assistance, et s'il lit d'une voix forte et ferme son adresse aux députés, s'il les assure de son soutien et de sa solidarité dans leurs travaux, ces derniers affichent leur déception devant le programme anachronique proposé par le tsar à la Douma. En fait, « l'oint du Seigneur », l'héritier de l'autocratie et de la dynastie des Romanov, concède aux députés le soin de travailler avec lui. Ce n'est en aucun cas le chef d'État d'un régime parlementaire qui vient ouvrir les travaux de la souveraineté nationale. Et si une partie des députés se contente du simple fait de pouvoir rencontrer l'empereur, la majorité issue de l'intelligentsia ou des rangs de la révolution contemple cet étalage de splendeurs médiévales avec une hostilité qui en dit long sur la violence des frustrations. De plus, les députés sont furieux d'avoir été convoqués au palais impérial, alors qu'ils vont se réunir au palais Tauride : selon eux, Nicolas aurait dû se déplacer, pour reconnaître leur nouvelle légitimité.

Maria Feodorovna fait à sa famille danoise et à la reine Alexandra d'Angleterre une description horrifiée de l'atmosphère de la cérémonie. Alexandra en sort elle-même terrifiée. Les regards de haine des députés, l'atmosphère glaciale qui accueille le discours de Nicolas, ne leur ont pas échappé. Nicolas, qui joue avec une sincérité provisoire mais réelle la carte de la Douma, en retire aussi la conviction que cette assemblée ne peut en aucun cas apaiser le pays et qu'il convient de s'en défaire le plus tôt possible.

Le malentendu est en fait total et la Russie s'enfonce un peu plus dans la litanie tragique des grèves, des insurrections locales, des jacqueries et des assassinats. La haute administration continue à tomber régulièrement sous les coups des terroristes. Et Nicolas éprouve le sentiment que tous ses efforts sont inutiles et vains.

Or cette révolution russe donne un coup de fouet à tous les mouvements démocratiques et socialistes sinon révolutionnaires du reste de l'Europe. Des grèves éclatent en Autriche-Hongrie et en Allemagne. À Budapest, pour la première fois, la foule saccage les lignes de tramway, s'insurge à travers la ville, et il faut recourir à des méthodes de répression brutales. En Allemagne, même les chantiers navals, qui sont le fer de lance du nationalisme de l'Empire, sont touchés par les grèves ; en Prusse une agitation considérable se développe pour l'obtention du suffrage universel et, à Berlin, lors de manifestations gigantesques les délégués des partis progressistes refont à leur manière le serment du Jeu de paume : ils jurent de ne pas se séparer tant qu'ils n'auront pas obtenu le suffrage universel. En fait, cette agitation annonce ce qui se passera plus tard à la suite de la révolution russe, lorsque les révolutions

199

feront tache d'huile dans toute l'Europe ; spartakistes à Berlin, communistes de Bela Kun à Budapest.

Évidemment, les révolutionnaires les plus actifs analysent de près la situation. Les insurrections les ont pris de court, les mouvements sont divisés, le succès est possible mais peut-être pas pour cette fois. Trotski qui participe aux événements de 1905 en prenant la tête du soviet de Saint-Pétersbourg se fait arrêter puis envoyer en Sibérie ; Lénine, en revanche, hésite à rejoindre la Russie, s'engage avec précaution, reprend avec soulagement sa vie de proscrit en Europe. Mais la révolution de 1905 lui offre un formidable exercice de travaux pratiques pour réfléchir à la suite. Une répétition générale en somme. Gorki, écrivain progressiste lu jusqu'à la Cour et condamné à s'enfuir de Russie, s'installe à Capri où, dans un décor enchanteur, il devient l'artiste des bouleversements russes en devenir. L'agitation cependant retombe peu à peu. L'ancienne Europe, si elle est incapable de s'adapter et de se réformer, est encore très forte, de par le poids de la tradition qui l'handicape comme elle la protège. Avec les années 1910, on aura même l'impression que la tourmente révolutionnaire n'est plus qu'un souvenir.

Cependant l'onde de choc entraîne deux révolutions bien tangibles aux extrémités sud de la Méditerranée. La première se déroule au Portugal. Le Portugal est un pays oublié par l'Europe. Il subsiste assez chichement entre les prestigieux souvenirs de son apogée au temps de la Renaissance et le maigre apport que lui procurent ses colonies d'Afrique, l'Angola et le Mozambique notamment, sur lesquelles l'empereur Guillaume jette des yeux très ardents. Traditionnellement, l'Angleterre protège le Portugal mais il ne faudrait pas beaucoup pousser le gouvernement anglais pour qu'il donne son aval à un plan de partage de ces colonies. Grâce à l'influence apaisante d'Édouard, un tel mauvais coup n'a pas encore été perpétré. Or en 1908, au passage d'un cortège où se trouve la famille royale, des révolutionnaires jettent une bombe qui tue à la fois le roi Carlos et son fils aîné, réalisant d'un seul coup le rêve de tous les lanceurs de bombe : décapiter la dynastie qu'ils combattent.

Après cette solution expéditive, le deuxième fils du roi assassiné monte sur le trône. Sa mère, princesse française, l'a sauvé du massacre en détournant le bras des meurtriers avec son bouquet de fleurs. C'est un enfant de dix-huit ans, tendre et gentil qui essaie désespérément de nouer un contact avec les républicains, refuse toute mesure de répression et qui, en cherchant à tout prix la réconciliation, se fait définitivement écarter par un coup d'État militaire en 1910. Son attitude bienveillante sert de contre-exemple aux souverains autoritaires. Ils y voient la preuve que, dans le conflit qui oppose la démocratie aux diverses couronnes d'Europe, il n'y a pas de solution pacifique et moyenne. C'est la première fois, depuis la chute du second Empire en France, qu'une monarchie tombe – avec quel fracas ! – dans un pays pourtant réputé pour la douceur de ses mœurs. Cette république qui naît ainsi au début du siècle après un double régicide annonce avec une soudaine et stupéfiante brutalité toutes celles qui vont suivre à des monarques dont c'est précisément le cauchemar. Quant au jeune roi Manoel, exilé en Angleterre, il ne reviendra jamais dans son pays et mourra prématurément au début des années 30, doux et mélancolique éclaireur des autres futurs proscrits de couronnés.

Au même moment une autre révolution éclate, à Constantinople, aux conséquences politiques plus tangibles et immédiates. Depuis près d'un demi-siècle Abdülhamid n'en finit pas de régner sur l'édifice passablement vermoulu de son Empire, de l'Adriatique au golfe Persique, avec ce mélange de ruse, de corruption et de brutalité qui lui tient lieu de politique. Le début du siècle voit se répéter une succession de génocides à petites doses, soigneusement calibrés pour répandre la terreur parmi les populations chrétiennes remuantes ; notamment en Macédoine, au lieu de contact de la Serbie, de la Bulgarie, et de l'Autriche-Hongrie. Cependant, les armées n'aiment pas se voir confiner dans des mesures de répression permanente. Tuer jour après jour des populations sans défense, en attendant une solde irrégulière, c'est une tâche finalement ingrate pour des officiers supérieurs qui nourrissent le projet d'une réforme profonde de l'Empire ottoman.

En 1908, dans la ville alors turque de Salonique, un groupe d'officiers que l'on appellera « les jeunes Turcs », menés par l'ambitieux Enver, déclenchent un mouvement insurrectionnel et marchent sur Constantinople. Enver est un révolutionnaire atypique. Il veut remettre de l'ordre dans l'Empire, le soumettre à une discipline militaire et établir les institutions d'un État moderne. Mais il ne souhaite pas renverser le sultan ni la dynastie ottomane à laquelle il ambitionne d'appartenir un jour. Au demeurant, ses méthodes sont singulièrement expéditives. Enver tuera lui-même un de ses ministres d'une balle de revolver, sous les yeux affolés de tous les autres, et il n'hésitera pas à faire pendre tous ceux qui pourraient se dresser sur son chemin. Cet homme, pour le moins énergique, bénéficie pour l'instant d'une opinion favorable en Europe parce qu'il est le gage d'une certaine modernisation et qu'il professe, semble-t-il, des idées libérales. En face de lui, Abdülhamid, comprenant qu'il a perdu la partie, affecte de se joindre au mouvement révolutionnaire : il rétablit la constitution qu'il avait accordée dans un moment d'égarement quelques années plus tôt. S'ensuivront plusieurs mois de tromperie réciproque, d'échauffourées sanglantes, jusqu'à ce qu'Enver, comprenant que le vieux renard ne cherche qu'à gagner du temps, établisse un gouvernement à sa botte, dépose Abdülhamid, et mette à sa place un de ses frères, Mehmet, un vieux monsieur ravi de pouvoir enfin sortir du palais où le sultan l'avait enfermé pendant plus de quarante ans. Désormais, c'est Enver qui domine la scène turque. Mais il retombe très rapidement dans les sinistres habitudes du passé en abandonnant ses alliés arméniens, une des communautés les plus instruites, les plus brillantes de l'Empire, à un sort épouvantable : dès 1909 recommencent les pogroms d'Arméniens qui connaîtront une conclusion tragique en 1915 avec près de 2 millions de morts sans que personne s'en préoccupe dans l'Europe de la Grande Guerre.

La révolution turque réveille les appétits des petits États balkaniques : elle leur offre une opportunité favorable pour reprendre le patient dépeçage de « l'homme malade de l'Europe ». Ainsi, Serbes, Bulgares et Grecs se concertent pour lancer une nouvelle attaque contre la Turquie et lui arracher la Roumélie, la Macédoine et la Thrace, dont le centre économique est le grand port de Salonique d'où sont précisément partis « les jeunes Turcs ». Les menées balkaniques inquiètent Autrichiens et Russes, puisque, traditionnellement, les Russes protègent les Slaves du Sud, en particulier les Bulgares, et que les Autrichiens, toujours très soupçonneux sur l'état de leurs frontières sud, redoutent que ce nouvel ébranlement ne vienne susciter les ambitions des Slaves de leur Empire. Les premiers signes d'une redoutable réaction en chaîne se mettent en place.

C'est alors que l'Autriche-Hongrie annexe la Bosnie-Herzégovine. Comme on l'a vu, Aerenthal a abusé Izvolski sur le bien-fondé de cette opération. Et Izvolski est tombé dans le panneau : « Nous vous laissons protéger vos intérêts en Bosnie-Herzégovine, mais vous nous aiderez à mettre la main sur les Détroits et Constantinople. » Parfait marché de dupes : Aerenthal offre la Bosnie à

François-Joseph comme cadeau de jubilé, mais lâche aussitôt les Russes pour le reste.

Édouard, pourtant si attentif aux diverses convoitises internationales, n'a pas vu venir ce mauvais procédé. Il s'est rendu à Marienbad quelques jours plus tôt et a une fois de plus amusé le vieil empereur. François-Joseph, s'offusquant des rumeurs concernant les intrigues d'Aerenthal, a garanti à son vieil ami anglais qu'il ne saurait être question d'une annexion dans les Balkans, laissant Édouard repartir pour Londres tout à fait rassuré. Puis la vérité éclate : mortifié par le mensonge, Édouard en retire l'impression que, tout homme d'honneur qu'il soit, François-Joseph place l'égoïsme sacré de sa maison au-dessus de toute autre considération. Il en résulte, chez les Anglais, un climat de suspicion à l'égard des Habsbourg, climat qui n'existait pas jusqu'alors et qui pèsera lourdement dans le sort qui leur sera réservé à la fin de la guerre. La rigueur britannique à l'égard du dernier empereur Charles relève aussi de ce mensonge jamais pardonné.

Guillaume est également furieux de l'initiative prise par les Autrichiens. Elle l'oblige à se pencher sur un problème auquel il ne songeait pas et elle affaiblit un peu plus son protégé, l'Empire ottoman. Guillaume n'est pas habitué à ce que le grand corps dolent de l'Autriche-Hongrie bouge sans qu'il en soit prévenu. Ainsi, le Kaiser s'empêtre, comme cela lui arrive souvent, dans un mélange de mauvaise humeur et de désir de voler au secours de la victoire. Il soutient donc officiellement les Autrichiens pour une politique qui, au fond, lui déplaît et complique ses propres projets sur la région.

Tout cela ne serait pas si grave s'il n'y avait, dans l'annexion de 1908, une partie gravement lésée par le partage : la Russie. Izvolski, le ministre des Affaires étrangères du tsar, de retour à Saint-Pétersbourg, découvre qu'il a été bel et bien « roulé » par son homologue autrichien. Celui-ci lui a dit qu'il mettrait la main sur la Bosnie, mais pas si vite, et pas comme ça ! Confronté aux amères protestations russes, Aerenthal joue la surprise et affirme à qui veut l'entendre n'avoir jamais rien promis ; Izvolski se défausse, affiche toutes les preuves, brise le secret de ses entretiens avec Aerenthal et démontre, au bout du compte, combien il a lui-même péché par sa naïveté. Les Russes sont ulcérés par la mauvaise foi autrichienne, ulcérés d'avoir été pris sur le fait de leur avidité ; aussi furieux d'avoir été trompés sur les intentions de leur partenaire que d'être maintenant montrés du doigt comme les complices d'un guet-apens où ils ont fait le guet sans recevoir leur part de butin. Coupables de cynisme et de bêtise, ils en garderont une rancœur féroce envers les Autrichiens, qui couvera jusqu'à la guerre. Izvolski ressent pour sa part une cuisante humiliation personnelle et, lorsqu'il sera nommé ambassadeur en France, il utilisera sa hargne et son animosité contre les Autrichiens et leurs alliés allemands. Et si Izvolski s'est fait manipuler par Aerenthal, il se montrera à Paris un manipulateur belliqueux de premier ordre, travaillant consciencieusement et opiniâtrement à la guerre qui lavera le double affront subi par la Russie et par lui-même. Ainsi les drames personnels des uns ou des autres rejoignent des mouvements plus vastes et plus mystérieux de l'Histoire pour contribuer à ce que se ferment soudain toutes les portes de la paix.

Agitation dans les Balkans, amélioration en Russie

Les peuples des Balkans considèrent évidemment l'annexion de la Bosnie comme une déclaration de guerre larvée de l'Autriche-Hongrie à leur encontre. Cette sombre désillusion parcourt toutes les capitales jusqu'à Bucarest. La Roumanie est un peu excentrée par rapport aux autres vestiges de la domination ottomane et le vieux roi Carol, un cousin Hohenzollern de Guillaume II, la gouverne avec beaucoup de savoir-faire et d'habileté. Elle a donc toutes les raisons pour s'en tenir à une politique proche des Empires centraux, bien qu'une importante communauté roumaine soit englobée, en Transylvanie, dans les frontières de la Hongrie. Carol, par sa famille, par son éducation, par sa culture est un Allemand. Sa femme, une princesse allemande devenue la poétesse Carmen Silva, l'amuse ou lui pèse selon les moments par ses perpétuelles inspirations artistiques, à tel point qu'il l'expédie fréquemment en Allemagne afin de reprendre son souffle. Carol est trop habile et trop prudent pour ne pas voir que la mainmise de l'Autriche sur la Bosnie, au prix d'une immense opération diplomatique pour une région où les Autrichiens n'ont rien à gagner, manifeste l'inconséquence d'un Empire inquiet. Et Carol, qui a signé un traité d'alliance avec les Empires centraux, ne le considère plus désormais avec autant d'enthousiasme. Il observe en revanche avec un intérêt croissant les influences britanniques et françaises qui s'exercent à Bucarest, et notamment celle de la princesse Marie, une autre petite-fille de Victoria, qui a épousé son neveu Ferdinand, l'héritier du trône. Pauvre Ferdinand qu'on a fait venir de garnisons allemandes où il menait une vie tranquille, pour le bombarder prince héritier de Roumanie et qui a le plus grand mal à apprendre le roumain, à maîtriser les foucades de sa volcanique épouse, et à supporter l'atmosphère de rigidité oppressante que ce vieux militaire de roi Carol impose autour de lui.

Les Autrichiens sont si conscients de la fragilité grandissante de leur alliance avec les Roumains qu'ils envoient au roi Carol un ambassadeur de la haute aristocratie, qui s'est fait un nom par son élégance et ses aptitudes, le comte Czernin. Il dépensera beaucoup d'argent et d'énergie pour essayer de ranimer une alliance qui bat de l'aile, et en retirera, pour plus tard, une tenace animosité à l'encontre des Roumains.

En Grèce, les Turcs demeurent les seuls ennemis héréditaires. Le roi Georges, prince d'origine danoise et frère de Maria Feodorovna et d'Alexandra d'Angleterre, n'a pas de sympathie pour les Empires centraux mais il ne ressent pas l'étreinte de l'Autriche-Hongrie trop éloignée de ses frontières. En revanche, en cas d'activisme serbe, il n'est pas question pour lui de demeurer en reste : la Crète, la Thrace, les côtes turques de la mer Égée abritent des populations majoritairement grecques. L'hellénisme fervent dont il est l'interprète depuis quarante ans ne peut que l'inciter à profiter de la première opportunité pour se porter auprès des frères grecs séparés. La solidarité orthodoxe avec les Russes est un atout pour sa politique, et il a lui-même épousé une princesse Romanov. Avec tout de même une arrière-pensée de taille : les Grecs considèrent que Constantinople devrait leur revenir pour reconstituer un grand empire d'Orient ; rêve byzantin dont les Russes se proclament, de leur côté, les héritiers légitimes...

L'attitude la plus lourde de menaces pour l'avenir est celle de la Bulgarie. Les Bulgares se sentent très proches des Russes, et leur pays apparaît comme une chasse gardée de l'empire des Romanov qui ont pourtant détrôné le père de l'indépendance, Alexandre de Battenberg, parce qu'il ne se montrait pas assez souple à leur égard. La Bulgarie s'est donné un prince en la personne de Ferdinand de

Saxe-Cobourg, un membre de l'ambitieuse famille qui a su ramasser quelques-uns des trônes d'Europe à la grande loterie du XIXᵉ siècle. Ce Ferdinand est un cerveau politique, à la fois séduisant, fascinant et peu recommandable. Sa mère, Clémentine d'Orléans, fille de Louis-Philippe, est la seule personne qu'il aime au monde en dehors de lui-même. Et, plutôt que de rancir dans une cour ennuyeuse d'Allemagne centrale, Clémentine a toujours eu pour son petit chéri des ambitions exceptionnelles, le petit chéri ayant toujours eu envie réciproquement de faire plaisir à sa maman. Couple infernal de la mère et du fils liés par l'affection, l'intelligence, le charme, l'habileté et une absence de scrupules à peu près complète. Parmi tous les aventuriers royaux de l'Histoire, Ferdinand se révèle comme l'un des plus surprenants par sa capacité de métamorphose à répétition au gré de ses convoitises successives. Lorsqu'il apprend que le trône de Bulgarie est mis aux enchères en Europe après la chute d'Alexandre de Battenberg et qu'autour de ce trône s'agitent toutes sortes d'ambitions, il parvient à forcer la voie pour sa candidature et à attirer les députés bulgares. On imagine le choc que cela a dû être pour un jeune prince allemand de culture française, habitué à tous les raffinements des cours, de voir arriver la délégation des députés bulgares et le pari pour les persuader de lui offrir la couronne ! Pourtant, Ferdinand n'hésite pas. Il parvient à traverser l'Autriche-Hongrie sous un nom d'emprunt, à se glisser jusqu'à la frontière bulgare et à s'y faire acclamer prince des Bulgares. « Prince des Bulgares » plutôt que « prince de Bulgarie », toujours le côté Orléans, « Louis-Philippe, roi des Français ». Il professe de toute manière des opinions avancées de prince moderne et libéral, c'est-à-dire qu'il promet à la fois le progrès matériel et le parlementarisme.

Longtemps, l'Europe a fait grise mine à ce souverain sorti comme d'une pochette-surprise des aventures de l'Histoire et Ferdinand a eu beaucoup de mal à se maintenir pendant les dix premières années de son règne, Autrichiens et Russes étant pour une fois d'accord pour se méfier de lui et le traiter comme un pestiféré. Choisir la Bulgarie, c'est aussi accepter beaucoup de sacrifices. Alors qu'il aime les bijoux, les fourrures, les beaux cavaliers moustachus, il est obligé de vivre dans des baraquements pompeusement surnommés « palais », doit abandonner tout train de vie royal, endosser des capotes militaires, monter à cheval ; il est évidemment obligé d'apprendre le bulgare et enfin, *last but not least*, il doit se marier pour donner un héritier à la couronne. Il est bien sûr vaillamment secondé dans ses épreuves par sa mère omniprésente, et c'est un spectacle plutôt saugrenu pour les autres cours de voir cette vieille princesse autoritaire et ce jeune ambitieux se proclamer « protecteurs de la culture et de la nation bulgares » dans la bourgade boueuse de Sofia. Heureusement, pour ce qui est des fringants cavaliers moustachus, la Bulgarie sait se montrer sous un jour agréable...

Lorsque survient l'annexion de la Bosnie, Ferdinand, après vingt ans de règne, n'est plus du tout le prince obséquieux et faussement timide qui venait tirer les autres souverains par leurs basques en leur demandant humblement de le recevoir à dîner. Heureusement débarrassé d'un puissant Premier ministre assassiné dans des circonstances obscures, populaire et redouté, il règne sur une capitale moderne, comme sur un pays où il a construit, avec presque autant d'énergie que son lointain cousin Louis II de Bavière, d'invraisemblables résidences gothico-rococo-byzantines, et il a la haute main sur un pouvoir dont il goûte les méandres et les intrigues avec délices. Veuf tout à fait consolé de sa première épouse qui lui a donné quatre enfants avant de rendre ponctuellement son âme à Dieu, drapé dans le vénérable souvenir de sa mère qui a pris le même chemin à quatre-vingt-dix ans, Ferdinand s'est enfin constitué la collection de pierres précieuses et de beaux militaires à laquelle il aspirait depuis sa jeunesse. Il vit désormais dans un faste moitié militaire, moitié byzantin et reçoit toutes les cours d'Europe à sa table avec un oubli magnanime des injures passées. Ferdinand sait que son peuple est majoritairement slave et proche des Russes, et il s'efforce de plaire à Nicolas II ; lourde tâche car le tsar éprouve d'évidentes difficultés à suivre Ferdinand dans toutes ses lubies, avouées ou colportées par la rumeur. Mais Ferdinand est aussi le seul prince, dans les Balkans, à tenir la balance égale entre les Russes, auxquels l'attache l'opinion bulgare, et les Autrichiens qui ont désespérément besoin d'un allié dans cette poudrière. Il a même réussi à circonvenir peu à peu François-Joseph et la cour des Habsbourg et à passer pour leur meilleur avocat auprès des Slaves du Sud. En fait, Ferdinand ne songe qu'à tirer le maximum d'avantages pour la Bulgarie dans ce double jeu subtil, son État étant l'instrument de son activisme personnel insatiable. Aussi, lorsque François-Joseph annexe la Bosnie, se saisit-il de l'occasion pour rejeter les dernières traces de la suzeraineté toute relative des Ottomans, qui le contraignait à n'être que prince des Bulgares et à payer un vague tribut au sultan. Il se proclame enfin

« roi des Bulgares » qui s'énonce « tsar des Bulgares », ce qui en dit long sur une ambition qui tourne à l'idée fixe : être couronné tsar des Bulgares dans Sainte-Sophie, la mosquée qui fut l'ancienne cathédrale de Constantinople. Il fait diffuser à travers toute l'Europe des images le représentant en souverain byzantin, couvert de lourdes pierreries comme il les affectionne et bénissant les multiples populations balkaniques rassemblées sous son sceptre. Le sacre rêvé de Ferdinand, tsar des Bulgares, éveille pour l'instant en Europe plus de ricanements que de véritables inquiétudes. Pourtant, là aussi, se met en place un élément clé du dérapage général qui emportera le monde quelques années plus tard, car cela fait tout de même bien des candidats pour un trône de Constantinople qui est encore occupé par le sultan ottoman... En attendant, Ferdinand, bien conscient du risque qu'il a pris en se haussant ainsi d'un échelon dans la hiérarchie des couronnes, amuse et trompe la galerie par ses caprices, ses reparties spirituelles et ses aimables voyages à l'étranger. En France, chacune de ses visites déclenche des manifestations d'enthousiasme, tant ce prince d'origine française sait trouver des accents républicains pour flatter le petit peuple des Boulevards.

L'année 1908 s'achève dans un calme trompeur. À Vienne et Budapest, les cérémonies pour le jubilé du vieil empereur roi confirment l'apparence d'un pouvoir éternel confié à la magnifique maison de Habsbourg. À Prague même, les Tchèques réservent à François-Joseph un accueil chaleureux. Quant à la Russie, elle ne dit rien. Ce grand silence devrait inquiéter, mais tout le monde le prend pour la torpeur d'un chaos ou le signe annonciateur d'une agonie. Nicolas dissout la première Douma, et fait poursuivre, avec moins de sévérité qu'on ne le lui reprochera plus tard, les députés qui persistent à se réunir à Wiborg, en Finlande. Il se débarrasse aussi de Witte dont les manières fanfaronnes et l'affolement grandissant lui sont devenus insupportables. Pour lui succéder, il choisit, en raison de son bon vouloir autocratique, un homme sur qui personne n'aurait parié une poignée de roubles cinq ans plus tôt, un austère bureaucrate qui a été un ministre sans grand éclat, mais dont le calme et l'énergie tranquille l'ont impressionné, Piotr Stolypine. Et Nicolas, qui a toujours été malchanceux, a cette fois la main exceptionnellement heureuse.

Stolypine est certainement l'un des plus grands hommes politiques de la Russie du xxᵉ siècle. Conservateur, mais en même temps analyste rigoureux de la grande maladie de l'Empire russe, il déclenche une réforme agraire sans précédent qui jette les bases d'une nouvelle alliance entre le pouvoir autocratique et les immenses masses paysannes russes. Stolypine entreprend de rendre sa puissance à la Russie, tâche gigantesque à laquelle il s'adonne avec un enthousiasme forcené. Une deuxième Douma est dissoute par lui car elle était aussi révolutionnaire que la première, et il modifie la loi électorale de manière à avoir une troisième Douma bien à sa main. Mais en même temps, paradoxe de la situation, il engage avec cette troisième Douma un véritable rapport de travail et commence à enraciner, sur des bases acceptables pour chacune des parties, une amorce de régime parlementaire. Ainsi veut-il faire passer sa réforme agraire par des lois votées par la Douma. Il pourrait se contenter d'oukases signés par le tsar, mais c'est un légaliste et il souhaite canaliser les énergies de la Russie à travers un régime à coloration parlementaire. C'est le temps de la lente maturation d'un début de régime institutionnel, que Nicolas accepte et accompagne car il a confiance. Stolypine travaille seize heures par jour, est d'une loyauté absolue à l'égard de Nicolas II avec qui il entretient un peu les mêmes relations que Bismarck avec l'ancien roi de Prusse. Il le morigène, n'évite aucun sujet et il lui arrive même de quitter l'empereur en claquant la porte ; pourtant, Nicolas, vétilleux et très attaché aux marques de l'étiquette, n'y trouve rien à redire, la puissance de conviction de son ministre est la plus forte. En revanche, Stolypine se montre implacable à l'égard des terroristes. Il réprime la révolution avec férocité, bien plus qu'aucun de ses prédécesseurs, à tel point que l'on appelle la corde pour pendre les condamnés « la cravate de Stolypine ». Tribunaux d'exception, condamnations sans appel, six mille morts en l'espace de deux ans, mais ce régime de terreur étouffe finalement la révolution. Trotski, Lénine, tous les chefs révolutionnaires désigneront avec raison Stolypine comme le plus grand danger pour leurs entreprises mais, curieusement plus en fonction de son projet politique que de sa violence répressive. Cependant les terroristes ont aussi décidé de l'abattre à n'importe quel prix. Quelques mois après son accession au pouvoir, des conjurés parviennent à s'introduire dans sa maison, où se trouvent sa femme et ses enfants, et se font sauter en kamikazes avec une énorme charge de dynamite. La maison est soufflée, une de ses filles est projetée par la fenêtre, et restera longtemps paralysée. On relève une dizaine de morts parmi ses proches. Mais Stolypine sort indemne de l'attentat. Toute la période de son gouvernement sera celle de complots déjoués de justesse, où trempent les charges confuses des pseudo-repentis, de la révolution et des éléments corrompus de l'administration impériale. En vérité, personne n'aime Stolypine et surtout pas l'aristocratie de Saint-Pétersbourg. Car il oblige tout le monde à payer des impôts et commence à tronçonner quelques-uns des plus grands domaines pour les remettre aux paysans. Il s'attaque aussi à un des maux les plus profonds de la Russie, subsistance du temps du servage où les paysans n'étaient pas propriétaires de leurs terres mais se voyaient attribuer, par la communauté du village, les lopins qu'ils cultivaient. Stolypine casse ce système, définit des lots inaliénables et crée un réseau de banques qui prêtent aux paysans, à intérêt très réduit, pour longtemps et sans garantie, afin qu'ils puissent devenir propriétaires. À partir de 1908 c'est par millions que ceux-ci, libérés des usuriers, achètent les terres qu'ils travaillent. On comprend aussi la violence des luttes qui auront lieu sous Staline au moment de la collectivisation lorsqu'il brisera cette classe sociale née sous Stolypine. Parallèlement, Stolypine lance les premières campagnes de colonisation des terres vierges en Sibérie.

La Russie émerge donc lentement mais avec une envergure impressionnante. Pourtant Stolypine veille soigneusement à ce que les communications avec l'extérieur, qui permettraient de mesurer ce relèvement, soient les plus discrètes possibles. Il veut que la Russie puisse montrer sa puissance lorsqu'elle l'aura complètement retrouvée. Ainsi Guillaume, l'empereur d'Allemagne, s'illusionne-t-il en pensant que la Russie est définitivement hors de course alors qu'elle récupère à la vitesse d'une énorme machine que conduirait un mécanicien à l'énergie quasiment cyclopéenne.

Si Nicolas laisse faire Stolypine, c'est aussi parce qu'il est accablé par le drame intime pour lequel il est le moins armé dans son désir éperdu de bonheur conjugal : l'hémophilie du tsarévitch. La maladie de l'enfant torture Nicolas, et encore plus gravement Alexandra, car elle se sent coupable de l'avoir transmise à son fils. En 1907, une crise manque d'emporter le petit Alexis. Mais pour l'instant Stolypine insuffle encore suffisamment d'énergie et de volonté au couple impérial, en serrant de ses mains de fer la sécurité et les promesses de prospérité de la maison Russie. Viendra le temps où, Stolypine n'étant plus là, le drame du tsarévitch et celui de ses parents envahiront tous les rouages de la lourde machine russe et les gripperont définitivement, la laissant inerte devant les menées des révolutionnaires.

Les déconvenues de Guillaume II

Quel que soit l'angle sous lequel il considère l'état de la Russie, Guillaume est donc, à tort, rassuré. En revanche, son oncle Édouard demeure son principal problème ; le Kaiser a réussi à faire partager sa fameuse théorie de l'encerclement de l'Allemagne par les Anglais à son entourage, à ses ministres, et à l'opinion, d'autant plus qu'Édouard ne cesse de marquer des points pour contenir son activisme. Mais ce qui pour le roi d'Angleterre relève de la scène politique – stricto sensu – devient pour le Kaiser une insupportable atteinte à l'espace vital de ses ambitions. Or, où qu'il tourne ses regards, Guillaume surprend l'ombre de son oncle. Par exemple, le jeune roi d'Espagne, Alphonse XIII, a décidé de se marier. C'est un jeune hidalgo, fringant, fougueux, extrêmement sympathique, très populaire dans les cours comme à Paris, où son côté séducteur amuse l'opinion publique. Aussitôt, avec toutes les effusions possibles, Guillaume propose le gynécée de princesses allemandes dont il a plus ou moins la clef : princesses des petits États catholiques, mais aussi princesses Hohenzollern, dans la branche qui n'est pas luthérienne. Alphonse arrive donc en grande pompe à Berlin, il est reçu avec toutes les attentions prévues pour le meilleur client de l'agence matrimoniale impériale, et l'on veille au cours des dîners officiels à lui présenter avec des mines mystérieusement attendries le ban et l'arrière-ban des championnes du Kaiser. Et notamment une cousine Hohenzollern dont Guillaume se fait l'intarissable impresario. Mais Alphonse est jeune, il veut faire un mariage d'amour et il trouve cette princesse laide et ennuyeuse. Bref, l'opération échoue. Édouard, de son côté, lui propose la palette des petites-filles de Victoria encore disponibles, et notamment la ravissante Victoria-Eugénia de Battenberg, grande et forte plante blonde dont Alphonse tombe immédiatement amoureux. Les anglicans étant on ne peut plus accommodants sur le chapitre de l'œcuménisme royal, Victoria-Eugénia accepte de se convertir ; Alphonse emporte sa belle et l'épouse à grand fracas à Madrid. « À grand fracas », et pour cause, puisqu'un anarchiste lance une bombe sur la noce et que l'on relève plus d'une vingtaine de morts déchirés par les éclats ou écrasés par l'effondrement de plusieurs immeubles.

Par miracle, Victoria-Eugénia et Alphonse sortent indemnes d'un carrosse désintégré, au milieu d'une foule qui poussait des cris d'enthousiasme quelques secondes avant et qui est maintenant complètement terrorisée. Victoria-Eugénia fait preuve d'un flegme tout britannique dans ce premier contact passablement mouvementé avec la vie madrilène ; elle continue le parcours dans un autre carrosse, avec sa robe de mariée maculée de sang, et sans manifester la moindre inquiétude apparente. Alphonse ne l'en aimera que plus. Enfin, pour quelque temps encore...

Si le Kaiser tourne la tête vers le nord, un autre ménage de jeunes mariés l'agace peut-être encore plus. La Suède et la Norvège ont été longtemps gouvernées par une seule et même dynastie, les Bernadotte. Or les Norvégiens obtiennent leur indépendance et se séparent des Suédois à l'amiable en 1905 ; ils décident d'élire un roi dans la maison de Danemark. C'est donc un des petits-fils du roi du Danemark qui devient roi de Norvège. Il se présente à Christiania, qui deviendra Oslo, par un jour d'hiver, en pleine tempête de neige, surgissant comme un fantôme dans cette ville glacée. Pour Guillaume, ces satanés Danois, déjà infiltrés en Russie et en Angleterre, ces Danois que la Prusse a écrasés en 1866 et qui ont fait par mariages interposés tant de rétablissements inespérés, ont en somme gagné un nouveau royaume. Mais le plus pénible pour lui, c'est que Maud, la femme du nouveau roi de Norvège, qui se prénomme désormais Haakon, du nom des anciens rois vikings, est précisément la fille préférée d'Édouard. Ainsi donc, en Norvège, destination estivale de ses paisibles croisières, où il peut se moquer à loisir d'Édouard avec ses amis et oublier toutes les avanies que lui inflige l'Angleterre, le Kaiser va désormais buter dans son refuge et à chacun de ses voyages sur la fille de son tourmenteur...

Maud est une princesse de conte de fées. Elle est belle, mince, gracieuse ; avec son visage et ses manières aristocratiques délicieuses, elle ressemble à sa mère, la reine Alexandra, elle-même danoise, et elle a hérité de l'intelligence de son père Édouard. Mais pour elle, la Norvège est une punition. Elle succombe à plusieurs reprises, dans ce climat humide et froid, et au milieu d'une population rude et agreste, à des crises de dépression sévères qui l'obligent à se réfugier auprès de sa mère. Cependant elle est aussi une princesse anglaise, avec le sens du devoir de ses parents, et elle n'a de cesse d'user de sa timide mais persistante influence auprès d'un mari qui l'adore et lui fait fête à chacun de ses retours pour ancrer un peu plus le nouveau royaume du côté de l'Angleterre.

Au fond Édouard encercle tout de même l'Allemagne du cordon de son influence et de sa parentèle. Jusqu'à la fin de sa vie, pour tenter de se disculper, Guillaume criera ainsi au machiavélisme de son oncle comparé à un Lucifer politique. Mais le fait est que l'encerclement d'Édouard est éminemment pacifique, alors que l'Allemagne est menée par l'attelage sans frein des ambitions économiques des grands cartels, du nationalisme impérialiste de l'armée et de la mégalomanie d'un souverain doué mais dangereusement chimérique. Édouard exaspère son neveu ; ce dernier en tire argument pour masquer ses propres responsabilités, nettement plus lourdes et menaçantes.

Cependant Guillaume n'est pas au bout de ses peines. En 1907, il est éclaboussé par un scandale sans précédent qui fait de lui la risée de l'Europe et dont il ressort tellement humilié que son équilibre mental déjà précaire s'en trouve encore fragilisé.

Guillaume, par désir de montrer son énergie et de faire oublier son bras infirme, affiche toujours une camaraderie virile hautement démonstrative. À la chasse, en bateau, pour ses innombrables promenades touristiques, il est toujours escorté de messieurs à la mine respectable qui se comportent pour lui complaire comme autant de collégiens, et de fringants jeunes ordonnances et serviteurs ne sont jamais loin de ces joyeuses petites bandes. L'un des bons tours favoris du Kaiser est de taper sur le derrière de ses burgraves avec sa canne, ou de leur donner des coups de pied bien appliqués, la règle étant que tout le monde doit en redemander, en trouvant cela très drôle. Ces scènes grotesques ont même été filmées sans la moindre gêne. Et, effectivement, tout le monde de s'esclaffer, le botteur, le botté et les spectateurs en bons courtisans. Guillaume peut se livrer à tous ces débordements sans qu'on lui reproche autre chose qu'un sympathique mauvais goût de moniteur de colonie de vacances. Jusqu'à ce qu'éclate l'affaire Eulenburg.

Le conseiller-prince Eulenburg est l'ami intime de Guillaume depuis son accession au trône. Esprit d'une grande culture, versé dans la mythologie antique et la littérature gréco-latine, auteur de poèmes élégiaques, il n'a pas son pareil pour jouer au piano les lieder de Schubert que Guillaume reprend en fredonnant. Eulenburg est indispensable à Guillaume, et le quart de siècle que dure leur amitié est ponctué de lettres lyriques et pleines d'effusions où Guillaume salue son maître spirituel, à peu près dans les mêmes termes que ceux que Louis II utilisait pour Wagner, tandis qu'Eulenburg s'incline devant le nouveau Siegfried en le couvrant de toutes les fleurs de sa rhétorique. Les années passant, tout ce petit monde vieillit bien gentiment, Guillaume avec Dona, ses enfants et ses amis, Eulenburg, avec son épouse, ses mystérieux voyages solitaires en Italie, les responsabilités d'une influence occulte considérable. Eulenburg, en vingt-cinq ans d'emprise sur le Kaiser, s'est évidemment fait beaucoup d'ennemis. Et, dans cette forteresse à nuire qu'est la haute administration impériale, travaille un homme particulièrement redoutable qui a toujours refusé de se montrer au grand jour, une ancienne créature de Bismarck devenue une sorte de maître chanteur de Bülow, le conseiller Holstein. Personne n'ose songer à essayer de s'en débarrasser tant il est dangereux avec tous les secrets qu'il détient sur chacun. Même l'empereur traite le conseiller Holstein avec beaucoup de ménagement et de prudence. Cet Holstein vit tapi au cœur du ministère des Affaires étrangères dont il est le secrétaire général, comme une araignée tissant ses fils sur toute l'étendue du Reich, refusant de quitter son poste pour une grande ambassade, qui n'aurait jamais représenté que le millième de son pouvoir. Or Holstein, pour des raisons obscures mais qui relèvent sans doute de froissements anciens longtemps macérés, décide de la mort civile d'Eulenburg. Opération menée tambour battant. Des maîtres chanteurs dénoncent Eulenburg pour « actes contre nature », dans la presse berlinoise, selon un dossier accablant monté par Holstein, à partir de vieux ragots et d'anciennes plaintes étouffées par la police. Comme dans l'affaire Oscar Wilde, quelques années plus tôt, le conseiller-prince Eulenburg commet l'erreur d'attaquer les journaux en diffamation. Il y a procès public, il est tombé dans le piège d'Holstein. Entre-temps, ce petit macho de Kronprinz est allé trouver son père et s'est livré à une dénonciation en règle des pratiques scandaleuses de ce cher « Phili », petit nom que Guillaume donne à Eulenburg. Face à son fils et suspecté d'être plus ou moins le complice de la vie clandestine du réprouvé, Guillaume s'affole, nie, se justifie et abandonne à tout jamais ce pauvre Eulenburg à son triste sort. Il ne le reverra plus qu'une ou deux fois jusqu'à sa mort, dix ans plus tard.

Cette trahison offre déjà une image peu reluisante des plus mauvais côtés du Kaiser. D'autant plus que le procès Eulenburg se déroule avec toute l'horreur imaginable. Eulenburg, lui-même, est tellement effondré qu'il faut le traîner sur un lit d'hôpital dans la salle du tribunal. Les scènes mélodramatiques avec sa femme assurant qu'il est le meilleur des maris s'enchaînent avec des séquences de grand guignol où toutes sortes d'anciens voyous et garçons de bains devenus des messieurs rangés distillent de vieilles histoires plus ou moins sordides que plus personne ne peut évidemment vérifier. Le procès se joue à guichets fermés devant la presse et les correspondants étrangers. Ainsi, pendant plusieurs semaines, en France, en Angleterre, des comptes rendus sur la vie déréglée du meilleur ami du Kaiser sont étalés en couverture des journaux, déclenchant une avalanche de caricatures toutes plus cruelles les unes que les autres, où Guillaume passe ses soldats en revue, habillé d'un tutu, et où le haut commandement de l'armée dont le Kaiser est si fier est représenté lourdement maquillé et en perruque dans une vision parfaitement réjouissante et ridicule.

Malgré les appels désespérés de l'empereur, le chancelier Bülow n'ose interrompre le procès ; Holstein le tient avec d'autres gentils souvenirs du même acabit. Durant plusieurs jours, Guillaume se noie dans un état de dépression profonde. Le Kronprinz voit même une nouvelle fois le moment où il pourrait enfin succéder à son père. Mais, avantage de sa nature frivole, Guillaume oublie vite et se remet mieux que son fils, trop pressé, ne l'espérait. Pour quelque temps, Guillaume est cependant obligé de limiter ses apparitions, ses propos et ses poses théâtrales. Ainsi les années qui suivent sont-elles relativement calmes, Bethmann Hollweg le nouveau chancelier, compte tenu des circonstances, obtenant que Sa Majesté impériale se comporte avec plus de mesure. Ce provisoire affaiblissement du pouvoir impérial a pour effet d'inciter Édouard à plus d'indulgence à l'égard de Guillaume. L'affaire Eulenburg l'a mis en joie, et Guillaume lui fait un peu pitié, alors qu'il consacre maintenant son temps à inaugurer des zoos, des expositions de peinture, des jardins, plutôt qu'à parader comme autrefois avec ses hussards de la mort ou sur des chantiers navals. Humilité provisoire et trompeuse que ce comédien de Guillaume sait rendre émouvante même aux yeux de son oncle.

En Autriche, le temps est aussi à une redistribution du pouvoir entre l'empereur, son héritier François-Ferdinand et les politiques.

François-Ferdinand ronge de plus en plus son frein. Ses fils ont grandi, et toutes sortes d'intrigues se nouent autour de ces enfants réduits à l'identité de leur mère. Intrigues que François-Ferdinand repousse car il est homme d'honneur et a donné sa parole, mais qui, peut-être, à la longue, pourraient l'inciter à vouloir faire quelque chose pour eux, et à laver toutes les humiliations infligées à sa femme. Son oncle de ce fait ne désarme rien de sa méfiance à son égard.

Alors François-Ferdinand attend, s'ennuie et s'exaspère. Certes, sa vie privée très heureuse le réconforte, mais cela ne suffit pas à cet homme plein d'énergie. L'activité physique lui sert de dérivatif et il chasse donc comme un forcené. Sa passion pour la chasse établit un terrain d'entente privilégié entre le Kaiser et lui. Ainsi traquent-ils le gros gibier de concert, allant chez l'un, chez l'autre. Ses parties de plaisir sauvage ne sont pas dénués d'arrière-pensées. Guillaume possède en effet l'une des clefs de la Hongrie. Chaque fois que les relations entre les Autrichiens et les Hongrois s'aigrissent, les Hongrois se tournent vers l'Allemagne qu'ils appellent au secours ; François-Ferdinand a donc besoin de Guillaume pour maîtriser le peuple dont l'orgueil bloque toute évolution de l'Empire. En même temps, François-Ferdinand peut se montrer encore plus impulsif que le Kaiser. Certains jours d'échauffement particulièrement vif, Guillaume lui dira en le voyant prêt à partir en guerre contre tout un chacun : « Tu fais trop de bruit avec mon sabre. » Belle formule qui ne correspond pas à la réalité. Le pacifisme de l'héritier Habsbourg est plus solide et profond que celui de l'empereur Hohenzollern. Guillaume est imprudent et, s'il veut éviter la guerre, c'est par lâcheté. François-Ferdinand est réaliste et, s'il veut l'éviter, c'est qu'il la juge dangereuse. L'un redoute les conséquences pour lui-même, malgré ses attitudes de bravache ! L'autre envisage le pire pour cet empire multiethnique qui lui paraît déjà si fragile et sur lequel il campe comme un bouledogue. Enfin, ces deux-là s'entendent, et on peut penser qu'ensemble ils retrouvent une certaine capacité à réfléchir. La mort de François-Ferdinand laissera Guillaume dangereusement seul et le privera d'un de ses interlocuteurs préférés parmi les plus avisés.

La famille Romanov et Raspoutine

La léthargie du pouvoir qui s'installe en Autriche fait croire en la paix du sommeil au reste de l'Europe. Par ailleurs, la Russie n'est plus seule. Édouard a décidé de faire une croix sur les maladresses de Nicolas et de lui venir en aide en lui décernant un « certificat de progrès », malgré les réticences de son opinion publique. Il lui rend visite avec Alexandra, à Reval sur les bords de la Baltique, escorté par une escadre magnifique, alors que ce pauvre Nicolas n'a plus beaucoup de bateaux à présenter. Cette première visite d'un souverain anglais est un cadeau inespéré pour le tsar : elle brise la quarantaine que lui infligent les États étrangers depuis « le dimanche sanglant ». Édouard, avec un rare panache et pour bien souligner ses intentions, le fait même amiral de la flotte britannique, aux cris indignés de la presse londonienne. Le voyage est d'ailleurs émaillé de toutes sortes d'incidents bouffons révélateurs de la nervosité ambiante. Édouard, pour faire plaisir à Nicolas, s'est fait confectionner un uniforme russe, mais le tailleur s'est trompé dans les mesures, et le roi débarque essoufflé et boudiné, ce qui le met de très mauvaise humeur ; par souci de sécurité, toutes les rencontres ont lieu en mer : les journalistes errent sur des chaloupes à la recherche du bon bateau ; une aubade donnée par des artistes depuis une chaloupe fait tant de vacarme pour se faire entendre que l'on croit à un abordage de terroristes. Peu après, la visite du président Fallières, également à Reval, confirme la persistance de l'alliance française, bien que la République se soit soigneusement tenue à l'écart de toute intervention durant la guerre en Extrême-Orient. Gros homme, bonhomme et sympathique qui ressemble à un prospère marchand de Nijni-Novgorod selon Nicolas lui-même, le président est également soumis aux critiques d'une partie de son opinion publique. Mais elles s'expriment autrement qu'à l'égard d'Édouard en soupçonnant le tsar de mettre moins d'entrain à recevoir un président qu'un monarque. Nicolas et Alexandra les désarment en prodiguant l'accueil le plus chaleureux au premier magistrat de la République fort touché de tant de prévenances. S'agit-il bien là du tyran sanglant et de l'impératrice hautaine dont la presse de gauche fait ses épouvantails favoris ?

De surcroît, Stolypine fait la meilleure impression aux ministres d'Édouard et de Fallières qui ont été approchés par les communautés juives occidentales pour soulever le problème des pogroms. Stolypine assure qu'il les déplore sincèrement et qu'il ne ménage pas ses efforts pour y mettre fin. Mais la Russie est immense, les préjugés antisémites tenaces, et le pouvoir central ne parvient pas à contrôler tous les débordements d'une population encore fruste qui a pris l'habitude de ces sinistres procédés. Dont acte. Le Premier ministre dans sa manière d'aborder franchement de telles questions, comme à travers les perspectives qu'il dresse pour son gouvernement, apparaît à ses interlocuteurs comme l'homme de la situation. Ainsi la Russie se retrouve-t-elle partie prenante de l'Entente cordiale franco-britannique.

En même temps, Stolypine continue à exalter le nationalisme panslave et la grandeur de la Sainte Russie. Sous son impulsion, reprennent les célébrations solennelles en hommage aux grands moments de l'histoire de l'empire des Romanov.

En 1909, l'anniversaire de la victoire de la Poltava, remportée par Pierre le Grand contre les Suédois, donne lieu à des fêtes splendides auxquelles assistent des multitudes considérables. Les observateurs étrangers sont alors frappés de constater que le tsar et la famille impériale participent aux cérémonies sans être tenus à l'écart de la foule. Stolypine insiste désormais pour que les « maîtres de la Terre russe » ne soient plus les otages des services de sécurité et soient bien visibles aux yeux de tous. La réclusion volontaire à Tsarskoïe Selo, l'éloignement à l'abri de cordons de police durant les célébrations officielles lui paraissent aller à l'encontre du rôle paternel que doit jouer le tsar, et, s'il ne peut revenir sur le style de vie retirée auprès des enfants et d'un petit cercle d'intimes auquel le couple impérial est attaché, il obtient en revanche qu'il participe désormais activement et d'une manière tangible à toutes les occasions de communion nationale et populaire. L'impact de cette présence est extraordinaire, comme si la Sainte Russie éternelle et idéale de Nicolas et de son Premier ministre n'avait attendu que ce signe pour resurgir.

La maladie du tsarévitch et les dangers qu'elle lui fait courir crucifient la tsarine. Sa vie n'est plus la même. Alexandra change physiquement. Elle grossit. Toutes sortes de maladies psychosomatiques détraquent son organisme. Elle va d'un étouffement à une sciatique, éprouve des palpitations intenses. Son visage se couvre de plaques rouges à la moindre contrariété. Il lui arrive de ne plus pouvoir se déplacer et de se faire véhiculer dans un fauteuil roulant. Elle est encore belle et, lorsqu'elle va bien, les visiteurs sont frappés comme par le passé par sa majesté magnifique et froide. Mais à d'autres moments, ceux des crises d'angoisse de plus en plus fréquentes, elle n'est plus qu'une femme prématurément vieillie à quarante ans. Nicolas l'aime toujours aussi tendrement, mais il passe la moitié de son temps en garde-malade et l'autre moitié à redouter de nouveaux accès de dépression. Elle, de son côté, l'adore et ne lui fait jamais de scène, mais lorsqu'elle est submergée par une de ses crises de panique, lorsqu'elle commet un impair et que par orgueil elle s'enfonce et s'affole au lieu de changer d'attitude, il faut bien qu'il la réconforte. Les Romanov vivent une vie triste. Alexandra est malheureuse, et Nicolas en souffre sans réagir, par bonté d'âme.

On surprend parfois le tsar, le regard perdu devant une fenêtre du palais Alexandria ; les gardes s'étonnent un peu qu'il leur parle si longuement et s'informe avec force détails de leur vie de famille, durant ses promenades si souvent solitaires dans le parc de Tsarskoïe Selo. Le jeune tsarévitch qui s'amusait tous les soirs en joyeuse compagnie dans les cercles animés de Saint-Pétersbourg est bien loin...

Heureusement, il y a les enfants qui sont des anges, ont des natures harmonieuses et équilibrées, vouent à leurs parents un amour sans limite. Différents de caractère, mais vivant en parfaite entente les uns avec les autres, ils contraignent doucement Nicolas et Alexandra à sortir de la morosité mélancolique dans laquelle ils s'enferment.

Nicolas et Alexandra suivent le programme des études de leurs enfants, infiniment plus ouvert et complet qu'on ne pourrait l'imaginer. Jamais aucune révolte, mais une gentillesse active exercée par les quatre filles. « Maman a ses nerfs, maman est malade aujourd'hui, il faut calmer maman », cela veut dire que maman est très aimée et qu'elle est toujours le cœur même de la famille. Les filles échangent leurs affaires, elles ont très peu d'argent de poche et d'ailleurs à quoi le dépenseraient-elles ? Elles sont timides et gênées lorsqu'on les appelle « altesses impériales », elles lisent énormément, montent des petites pièces de Tchekhov et Gogol qu'elles jouent pour le cercle de famille et quelques intimes. Elles reçoivent une instruction approfondie, qui leur est dispensée par des précepteurs et notamment le délicieux professeur Gilliard, qui est suisse, ou le professeur Gibbs qui est anglais. Enfants, parents et précepteurs se côtoient de la manière la plus naturelle aux heures du thé et des repas. Évidemment, Alexis est particulièrement choyé par ses sœurs qui ont du mal à refréner leurs jeux, faute d'avoir une idée précise de ce dont il souffre. Au fond rien n'est plus simple et paisible que cette vie familiale, où chacun écoute l'autre, aime et pardonne, et qui se déroule dans un monde clos, totalement coupé de la réalité extérieure.

Alexandra a très peu d'amis, sauf une grosse fille sans prétention, issue de l'aristocratie désargentée et qu'elle a prise sous sa protection : Anna Viroubova. Alexandra ne peut avoir pour amis que des gens qu'elle aide, qui ne l'intimident pas, et qu'elle a le sentiment de protéger. Cette Anna Viroubova n'est pas très intelligente, elle aime les cancans, les histoires futiles, les petits riens, mais elle est fidèle, désintéressée et aveuglément dévouée. Alexandra a organisé son mariage, qui s'est révélé désastreux, et finalement elle l'a complètement recueillie après son divorce. Anna vit dans une petite maison dans le parc de Tsarskoïe Selo. C'est un arrangement « à la russe ». Pour une amie intime de la tsarine, son campement est d'une grande simplicité, inconfortable, modeste et bohème. Alexandra trouve en Anna une complice pour son évasion de plus en plus exaltée vers la religion orthodoxe, ses échappées mystiques et ses liturgies intimes. Ainsi, lorsque plusieurs dames de la haute société, et notamment deux grandes-duchesses d'origine monténégrine qui ont épousé des cousins du tsar, parlent à Alexandra de ce paysan à moitié illettré que l'on surnomme Raspoutine comme d'un « starets », un homme de Dieu d'une foi admirable, elle demande à le rencontrer. Peu à peu, le trio formé par Viroubova, Raspoutine et Alexandra se cimente autour d'un mysticisme débridé dont on espère qu'il protégera la Russie, la famille et surtout l'héritier. Nicolas laisse faire ; Raspoutine lui semble être un brave moujik comme il les idéalise : simple, pieux et sans malice. Pour l'instant, il est encore trop tôt pour parler d'une véritable influence de Raspoutine. Mais il a bien sûr ses entrées d'une manière informelle et il partage alors l'intimité de la famille. Certaines photos le montrent dans les chambres des enfants tel un familier, souriant et sans paraître le moins du monde intimidé par la stupéfiante intimité qui lui est accordée.

Raspoutine est un paysan ayant un peu de biens sur le versant oriental de l'Oural, du côté de Tobolsk, qui s'ouvre sur l'immensité de la Sibérie. Ancien garnement de village, tôt marié et bon père de famille, il baigne dans un mysticisme nourri des connaissances religieuses naïves et des pratiques teintées de superstition qui imprègnent, à cette époque, la vie des paysans russes. Mais vif et aventureux, jeune encore, il parvient à impressionner les notabilités religieuses locales et parcourt à plusieurs reprises la Russie à l'occasion des innombrables pèlerinages qui s'y déroulent. La Russie d'alors est un peu comme l'Inde d'aujourd'hui, avec toutes sortes de gens errant sur les routes, mendiant pour leur subsistance, des vagabonds et des prédicateurs, des ermites en mouvement, dans un climat général de compassion et d'admiration pour les saints hommes qui marchent dans les pas du Seigneur. Des millions de paysans ont été arrachés aux terres que leurs maîtres et leurs villages leur concédaient auparavant, dans un servage sans espoir : marcher à travers la Russie pour aller à la rencontre de Dieu, dans tous les lieux où la piété collective lui a édifié des temples, c'est un aboutissement qui apparaît comme le plus pur et le plus noble qu'on puisse souhaiter. Alors Raspoutine va d'un monastère à l'autre et, peu à peu, sa personnalité, sa piété, sa connaissance des textes lui valent une réputation qui le conduit jusqu'à Saint-Pétersbourg. Il dissimule soigneusement que la police de sa province le considère avec moins de bienveillance et que ses pèlerinages ont aussi pour but de mettre de la distance entre elle et lui. La haute aristocratie est friande de ces personnages qui représentent pour elle une vision rassurante d'un peuple russe qui par ailleurs lui fait peur. Ainsi Raspoutine se glisse-t-il bientôt dans les salons les plus choisis, et les plus jalousement protégés avec l'appui de quelques-unes des personnalités les plus éminentes du haut clergé qu'il a su séduire par sa foi intense. Il est aussi chaperonné par un pope ambitieux, le moine Iliodore, jeune voyou de l'Église qui mène des cérémonies à grand tapage, entraîne avec lui des populations ferventes et espère, par Raspoutine interposé, atteindre enfin la famille impériale pour y jouer le rôle d'aumônier, de confident, d'inspirateur. Mauvais calcul pour Iliodore, c'est Raspoutine qui jouera ce rôle.

En fait, Raspoutine est avide de plaisirs, de boissons, de femmes, mais il y a aussi en lui une réelle dimension religieuse. Ses douloureux repentirs sont sincères, et son authenticité en toutes circonstances, mise au service d'une personnalité à l'énergie éclatante et qui pratique le désintéressement comme la ruse, fait de lui un être rare et singulier. Raspoutine exerce un charisme remarquable et jouit d'une grande aptitude à saisir les sentiments, qui lui permet de jauger une situation dès le premier instant et de discerner parmi les gens qu'on lui présente ceux dont il peut se faire des alliés et ceux qui seront toujours des ennemis. Il sait manier la prudence pour ne jamais promettre plus qu'il ne peut tenir. Il est possible qu'il se soit informé, à sa manière de paysan madré, sur la maladie du tsarévitch, sur l'excès de médicaments, de protections et d'affolement qui l'entoure à chaque crise, et qu'il sache qu'avec un peu de bon sens il peut soulager l'enfant. Anna Viroubova, qui le révère, lui raconte tout ce qui se passe dans la famille impériale. Il est probable que sa force de caractère apporte un réconfort et un apaisement immédiats à ceux qui lui demandent du secours, qu'il s'agisse de la petite âme enfantine du tsarévitch qui l'aime beaucoup et à qui il narre avec une verve intarissable des contes et légendes de Sibérie, ou de l'âme plus sophistiquée mais plus dangereusement tourmentée de la tsarine. Et le tsar lui sait gré pour tous les apaisements qu'apporte sa présence.

À la première crise du tsarévitch dont il a connaissance, Raspoutine prend le contre-pied du pouvoir médical. Comme la tsarine ne lui fait pas encore totalement confiance, elle ne l'appelle qu'au dernier moment, quand le tsarévitch pourrait mourir ou quand la crise pourrait s'épuiser. Raspoutine fait d'emblée écarter les médicaments, l'aspirine en particulier qui favorise les hémorragies ; il soulage mystérieusement l'enfant malade et passe ainsi pour un sauveur, au contraire des médecins désarmés par le mal. Comme il est convaincu de son pouvoir, que la tsarine ne demande plus qu'à y croire, tandis que le tsar suit l'avis de sa femme, et qu'Anna Viroubova ne cesse de chanter ses louanges, toute la famille s'embarque dans l'aventure invraisemblable de l'influence de Raspoutine. À ce stade, la famille ne jurant plus que par l'homme de Dieu, Nicolas éprouve des doutes sur la qualité du personnage. Des dames d'honneur, à qui Raspoutine a fait des propositions déshonnêtes, se sont plaintes bruyamment. Mais il y a plus grave pour le starets. Les grandes-duchesses monténégrines qui ont introduit Raspoutine dans la famille impériale, sont maintenant « revenues » du starets, horrifiées par son ivrognerie, ses débauches, les bruits scandaleux qu'il traîne après lui comme autant de casseroles. Peut-être sont-elles aussi envieuses de sa nouvelle fortune. Elles font le siège de Nicolas et d'Alexandra pour dénoncer celui qui n'est plus qu'un imposteur à leurs yeux. Alexandra les éconduit, mais les Monténégrines trouvent des oreilles plus complaisantes dans la haute société de Saint-Pétersbourg trop contente de pouvoir critiquer la tsarine. Stolypine lui-même, qui avait pourtant consulté Raspoutine après son attentat, parce que sa fille ne guérissait pas et qui avait haussé

222

les épaules en disant : « Cet homme est fou », remet au tsar un rapport accablant où la police a noté, par le menu, tous les désordres auxquels se livre ce surhomme, dont le côté animal lui vaut les faveurs de bien des aristocrates amatrices de sensations fortes. De tout autre que Stolypine le tsar se serait méfié, mais le Premier ministre n'a pas pour habitude de l'induire en erreur. Nicolas se laisse convaincre ; il est prêt à pardonner, mais penche pour un temps de pénitence. Finalement, on éloigne Raspoutine, et c'est la première de ses disgrâces. Le tsar est soulagé, mais la tsarine ne le pardonnera pas à Stolypine.

Dans sa vie quotidienne, la famille impériale témoigne de la détente générale, quoique fort musclée, qu'apporte le gouvernement de Stolypine : elle renoue avec ses séjours en Crimée. Livadia, tout près de Yalta, devient comme une deuxième capitale intime de la Russie ; les Romanov y reçoivent sans cérémonie de nombreux visiteurs étrangers, ou des princes sous protectorat de la Russie, comme l'émir de Bukhara, maître d'un chapelet d'oasis à l'avant-poste de la pénétration russe dans cette Asie centrale qui recèle d'immenses richesses. À Livadia, la vie est douce, et Alexandra y est infiniment plus à l'aise qu'à Saint-Pétersbourg. Tout ici respire la tranquillité, et une délicatesse particulière éminemment tchékhovienne. Les photographes et les opérateurs d'actualités sont régulièrement conviés, et ils transmettent les images d'un style de vie gracieux et à l'élégance naturelle. L'émir de Bukhara fume son cigare au nez de l'impératrice. Les hommes de troupe s'amusent avec les enfants et courent dans le jardin ployant sous les fleurs. Anna Viroubova fait des photos, Nicolas joue avec Alexis en compagnie du professeur Gilliard ; on est bien loin des visions tragiques de 1905.

Pourtant, les Romanov demeurent viscéralement repliés sur une vie de famille tendre et mélancolique dominée par la maladie du tsarévitch et la perpétuelle inquiétude qu'ils en éprouvent. Un événement, en apparence secondaire, est à cet égard bien révélateur de la persistance de leur isolement. Nicolas avait plusieurs oncles : le grand-duc Serge, déchiqueté comme on l'a vu sous la bombe d'un révolutionnaire en 1905, le grand-duc Vladimir qui mourra en 1909, et le grand-duc Paul, disgracié pour avoir épousé la comtesse de Hohenfelsen. Vivant à Paris avec son épouse, le grand-duc Paul, a laissé derrière lui, sur ordre de l'empereur, ses deux enfants d'un premier mariage qu'il avait eus d'une princesse grecque morte prématurément. Ces enfants, Marie et Dimitri, ont été élevés par le grand-duc Serge et Ella, la sœur de la tsarine. Ils ont été très suivis et choyés par Nicolas qui s'est beaucoup attaché à eux, en particulier à Dimitri. Dimitri est le seul membre de la famille Romanov, hormis les enfants, qui peut entrer chez le tsar sans se faire annoncer. Il y a, sous-jacente, cette idée que, malgré leur cousinage, un jour ou l'autre Dimitri épousera l'une des filles du couple impérial. Dimitri est extrêmement beau, avec un côté « fin de race » romanesque et des manières très agréables ; il est fin et cultivé et représente le symbole même de l'élégance Romanov sans aucun des excès ni de la brutalité de certains des grands-ducs. Sa sœur, Marie, n'est pas très belle, lourde et sans grâce, mais elle est intelligente et rebelle dans l'âme. Ces deux adolescents n'ont pas eu une enfance heureuse. Leur mère est morte quand ils étaient petits, leur père est au loin, Serge est un homme on ne peut plus bizarre et froid, et Ella, censée remplacer une mère, s'intéresse peu à eux. Une fois Serge disparu, Ella n'a qu'une hâte, éloigner les adolescents. Sainte, sans doute, mais aussi un peu marâtre... Mais peut-être ne supporte-t-elle pas de devoir s'occuper d'enfants alors qu'elle n'a pu en avoir puisque son mari ne l'a jamais approchée. Sans la consulter, elle se met donc en quête d'un époux pour Marie qui n'a que seize ans, et son choix se porte sur le second fils du roi de Suède, un grand garçon assez niais qui traverse, à cette époque, la vie des cours royales comme un ahuri. Il deviendra, quelques années plus tard, un homme très intéressant et admiré, un véritable poète développant dans sa solitude une écriture inspirée et attachante. Mais enfin, pour l'instant, ce n'est qu'un échalas princier aux oreilles décollées qui rougit de confusion à chaque instant. Ella organise le mariage en quelques jours, et la petite grande-duchesse se retrouve dûment « casée » à Stockholm dans une Suède inconnue, une cour au protocole étouffant, définitivement coupée de tout ce qui pouvait lui rester des Romanov. Et, curieusement, Nicolas et Alexandra, qui se sont toujours occupés de ces enfants, laissent partir cette pauvre Marie sans rien dire, comme si leur propre malheur les asséchait dans la compassion qu'ils portent aux autres. Cette petite histoire, apparemment sans conséquence, les rattrapera d'ailleurs plus tard comme un boomerang. En effet, les deux enfants du grand-duc Paul ont développé l'un pour l'autre une affection indissoluble, presque incestueuse, comme deux adolescents de Cocteau, partageant leurs rêves et leurs espoirs dans des palais où on ne s'occupe pas d'eux, sauf quand le tsar et la tsarine leur témoignent un peu de tendresse. Avec ce mariage intempestif, Dimitri se retrouve seul. Il va se raccrocher davantage à la famille impériale, et donner à Nicolas toutes sortes de gages de sa bonne volonté. Contrairement à beaucoup de grands-ducs, il se comporte très bien à l'armée. Aucune rumeur de beuverie, de dettes de jeu, de scandales et d'adultères à sensation : un véritable officier de la garde avec le sens de la parole donnée et des traditions chevaleresques. Mais Dimitri nourrit un silencieux et peut-être inconscient reproche à l'égard de Nicolas et d'Alexandra qui ont laissé partir sa sœur. Cette légère fêlure, que ni le tsar ni la tsarine ne sentent vraiment, l'entraîne vers un subtil éloignement. Il se lie bientôt très intimement avec un jeune homme de son âge, l'héritier de la plus grande fortune de Russie, le prince Félix Youssoupov. Intelligent, à la fois cynique et mystique, Félix est d'une beauté ensorcelante. Il court les nuits de Saint-Pétersbourg en travesti, collectionne les aventures et s'attache facilement Dimitri qui a tellement soif d'amour. Ils deviennent deux frères-amants, menant clandestinement une vie de plus en plus décadente. Dimitri sera plus tard le premier complice du complot de Félix Youssoupov contre Raspoutine, atteignant, sous prétexte de la sauver, la famille impériale en plein cœur. Rien de ce futur sinistre n'est perceptible pour l'instant. Plus tard encore, Dimitri restera sa vie durant extrêmement lié à sa sœur, et lorsque celle-ci, divorcée du prince suédois, mènera après la révolution une vie errante à travers le monde, Dimitri sera toujours son unique allié comme elle sera pour lui la meilleure des confidentes. La destinée de Dimitri est d'ailleurs digne d'un scénario. Il deviendra une sorte de sphinx du grand monde international, épousant une milliardaire américaine après avoir été l'amant de Coco Chanel et achevant tristement son existence dans la solitude d'un sanatorium suisse, durant la guerre. Quant au père de Marie et de Dimitri, il rentrera finalement en grâce à la veille de la guerre, Nicolas se laissant convaincre et attendrir, accordant même un titre à son épouse, celui de princesse Paley. D'où l'adorable Nathalie Paley, qui sera durant les années 20 une des gloires de la mode à Paris, l'épouse de Lucien Lelong et l'amie de Cocteau puis une actrice de cinéma à Hollywood.

Une des raisons pour lesquelles Nicolas et Alexandra supportent aussi plus aisément le fardeau de la politique, c'est que le petit tsarévitch va provisoirement mieux. Il n'a pas alors de crise majeure. Durant ces années, on le voit s'amuser avec des enfants de son âge, conduire des voitures à cheval, rouler sur un tricycle. Il semble mener une existence presque normale. Évidemment, toutes ces images de bonne santé sont filmées et photographiées pour bien montrer que l'héritier va bien et qu'il est un enfant comme les autres. Sur un film, on le voit aussi en tenue de petit cosaque, donnant à manger à un poney avant de partir en promenade avec lui. C'est un film très émouvant car le tsarévitch, manifestement, a répété son rôle : il semble écouter des indications qu'on lui donne et qui proviennent sans doute de quelqu'un qui se trouve près de la caméra, peut-être le professeur Gilliard. Lorsque l'enfant s'éloigne sur le poney, le film s'arrête puis il reprend quand l'enfant revient ; on devine que la promenade n'a pas dû être très longue, mais les spectateurs n'en ont sans doute pas conscience. Ainsi, en voyant ces scènes sur des films d'actualités, le public est rassuré : le tsarévitch est peut-être délicat, mais il paraît tout à fait capable d'être l'héritier de la dynastie. La vérité est que cet enfant mène une vie totalement à part. Il est l'objet d'une garde constante, car la moindre blessure peut lui être fatale et il a pris l'habitude de se protéger lui-même en évitant les heurts. De ce fait, il développe un esprit d'analyse nettement au-dessus de son âge. Cela se voit dans son regard tour à tour pétillant d'intelligence ou très mélancolique. C'est aussi un enfant qui fait des bêtises, qui veut s'amuser, souvent farceur ou turbulent comme on le voit dans un autre film, lors d'un séjour de la famille impériale en Allemagne où il tape à coups redoublés sur le derrière rebondi d'une de ses gouvernantes qui ne sait comment corriger ce sale gosse. En fait, l'autodiscipline lui pèse terriblement et il traverse des phases de suractivité dangereuses où il s'ingénie à prendre les pires risques. Ses parents tombent alors dans la détresse et l'affolement.

Les Romanov traversent cependant ces années avec un timide espoir après toutes les catastrophes du début du siècle. Autre signe de ce relatif apaisement : Nicolas recommence à voyager à l'étranger. Il se rend notamment en Italie, ce qui éveille les curiosités. Qu'est-ce que le souverain de la toute-puissante Russie va faire dans ce nouvel État qui a l'ambition de se hausser au statut de grande puissance mais qui n'en a pas vraiment les capacités ? Si Nicolas se donne la peine d'aller en Italie – en faisant un énorme détour pour éviter l'Autriche parce que le traumatisme de l'affaire bosniaque n'est pas apaisé –, c'est parce que la politique étrangère de la Russie redevient active et reprend ses directions traditionnelles, notamment vers les

Balkans. Or, pour essayer de retrouver une partie du terrain perdu, la Russie est prête à étudier toutes sortes de voies nouvelles et, pourquoi pas, celle de l'Italie. L'Italie est proche des Balkans, Victor-Emmanuel est le gendre du roi de Monténégro qui est lui-même, malgré l'exiguïté de son royaume, au centre de tous les complots des Slaves du Sud, et enfin l'Italie, bien qu'alliée officielle de l'Autriche, est son ennemie éternelle, dans la mesure où elle a encore des territoires à lui reprendre, la région de Trieste et le Haut-Adige. Sur des images un peu surréalistes, on voit Nicolas, comme toujours légèrement confus et gauche, saluant comme un automate quelque peu égaré sur un quai de Racconiggi, le village où le roi d'Italie a sa villégiature, et passant entre deux rangées de bersaglieri, seul, parce que Alexandra ne l'a pas suivi. Images étranges comme un fragile témoignage de la renaissance russe sous Stolypine.

Mort d'Édouard VII, avènement de George V

Bien plus significatif est le voyage que la famille impériale, au complet cette fois, fait auprès d'Édouard VII pour lui rendre sa visite à Reval. Nicolas y va avec beaucoup de joie car, malgré toutes les fautes de son règne, dont il a plus ou moins conscience, Édouard VII est le seul souverain qui lui témoigne une bienveillance sincère. Les Romanov se mettent donc en route sur le *Standard* au cours de l'été 1909. Évidemment, il est impossible d'éviter l'Allemagne. Une fois de plus, il va falloir supporter Guillaume. Le *Standard* longe donc les côtes allemandes et traverse le canal de Kiel. Guillaume a beaucoup œuvré pour faire construire ce canal qui permet de rejoindre la Baltique et la mer du Nord sans faire le détour par le Danemark. C'est « son canal de Suez » à lui, il a coûté très cher, il a fallu tempêter auprès du Reichstag pour trouver les fonds nécessaires, et il en fait les honneurs au tsar, comme une grande démonstration du génie technologique allemand. Guillaume s'invite sur le *Standard,* et comment faire autrement que de le recevoir ? Il apporte aux enfants des jouets magnifiques, et comment leur expliquer que l'oncle Guillaume n'est peut-être pas aussi gentil qu'il y paraît ? Et le Kaiser est si débordant d'allant, de gaieté, et de gentillesse que Nicolas sent renaître en lui ce terrible sentiment de sa propre insignifiance. Oui, le Kaiser est aussi aimable que deux ans auparavant, quand il était venu panser les plaies de Nicolas au temps de la défaite et de la révolution...

227

En même temps, Nicolas sait à quoi s'en tenir : Guillaume ne décolère pas de l'affection qu'Édouard lui manifeste. Il est en fait furieux de savoir que le tsar voyage pour aller réchauffer son alliance avec la France et son amitié avec Édouard.

Après le passage du canal de Kiel, la famille impériale reprend son souffle, le temps d'arriver à Cherbourg où le président Fallières les reçoit par de grandes démonstrations navales. Mais ce n'est plus le même accueil que lorsque Alexandra et Nicolas, tout jeunes tsars, avaient visité Paris au milieu d'un formidable débordement de joie populaire. La révolution est passée par là, et la mauvaise image du régime tsariste ne s'est pas effacée. Ainsi, le débonnaire Fallières préfère recevoir le tsar loin de Paris et de l'esprit acéré des Boulevards, sous prétexte de lui montrer la flotte française.

En Angleterre, où Nicolas arrive au terme de son voyage, l'humeur de l'opinion est encore plus maussade. L'invitation d'Édouard a suscité des critiques acerbes au Parlement anglais. Le parti libéral, et son étoile montante, le très brillant et bouillonnant Lloyd George, n'ont pas de mots assez durs pour fustiger le régime tsariste. Édouard a donc usé d'un subterfuge pour faire admettre la venue du tsar. Il ne l'a pas invité en visite officielle, il l'a juste convié à venir assister aux régates de Cowes qui sont le grand événement mondain de cette période de l'été. Ce prétexte ne trompe personne, mais il permet de recevoir Nicolas ailleurs qu'à Londres où l'on redoute les bombes d'un révolutionnaire russe ou d'un anarchiste irlandais, et de circonvenir cette classe politique qui lui est tellement hostile.

La réception de Nicolas à Cowes est néanmoins grandiose. Toute la flotte britannique est présente, et c'est un crève-cœur pour le tsar que d'admirer ces superbes navires anglais alors qu'il n'a plus qu'un vieux cuirassé rouillé, le seul qui ait échappé à la catastrophe de la guerre japonaise. En même temps, la famille royale britannique est si affectueuse et attentionnée à l'égard des cousins russes que c'est un véritable séjour de vacances. À cette occasion, Nicolas profite pleinement de la compagnie de George, le prince de Galles. Le prince George a à peu près son âge, il est moralement très proche de lui, tout aussi timide, réservé, et physiquement il est presque son sosie. Les deux hommes sont cousins germains puisque Alexandra, la mère du prince de Galles, et Maria Feodorovna, la mère de Nicolas, sont sœurs ; ils se ressemblent tellement qu'on les prend souvent l'un pour l'autre dans les réceptions officielles, et ils s'en amusent beaucoup. Cela fortifie leur amitié. George et Nicolas se font photographier par la reine Alexandra, habillés de la même manière, et tout le monde persiste à les confondre. La tsarine est pleinement détendue, elle emmène le tsarévitch à la plage, et les petites grandes-duchesses, d'habitude si sages, courent partout, font des courses dans les magasins de Cowes, se perdent parmi les estivants et découvrent une existence dont elles n'avaient jamais eu l'idée.

Édouard a aussi des conversations politiques avec Nicolas. Il tente de lui expliquer une fois de plus les véritables défis du monde moderne et la nécessité de leur apporter des réponses politiques nouvelles en pratiquant le parlementarisme. Mais comment faire comprendre à ce pauvre Nicolas qu'il a tort, lui qui refuse absolument de changer quoi que ce soit à ses conceptions et qui vous regarde avec ses bons gros yeux de chien triste, désolé et impuissant... Puis les vacances s'achèvent. Alors que le *Standard* s'éloigne des côtes anglaises, Alexandra et Nicolas ne peuvent s'empêcher de constater qu'Édouard et sa femme ont bien vieilli. Édouard a souvent des quintes de toux, il fume beaucoup trop le cigare ; quant à tante Alexandra, sa surdité s'est aggravée et il faut maintenant lui crier dans les oreilles pour qu'elle comprenne ce qu'on lui dit. Nicolas, qui aime tellement tout ce qui a trait à la famille danoise, alors qu'il est incapable de s'imposer à ses cousins russes, est profondément sensible aux menaces qui pèsent sur ceux qui l'on toujours traité avec affection et qui pourraient être ses meilleurs alliés. En tout cas une chose le rassure : même s'il arrivait malheur à Édouard, Nicolas se sent si proche du prince de Galles, de celui qui deviendra le roi George V, qu'il sait qu'il pourra toujours compter sur lui. Tragique erreur dont il aura amplement l'occasion de mesurer la gravité, lorsque son cher « Georgie » l'abandonnera d'une manière infâme durant la révolution.

Fort de toutes ses illusions, Nicolas, de retour vers la Russie, se prépare à affronter une nouvelle visite de Guillaume. Le Kaiser est installé à la porte du canal de Kiel, comme un vigile sur son péage, attendant que passe et repasse son impérial cousin. Et à vrai dire, si à l'aller Guillaume s'était montré charmant, au retour Nicolas doit affronter sa mauvaise humeur. Guillaume s'enferme avec lui, lui fait longuement la leçon pour se plaindre de l'attitude hypocrite et dangereuse d'Édouard à l'égard de l'Allemagne et pour le mettre en garde contre ses tentatives de séduction. Pour un peu, Guillaume prouverait que c'est l'Angleterre qui a poussé Nicolas à faire la guerre au Japon et que tous les malheurs qui le menacent sont le fruit des manipulations anglaises. Puis Guillaume s'en va brusquement, furieux de voir que l'alliance de la Russie avec la France tient bon et que se dessine de plus en plus nettement ce système de la triple entente Angleterre-France-Russie qui confirme le scénario dont il est en fait le principal responsable, celui de l'encerclement fantasmatique de l'Allemagne. Quand Nicolas, soulagé, repart vers la Russie, il a la certitude que l'hostilité entre Édouard et Guillaume est impossible à juguler, mais que la Russie est aussi désormais tenue pour complice de la sourde conjuration contre l'Allemagne.

Le début de l'année avait pourtant donné l'occasion d'un dernier effort de réconciliation entre le roi d'Angleterre et le Kaiser. Le constat désolé de Nicolas sur l'état de santé d'Édouard était juste. Édouard ne va pas bien. Il va avoir soixante-dix ans, il a mené une vie d'excès et a exercé pendant neuf ans son métier de roi avec une frénésie gourmande. Son organisme est très fatigué, et il sait que le temps qui lui reste à vivre est mesuré. Il voudrait faire une ultime tentative de mise à plat de ses relations, de rapprochement avec Guillaume. Il décide donc de se rendre à Berlin durant l'hiver de 1909. Édouard est bien décidé cette fois à être patient avec son neveu, et il persuade même Alexandra, qui déteste l'Allemagne et encore plus le Kaiser, de l'accompagner.

Mais, quoi qu'ils fassent, ces deux hommes ne s'aiment pas, et aucun raccommodement n'est possible. Le voyage se traîne de repas officiels en mornes conversations où ils évitent d'aborder les problèmes de peur de mettre en évidence l'énorme fossé qui les sépare. Comme pour souligner cet échec, c'est à Berlin qu'Édouard ressent les premières atteintes du mal qui va l'emporter. À la fin d'un dîner, il est pris d'une crise de toux tellement forte que l'on craint un arrêt cardiaque. Il faut l'étendre, ouvrir le col de son uniforme pour qu'il recommence à respirer. Et Guillaume aura beau se tordre les mains en disant : « Quel malheur ! », on sent bien qu'il aurait apprécié l'ironie de cette situation : le roi d'Angleterre, qu'il ressent comme son persécuteur, mourant sous son propre toit !

Berlin et Cowes sont les deux dernières initiatives internationales d'Édouard. À l'automne, sa santé se dégrade lentement. Il ne veut rien savoir et tient absolument à maintenir son séjour annuel à Biarritz. Il s'installe au cours de l'hiver 1910 dans ce fameux hôtel du Palais où il se rend avec une suite restreinte tandis que Maria Feodorovna y débarque habituellement avec deux cents personnes. Mais il prend froid et, lorsqu'il rentre en Angleterre pour se soigner, il est trop tard. Il meurt dix jours plus tard. Sa mort est l'apothéose d'un roi de légende. Sa popularité en Angleterre est telle que le pays s'arrête pour suivre son agonie. Toutes sortes de scènes aussitôt colportées par la rumeur alimentent cette légende : Alexandra inconsolable qui fait appeler la vieille maîtresse du roi, Alice Keppel, et qui veille son corps avec elle, l'enterrement où se presse une foule immense sous un soleil resplendissant, les délégations étrangères bien plus prestigieuses que lors du couronnement. Et suivant le cercueil, cet ultime instantané d'une Europe qui va définitivement disparaître avec deux petits garçons, la mine triste, les futurs Édouard VIII, duc de Windsor, et George VI, le père d'Élisabeth. On se souvient de cette photo célèbre prise à Buckingham le jour des funérailles où l'on voit quasiment tous les rois d'Europe autour du nouveau roi d'Angleterre, George V. Il y a là le Kaiser dans le rôle du neveu affligé, le roi des Belges qui vient de monter sur le trône, le roi du Portugal qui va en descendre dans quelques semaines, le roi de Norvège venu rendre un pieux hommage à son beau-père, le roi des Bulgares en train de humer la situation pour toutes les aventures qu'il médite, le roi d'Espagne qui a épousé la petite-fille d'Édouard et qui apprendra bientôt ce que c'est que d'être le père d'enfants hémophiles, le roi de Danemark et son frère, le roi de Grèce. Il en manque quelques-uns : le roi de Roumanie qui ne quitte pas Bucarest par prudence et parce qu'il est âgé, le roi du Monténégro que personne n'invite jamais, et le roi de Serbie parce qu'Édouard a toujours snobé cette nouvelle/ancienne dynastie serbe de régicides. Les Russes ont dépêché des grands-ducs, les Autrichiens ont envoyé François-Ferdinand, et, chose rare, il est venu avec Sophie, touché que les Anglais traitent sa femme comme si elle jouissait du même statut que les épouses de tous les princes présents. Oui, sur les images filmées, on voit tout ce monde suivre le cortège d'Édouard sans imaginer que quatre ans plus tard eux-mêmes et les peuples sur lesquels ils règnent vont se sauter à la gorge.

La famille d'Édouard restera inconsolable. Son fils George, qui régnera jusqu'en 1936 comme l'antithèse parfaite de son père, ne cessera au long de sa vie de se référer à lui avec l'émotion d'un enfant abandonné. Deux de ses sœurs demeureront célibataires dans le souvenir du cher défunt. Mais le plus grand chagrin sera celui d'Alexandra pleurant toutes les larmes de son corps devant la dépouille de son mari volage, comme la jeune fille qu'elle n'avait jamais cessé d'être : une ravissante princesse danoise issue d'une très ancienne famille, qui n'était ni particulièrement intelligente, ni experte en politique et réflexions philosophiques sur les changements de la société, mais qui avait cette bonté allante et cette grâce infinie qui permettent de compenser tout ce que l'esprit et la culture n'ont pas apporté. La popularité d'Alexandra fut toujours très grande, alimentée de toutes sortes de bonnes actions qui entretenaient sa légende. On se souvient par exemple qu'elle alla dans une foire à Londres et entra dans la roulotte d'un monstre qu'on exhibait, le fameux Elephant Man. Elle s'y entretint avec lui toute la soirée, lui montrant ses propres disgrâces physiques pour le réconforter. Elle, pourtant si belle, avait souffert de rhumatismes après ses grossesses à répétition, à tel point qu'elle avait une jambe raide et demandait qu'on lui parlât fort à cause de sa surdité. On ne sait pas ce qu'en pensa Elephant Man, mais la rencontre fit grande impression, notamment lorsqu'elle mit sa jambe sur la table pour lui montrer qu'elle ne pouvait plus plier le genou, et que cela ne l'empêchait pas de danser et d'être admirée !

Comment Alexandra, princesse innocente et aimante, élevée à l'écart de toute intrigue, ennemie du mensonge et des promesses non tenues, a-t-elle pu accepter que son mari la trompe toute sa vie ? Jamais elle ne lui en a tenu rigueur, mettant ses innombrables liaisons sur le compte d'un infantilisme qui n'éveillait en elle qu'une tendre indulgence. Édouard, qui était aussi un homme d'honneur, n'a pu qu'être touché par cette extraordinaire fidélité juvénile. Ainsi a-t-il profondément chéri en retour une épouse si délicieuse et toujours veillé sur elle avec une attention pleine de tendresse. Alexandra s'amusait avec Édouard qui lui servait de « locomotive » en lui présentant sans cesse des gens intéressants et l'entraînait par la vigueur de ses appétits et de son intelligence. Cet élan faisait tout pardonner et même les liaisons de longue durée d'Édouard, comme avec l'autrefois si belle Mrs. Keppel devenue une femme replète et patinée, celle-là même qu'Alexandra fit appeler au chevet du mourant pour qu'il ait autour de lui les femmes qu'il avait aimées le plus. Cependant, Alexandra, qui ne voulait exercer aucune influence sur son mari en politique, lui tint tout au long de leur existence deux discours constants. Le premier était de se méfier de l'Allemagne et de l'empereur Guillaume. Le second était de traiter les Romanov avec plus d'attention et de bienveillance que ne l'avait fait la dynastie britannique auparavant. Édouard aurait pu poursuivre une attitude opaque vis-à-vis de la Russie, mais il avait en Alexandra le plus doux et le plus tenace des avocats des Romanov. Elle répercutait auprès d'Édouard tous les petits et les grands événements de Russie qu'elle tenait de sa sœur. Ce prisme féminin, délicat et chaleureux, renvoyait un reflet très attachant de la famille impériale, et Édouard ne pouvait qu'y être sensible. Si Édouard a été l'un des premiers à ouvrir la cage de pestiféré de Nicolas après la révolution de 1905 et à aller lui rendre visite sur les bords de la Baltique, c'est sans doute parce que Alexandra avait su l'émouvoir par le récit du grand abattement moral des Romanov à l'issue de la défaite, de la révolution et de la découverte de l'hémophilie du tsarévitch.

La mort d'Édouard est aussi une très mauvaise nouvelle pour Nicolas, mais, s'il sent bien que la perte de cet allié lointain l'affaiblit, il n'est pas au bout de ses peines car il va maintenant perdre Stolypine.

Toutes sortes de rumeurs ont circulé selon lesquelles Nicolas s'apprêtait à demander à Stolypine de démissionner, notamment parce que la tsarine ne lui pardonnait pas son hostilité à Raspoutine. Cependant, il ne semble pas que Nicolas ait envisagé sérieusement de se défaire de Stolypine. Il confiait souvent à sa sœur Olga que Stolypine était certes très exigeant avec lui, tout en reconnaissant volontiers qu'il était le meilleur ministre qu'il ait jamais eu et que, la Russie étant sur le chemin du progrès, il ne pouvait que lui garder sa confiance.

Comme le raconte Gilliard dans ses Mémoires, Nicolas, pour ses décisions, avait souvent une très bonne première réaction, mais doutait tellement de lui-même, qu'il cherchait d'autres solutions et choisissait finalement la plus mauvaise. Stolypine, par la force de sa personnalité, l'obligeait à toujours se tenir à sa première impression.

En ce jour d'été 1910, Nicolas, la famille impériale et Stolypine se rendent à Kiev pour inaugurer un monument au tsar libérateur Alexandre II, le grand-père de Nicolas qui a émancipé les serfs. Les services de sécurité, les autorités de Kiev sont sur les dents. C'est un de ces voyages auxquels tient Stolypine, pour que Nicolas se montre à la population russe et dans la claire perspective d'un tsar dont on révère le souvenir. Il est prévu plusieurs journées de cérémonies selon un programme très chargé. On a veillé à interroger de très près les révolutionnaires repentis qui renseignent la police. Le terrorisme s'est beaucoup apaisé depuis quelques années, et il n'y a pas à Kiev de militants dangereux inconnus, même si certaines indications préoccupent le chef de la police. Elles sont transmises par un jeune mouchard, Bogrof, révolutionnaire durant son adolescence, que la police a réussi à circonvenir en le corrompant. C'est un homme beau et séduisant qui a beaucoup d'impact sur le chef de la police, à tel point que celui-ci le reçoit à n'importe quelle heure du jour et de la nuit quand Bogrof a un renseignement à lui donner. Et Bogrof affirme que Stolypine va être assassiné durant son séjour à Kiev, que des révolutionnaires ont été dépêchés depuis la Pologne allemande en franchissant clandestinement la frontière, qu'ils ont pour instruction d'assassiner le tsar ou Stolypine et que finalement ils ont décidé de supprimer le Premier ministre par souci d'efficacité. Bogrof donne des noms. Et le chef de la police arrête les suspects à tour de bras. Stolypine est informé, mais il fait confiance à la police qui a éventé le complot.

Les cérémonies se passent normalement. La police est très présente mais, rassurée par les révélations de Bogrof, elle laisse les gens s'approcher selon les instructions de Stolypine. La famille impériale « baigne » dans le peuple russe qui lui témoigne une grande ferveur. Bénédictions, revues militaires, inauguration d'une statue monumentale d'Alexandre II, dépôt de gerbes, tout s'achève par une soirée de gala à l'Opéra. Pour cette soirée, les autorités de police ont mis au point un système pointilleux d'invitations, de contre-marques, de coupe-files, afin de vérifier l'identité des invités. L'empereur est dans sa loge avec ses filles et avec le tout jeune prince héritier de Bulgarie, Boris – qui ferait un excellent fiancé pour l'une des grandes-duchesses. La tsarine, fatiguée par ces trois journées, est restée au palais du gouverneur en gardant Alexis auprès d'elle. Dans un souci de sécurité, la police a fait entrer Bogrof pour qu'il se tienne près du chef de la police et qu'il lui indique si des comploteurs se seraient glissés parmi les invités. Et Bogrof est venu, non sans avoir hésité, car sa présence, a-t-il expliqué à la police, le désigne comme indicateur aux yeux de ses anciens camarades révolutionnaires. Il a fallu insister pour le convaincre. Pendant l'entracte, Stolypine qui est au parterre salue le tsar dans

234

sa loge. Et tout le monde s'égaille dans les foyers pour prendre des rafraîchissements. Il y a un tel sentiment de sécurité que personne ne protège le tsar et encore moins Stolypine. Tout d'un coup, un homme surgit dans la travée de l'orchestre, se dirige vers Stolypine et vide sur lui le contenu de son revolver. On entend la détonation jusque dans les foyers. Le tsar se précipite en devinant ce qui s'est passé et il voit à dix mètres devant lui Stolypine encore debout, le visage inondé de sang et qui a l'ultime énergie de les bénir, lui et ses enfants, geste qui en dit long sur l'inlassable dévouement qu'il leur porte. Puis il s'effondre, et on l'emmène à toute allure vers un hôpital où les médecins vont tenter de le sauver. Entre-temps on se saisit du meurtrier et on découvre son identité avec stupéfaction. C'est Bogrof ; Bogrof qui a conçu depuis plusieurs jours tout le scénario du piège qui lui permettrait d'égarer les soupçons et de se retrouver à l'opéra, tout près de Stolypine pour le tuer conformément aux prescriptions de sa cellule révolutionnaire.

Stolypine met plusieurs jours à mourir. Comme pour la catastrophe de Moscou lors du sacre, on dira partout que Nicolas a paru se désintéresser du sort de Stolypine et qu'il n'est pas venu lui rendre visite. La vérité est tout autre. Nicolas est bouleversé par la mort de son Premier ministre. Il voit en elle le signe annonciateur de la reprise de l'infernale succession de malheurs qui a tellement marqué les premières années de son règne. Il se précipite à l'hôpital dès qu'il le peut, et ce n'est pas simple car les services de police, affolés par l'attentat, prennent aussitôt la famille impériale en otage et la transportent à plusieurs kilomètres de Kiev en l'isolant complètement. On redoute en effet que l'assassinat ne soit le signal d'une vague de terrorisme aveugle. Nicolas a donc beaucoup de mal à obtenir de se rendre au chevet de Stolypine et, lorsqu'il y parvient, celui-ci est à l'article de la mort. Sa femme adjure alors le tsar de ne pas aller le voir. Nicolas, plein de prévenances, n'ose pas enfreindre cette demande. Le tsar et son Premier ministre agonisant ne se reverront pas.

Nicolas, Alexandra et leurs enfants sont rendus à leur solitude. Ils ont perdu leur meilleur allié, le difficile et intraitable ami qui les protégeait contre tous ceux qui préparent leur perte et surtout contre eux-mêmes. Et l'on en conclura injustement pour Nicolas qu'il s'est, une fois de plus, comporté avec sécheresse et ingratitude...

5

DERNIERS FEUX D'ILLUSION

Grand soleil sur un jour d'octobre 1911. Au château de Schwarzau en Autriche du Sud, l'archiduc Charles épouse la princesse Zita de Bourbon-Parme. Ce mariage réjouit infiniment le vieil empereur François-Joseph. Depuis plus de soixante ans qu'il règne, il a vu la famille impériale se déliter et, pour cet homme d'ordre et de devoir, ce mauvais exemple est à l'image des tensions et des menaces contradictoires qui minent l'Autriche-Hongrie. Or, l'Empire, la Maison Habsbourg forment un tout pour l'auguste vieillard, et cette union idéale d'un archiduc et d'une princesse royale, l'un et l'autre catholiques, offre à ses yeux une réponse éclatante aux forces obscures du laisser-aller et de la décadence.

À vingt-deux ans, Charles est l'héritier en second de la dynastie, après son oncle François-Ferdinand. Sa mère est une princesse de Saxe très pieuse, très charitable, dont la vie conjugale a été malheureuse. En effet, le père de Charles fut un vrai voyou d'archiduc, coureur, joueur, qui amenait un jour ses compagnons de beuverie dans sa chambre pour leur montrer sa femme endormie, et s'amusait certains petits matins d'ivresse à arrêter un corbillard pour sauter par-dessus avec son cheval, comme s'il s'agissait d'un vulgaire obstacle. On ne compte plus les scandales associés au souvenir de l'archiduc Otto, tel celui où il se présenta entièrement dévêtu dans le salon d'un grand restaurant loué par l'ambassadeur d'Angleterre, parce qu'il s'était trompé de porte et qu'il croyait y retrouver une demi-mondaine, frasque qui entraîna d'ailleurs son éloignement à répétition vers des affectations militaires lointaines. Un père attentif, cependant, doté d'une intelligence supérieure à celle des autres archiducs, et qui a fait donner une éducation soignée à ses fils, et notamment à l'aîné, le petit Charles si doux et si docile qu'il paraît avoir pris tout son caractère du côté de sa mère. Enfant, Charles éprouve cependant une vive admiration pour son père, figure redoutable, peu estimable mais très forte, de la virilité paternelle. Ainsi sa nature foncièrement bonne l'oblige, dès l'âge le plus tendre, à un grand écart permanent. Il veut conformer son attitude à celle de sa mère mais il tente de comprendre des caractères aussi différents du sien que l'est celui de son père. Comme il est intelligent et deviendra très instruit, il en résultera pour plus tard cette faiblesse que l'on rencontre chez beaucoup d'intellectuels : il aura le plus grand mal à prendre des résolutions, toute réflexion pouvant être infirmée par son contraire. Disposition d'esprit qui s'avérera un terrible handicap lorsqu'il se retrouvera à la tête de l'empire d'Autriche-Hongrie, au cœur de cette apocalypse sans précédent que sera la guerre de 14. François-Joseph lui fait embrasser la carrière militaire après la fin de ses études, des études bien plus brillantes et réfléchies que les diplômes obtenus, la règle des Habsbourg étant qu'on ne passe pas d'examens, ce genre d'exercice étant indigne de la Maison Habsbourg. Mais Charles a aussi la chance de rencontrer sur sa route un comte austro-hongrois de vingt ans plus âgé que lui, d'une qualité intellectuelle et morale admirable, le comte de Polzer-Hoditz qui l'oriente adroitement dans ses réflexions, et il reporte sur cet homme toute son affection filiale, sans objet depuis la mort prématurée de son père, usé par les excès et rattrapé par l'implacable syphilis, immense punition des viveurs. Courte est son adolescence à cause de l'attachement de l'empereur à la formation militaire. Charles se retrouve dans des garnisons perdues, aux quatre coins de l'Empire. Il faut s'imaginer ce que sont la Galicie, les confins de la Voïvodine, la Volhynie, provinces sans horizon et sans repères où l'on passe d'interminables hivers à faire de l'exercice dans des casernes glacées et à parcourir en manœuvres des paysages désolés, battus par les vents, avec pour seul exutoire, lorsque l'on est dissipé, de courir les bordels et de faire des dettes de jeu ; si l'on est sage, d'apprendre toutes les langues de l'Empire avec le commandement d'hommes de nationalités diverses, jetés là comme des brassées d'osselets par des sergents recruteurs qui les ont enrôlés dans les gares et les rues prolétaires des grandes villes.

Charles éveille la sympathie de son oncle François-Ferdinand. Comme toujours, l'insupportable premier héritier du trône se révèle noble et de bon secours pour les choses essentielles. Faute d'avoir reçu l'éducation nécessaire pour régner, il a dû se la forger à grands coups de gueule, de coups de poing sur la table et de bravades envers l'empereur, mais il est tout à fait décidé à éviter cette épreuve à son neveu affectueux et délicat. Il le prend donc sous sa protection et consacre beaucoup de temps, lors des séjours du jeune archiduc Charles à Vienne, à lui confier ce qu'il pense de l'évolution de l'Empire, à lui présenter les conseillers avec lesquels il envisage de gouverner, et à lui exposer le plan encore nébuleux mais construit autour de quelques fermes certitudes des réformes qu'il médite pour l'Empire dès son accession au trône. Mais si la forte personnalité de son oncle l'influence, son pragmatisme et son goût du risque le désarçonnent. Malgré la qualité de ses études et de ses réflexions, Charles est aussi un jeune homme de l'ancien temps qui croit que c'est un choix de la providence si la couronne de l'immense empire des Habsbourg lui échoit un jour. Ainsi, quels que soient le courage, le dévouement, la tolérance et la bienveillance dont il fera preuve plus tard, durant ses deux années de règne, tout comme le stoïcisme de sa fin, ces vertus ne seront jamais que celles d'un prince, un prince qui se pense roi-chevalier selon des modèles hérités du Moyen-Âge chrétien, inapte à juger avec la distance, l'imagination et le cynisme nécessaires des mouvements des temps modernes. Mais Charles deviendra empereur d'Autriche-Hongrie avant trente ans et il en avait trente-quatre lorsqu'il est mort, un âge où bien des hommes commencent tout juste à exercer des responsabilités dans leur vie active. Si François-Ferdinand l'avait précédé comme prévu, peut-être aurait-il eu le temps de changer ? Peut-être aurait-il déchiré le voile qui séparait toute la noblesse de son âme de la réalité du monde ?

En attendant, Charles mène sans jamais se plaindre son existence ennuyeuse dans cette sorte de désert des Tartares morne et froid qui court le long des frontières de l'Empire. Et lors de ses permissions il rencontre très vite, comme par un hasard providentiel, la femme qu'il lui fallait : Zita de Bourbon-Parme. Zita est une des filles du second mariage du prince de Bourbon-Parme. Cette famille est à la fois française, autrichienne et surtout Parme pour autant que cette nationalité ait existé jusqu'à l'unité italienne. Son père fut le dernier prince de Bourbon-Parme, un des petits États d'Italie sous protectorat autrichien par lequel l'Empire maintenait son influence sur le centre de la péninsule. Parme a d'ailleurs beaucoup profité des Habsbourg. En 1815, ils y avaient délégué Marie-Louise, ne sachant trop que faire de l'épouse de Napoléon Ier, et elle s'était révélée une grande-duchesse de Parme délicieuse, très aimée des Italiens. Puis la vague de l'unification italienne ayant emporté les trônes autrichiens, le père de Zita de Bourbon-Parme s'est retrouvé dans cet état étrange de prince italo-franco-autrichien, jouissant d'une immense fortune et vivant entre ses magnifiques propriétés de Pianore en Italie du Nord et de Schwarzau en Autriche du Sud. La mère de Zita est une princesse du Portugal appartenant à la branche légitimiste de la dynastie divisée. Il règne dans la famille une atmosphère très chaleureuse. Portugal, Italie, Autriche du Sud, le soleil, les jardins, les voyages, beaucoup d'argent, tout concourt à ce que la vie soit agréable et confortable. Cependant, les Parme vivent aussi comme des catholiques ultra-fervents, avec toutes les certitudes qu'apportent la religion et un statut princier vénérable évidemment accordé par le Seigneur. Ainsi Zita, quelle que soit l'admiration qu'on peut lui porter pour la vie fière et droite qu'elle a menée et pour la manière altière et courageuse avec laquelle elle a affronté un terrible amoncellement de malheurs, n'a jamais transigé sur des principes qui n'ouvrent pas forcément tous les chemins pour maîtriser le présent politique.

Dans la villa de Pianore, en ce bel été de 1910, Zita est la plus ravissante des jeunes filles que Charles, le doux, le chaste ait jamais rencontrées. Elle a dix-huit ans, elle est mince, délicate, avec des yeux magnifiques. La cour de Charles est rapide, il est un parti exceptionnel et les Bourbon-Parme ne peuvent qu'agréer un tel projet de mariage.

La cérémonie d'octobre 1911, à Schwarzau, a été amplement filmée et résonne aujourd'hui comme le chant du cygne des Habsbourg. En effet, tout le monde est là, enfin, tous ceux qui restent. On voit François-Ferdinand, très gai et qu'accompagne Sophie, un peu à l'écart. Il y a les filles de François-Joseph, Gisèle et Marie-Valérie, leurs nombreux enfants, la fille de Rodolphe, et toutes les familles alliées de l'empereur qui n'a plus ni épouse ni héritier direct. François-Joseph est arrivé le matin même en train. Le sympathique roi de Saxe, toujours seul, est également venu de Dresde. Et puis il y a toute une flopée de Bourbon-Parme, et notamment les frères de Zita, des adolescents charmants aux manières parfaites. Qui penserait qu'ils joueront un rôle considérable pendant la guerre et qu'ils feront briller une dernière fois le nom de Bourbon-Parme dans un rôle à la mesure de leurs songes ?

La cérémonie est bénie par le ciel, il fait un temps radieux. Zita a l'air d'une enfant tout en ayant ce port de tête qui lui donnera jusque dans son très grand âge une indéfinissable grâce de souveraine à la fois romantique et animée d'une indéfectible énergie. Charles semble un peu gauche dans son rôle de jeune marié plein de ferveur, qui n'ose pas trop montrer sa joie à l'idée de tenir bientôt dans ses bras une si belle et si lumineuse jeune femme. Le plus étonnant, c'est le spectacle que donne François-Joseph, entouré d'une nuée d'archiduchesses en dentelles blanches d'où se détachent la forte silhouette de la mère de Charles, celle de la belle-mère de François-Ferdinand et de la mère de Zita qui sont sœurs, celle aussi de Marie-Valérie, la fille préférée de Sissi, qui lui ressemble si peu. Le vieil empereur paraît s'amuser comme un gamin, parlant aux unes, aux autres, et, alors qu'il goûte si peu les techniques modernes, il sourit aux caméras, se penche vers les opérateurs, leur fait un signe aimable. En revanche, on remarque à peine l'officier de marine Horthy, très discret et très respectueux aide de camp de l'empereur ; un jeune Hongrois venu d'un milieu plutôt obscur et que son intelligence, son sens de l'organisation ont conduit jusque dans l'intimité de l'empereur. Mais déjà l'officier s'approche de l'empereur, l'après-midi est bien avancé et le train impérial attend. Il faut se retirer pour rentrer à Vienne. Horthy précède François-Joseph vers le train spécial, lui ouvre la porte, le suit dans le compartiment. On le voit marcher près de son maître, à quelques pas protocolaires, raide comme la justice, avec son visage intelligent et fin, curieusement vide de toute expression. C'est ce même Horthy qui deviendra plus tard l'amiral en chef de la flotte austro-hongroise, et qui, se saisissant de la Hongrie dans la débâcle de l'Empire, sera régent de la couronne de Saint-Étienne. Ivre d'ambition personnelle et maître d'ingratitude, il reniera alors tous ses serments pour trahir Charles et l'abandonner à l'humiliation, à l'exil et à la mort...

L'éclat du mariage de Schwarzau retentit dans tout l'Empire. Charles et Zita, par leur jeunesse, sont instantanément populaires auprès de toutes les nationalités. On pense qu'ils ne régneront que bien plus tard puisqu'ils ne sont qu'héritiers en second, après François-Ferdinand. Ils suscitent donc un attachement candide, libre de toute préoccupation strictement politique. Zita est la personne la moins frivole qui soit mais elle est très aimable, très gaie, très

enjouée. Elle juge que la popularité est utile et elle va naturellement au-devant des gens. Elle sait trouver les mots et les gestes qui
touchent. Ces qualités font bientôt d'elle l'étoile ascendante la plus
rapide et la plus brillante du monde si compassé des Habsbourg. Il
est d'ailleurs frappant de voir à quel point le cinéma et les photographes s'intéressent à elle, à la manière des paparazzi d'aujour-
d'hui. Charles et surtout Zita ont été largement filmés malgré la
brièveté de leur destin public, comme s'ils appartenaient déjà à ces
vedettes de l'actualité auxquelles le public s'identifie.

Très vite Zita donne un enfant à Charles. C'est le petit Otto
que l'on photographie avec ses boucles blondes sur les genoux de
François-Joseph, et que l'on voit encore aujourd'hui au Parlement
européen, le même, sans ses boucles blondes. Finalement, ce
mariage de Schwarzau, le 24 octobre de 1911, où semblent ne s'agiter que des fantômes, demeure vraiment bien proche de nous.

La guerre italo-turque

Lorsqu'il rentre à Vienne après le mariage de Charles et de
Zita, François-Joseph, certainement satisfait par l'image immuable
d'éternité que vient de lui donner la maison de Habsbourg, reçoit
les premières nouvelles d'une guerre étrange et inattendue qui se
déroule sur la rive sud de la Méditerranée, en Tripolitaine, entre
l'Italie et l'Empire ottoman. Rares sont les hommes d'État ou les
diplomates qui attachent de l'importance à ce conflit pour un rivage
inhospitalier adossé à des immensités désertiques, et aucun ne
devine que c'est là et à cet instant que s'allume la mèche lente de
la déflagration qui va mettre l'Europe à feu et à sang trois ans plus
tard. Une guerre entre l'Italie, pays avec lequel François-Joseph a
un contentieux permanent et l'Empire ottoman dont il tente de
rafler les dépouilles à chaque nouveau recul, ne peut éveiller ni son
activisme ni sa compassion. Pourtant ce conflit va très rapidement
entraîner des répercussions importantes dans l'Empire même, car
il donne le signal d'une nouvelle agitation, des peuples balkaniques
saisissant l'occasion de l'affaiblissement de la Turquie pour repartir
à l'assaut de ses territoires en Europe. Et, derrière la cible de
l'Empire ottoman, pour ces Slaves du Sud, il y a toujours celle de
l'Autriche-Hongrie.

L'Italie, tout à la fièvre de son unité reconquise, est une puissance complexe. Par bien des côtés, c'est encore un pays misérable, et chaque année des milliers d'Italiens émigrent vers les États-Unis. Cependant la maison de Savoie qui s'est identifiée à la réalisation de l'unité est très attentive à tout ce qui peut exalter le sentiment patriotique. Et le jeune roi Victor-Emmanuel, peut-être en compensation de sa toute petite taille, nourrit des sentiments de grandeur à la mesure de ceux des nationalistes italiens. Ainsi, la cour de Savoie joue sans cesse à la glorieuse et vénérable maison comme les plus anciennes dynasties d'Europe. Cela ne va pas sans éveiller quelques sarcasmes. Cette Italie toute neuve, ce petit roi que Guillaume appelle « le gnome », cette reine qui est la fille de Nikita de Monténégro, roitelet perdu dans les montagnes sauvages des Balkans, tout cela ne prête pas à beaucoup de considération auprès de ces snobs de Habsbourg, de Hohenzollern et de Romanov. La situation diplomatique est également surprenante parce que l'Italie, ennemie héréditaire de l'Autriche, est officiellement son alliée dans le système de la Triplice : Allemagne, Autriche, Italie. Et c'est un allié sur lequel les deux autres membres de la Triplice ne se font pas beaucoup d'illusions : ils ne pensent pas que leur alliance résisterait longtemps en cas de crise grave, l'Italie étant toujours tentée de se retourner contre l'Autriche pour lui reprendre les provinces qu'elle estime devoir lui revenir. La guerre de 1914 leur en fournira la confirmation lorsque l'Italie passera dans l'autre camp. En attendant, ils suivent de loin l'étrange guerre de leur peu fiable alliée.

Or l'Italie s'acharne à agir exactement comme les grandes puissances, et s'obstine notamment à construire un empire colonial. Il reste très peu de choix en Afrique, et le premier morceau important sur lequel l'Italie a jeté son dévolu, parce qu'il n'y en avait pratiquement plus d'autre disponible, lui a causé une cinglante déconvenue. Ce fut la guerre d'Abyssinie, dans les années 1890, où le redoutable empereur d'Éthiopie, Ménélik, l'homme qui se fournissait en armes auprès de Rimbaud, et dont le poète parle longuement dans ses lettres du Harar, n'a fait qu'une bouchée du corps expéditionnaire italien à Adoua. Cette défaite a laissé aux Italiens un sentiment d'humiliation insupportable et ils cherchent depuis un autre point de chute, lorgnant sur la côte de Tripolitaine, aujourd'hui la Libye, mince ruban vert où se déplacent des tribus ardentes et indociles. La Tripolitaine est si peu intéressante que ni la France installée dans le Maghreb, ni l'Angleterre qui protège l'Égypte n'ont songé à s'y implanter. Ce pays vague et vide est la contrepartie que les Italiens choisissent pour tromper leur déception et nourrir leur rêve d'empire colonial.

Mais la Tripolitaine appartient nominalement aux Turcs. Or si la révolution des « jeunes Turcs » a beaucoup de mal à réformer l'énorme Empire ottoman, elle est bien décidée à ne pas se laisser humilier par l'Italie et à ne pas perdre la Tripolitaine. Ainsi ce qui devait être un simple coup de main mené rondement par les Italiens s'aggrave presque aussitôt en une guerre particulièrement sanglante. Les Turcs dépêchent en Tripolitaine la fine fleur de leur armée, et c'est Enver Pacha lui-même qui commande le corps expéditionnaire ; ils utilisent les maigres subsides dont ils disposent encore pour soulever les tribus locales contre les Italiens avec à leur tête le chef de la tribu des Senoussi, qui deviendra le roi Idris de Libye dans les années 50. La conquête exige sans cesse de plus en plus d'efforts, de la part des Italiens qui développent les thèmes coloniaux habituels où il est question d'espace vital, et de mission civilisatrice ; autant de formules qui vont bientôt resservir. Les Italiens, à qui en général on ne prête pas de grandes aptitudes militaires, envoient en Libye des corps expéditionnaires qui se comportent avec la plus grande brutalité. Ils entendent terroriser les populations pour qu'elles se plient à leur pouvoir et se livrent à des massacres et des pendaisons massives qui choquent toute l'Europe. Ils sont même obligés de porter des coups à la puissance turque jusqu'au Liban et aux abords du Bosphore qu'ils tentent de bloquer. Ils s'emparent ainsi du Dodécanèse, c'est-à-dire de Rhodes et les îles qui l'entourent. On est donc déjà en Grèce et la guerre se rapproche décidément de la zone dangereuse des Balkans. Les Turcs, qui perdent peu à peu du terrain, montrent à la fois leur état de faiblesse et le semi-échec de la révolution des « jeunes Turcs ». Et cela provoque l'inévitable réveil de tous les petits faucons balkaniques bien plus incontrôlables que par le passé, car ils ont eu tout le temps de s'organiser et de s'armer d'abondance.

Or au Monténégro le pittoresque Nikita Negoch vient de se proclamer roi à grand renfort d'invitations aux cours étrangères. Son pays est un bloc de montagnes que même les Turcs n'ont pas réussi à conquérir et où se sont réfugiées des populations orthodoxes particulièrement farouches. La monarchie, très ancienne, a été longtemps constituée de princes-évêques qui se succédaient d'oncle à neveu jusqu'à ce que l'on se rende compte qu'en fait les neveux étaient souvent des fils et qu'on décide de simplifier les choses en sécularisant la dynastie.

Nikita de Monténégro a reçu une éducation raffinée, qui cadre assez mal avec son physique de gros monsieur dont les poils foisonnent jusque dans le nez et les oreilles ; durant son adolescence il a étudié en France laissant un souvenir impérissable au lycée Louis-le-Grand, où il organisait des chahuts mémorables et faisait entrer des femmes dans les dortoirs. Toute sa vie est à l'image d'un caractère haut en couleur qui lui a permis de hisser l'obscur Monténégro dans le concert des nations. On a vu qu'il sut notamment fort bien placer ses filles entre les cours de Belgrade, Rome et Saint-Pétersbourg.

Cetinje, la capitale de Nikita, qui tient à la fois de la *Veuve Joyeuse* et du repaire de brigands, refroidit tout de même les admirateurs de l'entreprenant monarque : quelques rues goudronnées, un palais royal qui ressemble à un hôtel de second ordre dans une ville d'eaux où aucun touriste ne se risquerait, quelques chevaux et pas de voiture. Nikita s'y déplace en simple calèche découverte, pompeusement baptisée carrosse, marchant au pas d'une pittoresque escorte à la mine farouche. C'est de ce terminus des Balkans que va sortir la succession des guerres balkaniques de 1912 et de 1913. En effet, Nikita de Monténégro est très bien informé de l'évolution de la guerre italo-turque par son aimable gendre, ce roi Victor-Emmanuel qui lui décrit en détail l'état de décrépitude de l'Empire ottoman. Nikita séjourne aussi souvent en Russie auprès de ses filles et il est reçu avec beaucoup d'égards par Nicolas : on entonne chaque fois le grand air de la solidarité slave. Situation assez pittoresque mais qui cache de vrais dangers. En effet, que pourrait redouter la paix de l'Europe de ce gros monsieur sympathique tapant sur les joues de ses grognards, tous vêtus en jupettes assorties à des baudriers surchargés de cartouches ? Or, profitant de la déconfiture de la Turquie, Nikita s'agite de plus en plus. Il est ainsi la cheville ouvrière des pactes qui, dans les années 1911-1912, rapprochent les peuples des Balkans : il est le plus ancien et très habile ; il a ses entrées dans la plupart des cours d'Europe, et surtout personne n'a vraiment peur de lui. Que pourrait vouloir le Monténégro si ce n'est un modeste débouché sur la mer Adriatique ?

Les autres États balkaniques n'ont pas varié dans leurs ambitions depuis la sanglante accession au trône de Serbie de Pierre Ier qu'Édouard considérait avec tant de méfiance et d'inquiétude. Les Grecs convoitent la Thrace et Constantinople ; leurs ambitions se heurtent à celles des Bulgares. Mais ces derniers lorgnent aussi sur la Macédoine que les Serbes considèrent comme leur proie naturelle tout en revendiquant âprement comme les Monténégrins un accès à la mer Adriatique. Salonique pour sa part, le grand port turc sur la mer Égée d'où est partie la rébellion d'Enver, a cette particularité d'intéresser tout le monde. Quant à Carol Ier de Roumanie, il observe la situation avec une patiente gourmandise : un agrandissement de la Bulgarie vers le sud devrait lui valoir quelques compensations...

En octobre 1912, la semaine même où les Turcs, définitivement écrasés par les Italiens, engagent des pourparlers de paix et s'apprêtent à leur abandonner la Tripolitaine et les îles du Dodécanèse, l'assemblage hétéroclite des États balkaniques se lance dans la guerre contre la Turquie. Les Turcs opposent une résistance féroce à cette incursion massive dans leur territoire d'Europe, et les quelques mois de guerre sont une épouvantable boucherie avec toutes sortes de « divertissements » supplémentaires tels qu'une épidémie de choléra ravageant les troupes alliées et turques, un nouveau coup d'État sur le Bosphore où Enver se ressaisit du pouvoir ainsi qu'une succession de hauts faits d'armes qui suscitent l'admiration frivole des foules européennes et la sourde inquiétude de leurs gouvernements. Les actualités des salles de cinéma, qui montrent le prince Mirko de Monténégro entrant dans Scutari libérée, paraissent dépeindre un conte oriental, alors que massacres et destructions devraient faire plutôt réfléchir sur les effoyables « progrès » qu'enregistre la guerre moderne. Enfin, grâce à la puissance de feu de l'armée bulgare, les Turcs sont menacés jusque dans les faubourgs de Constantinople, à Andrinople. Ferdinand de Bulgarie s'y fait photographier contemplant la capitale ottomane de ses rêves avec des jumelles, comme s'il y était déjà.

Les choses sont allées trop vite pour tout le monde et surtout pour les Autrichiens qui ont nulle envie de voir la Serbie s'agrandir. Elles sont également allées trop vite pour les Russes qui ne veulent pas voir leur cher protégé bulgare leur fausser compagnie et garder pour lui tous les bons morceaux arrachés aux Turcs. Les puissances européennes, avec l'appui des Anglais qui préfèrent eux aussi que Constantinople, clé de la Méditerranée, ne change pas de mains, obtiennent l'arrêt des combats et l'engagement de préliminaires de paix. Mais c'est sans compter avec le caractère impulsif des belligérants des Balkans qui ne se posent pas la question des éventuelles conséquences internationales de leurs actes. D'ailleurs, on peut les comprendre : comment Pierre Ier de Serbie, Nikita de Monténégro ou Ferdinand de Bulgarie, ne seraient-ils pas dévorés d'ambition et uniquement préoccupés par leurs propres intérêts, quand les proies qu'ils désiraient sont enfin à leur portée ?

Cependant devant le butin, Ferdinand de Bulgarie trouve que la part qui va lui être attribuée est nettement insuffisante car il considère, à juste titre, que ses armées ont fait l'effort le plus important. Et puis, trop longtemps snobé par les cours royales, Ferdinand est pressé d'apparaître comme le principal arbitre des Balkans. Après un mois d'une paix de plus en plus amère, Ferdinand de Bulgarie se jette sur ses anciens alliés de manière à s'assurer des meilleurs morceaux qu'il ne veut plus lâcher. Cette fois-ci, la farce déjà passablement épicée commence à déraper vers une crise européenne majeure. La Roumanie, à son tour, entre dans la deuxième guerre balkanique et prend la Bulgarie à revers. Après plusieurs semaines de guerre, les Bulgares sont débordés par les coalisés qui les enserrent ; le conflit s'arrête et de vraies négociations de paix se déroulent à Bucarest sous le contrôle des grandes puissances où la diplomatie russe saisit l'occasion de son grand retour. Il y a eu des milliers de morts, des villes entières sont ravagées mais le principal résultat est de réaliser les conditions pour la crise finale qui se déclenchera avec l'assassinat de Sarajevo.

Les Turcs sont définitivement écartés d'Europe. Ils ne gardent qu'un territoire exigu pour protéger Constantinople, mais on sent bien que les jours de leur Empire sont désormais comptés. La Grèce et la Serbie bénéficient d'un accroissement considérable. La Grèce parvient à mettre le pied à Salonique et à récupérer ainsi un énorme morceau de la Thrace tandis que les Serbes obtiennent la Macédoine. Deux puissances moyennes récompensées par la guerre émergent ainsi dans la péninsule des Balkans. Et si les Grecs utilisent avec mesure leur victoire qui augmente d'un tiers leur territoire, il n'en est pas de même de la part des Serbes, ivres de leur nouvelle importance. Quant aux Bulgares, ils sont humiliés par les termes du partage final : même s'ils obtiennent un large accès vers la mer Égée entre Salonique et ce qui reste de territoire turc, ils voient la Macédoine leur échapper et ils doivent abandonner une de leurs provinces du nord aux Roumains. Leur territoire est moins augmenté que leur rancune qui sera tenace envers leurs anciens alliés russes et les autres peuples balkaniques, notamment les

Serbes. Ferdinand de Bulgarie n'aura pas à se forcer pour s'allier bientôt avec l'Autriche-Hongrie et le Kaiser afin de récupérer la part qu'il estime lui revenir. Pour les Russes, la conclusion des guerres balkaniques est une bonne opération. Ils voient la Serbie progresser considérablement, devenir une puissance moyenne qui fait un rempart à l'Autriche-Hongrie, et ils ont l'impression de laver l'affront de 1908. En revanche, pour les Autrichiens, l'ensemble des opérations se solde par une défaite qui balaie la réussite précaire et spécieuse de l'annexion bosniaque. La Serbie, plus agressive que jamais, réclame à cor et à cri son port sur l'Adriatique, la Roumanie sur laquelle ils fondaient de grands espoirs a cessé d'être un pays amical pour mener son propre jeu sans prendre ses consignes à Vienne. En somme, l'influence des Autrichiens a nettement reculé dans les Balkans, et ils ne peuvent plus compter que sur Ferdinand de Bulgarie qui n'est pas l'allié le plus reluisant ni le plus sûr dont puisse rêver l'austère et compassée cour de Vienne.

L'Albanie que l'on a décidé d'ériger en État pourrait servir de contrepoids sous influence autrichienne, au sud de la Serbie. Mais c'est sans compter avec les Albanais eux-mêmes. L'Albanie, que l'on aurait été bien en mal de localiser sur une carte jusqu'alors, est un peu comme la Corse : une énorme montagne bordée par la mer où des populations en noir règlent leurs problèmes à coups de vendettas. À l'occasion des guerres balkaniques, les tribus albanaises se sont vaillamment battues aux côtés des Monténégrins et des Serbes contre les Turcs. À présent elles veulent se constituer en État indépendant, qui intéresse soudain tout le monde parce que c'est le dernier morceau à partager. Les Autrichiens s'en servent comme d'une contrepartie au déclin de leur influence. Ils obtiennent du congrès des grandes puissances que l'Albanie soit une principauté indépendante, et ils soutiennent la candidature passablement surréaliste d'un petit prince allemand pour en devenir le nouveau souverain. Alors que le prince Guillaume de Wied commande paisiblement un régiment de dragons allemands, il reçoit donc une délégation de notables albanais qui lui proposent la couronne de leur pays. Sa femme, dans un grand moment d'exaltation mystique, le lui dépeint comme un royaume idéal, peuplé de femmes belles et fières et de guerriers nobles et farouches. Guillaume pris au piège de ces descriptions héroïques commet l'erreur d'accepter la couronne et de s'embarquer sur le chemin du palais qu'on lui prépare à Tirana. Mais ce pauvre prince et sa femme n'arriveront jamais à dépasser le port de Durazzo où ils sont emportés dans un tourbillon d'intrigues et d'affrontements entre les factions qui n'ont pas été consultées et ne sont d'accord que sur un point : rejeter à la mer le « prince d'importation ». Guillaume a juste le temps de faire réaliser son portrait, « déguisé » en prince d'Albanie et de rembarquer piteusement, sous bonne escorte, tandis que sa femme bénit de loin « ses chers sujets albanais ». Tout cela serait propre à nourrir une comédie riche en aventures si l'échec de la greffe albanaise n'était pas aussi celui des alliés autrichiens et allemands dans les Balkans. Une raison de plus pour qu'ils réagissent brutalement lors de l'attentat contre François-Ferdinand, quelques mois plus tard.

Les guerres balkaniques annoncent la catastrophe définitive de l'Europe. On y retrouve le sinistre compte à rebours qui précéda la Seconde Guerre mondiale, où les crises internationales se succédaient tous les six mois. L'atmosphère s'est notamment alourdie parce que Guillaume, enfin débarrassé de son oncle Édouard d'Angleterre, a désormais repris ses mauvaises habitudes et s'abandonne sans frein à des provocations irréfléchies.

En 1911, c'est le coup d'Agadir. Mécontent des résultats de la conférence d'Algésiras où les Français ont réussi à rétablir leurs avantages au Maroc, Guillaume dépêche une canonnière au large d'Agadir au moment où les Français sont aux prises avec des bouleversements contre leur occupation. Il déclenche ainsi une crise internationale, qui mettra beaucoup de temps à s'apaiser et laisse une nouvelle plaie ouverte entre les Français et les Allemands. Or la République française voit monter l'étoile de Raymond Poincaré. Son ascension est révélatrice d'un nouvel état de l'opinion française, qui ne veut plus se laisser humilier par Guillaume. Puisque le Kaiser adopte décidément une attitude provocante, les Français deviennent à leur tour intraitables avec lui, d'autant que l'entente avec l'Angleterre et l'alliance russe leur en donnent les moyens. Le Kaiser se heurte désormais en France à quelque chose de neuf et de résolu : une nette volonté de lui résister. Et pourtant, malgré toutes ses fanfaronnades et ses erreurs de jugement, Guillaume nourrit en fait moins d'intentions belliqueuses que les républicains français, ventripotents et bonhommes, qui se drapent dans les couleurs de la raison et de la fraternité mais refusent d'oublier l'Alsace-Lorraine. Et Guillaume est le premier surpris par cette pugnacité nouvelle alors qu'il a l'habitude de voir les Français reculer devant ses habituelles fanfaronnades. Les Français encaissent apparemment les coups en ayant l'air de se préparer pour un règlement de comptes définitif. Ils s'y emploient d'ailleurs activement : ils font voter la « loi de 3 ans » du service militaire qui mobilise des masses considérables d'hommes sous les drapeaux. Ils poussent l'Entente cordiale avec les libéraux britanniques qui sont au pouvoir, font la sourde oreille aux révolutionnaires russes, exilés à Paris, et dans les Balkans, ils adressent largement effusions et subsides à Pierre Ier de Serbie.

Le mariage de Victoria-Louise

Cependant, Guillaume sous-estime encore les dommages entraînés par son attitude et il continue à être le dernier à prendre la mesure des dangers qu'il suscite. L'épisode du mariage de sa fille est, sur ce point, très révélateur. Guillaume a eu six fils, quasiment un chaque année, ponctuellement mis au monde par Victoria-Augusta. Et puis la « petite dernière » est arrivée, Victoria-Louise, le rayon de soleil de son papa. Il cède à tous les caprices de cette enfant, la plus intelligente et la plus douée du clan. Elle ressemble beaucoup à son père dont elle a hérité le brio, l'impulsivité et l'entêtement. Elle joue d'ailleurs bien son rôle de princesse Hohenzollern, avec son régiment de hussards de la mort qui lui sert à se faire complaisamment photographier à cheval, en amazone, sur le front des parades. Ni frivole ni mondaine, elle admire son père en épousant ses élans contradictoires. Mais elle va tomber amoureuse et cette histoire d'amour se révélera stupéfiante pour le Kaiser d'Allemagne, et l'occasion de l'une de ses dernières tentatives pour faire valoir ses intentions pacifiques.

Parmi les motifs cachés de l'agitation et des fautes à répétition du Kaiser, il y a sans doute l'inquiétude sous-jacente quant à sa propre légitimité d'empereur allemand. En effet, s'il est un grief que les souverains des royaumes confédérés d'Allemagne n'ont pas oublié, c'est la manière dont la Prusse a fait main basse sur le royaume du Hanovre, cette maison, plus ancienne encore que la maison de Prusse, qui a donné sa dynastie à l'Angleterre, à laquelle elle est restée très liée, et qui apparaît encore comme la victime injustement sacrifiée de l'unité forgée par Bismarck.

En 1866, parce que le Hanovre avait choisi l'Autriche contre la Prusse, Bismarck s'est vengé en l'annexant à la Prusse. La famille

royale de Hanovre est l'une des premières familles royales déposs-
sédées et erre de palais en palais en ruminant sa rancœur contre la
Prusse. Or, un drame endeuille les Hanovre : l'héritier se tue dans
un accident de voiture. Guillaume est obligé d'envoyer un membre
de sa famille pour présenter ses condoléances. Il pense habile de
se faire représenter par sa fille, façon de montrer qu'il attache peu
d'importance politique à la famille de Hanovre, sans quoi il aurait
envoyé son fils aîné, mais aussi de se placer sur un plan familial
puisque l'on sait que sa fille est très proche de lui. Or, à l'occasion
de ces obsèques, Victoria-Louise éprouve un véritable coup de foudre pour le frère du défunt, le jeune duc Auguste de Cumberland
qui est effectivement très séduisant. Émoi dans la famille de Prusse
à l'idée que Victoria-Louise se soit entichée de l'un de ces Hanovre
à qui on a fait mordre la poussière. C'est Roméo et Julliette parmi
les casques à pointe ! Mais l'on sait que Victoria-Louise ne cède
pas quand elle s'est mis quelque chose en tête. À force de scènes
infligées à son père, elle finit par lui arracher le consentement
d'épouser Ernest-Auguste de Hanovre, duc de Cumberland.

Chez les Hanovre, le sentiment est pour le moins nuancé. Pour
eux, épouser une Hohenzollern c'est se comporter comme des châ-
telains dépossédés par un domestique et qui se verraient obligés de
lui livrer l'un de leurs garçons pour épouser sa fille. Il y a donc
plusieurs semaines d'âpres discussions, mais très vite une réalité
s'impose : les Hanovre n'ont plus guère d'influence et la prochaine
génération risque de sombrer dans l'oubli. Donc, la mort dans
l'âme, ses parents expliquent à Ernest-Auguste qu'il devrait considérer favorablement le projet de mariage avec Victoria-Louise. Le
jeune prince n'a aucune envie de se marier avec la fille du Kaiser
allemand : il est beau, cultivé, très sympathique, se sent proche de
l'Angleterre et du Danemark – sa mère est la troisième sœur
d'Alexandra et de Maria Feodorovna –, il renâcle à se retrouver
en hussard de la mort, traînant ses bottes dans les palais du parvenu
que sa famille voudrait lui vendre comme beau-père ! Malheureusement, ce n'est pas un milieu où l'on dit facilement « non » à ses
parents. De plus Victoria-Louise le harcèle de demandes pressan-
tes. Alors, pour apaiser tout le monde, Ernest-Auguste accepte de
l'épouser.

Pour la première fois depuis près de cinquante ans, les Hohenzollern et les Hanovre se rencontrent, en Angleterre où Victoria-
Augusta se rend pour une visite informelle. Elle a d'ailleurs beau-

coup soutenu sa fille, faisant preuve d'une tardive volonté dont elle donnera bientôt d'autres exemples. Puis enfin la grande nouvelle est rendue publique. Pour Guillaume, c'est une sorte de victoire puisque l'un des traumatismes de la création de l'Empire allemand est effacé. Les Anglais jouent aussi un rôle important dans cette heureuse conclusion. Guillaume et George se reçoivent beaucoup plus facilement qu'au temps d'Édouard. Le Kaiser est allé en Angleterre avec sa femme pour l'inauguration d'une statue commémorative de Victoria, celle-là même qui se trouve face au palais de Buckingham. Lui-même invite George V à Berlin, et lui réserve un accueil grandiose et chaleureux. Cousins germains, Guillaume et George resserrent encore leurs liens de famille en réintégrant les Hanovre dans le circuit des royautés. Ainsi, au printemps 1913, Guillaume peut célébrer avec un faste sans égal les noces de sa fille, dans un Berlin ensoleillé et dégoulinant d'or et de marks dépensés. George V et Mary sont là en tant que proches parents du fiancé, les Hanovre également bien sûr, un peu coincés mais l'œil fixé sur les avantages qu'ils récupéreront pour leur maison. Nicolas est venu sans Alexandra et a aimablement endossé un uniforme de général allemand, tandis que le Kaiser porte une tenue d'officier russe. Ce sera la dernière rencontre entre Nicolas, le Kaiser et le roi d'Angleterre, l'ultime point d'orgue avant la guerre. Guillaume est si content de faire plaisir à Victoria-Louise et de voir les maussades Hanovre venir lui manger dans la main, il apprécie tant la présence des plus grands monarques d'Europe au mariage de sa fille qu'il accorde une partie de l'antique héritage du Hanovre aux jeunes mariés. Il leur rend le duché de Brunswick, qui leur est offert comme cadeau de noces, et où ils pourront « jouer aux souverains » régnant sur une cour d'opérette dans un énorme palais. Ce geste généreux fait forte impression à travers l'Europe. On y voit une preuve de la mansuétude de « l'Empereur de la paix ». Certains Français progermaniques – il y en a – y voient même une promesse concernant l'avenir de l'Alsace-Lorraine...

Quelques semaines à peine après les réjouissances du mariage, alors que George et Nicolas sont repartis et que tout le monde s'est congratulé en félicitant le Kaiser pour sa bienveillance, Guillaume se prépare à fêter son jubilé. Vingt-cinq ans de règne ! Monté si jeune sur le trône et maintenant dans la force de l'âge, il voit défiler devant lui pendant plusieurs jours l'armée, les corps de métier, la population de Berlin pourtant déjà largement acquise aux socialistes, avant d'aller présider les parades de rois et de princes allemands célébrant le centenaire des victoires contre Napoléon. Comment ne serait-il pas grisé par le sentiment que toute l'Allemagne marche derrière lui, qu'elle est le centre du monde et qu'il n'y a aucun risque de guerre tant qu'elle donnera une telle image de puissance et de maîtrise de son destin ? Ainsi n'est-il pas surprenant qu'il reçoive le 1er janvier 1914 une très belle carte de vœux du roi et de la reine d'Angleterre dans laquelle les souverains britanniques lui souhaitent de connaître une aussi belle année 1914 que celle qui vient de s'achever si brillamment pour lui...

Aveuglement de la famille impériale russe

Cependant, la fin des guerres balkaniques manifeste aussi le retour de la Russie sur la scène internationale et la fin du syndrome d'échec et d'humiliation qui avait suivi la défaite japonaise et la révolution. Ce retour en force est évidemment dû à l'œuvre brève mais considérable de Stolypine. Et Nicolas, qui en a bien conscience, cherche parmi ses ministres celui qui pourrait avoir la même étoffe que l'homme d'État disparu. Malheureusement, Kokovtsov, l'homme qui lui succède, n'a pas son envergure. Il est plus conservateur et très timoré face aux mesures souvent visionnaires prises par Stolypine. Il limite donc en partie le programme de son prédécesseur et veille à ce qu'il n'empiète pas sur les privilèges de l'aristocratie et des grands propriétaires terriens. Mais il ne songe pas non plus à freiner le prodigieux mouvement de progrès économique et de développement qui marque la Russie, car il sait bien que la situation générale laissée par Stolypine a conduit à un apaisement provisoire. De plus, tout retour en arrière est impossible : il y a maintenant la liberté de la presse, une Douma aux élections encadrées mais qui sert de tribune à des partis politiques qui recouvrent tout l'échiquier traditionnel de l'extrême droite à l'extrême gauche. Tout le monde a conscience de s'être installé dans une évolution qu'on ne peut plus arrêter. La classe politique de la Douma hésite d'ailleurs à déclencher une épreuve de force contre le pouvoir impérial : le tsarisme est identifié à la Russie. En outre, les qualités de Nicolas sur le plan personnel sont reconnues et freinent les tentations d'affrontement. Personne ne peut lui dénier son patriotisme, son amour de la Russie, son dévouement, la régularité de son travail et sa connaissance acquise des êtres et des choses. Les multiples déceptions que son caractère entraîne, l'interrogation universelle que connaît la société russe soumise à une accélération sans précédent de son évolution ne conduisent pas inéluctablement à une explosion et nombreux sont les chefs de parti qui recherchent un compromis progressiste. Quant aux terroristes qui, depuis l'assassinat de Stolypine, ont repris leurs activités, ils inquiètent autant la bourgeoisie naissante que le tsarisme. Et le quotidien est si prenant, il y a tant à faire que la confrontation est constamment ajournée. En somme, la Russie profite de la paix, et cette paix pourrait la sauver en déplaçant peu à peu l'axe de gravité des passions qui l'agitent depuis près d'un siècle.

Mais la famille impériale va se révéler incapable de tirer les leçons de cette relative embellie et de faire face aux défis que lui impose le mouvement d'ensemble de la société russe. Parmi les raisons de cet aveuglement, il en est une qu'on peut considérer avec compassion et comme une circonstance atténuante : la maladie du tsarévitch. L'enfant survit à chaque crise, paraît guérir et grandit ; il adule les siens, et notamment son père, le seul à qui il obéit. Le tsarévitch suit Nicolas comme son ombre dans les parades où il porte des costumes militaires à ses mesures. C'est un vrai petit Russe qui aime le froid, patiner sur les bassins glacés de Tsarskoïe Selo, construire des toboggans de neige dans le parc. Avec les années, l'enfant a perdu de sa prudence ; à l'effroi impuissant de ses parents, il monte aux arbres dès qu'on a le dos tourné et manifeste un grand mépris du danger, comme une bravade permanente à l'encontre d'une maladie dont il sait qu'elle peut le tuer à tout instant. Courageux, téméraire, il s'est aguerri avec les crises répétées qu'il a traversées, et cela, d'autant plus qu'il voit les plus célèbres praticiens appelés à son chevet s'avérer incapables de lui apporter le moindre apaisement.

Si Nicolas aborde son fils avec une constante inquiétude mâtinée de fermeté virile, l'effet de la maladie du tsarévitch sur la tsarine, déjà si déséquilibrée, est devenu dévastateur. La maladie d'Alexis envahit la relation exaltée d'Alexandra à la religion orthodoxe vécue comme un perpétuel dialogue avec l'au-delà où elle fait les questions et les réponses et qui dérape insensiblement vers la folie. Tout son comportement témoigne désormais de la souffrance qui ne la quitte plus. Nicolas accepte ce glissement constant comme un inévitable fardeau et le supporte comme un devoir de fidélité à l'égard de sa femme. Quand Alexandra est trop mal, elle reste dans ses appartements, se risque seulement sur le balcon de Tsarskoïe Selo, hiver comme été. Alexandra demeure parfois plusieurs jours d'affilée sans sortir de ses appartements. Ses filles se relaient alors auprès d'elle pour lui tenir compagnie et la réconforter durant ces interminables crises d'angoisse qu'accompagnent toutes sortes de troubles physiques : étouffements, palpitations, difficultés à se déplacer autrement qu'en fauteuil roulant. Tatiana, forte et volontaire, est celle qui l'aide le plus à affronter ces périodes de naufrage intérieur et la persuade de sortir au moins sur le balcon d'où elle peut voir ses autres enfants s'amuser dans le parc. Été comme hiver, en superbe robe de dentelle blanche fournie par la célèbre couturière française de Saint-Pétersbourg (« que votre Majesté n'en dise rien, mais j'ai bien peiné à lui faire un petit prix ! ») ou en manteau de fourrure, Alexandra passe ainsi beaucoup de temps sur ce balcon, comme suspendue entre deux mondes ; l'intérieur de l'inquiétude et des névroses, l'extérieur où les enfants canotent et courent sur les pelouses dans un bonheur qui n'appartient qu'à eux ct qui est cependant si fragile. Parfois la joie des enfants est la plus forte, surtout lorsque Alexis a aussi fugacement promis d'être très sage et de ne plus prendre de risques inconsidérés, et Alexandra se laisse alors entraîner pour une promenade, un pique-nique dans le domaine enchanté. Elle redevient alors pour quelques instants la « Sunny » d'autrefois ; mais cela ne dure jamais bien longtemps et l'angoisse revient bientôt la torturer. Les visites surprises au pavillon d'Anna Viroubova n'arrangent pas grand-chose ; la brave fille est la première à accompagner la tsarine dans ses illusions mystiques et à prononcer le nom de Raspoutine avec la dévotion que l'on réserve à un homme de bien. Aimant, compréhensif et patient, Nicolas admet donc stoïquement l'étouffant repli sur le seul cercle de famille qu'impose la maladie de sa femme. Il cherche seulement avec de touchantes prévenances à le rendre un peu moins pesant et Alexandra dans ses accès de lucidité n'en est que plus reconnaissante à l'égard d'un mari si compatissant et si tendre. L'intimité du couple impérial est absolue jusque dans les plus intimes détails de la vie commune. Alexandra accepte de dormir dans une chambre éclairée car Nicolas n'aime pas l'obscurité tandis qu'il supporte qu'elle se relève la nuit pour faire des tisanes et manger des gâteaux. Pour les repas en famille, et surtout pour le thé, instant privilégié de la journée, il n'y a pas de table, on mange sur des petits plateaux dans le fameux boudoir mauve d'Alexandra ou dans un salon rempli de livres, de carnets à dessin, de nécessaires à tricot. Une vie

de cottage anglais raffinée, confortable et sans prétention. Tout plutôt que de quitter les appartements impériaux qui sont de taille
modeste pour se rendre dans les pièces officielles du palais Alexandria, celles où l'on reçoit les ministres et les invités et où l'on se
doit de les garder parfois à déjeuner. Il arrive à Nicolas de piquer
une colère quand il s'aperçoit qu'on a déplacé des objets sur son
bureau. Mais, en dehors de cela, il n'y a jamais de dispute ou de
différend qui viendraient perturber le calme tantôt morose tantôt
plus enjoué de journées qui se ressemblent. La relation sensuelle
si forte qui unissait Nicolas et Alexandra subsiste encore plus de
quinze ans après leur mariage, et ils semblent vraiment unis comme
les deux doigts de la main. Les messages, les lettres, les dessins
s'échangent comme par le passé avec des petits cadeaux sans valeur
autre que sentimentale.

À Tsarskoïe Selo, un cercle de police particulier protège le tsar
avec beaucoup d'efficacité ; il est dirigé par un homme remarquable, le colonel Spiridovitch, qui a laissé des mémoires très atta-
chants. Évidemment, pour des gens comme lui, la logique du service
voudrait que le tsar ne bouge jamais de Tsarskoïe Selo, où il y a
tout ce qu'il faut pour vivre bien protégé. Et ce louable souci de
sécurité fait en réalité beaucoup de tort à la famille impériale. Alors
que Nicolas est courageux et accepte les menaces d'attentat avec
fatalisme, son respect de l'ordre et des gens fait qu'il se conforme
attentivement aux indications de ceux qui se chargent de sa sécurité
pour qu'ils ne se sentent pas déjugés par lui. Stolypine n'est plus là
et la machine sécuritaire récupère peu à peu ses privilèges. Cette
tentation de la sûreté maximale se surajoute malheureusement à
celle du repli sur soi névrotique d'Alexandra.

Cet isolement prend un tour encore plus dangereux avec le
développement progressif de l'intérêt d'Alexandra pour la politique. Jusqu'alors souveraine ayant hérité des préjugés habituels des
familles royales mâtinés d'une éducation plus ouverte et de
quelques bons principes constitutionnels anglais, Alexandra a peu
à peu modifié son comportement depuis la naissance du tsarévitch.
L'impératrice a le cœur et la bourse ouverts en permanence pour
les gens en difficulté et pour tous les cas qu'on lui expose, avec une
générosité qui pourrait faire honte aux autres familles royales. Mais,
simultanément, sa délirante identification aux traditions culturelles
russes et aux principes de l'autocratie fait qu'elle défend les formes
les plus absolutistes du pouvoir et s'expose aux animosités les plus
violentes par son attitude officielle d'un conservatisme étroit : elle

est en effet persuadée d'être la gardienne du trône de son fils puisqu'elle est la cause du perpétuel malheur de sa santé.

À Tsarskoïe Selo, le proche entourage se compose du colonel Spiridovitch et des gens de la sécurité, des domestiques, des ordonnances de Nicolas et des dames de compagnie d'Alexandra, ainsi que de la princesse Otéliani, une jeune femme paralysée dont Alexandra s'occupe avec dévouement et de la fameuse Anna Viroubova qui, vouant une passion à la tsarine, la suit dans tous ses mauvais penchants et fait le lien avec Raspoutine. Quand on reproche à la tsarine la présence d'Anna, elle répond, à juste titre : « Me refuse-t-on même le droit d'avoir une amie ? » On peut toutefois regretter qu'elle ne l'ait pas choisie plus intelligente et qu'elle ait préféré avoir à sa disposition une admiratrice sans nuances qu'une confidente avisée et instruite. Quant au tsar on ne lui connaît plus vraiment d'amis. Il fut très entouré pendant sa jeunesse de cousins et de camarades de jeux, qu'il a presque tous perdus. Seul Sandro, le mari de sa sœur Xenia, passe encore de temps à autre à Tsarskoïe Selo, mais Alexandra fait le vide et de telles rencontres s'espacent de plus en plus. Reste la petite sœur de Nicolas, la si gentille grande-duchesse Olga, qui emmène les quatre filles chez elle le dimanche pour les distraire et qui a conquis la confiance soupçonneuse d'Alexandra. Olga est un être poétique, la bienveillance même, et il ne lui viendrait pas à l'idée d'adresser la moindre critique à son frère. De toute manière, il la considère encore comme une enfant. Elle a épousé un homme qui ne l'aime pas et son mariage est un échec. Nicolas sait qu'elle est amoureuse d'un autre homme qui habite discrètement dans son palais où il occupe une vague fonction d'aide de camp, mais il ne dit rien tant qu'Olga ne lui en parle pas. Ce sont des familles où l'essentiel est souvent tu. Alors comment se parlerait-on de politique ? La seule personne que Nicolas et Alexandra voient assez régulièrement lorsqu'ils vont à Moscou, c'est Ella qui vit maintenant dans son monastère, uniquement préoccupée de ses œuvres et de ses hôpitaux pour indigents ; il est difficile d'avoir un vrai contact avec elle, à moins qu'elle n'ait choisi d'éviter définitivement certains sujets. Toutefois si la famille impériale est isolée, elle ne l'est pas de Raspoutine qui rôde autour d'elle.

Stolypine avait essayé d'écarter le prédicateur. Kokovtsov remet, à son tour, un rapport accablant sur la vie que Raspoutine mène à Saint-Pétersbourg dans son appartement envahi de femmes, d'intrigants et de voyous. Nicolas, qui considère « l'homme de

Dieu » avec une indulgence paternelle et tente régulièrement de le mettre en garde contre les débordements qu'on lui relate, prend le rapport de son Premier ministre au sérieux et fait éloigner à nouveau Raspoutine. Cependant ce ne peut être que temporaire ; au fond Nicolas n'est pas surpris qu'un moujik illuminé comme Raspoutine puisse être à la fois un saint homme et un ivrogne débauché ; cette dualité est conforme à l'idée qu'il se fait des vertus et des faiblesses des paysans qu'il confond avec sa vision de la Sainte Russie. Et puis Nicolas n'accorde pas à Raspoutine l'importance dont s'émeuvent les rumeurs ; le starets fait plutôt partie des meubles comme Anna Viroubova, et tant qu'il rassure la tsarine et paraît réconforter le tsarévitch, rapports accablants et critiques venimeuses sont sans prise véritable sur un souverain qui a bien d'autres chats à fouetter. Ainsi Raspoutine revient après chacun de ses brefs exils, douillettement passés dans son village de Sibérie où lui parviennent les missives enflammées d'Alexandra et les comptes rendus détaillés d'Anna Viroubova indiquant le moment et l'humeur ambiante les plus favorables à un discret retour. L'habile prédicateur sait jouer avec une astuce consommée de ces éclipses imposées par des « ennemis » et de « mauvais conseillers » qu'il se garde d'ailleurs bien de désigner de peur de susciter le courroux du tsar ; il est assuré de la confiance absolue de la tsarine qui le défend avec acharnement et n'a de cesse que l'on rapporte les consignes d'éloignement. Alexandra ne doute plus en effet que Raspoutine soit le messager que Dieu a mis sur son chemin pour transmettre ses prières et protéger le tsarévitch. Sa présence est pour elle une garantie absolue de la survie de l'enfant et de son accession future au trône des tsars. Raspoutine en profite pour soigner ses apparitions, peaufiner ses connaissances et ses formules religieuses, s'informer discrètement sur la maladie de l'héritier et sur les erreurs de médecins affolés par des crises qui peuvent s'apaiser en arrêtant les médicaments au moment même où tout semble perdu. L'hypersensibilité délirante d'Alexandra le sert objectivement : elle inquiète l'enfant, le rend nerveux, l'incite à cette turbulence qui déclenche les accidents où le recours au starets devient indispensable...

La conjuration de l'élite de Saint-Pétersbourg contre Raspoutine se renforce ainsi progressivement au fur et à mesure que son impunité apparaît évidente. Il devient le symbole et l'abcès de fixation de tout ce qui sépare la famille impériale de ses alliés naturels. Mais tandis que sa réputation alimente fantasmes et rumeurs, certains lui font la cour : il n'est pas difficile de l'acheter, il suffit de lui promettre de l'alcool et des femmes. Sans méfiance Raspoutine répond à ses amis en intervenant en leur faveur auprès des ministres, avec une assurance grandissante qui les exaspère ou leur fait courber la tête. L'un des paradoxes de la situation de Raspoutine est qu'il recueille une certaine popularité auprès des petites gens. Sa foi est réelle, il peut se montrer d'une grande élévation, très convaincant sur le plan religieux. À force de traîner sur les routes de monastère en monastère, Raspoutine connaît par cœur des chapitres entiers de la Bible ainsi que des exégètes. Le scandale de ses débauches n'a d'égal que la sincérité de ses repentirs. Facile d'accès, désintéressé hormis pour la satisfaction de vices somme toute sans perversité, doté d'un solide bon sens, d'évidentes qualités de prédicateur, il sait se montrer sous son meilleur jour devant sa protectrice qui le croit injustement diffamé. Pour Alexandra, le starets est la voix du peuple en même temps que celle du Tout-Puissant. Le pire est qu'elle n'a pas tout à fait tort...

L'influence de Raspoutine s'exerce jusqu'en Crimée, où le couple impérial a fait bâtir une grande isba dans le style italien, à la place du triste palais de bois d'Alexandre III. Nicolas et Alexandra sont venus pour la première fois dans leur nouvelle maison à l'automne de 1911, au moment de l'anniversaire de la tsarine. Comme un couple de bourgeois, ils ont retroussé leurs manches, pour tout aménager, les travaux n'étant pas achevés. Le nouveau Livadia est un autre domaine de rêve ouvrant sur les horizons enchanteurs de la mer Noire. C'est un lieu moins fermé que Tsarskoïe Selo, la population locale mêle les grandes familles aristocratiques en villégiature, les gens du cru, des Tartares musulmans. Il y règne une sécurité absolue qui permet à la famille impériale de se promener très librement dans les alentours. Ainsi, à partir de 1911, les Romanov se rendent deux fois par an à Livadia, au printemps et à l'automne. Ils y sont heureux, presque insouciants, loin de Saint-Pétersbourg où l'on commente aigrement les allées et venues de Raspoutine dans un petit hôtel de Yalta...

Les célébrations dynastiques d'avant-guerre en Russie

Les années qui précèdent la guerre sont marquées par une succession de célébrations dynastiques extrêmement spectaculaires qui tranchent avec l'approche plus retenue de la première période

259

du règne de Nicolas II. On a l'impression que s'est engagée une course de vitesse entre la Russie moderne qui cherche son destin sans se replier dans le passé et la dynastie qui autocélèbre d'une manière écrasante les splendeurs, les gloires de son histoire, les rites orthodoxes et ceux du slavisme. Nicolas s'accommode d'une dérive traditionaliste qui alimente ses principes autocratiques. Il favorise d'ailleurs tout ce qui sert le prestige de la culture russe, notamment dans le domaine des arts. S'il ne comprend pas grand-chose à l'art moderne, à la peinture russe d'avant-garde qui prospèrent avec l'aide de remarquables mécènes continuant d'admirables collections, en revanche il protège efficacement la danse. Ainsi tous les grands noms de la danse sont commandités largement par le tsar, comme Bakst ou Benoit qui dessinaient des cartons d'invitation et des programmes pour les fêtes de la tsarine, et que Diaghilev annexera bientôt pour les ballets russes. Il en est de même pour l'architecture : Nicolas veut promouvoir un style qui soit le sien et qui soit une adaptation de la haute époque, et Dieu sait si l'on construit des cathédrales, des grands hôtels, des gares en Russie en cette période de prospérité, tous bâtiments massifs et puissants à l'image d'un tsarisme éternel.

En fait, parmi tous les reproches qui ont été adressés à Nicolas ceux de son incompétence artistique sont particulièrement injustes. L'administration impériale coiffe une infinité d'institutions à vocation artistique financées par la cassette impériale : opéras, corps de ballets, musées, expositions, commandes officielles. Cette administration est volontiers conservatrice et ne s'adresse au tsar qu'en dernier ressort pour les nominations importantes ou pour les arbitrages budgétaires les plus délicats.

Quant à lui, Nicolas pratique les arts sans connaissances particulièrement aiguisées et à la lumière d'une vision essentiellement patriotique. Mais son désir de bien faire, son éducation, l'influence de sa mère l'incitent à respecter l'idée qu'il se fait des artistes, et cette manière de se comporter le rend aussi tolérant que généreux. Il admire Chaliapine, est fier des succès de Diaghilev, juge avec une curiosité intimidée les célèbres mécènes de l'aristocratie de Saint-Pétersbourg et de Moscou. On ne sollicite jamais en vain sa protection ou sa cassette. L'étincelante révolution artistique du début du siècle s'accomplit en dehors de lui, mais non contre lui comme on le dira plus tard, et tous les contacts sont au contraire marqués par une grande déférence mutuelle. De surcroît, la cour fait fleurir un artisanat de luxe d'une qualité exceptionnelle, comme l'attestent les merveilles de l'orfèvre Fabergé, la photographie d'art ou la peinture à la fois libre et volontiers officielle.

L'inauguration du monument à la gloire d'Alexandre III à Saint-Pétersbourg, en 1909, est la première sortie officielle de la famille impériale au grand complet. Cinq ans après la révolution et après tant de meurtres terroristes, elle manifeste une sorte de normalisation politique. La statue d'Alexandre III est très curieuse. Le tsar ressemble à un colosse, à cheval sur une sorte de percheron d'un réalisme saisissant. Nicolas est assez surpris par cette statue géante située à l'extrémité de la perspective Nievsky. Mais l'inauguration est un succès et Nicolas défend l'étrange structure contre ses critiques. L'année suivante, en 1912, c'est l'inauguration d'une autre statue d'Alexandre III, plus classique, énorme elle aussi, près de la cathédrale Saint-Sauveur à Moscou, qui est le cœur de la famille Romanov, mais aussi une ville plus sauvage, plus asiatique et plus révolutionnaire que Saint-Pétersbourg. Pourtant il semble que le message traditionaliste soit aussi bien accueilli, car à Moscou comme à Saint-Pétersbourg le voyage de Nicolas est triomphal.

À Moscou, la mère de Nicolas est mise à l'honneur : Alexandra étant en proie à une de ses crises de neurasthénie, c'est avec sa mère que Nicolas accomplit l'essentiel des cérémonies. Maria Feodorovna, qui aime son statut d'impératrice-mère à la folie, fait sentir toute la différence avec Alexandra en étant gaie, enjouée, aimable avec chacun. En même temps, les enfants du tsar prennent vraiment conscience de la réalité charnelle des liens qui existent entre les Romanov et la population. Les grandes-duchesses sont grandes maintenant, Olga et Tatiana humanisent toutes les manifestations officielles par leur grâce féminine. La gentillesse des jeunes filles apporte beaucoup de chaleur à ces fêtes solennelles, mais le tsarévitch Alexis est là aussi et sa présence constitue un événement à lui tout seul. L'héritier a été si souvent dissimulé aux regards qu'il est l'objet d'une curiosité éperdue de la part des populations. Aujourd'hui, on se souvient surtout des images des foules du temps du bolchevisme défilant sur la place Rouge, et on a oublié que dix ans plus tôt d'autres foules, ou les mêmes, se pressaient pour voir passer le cortège impérial, en clamant le nom de l'héritier...

Quelques semaines après l'inauguration de la statue d'Alexandre III, la famille impériale revient à Moscou pour célébrer l'anniversaire de la bataille de Borodino, celle qu'évoque Tolstoï dans *La Guerre et la Paix*. On revoit passer le fantôme de Napoléon, le même qui glisse sur l'Allemagne de Guillaume. Borodino est cette grande plaine près de Moscou où Napoléon a senti que la campagne de Russie était perdue et qui a vu se dessiner le commencement de la fin de l'empereur français. Pour Nicolas II et les Russes, il est délicat de célébrer une victoire contre la France alors qu'elle est la meilleure alliée de la Russie. Mais la générosité russe s'exerce : la bataille est présentée comme l'affirmation de la Russie éternelle, mais ni contre Napoléon ni contre la France. Au contraire, Nicolas, avec un tact considérable, prend soin de redire l'admiration qu'il porte à l'empereur des Français. Et les Français sont associés à la célébration de Borodino, au premier rang des corps diplomatiques.

L'anniversaire de Borodino commence par d'énormes fêtes qui se déroulent à Moscou avec l'habituelle procession au Kremlin, une liturgie orthodoxe interminable et une grande messe sur la place Rouge. Les Russes prennent alors la véritable mesure du tsarévitch. L'enfant respecte la liturgie, embrasse les icônes, interroge de temps en temps ses parents pour savoir s'il se comporte bien. Il semble en bonne santé, et l'on oublie décidément toutes les rumeurs qu'on a colportées sur lui. Après les cérémonies de Moscou le train impérial conduit toute la famille sur le champ de bataille de Borodino. Là encore les parades succèdent aux cérémonies, et tous les paysans des alentours envoient des délégations à la rencontre du tsar. L'enfant regarde, les yeux écarquillés, comme s'il apprenait son métier de futur empereur. La presse mondiale reproduit l'événement qui fait grande impression en Russie, même auprès de gens qui ne sont pas suspects de sympathie pour le tsarisme. Ainsi, si peu d'années avant la révolution, l'ancienne idée de l'alliance entre la famille impériale et la sainte Russie garde encore toute sa force d'évocation.

Les Romanov, épuisés, décident ensuite de rejoindre, comme chaque année, leur pavillon de chasse en Pologne, à Spala. Il y a là une forêt très ancienne, gigantesque, très bien entretenue, où courent des hordes de loups, de cerfs et d'aurochs, ces bisons d'Europe presque entièrement décimés aujourd'hui. La famille délivrée de la cour et de ses obligations se transporte donc avec le sentiment du devoir accompli dans cet endroit perdu à la frontière de la Pologne et de la Russie. Des lignes électriques et téléphoniques passent dans la forêt, une capitale provisoire de la Russie s'installe. Les Romanov habitent dans un manoir rustique qu'Alexandre III, le père de Nicolas, aimait beaucoup. C'est une vaste bâtisse en bois, très inconfortable, assez sombre et triste en cet automne où le froid resurgit avec vigueur et où les journées sont de plus en plus courtes. Il faut s'aimer comme la famille impériale pour apprécier l'impression de sauvagerie et d'isolement qui en émane. Nicolas chasse tous les jours avec la noblesse polonaise et, après les mois harassants qui viennent de s'écouler, Alexandra et lui sont heureux à Spala. Bonheur de courte durée puisqu'un jour, après une promenade, le tsarévitch se blesse. Au début on n'y fait pas très attention car il ne se plaint pas, mais après quelques heures on constate qu'une hémorragie interne s'est déclarée. L'enfant s'affaiblit très vite et Alexandra tente de l'emmener à la gare pour prendre le train et rentrer d'urgence à Saint-Pétersbourg. Seule Anna Viroubova accompagne la mère et l'enfant. Dans la calèche où Alexandra tient l'enfant serré contre elle en suppliant le cocher d'éviter les secousses de la route défoncée, elle a soudain l'impression que son fils va mourir dans ses bras. Alexis hurle de douleur au moindre choc ; Alexandra prend la décision de retourner à Spala plutôt que de poursuivre un tel martyre. On fait venir en hâte les plus grands médecins de Saint-Pétersbourg qui ne peuvent qu'avouer leur impuissance. L'hémorragie s'étend encore. Alexandra masse les articulations de l'enfant qui ne peut plus déplier ses jambes. Il cesse de s'alimenter, la fièvre monte et, après deux ou trois jours, il est manifeste que son état est désespéré. Alexandra ne quitte pas son chevet sauf pour recevoir des invités officiels qui se pressent chaque soir au manoir de Spala. Elle préside les repas au prix d'un effort surhumain, surmontant sa terrible angoisse, mais aussitôt qu'elle le peut elle se précipite dans la chambre de son fils et demeure contre lui, impuissante à le soulager. Le tsarévitch est lui-même persuadé qu'il va mourir. Il explique posément à sa mère épouvantée qu'il voudrait être enterré à Livadia. La certitude de la mort prochaine de l'enfant est telle que pour la première fois la cour délivre un message officiel pour annoncer que le tsarévitch est à l'agonie et qu'on vient de lui donner les derniers sacrements. On l'avait vu si fréquemment depuis deux ans et il semblait si bien se porter, que les rumeurs s'étaient évanouies. Les bulletins de santé suscitent une vague de compassion sans précédent et, dans tout l'Empire, d'émouvantes cérémonies religieuses se déroulent pour qu'il recouvre la santé.

Depuis plusieurs mois, Raspoutine est à nouveau en disgrâce. Devant l'amoncellement de rapports défavorables, Nicolas II a sévi et une fois de plus a exigé que Raspoutine s'éloigne. Le tsar est personnellement exaspéré par le sans-gêne du starets qui entre dans les chambres des enfants à n'importe quelle heure sans se faire annoncer, effraie les gouvernantes, et circule dans la maison comme un membre de la famille. Cependant le jeu des petits messages jusqu'en Sibérie par Anna Viroubova interposée n'a pas cessé, et maintenant Alexandra est à l'agonie du désespoir, n'ayant que Nicolas pour partager son inquiétude alors qu'il est par ailleurs sans cesse sollicité. Elle décide donc d'envoyer un câble à Raspoutine, évoquant sa détresse, son inquiétude, l'extrême gravité de la situation, appelant le secours de ses prières et de ses conseils. Et Raspoutine répond qu'il ne faut pas s'affoler, que les médecins ne doivent plus tourmenter l'enfant, qu'il faut faire confiance à Dieu et qu'Alexis vivra. Il faut s'imaginer le climat dans lequel cet échange de télégrammes se situe. Pour tout le monde l'enfant est perdu, et Raspoutine, du fond de sa Sibérie, envoie à la tsarine ce message réconfortant. Et, quelques heures plus tard, l'enfant va mieux, il vit.

Après ces semaines tragiques, Alexandra ne cesse plus un seul jour d'affirmer sa confiance en Raspoutine, et l'étrange illuminé peut recouvrer et étendre son influence, au-delà de toute limite. Singulière puissance d'un homme qui veut être au cœur des choses, mais que l'argent n'intéresse pas, qui aime l'intrigue et l'impunité que cette intimité avec la famille impériale lui confère pour assouvir ses plaisirs mais en profite aussi pour approfondir une religiosité qui est également puissante et sincère. En tout cas, après Spala, Raspoutine ne sera plus inquiété. Aucun rapport de ministre, de policier, d'ecclésiastique ne peut plus l'affaiblir. Au contraire, dénoncer Raspoutine expose à l'animosité farouche de la tsarine et à prendre un risque considérable pour tout projet de carrière.

L'enfant se remet très lentement. Il ne peut toujours pas plier la jambe, et il lui faut un appareil orthopédique qui le fait cruellement souffrir pour la tenir droite. Il a beaucoup maigri, il est pâle, et ses yeux immenses lui mangent le visage. Ses sœurs se relaient à son chevet pour lui raconter des histoires ou lui lire des livres, sa mère dort près de lui et, dès qu'il va un peu mieux, Nicolas le prend dans ses bras pour l'emmener en promenade dans les clairières magnifiques de Spala. Alexis a beaucoup de courage et un grand désir de vivre. On le photographie, on le filme dans une petite carriole, durant ces mois de convalescence, pour montrer qu'il est bien vivant. Il envoie des lettres et des dessins à sa grand-mère, Maria Feodorovna. Un timide espoir renaît peu à peu.

Vers la fin de l'automne, on rentre à Tsarskoïe Selo. Alexandra a fait passer et repasser le train impérial sur la voie ferrée pour veiller à ce qu'il n'y ait aucun à-coup. Elle a ordonné que le train roule quasiment au pas, ce qui est une erreur car le voyage en devient interminable et l'enfant est très mal à leur arrivée. La maladie n'a pas lâché prise.

Les grandes célébrations de 1913 sont l'apothéose de toutes les précédentes. On doit commémorer le troisième centenaire de la dynastie des Romanov. Il appartient au tsar, en cette date solennelle, de manifester aux yeux du monde que la Russie a récupéré son énergie. Le programme des cérémonies de 1913, en sus des habituelles réceptions et obligations, viendrait à bout de l'énergie des souverains les plus solides, ce qui n'est pas le cas du couple impérial hanté par le calvaire d'Alexis. Cela commence dès le début de 1913 avec des processions à Saint-Pétersbourg. Puis la famille impériale va faire un grand voyage par l'Ukraine et la Russie, à travers chacune des villes saintes qui sont le berceau de la dynastie. L'étape la plus symbolique est un pèlerinage à Kostroma, la ville où fut proclamé le premier Romanov, une cité sainte où dans un magnifique kremlin se situe une impressionnante série d'églises et d'abbayes. Ensuite, il faudra se rendre à Moscou. Et comment faire avec le tsarévitch, encore malade, porteur de l'avenir de la dynastie, dont la présence est indispensable ? La famille impériale accomplit tout le programme, étape après étape entre exaltation patriotique et mystique et constante inquiétude pour l'enfant. Un cosaque porte l'enfant car marcher l'épuise et il boite beaucoup. Et on ne peut évidemment pas montrer à la foule un héritier qui boite. D'ailleurs, dans les bras de son cosaque, il n'a pas l'air d'être malheureux ; il regarde, il écoute tout ce qui se passe d'un air enjoué. Mais, pour les observateurs étrangers, ce tsarévitch pétillant d'intelligence qui est la beauté même, ce petit infirme que l'on doit porter, semble le symbole d'une dynastie magnifique et exsangue, touchée par la grâce et condamnée à mourir.

À Kostroma la ferveur populaire prend des proportions inouïes. Des milliers de paysans attendent dans l'eau de la rivière qu'apparaisse le navire impérial. À Kazan, les fameuses cloches en résonnant déclenchent l'hymne national russe poussé par des milliers de poitrines enthousiastes. Entre chaque ville, l'impressionnant cortège roule lentement sur des pistes poussiéreuses dans les somptueuses Delaunay-Belleville de la famille impériale, que les paysans couvrent de fleurs. Comment Alexandra, déjà torturée par l'inquiétude et si imprégnée des visions de Raspoutine, pourrait-elle résister à cette impression d'une Russie traditionnelle qui paraît si fidèle, quand la bourgeoisie et l'aristocratie s'en détournent ? Finalement, ils arrivent à Moscou. Et c'est un nouveau sacre. La tsarine et l'héritier sont en calèche. On ne devine rien de l'état de l'enfant puisqu'il est assis et sourit près de sa mère. Nicolas est à cheval à côté de la calèche. Il passe sous la porte voûtée de la place Rouge après avoir fait tout le chemin depuis la gare et s'être arrêté devant le monument du tsar libérateur Alexandre II. Certains journalistes diront que la foule de Moscou était froide et hostile, contrairement à celle de Kostroma et des villes de province, comme si l'anniversaire du tsarisme ne voulait dire quelque chose que dans les campagnes reculées et semi-barbares. En fait, les films démentent totalement ces jugements, tant les multitudes se pressent sur le parcours.

Une fois de plus, une procession à grand spectacle se déroule au Kremlin, la famille impériale passant entre les cathédrales, suivie par les grands-ducs et les grandes-duchesses ; l'enfant est porté par son cosaque. Tout se déroule parfaitement, mais bien plus tard, la grande-duchesse Olga, sœur de Nicolas, confiera l'éprouvante sensation fantomatique qu'elle ressentit alors.

À l'automne, les célébrations s'achèvent enfin. La famille impériale regagne Tsarskoïe Selo. La tsarine s'est bien juré qu'elle ne retournerait jamais à Spala. L'enfant va de mieux en mieux. Il recommence à sortir et à jouer. Sa grand-mère Maria Feodorovna l'emmène même voir des hydravions. Le tsarévitch boite encore un peu, mais il semble passionné par cette invention extraordinaire. Et puis c'est le départ pour Livadia. Printemps de 1914 : Alexis paraît maintenant guéri. Nicolas s'en rend compte lors d'une promenade qu'ils font avec le professeur Gilliard sur le glacier qui surplombe la côte de Crimée. Le tsarévitch marche vite, saute, se roule dans la neige, il faut presque le retenir. Cette fois-ci il est vraiment sauvé. Mais pour combien de temps ?

Le dernier printemps en Crimée est celui des grandes promenades dans le zoo tout proche d'un aristocrate dévoué à la famille qui a fait don de ses propriétés à la couronne. Ce sont les premiers bals d'Olga et de Tatiana où l'on convie l'élite de la société en villégiature, Dimitri, les cousins et neveux, ainsi que le prince Youssoupov, l'ami très cher de Dimitri, qui vient d'entrer dans la famille impériale en épousant Irina, la nièce du tsar, unique fille de Sandro et Xenia. Les Romanov reprennent leur souffle, après le troisième centenaire de la dynastie, ressenti comme un nouveau couronnement. Certes, les ambassadeurs, les ministres, l'armée n'écartent pas un danger de guerre contre l'Allemagne et mettent en garde contre Guillaume dont l'imprévisibilité est inquiétante. Mais Nicolas sait qu'il ne faut surtout pas se laisser entraîner et que la Russie ne peut relever aucun défi avant 1917. Alors, s'il y a conflit, la puissance russe sera telle qu'elle permettra de départager très vite les adversaires et d'épargner les souffrances. Il faut donc résister à toutes les provocations. Alexandra elle-même est furieusement hostile à tout conflit car Raspoutine ne cesse de clamer que ce serait la fin de la Russie et de la dynastie. Pourtant l'opinion publique n'est pas aussi raisonnable ; ses sentiments antiallemands s'exacerbent en même temps que les rivalités économiques. Et même le meilleur ministre du tsar, Sazonov, aux Affaires étrangères fait le pari désastreux que l'on pourrait parachever le retour de popularité et de puissance des Romanov par une victoire militaire qui permettrait aussi de desserrer le carcan de l'influence allemande et de régler définitivement le problème des Balkans. Rien qu'une toute petite guerre, juste pour nettoyer les mauvais remugles qui traînent sur l'Europe. C'est alors que François-Ferdinand part pour Sarajevo.

6

AGONIES

Rien dans la guerre de 1914-1918 ne se déroule comme l'a prévu le haut état-major allemand. Quand l'Allemagne lance son attaque, croyant traverser la Belgique en toute impunité, elle est obligée d'affronter la résistance acharnée des Belges comme l'avait pourtant laissé prévoir le roi Albert lors de sa dernière visite à Potsdam. De plus cette violation de la neutralité belge fait entrer l'Angleterre dans le camp de la France et de la Russie. Cette dernière, fidèle à ses engagements et bien que la mobilisation ne soit pas encore achevée, attaque aussitôt le front est de l'Allemagne, dégarni de ses troupes, pour soulager les Français. En France, la victoire du Kaiser semble d'abord à portée de main, grâce à l'efficacité des plans du haut état-major, mais bientôt les Français se reprennent, et font volte-face à la bataille de la Marne. Ils auront été sauvés par la bravoure de leurs soldats, la force tranquille de Joffre et surtout l'offensive des armées du tsar à l'est qui oblige les Allemands à dépêcher une partie de leurs effectifs en Prusse-Orientale. Ce que tout le monde s'empressera d'oublier lorsque surviendra la révolution russe.

En Allemagne, ce brusque retournement de situation provoque l'ascension éclair d'un duo de militaires qui arrachent la guerre des mains indécises de Guillaume et en font « leur chose ». Il s'agit d'Hindenburg et de son lieutenant, le terrible Ludendorff. Hindenburg, c'est la vertu militaire prussienne à l'ancienne avec un respect mystique de l'empereur et un légalisme guerrier qui privilégie l'honneur des Junkers. Ludendorff, quant à lui, est un fou de guerre, qui l'aime pour ce qu'elle est sans se dissimuler son épouvante moderne, et qui a le génie de l'organisation. Il a compris ce qu'était la guerre : l'aviation, les chars, la technique, l'économie et la propagande au service des armées. Très vite, dans la main gantée de Guillaume, se cachent la poigne de fer et la volonté de victoire à tout prix de Ludendorff qui devient peu à peu le dictateur inavoué et le vrai maître de l'Allemagne, avec déjà les manières, les procédés et l'idéologie totalitaire dont Hitler se servira plus tard. Ludendorff courbe la formidable machine économique allemande au seul profit de la guerre, il étouffe toute vie politique pour le seul discours de la victoire et écarte les propositions de paix qui supposeraient un compromis. Face à un tel homme et à une telle volonté, Guillaume n'est qu'un pantin sans plus d'influence à qui l'on accorde une politesse cérémonieuse mais totalement factice, que l'on promène sur le front sous prétexte d'inspection et de remises de décorations, à qui l'on fait endosser les décisions militaires les plus cruelles telles que l'usage des gaz, les otages, la guerre sous-marine, et que l'on envoie accomplir d'inutiles visites officielles en Bavière, en Bulgarie ou en Turquie, auprès des alliés de l'Allemagne qui ploient sous l'effort de guerre. Il y parade sans conviction devant des auditoires accablés par d'autres préoccupations.

Pendant la guerre, Guillaume vieillit à vue d'œil, s'enferre de contradiction en contradiction, souhaitant la paix que ses gardiens refusent et se rachetant à leurs yeux par des délires bellicistes dont ils se servent pour leurs propres buts. Il tente aussi pathétiquement de retrouver un charisme et une popularité perdus en s'adressant dans le vide à tous ceux qu'il croit dociles et loyaux. Lors d'une visite aux usines Krupp, il s'adresse aux ouvriers en les appelant « mes amis, mes frères ». Il ne s'était jamais intéressé à eux, et les ouvriers flairent la manœuvre et la veulerie du Kaiser, tandis que Guillaume sent que le charme et la magie qu'il exerçait sur ses auditoires ne sont plus que des « trucs » de vieil acteur ; dans une atmosphère de plus en plus tendue il commence à transpirer et à trembler devant ces hommes glacés qui le jugent sévèrement. On doit l'emmener. Il a une crise nerveuse dont il mettra plusieurs jours à se remettre. De toute manière Guillaume comprend que la fin de la guerre, en cas de défaite, amènera la révolution générale. Survient, en 1917, le coup de chance inespéré : l'effondrement de la Russie. L'Allemagne est à bout de forces, Ludendorff le reconnaît lui-même. Six mois de plus, c'est tout ce que l'Allemagne espérait tenir face au bulldozer russe. Et, soudain, la Russie est emportée par la révolution, et Nicolas II est obligé d'abdiquer. Guillaume commet alors une des plus mauvaises actions de sa vie. Informé de l'extension de la révolution russe, pour introduire la discorde chez l'ennemi, il prend la décision de faire traverser l'Allemagne aux révolutionnaires maximalistes, exilés en Suisse, dans un wagon plombé, afin qu'ils rejoignent la Russie. Parmi eux, un certain Lénine prône la paix immédiate. Le but de Guillaume est d'atteindre au plus profond le moral des combattants russes. Le Kaiser donne des millions de marks à ces révolutionnaires, et Lénine les empoche sans ciller, lui qui dira plus tard : « Les capitalistes nous vendraient la corde pour qu'on les pende. » Comme toutes les décisions militaires calamiteuses qu'il se laisse arracher par son état-major et dont l'inhumanité entraîne l'entrée en guerre de l'Amérique, Guillaume inocule à la Russie le virus de la révolution bolchevique, précipitant sans le savoir la fin de tout l'ancien monde.

En 1918, Guillaume fête son jubilé d'empereur allemand : trente ans de règne. En 1913, la manifestation avait été somptueuse, toute la population de Berlin l'avait acclamé. Il était alors au faîte de sa gloire. En 1918, Hindenburg et Ludendorff jouent en mineur la comédie du jubilé. Dans les réceptions au grand quartier général, dans les dîners, au milieu des quelques rois et alliés qu'on a pu convoquer pour se joindre à l'atmosphère de camaraderie militaire, Guillaume, jamais à court de clichés sentencieux, proclame qu'il est bien content de cette célébration discrète même si toute l'Allemagne aurait certainement voulu honorer « son seigneur de la guerre ». Mais au fond, il est bien soulagé de ne pas avoir à affronter l'hostilité populaire.

En fait, Guillaume n'a plus aucun ami ni soutien. Ses fils se battent plus ou moins courageusement. Frédéric, son deuxième fils, est un bon général de corps d'armée à la botte de Ludendorff, tandis que le chic et frivole Kronprinz accumule les motifs de honte et de scandale. Il a toujours un prétexte pour revenir à l'arrière. Totalement inconscient, il veut présider la grande victoire de Verdun et la voit se transformer sous ses yeux effarés en boucherie d'apocalypse. Il est comme son père, il n'a de prise sur rien ni sur personne, et n'a même pas l'habileté de se rapprocher d'Hindenburg. On colporte ses aventures, sa manière de faire des grâces aux femmes françaises dont les maris sont prisonniers. Ces histoires reviennent aux oreilles de Guillaume qui n'ose intervenir ; il est sans doute la seule personne en Allemagne à redouter le Kronprinz.

Adalbert, le plus brillant des fils, le plus réservé, celui que l'on préfère dans les cercles politiques et pour qui même les socialistes ont de l'indulgence, est coincé sur son navire. La flotte de Guillaume ne sort pratiquement jamais : c'est le jouet du Kaiser, il ne faut pas y toucher. Elle a coûté des milliards de marks, une énergie incroyable, mis en jeu les techniques les plus sophistiquées, pesé sur toutes les crises européennes et irrémédiablement envenimé la rivalité avec l'Angleterre, mais elle ne va au feu qu'une fois, pour essayer de forcer les détroits de Jütland, et se voit repoussée par les Anglais, sans oser affronter d'autres combats. On n'entendra plus parler d'elle, jusqu'à l'heure des mutineries de marins qui précipitent la chute du régime impérial. Fumeuse déconvenue pour le Kaiser qui ne lui a pas ménagé ses bienfaits. Avec la paix, elle sera démantelée, réduite en carcasses, vendue à la casse pour payer les réparations de guerre. Wilhem-August fait une guerre « en dentelles » avec ses gens du corps de troupe auxquels le lie une affectivité désordonnée, celle-là même qui en fera ensuite un Hohenzollern nazi, chauffeur et paillasson d'Hitler qui ne cessera jamais de se moquer de lui tout en l'utilisant.

Oscar, le cinquième fils, se bat courageusement au front et mérite sa croix de fer. Il retirera de la guerre une vision amère et désenchantée, qui le fera glisser dans une misanthropie rancunière à l'égard de son père, et une complicité tout aussi morbide avec le nazisme.

Quant à Joachim, le dernier fils, le plus gâté, il est totalement déboussolé par la guerre. Il se montre incapable de tenir ses engagements et sombre dans le jeu, l'alcool, la poursuite des femmes, au point que son épouse le quitte. Ainsi la chute morale de l'orgueilleuse dynastie se cristallise-t-elle dès le temps de guerre.

Guillaume se disait très fier de ses fils, mais ils ne lui apportent désormais que critiques et déceptions. Il lui reste Dona, sa femme, et Victoria-Louise, sa fille. Dona se dépense sans compter et elle rejoint la patriotique cohorte ordinaire des reines infirmières. Mais elle le fait à sa manière, efficace et si dévouée qu'elle en tombe malade. Cette femme considérée comme bornée et peu intelligente a un sens pratique et simple de la réalité des choses. Elle est la première à discerner que la guerre est perdue et que la dynastie sera balayée. Il y a trop de souffrances, trop de blessés, trop de gens qui meurent de faim et dont elle mesure sans arrêt la détresse et la rancune par ses visites aux hôpitaux et par l'affligeant spectacle de la rue et de ses cohortes de gens affamés. Tout ce malheur serait-il le fait de son bien-aimé Guillaume ? Pendant cette période, elle est la seule à lui rester profondément fidèle. Mais, dans certains hôpitaux, les blessés l'accueillent en la sifflant, et la haine qu'ils portent aux Hohenzollern est si criante qu'elle enregistre toutes ces manifestations hostiles en commençant à douter du génie de son époux. Et puis elle ne le voit presque plus ; c'est comme s'il ne pouvait plus supporter ce regard qui l'excuse de tout et qui manifeste en même temps une inquiétude grandissante.

Victoria-Louise, la fille de Guillaume, est seule dans son duché d'opérette de Brunswick. Son mari est sur le front. Elle aussi sent monter la vague du mécontentement général. Elle va voir Guillaume à Spa à plusieurs reprises pour tenter de le prévenir. Mais le Kaiser, qui lui a toujours passé tous ses caprices, n'écoute plus que les bonnes nouvelles, ou raconte interminablement de belles histoires du passé pour la camarilla qui le suit servilement et le surveille. Que peuvent faire pour lui une femme trop aimante et perdue à Berlin et une fille coincée dans un duché de fantaisie alors que tout menace chaque jour un peu plus de s'écrouler ?

Durant le printemps 1918, Ludendorff pense qu'avec les troupes revenues du front de l'est et les ressources tirées d'Ukraine et de Roumanie l'Allemagne portera le coup fatal à la France. Au début, le scénario de 1914 paraît se reproduire. Les Allemands font une percée dans le front français et se rapprochent à vive allure de Paris. Foch les arrête mais Ludendorff lance une deuxième offensive, puis une troisième, tandis que la ville de Paris est pilonnée par l'énorme canon Krupp, la fameuse « Grosse Bertha », qui faisait de monstrueuses victimes parmi les civils. À l'état-major, on est confiant dans la victoire assurée. Cependant au début du mois d'août, il faut bien admettre que la contre-offensive de Foch est irrésistible. Elle s'appuie sur les chars et sur les renforts venus d'Amérique. Après le 8 août, « jour de deuil de l'armée allemande », Ludendorff doit reconnaître que la guerre est perdue.

Il ne reste plus au Kaiser qu'à trouver une porte de sortie. Mais il tente de tricher une fois de plus. Guillaume pense pouvoir reprendre l'initiative en nommant l'un de ses lointains cousins, le prince Max de Bade, chancelier de l'Empire sur un programme ultralibéral rompant radicalement avec la dictature militaire. Max de Bade compose immédiatement un cabinet d'union nationale avec des ministres socialistes, que Guillaume rencontre pour la première fois et qu'il accueille avec un empressement embarrassant. On est en octobre. L'étendue du désastre n'est pas encore clairement visible, mais en quatre semaines tout ce fragile édifice se désagrège. Les troupes allemandes ne cessent de reculer. Des régiments refusent de monter au front, la désertion s'étend, la flotte magnifique et inutile se mutine, des grèves éclatent dans les villes, et de toutes parts on réclame le départ de Guillaume jugé responsable de la guerre.

À Berlin, c'est l'insurrection. Max de Bade, contrairement à ce qu'espérait Guillaume, le presse d'abdiquer. Son projet est le suivant : Guillaume s'en va, on proclame une régence que Max de Bade assumera, et l'on fait venir sur le trône allemand l'un des fils de Guillaume, Aldabert, le plus présentable. C'est un scénario déjà totalement illusoire, car une frange de plus en plus importante des sociaux-démocrates prend ses consignes dans la rue. Le désordre gagne tout l'Empire, des grèves paralysent Hambourg, les trains sont immobilisés. Le manifeste démocratique du président américain Wilson, qui porte le coup de grâce aux régimes autocratiques, est le mot de passe de toutes les forces progressistes et pacifistes à travers l'Europe. Il offre une légitimité à la révolution naissante. Finalement, Guillaume accepte d'abdiquer sa couronne d'empereur allemand, mais il veut garder celle de roi de Prusse. Et, tandis qu'il s'égare en marchandages dérisoires, Max de Bade le démet finalement d'office, en accord avec Ebert, le plus important des ministres socialistes. Alors qu'on en est à ce dernier rafistolage, les sociaux-démocrates maximalistes proclament la république à Berlin. Il en est de même dans tous les royaumes et principautés allemands ; le socialiste Kurt Eisner proclame même une république bolchevique en Bavière dans la capitale de Wittelsbach. Les dynasties allemandes s'effondrent toutes comme des châteaux de cartes sous le souffle de la révolution.

Mais que faire de Guillaume ? L'empereur se traîne comme un boulet au grand quartier général. Il échafaude des scénarios héroïques et absurdes : retourner à Berlin à la tête de ses troupes pour rétablir l'ordre ? Partir avec un régiment de mitrailleurs et trouver la mort au front ? Hindenburg lui conseille avec de plus en plus d'insistance de rester en vie pour sauver l'honneur de l'armée et de chercher refuge en Hollande, pays miraculeusement épargné par la guerre. On ne voit pas très bien ce que l'honneur de l'armée et de l'Allemagne a à gagner à ce que Guillaume s'échappe comme un malfaiteur dans un pays neutre et Guillaume répète toute une journée qu'il ne s'enfuira pas, qu'il n'est pas question de déserter le front, avec une telle force et une telle conviction que même Hindenburg en est troublé. Le lendemain matin, il constate avec stupéfaction que le train impérial est parti pendant la nuit et que Guillaume s'est réfugié en toute hâte en Hollande. Les douaniers, éberlués et ne sachant que faire, le consignent dans un petit bureau en demandant frénétiquement des instructions. Guillaume attend plusieurs heures avant qu'on le laisse continuer sa route. La reine Wilhemine consent à le garder et lui assigne une résidence. Le Kronprinz tente alors de rejoindre son père. Il se retrouve à Maastricht s'étant glissé, dans la confusion générale, parmi des troupes arborant le drapeau rouge. Mais les Hollandais ne l'aiment pas et, s'ils gardent un respect de façade pour le Kaiser, ils ne prennent pas de gants avec « Little Willy ». Le Kronprinz est consigné sur une île perdue de la Frise où il reste trois ans dans un petit presbytère, tremblant d'être extradé et de se faire juger. Dona vit tous ces événements abandonnée par son mari, dans le palais de Potsdam où l'on annonce à chaque instant que la foule va venir saccager la résidence et s'emparer d'elle. Elle fait face à la situation avec calme et courage. Finalement, elle parvient à éviter la colère des foules et, après quelques jours, rejoint Guillaume. Mais ce ne sont pas des amoureux passionnés qui se retrouvent romantiquement après de fiévreuses aventures. L'empereur n'est plus qu'une marionnette mécanique qui ressasse constamment les mêmes phrases comme la répétition du discours qui lui permettra de tenir les vingt années à venir. Et Dona est une vieille dame au cœur épuisé par les épreuves qu'elle a vécues. Elle a douté de son mari, elle a affronté la rébellion des soldats et elle voit aujourd'hui l'ancien monde auquel elle appartenait irrémédiablement balayé.

Quand les rois sont renversés par la révolution, ils peuvent toujours espérer revenir. Quand des défaites ont scellé leur chute, ils n'ont aucune chance. Guillaume et Dona l'ont bien compris dans leur exil, honteux pour lui et sinistre pour elle. Et voilà que maintenant le traité de paix que les alliés sont en train de dicter à l'Allemagne évoque la culpabilité de Guillaume et le procès auquel on veut le traîner après l'avoir extradé. Heureusement pour lui, la reine Wilhemine a une conception rigoureuse du droit d'asile. Les alliés sentent qu'elle refusera de livrer le proscrit.

Guillaume trouve rapidement à Doorn le manoir confortable qu'il va pouvoir aménager pour son exil. Dans cette cage dorée où il rassemble ses objets personnels obligeamment envoyés par la nouvelle république allemande, et où s'installe une cour dérisoire, il va connaître le plus léger des châtiments, condamné par l'animosité générale à ne guère en sortir, s'ennuyant, tournant en rond, mais ayant toute liberté pour recomposer à l'infini l'histoire de son règne afin de pouvoir se justifier aux yeux du monde. Il écrit d'ailleurs des mémoires, sorte de verbeux brouillon d'intentions sans originalité ni cohérence, et il reçoit régulièrement des journalistes devant lesquels il s'épanche longuement. Son principal tourment est sans doute de se voir sombrer trop vite dans un oubli quasiment total. Et de fait, bien que Guillaume ait occupé pendant trente ans le devant de la scène internationale et la conscience collective des Allemands, la guerre, la défaite, le cortège de révolutions et de catastrophes économiques qui en résultèrent l'effacèrent presque complètement de la mémoire de ses contemporains, ne laissant à la postérité qu'un halo de ridicule et quelques caricatures cruelles.

En 1920, Joachim, le benjamin de ses fils, sombre un peu plus, atteint de troubles psychiques irrémédiables ; il fait une fixation sur la révolution et se persuade qu'on va tout lui prendre, qu'on va l'enfermer. En fait, s'il risque d'être inquiété, c'est surtout à cause de ses dettes de jeu et de sa vie dissolue. Il conclut ce vertige en se suicidant. C'est le coup fatal pour Augusta-Victoria. Elle n'est pas femme à faire des reproches à son mari, bien qu'il les ait amplement mérités en l'ayant abandonnée pour s'enfuir, en lui laissant un message mélodramatique qui ne pouvait tromper personne sur sa panique et sa lâcheté. Mais Augusta-Victoria a toujours aimé Guillaume et elle ne s'est jamais mise en travers de son chemin. Pour exprimer la révolte qu'elle éprouve dans son for intérieur et qui ajoute à sa détresse, elle ne peut plus que se laisser mourir. Elle dépérit lentement, les médecins sont impuissants et elle disparaît en 1921, après seulement quelques mois d'exil. Son enterrement à Potsdam est le dernier acte officiel des Hohenzollern en Allemagne. Une foule considérable l'accompagne. Des silhouettes fantomatiques suivent le convoi funèbre, les anciens princes allemands détrônés, les officiers supérieurs qui ont perdu la guerre, les hommes politiques balayés par la révolution, l'ancien régime au grand complet, à l'exception du Kaiser que personne, même ses anciens amis, ne veut plus voir. Tandis que l'enterrement de Dona se déroule à Potsdam, au même moment, à Berlin, ont lieu de grandes manifestations républicaines : aucune inutile et morbide nostalgie ne doit menacer la jeune république qui vient de définir ses propres règles, à Weimar, loin de la capitale, de ses souvenirs et de ses rébellions.

Après quelques mois de deuil théâtral, l'ennui de Guillaume à Doorn est le plus fort. Il a reçu la lettre d'un petit prince allemand qui lui manifestait son affection et sa solidarité, il lui a répondu, et une correspondance s'est ébauchée, via ce jeune garçon, avec la mère de l'enfant. Soudainement et à la stupéfaction générale, il l'épouse.

Désormais, l'exil de Doorn est solidement tenu par « la Kaiserine Hermine », comme l'appelle la poignée de courtisans qui rôdent encore autour de Guillaume. Cette femme, à la solide réputation d'ambition et de malfaisance, manipule celui qui est maintenant un vieux monsieur et apporte par sa tyrannie domestique la dernière touche de bouffonnerie à la réclusion dans laquelle il s'abîme lentement.

En 1941, l'armée allemande occupe et martyrise la Hollande, situation très inconfortable pour Guillaume car il ne peut tout de même pas s'associer aux oppresseurs du seul pays qui l'a accueilli et protégé. Il envoie un télégramme de félicitations à Hitler lorsque l'armée allemande pénètre à Paris, mais il tente d'éviter que les dignitaires nazis de l'occupation en Hollande ne prennent le chemin de sa maison. Cependant l'ancien Kaiser ne représente plus grand-chose pour les nervis d'Hitler. Ils n'ont pas besoin de se faire prier pour l'oublier eux aussi.

Il s'en trouvera quand même quelques-uns pour suivre son cercueil en 1941, portant une couronne envoyée par le Führer, quelques jours avant que les armées allemandes ne se lancent à nouveau à l'attaque de la Russie.

Charles, l'empereur qui n'aimait pas la guerre

En Autriche-Hongrie, la guerre se traduit par un durcissement du régime des Habsbourg. Régime d'autorité benoîte, tempérée par le manque d'imagination et le laisser-aller, le système impérial s'inféode lui aussi aux forces militaires. Au temps des lois d'exception, les velléités de réforme de l'Empire ne trouvent évidemment plus aucun moyen de s'exprimer. La Hongrie fait toujours cavalier seul et protège ses propres intérêts. Le fameux comte Tisza, patriarche de la politique hongroise, après s'être résolu à la guerre, marchande de nouveaux avantages pour les Magyars. On se doute bien qu'ils préparent leur facture pour l'après-guerre quelle que soit son issue, et que leur égoïsme national interdit plus que jamais toute réflexion d'ensemble sur l'avenir de l'Empire. Et ce n'est pas François-Joseph, à plus de quatre-vingt-cinq ans, qui prendra, dans un moment pareil, les mesures exceptionnelles qu'il a repoussées toute sa vie. Quant au jeune archiduc Charles, après avoir timidement demandé qu'on l'informe sur le fonctionnement de la double monarchie dont il est l'héritier, il ne reçoit que des rapports indigestes et édulcorés, ceux-là mêmes dont se gargarise l'énorme bureaucratie impériale. Et puis on ne cesse de l'envoyer au front depuis que l'empereur ne quitte plus Schönbrunn, ce qui le coupe un peu plus du pouvoir et de ceux qui l'exercent à Vienne. Cette expérience ne lui est d'ailleurs pas totalement inutile. Charles est très proche de ses corps de troupe et, dans cette armée multinationale où il faut savoir parler tant de langues pour commander efficacement, il touche à la substance même de l'Empire. C'est ainsi qu'il se prépare, sans réels contacts avec l'administration impériale mais avec une idée de l'Autriche-Hongrie chaleureuse et humaine, façonnée au contact de tous ceux qui se battent obscurément pour le vieux concept de l'Empire.

En fait, le vieil édifice de la double monarchie résiste mieux que prévu à l'épreuve d'une guerre qui s'éternise. Malgré leurs divergences, les différentes nationalités se battent sans rechigner sous les emblèmes de la maison de Habsbourg ; les désertions sont rares – même parmi les Tchèques, pourtant les plus sensibles aux appels des leaders des nationalistes exilés auprès des alliés –, et le loyalisme est la règle. La vieille prédiction de Bismarck selon laquelle François-Joseph n'avait qu'à « monter sur son cheval pour que les peuples se lèvent et le suivent » s'est donc vérifiée. Mais pour combien de temps encore ? Les opérations militaires sont en effet bien peu encourageantes. La victoire sur la Serbie, qui ne devait être qu'une simple campagne de routine, n'est obtenue qu'en 1915, au prix de lourdes pertes de part et d'autre et avec l'humiliant renfort des Bulgares qui poignardent dans le dos leur voisin balkanique en se vengeant de leur défaite de 1913. La situation ne s'est rétablie sur le front russe, après un désastre initial, qu'avec le concours méprisant de l'armée allemande, et le danger d'une nouvelle rupture du front menace en permanence.

L'année 1916 est celle d'une autre déroute, encore plus sévère, face à l'offensive du général Broussilov qui atteint les cols des Carpates. L'armée austro-hongroise n'échappe à un désastre définitif que parce que les Allemands interviennent derechef et que l'incurie des arrières russes entrave la progression des armées tsaristes. La défaite de la Roumanie, entrée en guerre aux côtés des alliés, est le seul fait de la puissance militaire allemande. Aucun succès d'importance sur le front italien où les adversaires s'épuisent dans d'effroyables combats pour les cimes enneigées des Dolomites, tandis que la flotte ne parvient pas à sortir du piège de la mer Adriatique. À la remorque du haut état-major allemand qui ne lui ménage pas ses rebuffades, Conrad von Hoetzendorf maintient péniblement l'intégrité territoriale de l'Empire en versant sans compter le sang des soldats de diverses nationalités. Les sacrifices qu'impose la guerre sont de plus en plus lourds pour les populations civiles qui sombrent dans la misère et le défaitisme, en attendant la famine. Seules les traditions, l'histoire, l'ancienne habitude de vivre ensemble paraissent maintenir la cohésion de l'Empire et soutenir sa surprenante endurance.

Charles est efficacement secondé par Zita ; malgré les naissances qui se succèdent, Zita se tient constamment auprès de son mari et le suit dans ses déplacements le long du front. Comme Charles, Zita est révulsée par le spectacle d'une guerre qu'ils n'ont voulue ni l'un ni l'autre. Sa foi chrétienne se rebelle à la seule idée que des milliers d'innocents sont envoyés à la mort ou se traînent dans des tranchées insalubres, victimes de l'incompétence du haut commandement. Charles et Zita ont beau être patriotes, leur détestation de la guerre est la plus forte et ils ne dissimulent pas leur souhait de mettre fin au conflit. Mais que faire ? Ils n'ont accès à rien, alors ils attendent. Charles et Zita se croient encore désignés par la providence et ils méconnaissent la démocratie des temps nouveaux, et s'ils veulent absolument faire le bien, avec Dieu pour seul juge, ce sont des temps où Dieu a oublié les princes et où c'est le mouvement démocratique qui ne va pas tarder à demander des comptes.

Durant l'été 1916, François-Joseph avoue brusquement à Charles qu'il continuera encore la guerre pendant trois mois, pour ne pas laisser à l'Italie l'avantage moral des quelques offensives

victorieuses qui ont suivi sa déclaration de guerre, âprement négo-
ciée auprès des alliés qui ont accepté toutes ses demandes pour prix
de la trahison de ses précédents engagements, et qu'ensuite il dépo-
sera les armes. Charles n'oubliera jamais les mots étranges pro-
noncés par son grand-oncle. Si le vieil empereur songe à se retirer
de la guerre, et si à son âge il est prêt à prendre ce risque fou,
pourquoi l'héritier ne serait-il pas capable d'imposer à son tour une
solution aussi extrême ?

À l'automne, François-Joseph prend froid. Depuis plusieurs
semaines, il s'est affaibli. Les médecins diagnostiquent assez rapidement une pneumonie, et pourtant la vie continue comme si la
disparition de François-Joseph n'était pas imaginable. Il règne
depuis près de soixante-dix ans, plusieurs générations n'ont connu
que lui et la nouvelle de sa maladie butte forcément contre un mur
d'incompréhension irrationnelle. Lui-même refuse la réalité et persiste à se lever à trois heures du matin pour travailler sur ses dossiers, informé de toutes les petites choses de l'Empire mais inconscient de son vrai destin. Charles et Zita regagnent tout de même
Vienne et, pour la première fois, l'empereur, qui n'a jamais reçu
une femme autrement que debout, accueille Zita, assis dans un
fauteuil. Pour contrevenir à la bienséance qu'il s'est toujours imposée, il faut que l'empereur soit bien malade. Le dernier jour de sa
vie commence comme tous les autres : il se met à sa table de travail
quand tout dort encore à Schönbrunn, et son valet de chambre
s'aperçoit qu'il sommeille sur ses dossiers. Il consent à se reposer
après le déjeuner, il est encore conscient lorsqu'on lui remet les
derniers sacrements et il meurt paisiblement pendant la nuit.

Charles a vingt-sept ans : il est désormais empereur d'Autriche,
roi de Hongrie, chef de la très vénérable et prestigieuse maison
Habsbourg. Or si le vieil empereur n'est plus, cela ne signifie pas
encore que l'Empire soit mort. Au contraire, passé la stupéfaction
de sa disparition, il y a comme un espoir de renouveau incarné par
le jeune couple et l'enfant blond qui mènent l'immense cortège. On
est loin de l'enterrement de Victoria où l'Europe entière avait délégué ses têtes couronnées car on est en pleine guerre, et qui donc
ira rendre hommage à François-Joseph si ce n'est le Kaiser qui
s'éclipse d'ailleurs avant la cérémonie, les princes allemands,
quelques neutres, les Bulgares et les Turcs ? Il fait froid à Vienne,
en ce jour de novembre 1916, et dans les faubourgs ouvriers où l'on

vote socialiste, il n'y a plus de bois pour se chauffer. La sous-alimentation, la tuberculose, les maladies endémiques gagnent du terrain. Étrange spectacle que ces fastes de l'enterrement de François-Joseph avec son cheval noir que l'on tient en longe près du corbillard, le jeune couple qui suit avec le petit prince héritier et que la foule considère avec une anxieuse curiosité, la troupe de mannequins couronnés se déplaçant avec une majesté moribonde au milieu d'un océan de misère et de détresse pétrifiées.

Dès son accession au trône, Charles se heurte à des difficultés de commandement qu'il n'imaginait pas. Il se crée un cabinet particulier avec d'anciens conseillers de François-Ferdinand et en confie le secrétariat au fidèle comte de Polzer-Hoditz qui propose un plan de réformes en profondeur de l'Empire, suffisamment habile pour ne procéder que par étapes. Mais cette structure efficace d'hommes ouverts, compétents et dévoués se heurte à la glaciation de la bureaucratie impériale. En face de Charles se dressent en effet les gouvernements de l'Autriche et de la Hongrie. Le gouvernement autrichien est faible et a pris l'habitude de s'appuyer sur Berlin. En revanche, celui de la Hongrie est fort et, s'il tient lui aussi grand compte de Berlin, le comte Tisza entend peser de tout son poids sur la politique de l'Empire pour un statu quo des nationalités qui assure la prééminence hongroise. Au sommet de ces assemblages se trouve l'homme le plus puissant après l'empereur : le ministre des Affaires étrangères, commun aux deux pays, le comte Czernin. L'ancien ambassadeur à Bucarest est un homme extrêmement intelligent qui a atteint les plus hautes fonctions parce qu'il a su servir la camarilla de François-Joseph tout en servant un autre discours aux forces de la réforme. Czernin tient d'ailleurs le discours que les circonstances lui commandent de formuler. C'est surtout un opportuniste déguisé en grand serviteur impénétrable et glacial de la morale d'État. Aristocrate arrogant, marié à une femme fortunée, vivant les plaisirs de sa classe, il joue les démocrates, les modernistes, les pacifistes. Ses capacités politiques sont évidentes, mais il sait bien mieux détruire ses adversaires que promouvoir des idées nouvelles : la seule qui lui importe est de garder le pouvoir. Charles ne peut écarter cet homme brillant et redoutable car Czernin contrôle la machine gouvernementale très fermement et entretient habilement sa popularité. Le ministre prodigue d'ailleurs à Charles les assurances de sa fidélité et adhère à tous les nobles desseins que l'empereur lui présente : la réforme de l'Empire et l'accession des nationalités à un statut d'égalité, le suffrage universel en Hongrie et, plus que tout, la paix immédiate. Czernin servira les volontés de l'empereur, il le lui affirme, tout en précisant qu'il faut du temps pour négocier et convaincre. Il demande à Charles de lui faire confiance. Et dans son inexpérience, celui-ci le croit.

La seconde difficulté que rencontre Charles relève de la Hongrie. Les Hongrois tiennent absolument à lier Charles au statu quo qui les favorise en le couronnant le plus vite possible roi de Hongrie et en lui faisant prêter serment à la constitution hongroise qui bloque toute évolution. Nous sommes dans un temps de parole d'honneur et de foi religieuse. Ces serments, ces engagements ont une vraie valeur, et Tisza ne relâche pas son étreinte, il fait le siège de Charles, à peine François-Joseph enseveli dans la crypte des Capucins. Charles cède parce qu'il pense qu'en temps de guerre la solidarité entre les Autrichiens et les Hongrois doit primer sur tout le reste. Son couronnement à Budapest aura donc lieu un mois après la mort de François-Joseph. Pour le comte de Polzer-Hoditz, allié de Charles, cette confiance accordée à Czernin, ce serment que l'on va prononcer devant tous les Hongrois, sont autant de fautes initiales. Il faudrait au moins rédiger un manifeste pour fixer les grandes orientations réformatrices des premières années de règne. Ensemble, ils élaborent un texte très précis qui expose et résume leurs plans pour une évolution en profondeur. Mais Czernin et Tisza s'informent l'un l'autre, agitent leurs parlements et le gouvernement autrichien, et il ne reste finalement du manifeste qu'une version si édulcorée et vague qu'il passe inaperçu.

Le couronnement de Budapest est éclatant, véritable chant du cygne de la maison Habsbourg. Les magnats magyars ont revêtu leurs plus belles tenues. C'est un spectacle somptueux que ces brocarts, ces fourrures, ces robes à longues traînes, paradant parmi la foule de Budapest si profondément attachée aux Habsbourg qu'elle s'est massée dans la capitale pour acclamer Charles, Zita et le petit Otto. Le jeune empereur-roi se plie à tous les rites que l'on attend de lui. Il ceint la couronne de Saint-Étienne, il monte à cheval sur la butte qui domine la ville, d'où il se tourne aux quatre points cardinaux pour réaffirmer la puissance et la légitimité des droits historiques de la Hongrie. Charles espère que sa bonne volonté sera payée de retour par les Hongrois et qu'ils accompliront les réformes nécessaires en accordant le suffrage universel, seule issue constitutionnelle pour affranchir pacifiquement les peuples qui dépendent d'eux. C'est tout le contraire qui se produit. Le serment à la constitution est un pacte d'acier qu'il a moins le droit que quiconque de modifier. Or Tisza qui l'a enfermé dans ce piège est aussi le seul responsable politique qui pourrait loyalement lui offrir des contreparties tangibles, car cet homme rude est aussi fidèle et intelligent. Mais il ne veut pas bouger avant la fin de la guerre et préfère démissionner, laissant Charles prisonnier de ses propres engagements.

Le jeune couple impérial vit très simplement à Reichenau, à l'écart de Vienne et de Schönbrunn, dans une petite villa au confort bourgeois, pour se rapprocher du quotidien des peuples d'Autriche. On craint également un attentat, et la sécurité, ici, est plus facile à surveiller. Les conseils des ministres ont lieu dans la salle à manger près des appartements de Charles et de Zita. Et les enfants traversent la pièce pour aller dans leurs chambres. C'est une autre manière de gouverner qui tranche avec la rigoureuse étiquette que faisait observer François-Joseph. Zita apparaît comme la partenaire de Charles. Elle se tient constamment près de lui. Lorsque les ministres viennent rendre leurs rapports à Charles, Zita est là. Elle joue avec les enfants, elle demeure silencieuse, elle n'intervient pas mais elle écoute, et il est évident que Charles la met au courant de tout. Cette omniprésence fait le lit des critiques qui reprochent au jeune empereur d'être sous l'influence de sa femme. Czernin, pour sa part, affecte de trouver cela bien naturel, alors qu'il tisse un écheveau de rumeurs contre l'impératrice italienne et dangereusement agissante. Or, si Charles et Zita travaillent ainsi de concert, c'est surtout pour être sans cesse au contact des gens, de la réalité et des souffrances des populations ; durant leurs deux années de règne, ils parcourent l'Empire en tous sens, de Cracovie à Zagreb et du Tyrol à Budapest, infatigables, compatissants et disponibles. Mais la course de vitesse de l'Histoire est engagée contre eux.

Si Charles a donné tant de gages aux forces réactionnaires de l'Empire, c'est parce qu'il espère avoir leur concours pour faire la paix. C'est son objectif essentiel. Zita est très certainement l'instrument de cette politique pour la paix. Parmi ses frères, Sixte et Xavier, après avoir cherché à s'enrôler dans l'armée française, font maintenant partie de l'armée belge. Charles et Zita passent par eux pour établir un contact avec la France et transmettre leurs propositions de paix. Il faut évidemment s'y prendre avec la plus grande discrétion. Si cette manœuvre s'ébruitait auprès des Allemands, ce serait catastrophique. Les appels de Charles et de Zita à Sixte et à Xavier s'effectuent dans un secret et une urgence absolus. Il faut que les deux princes de Bourbon-Parme se rendent d'abord en Suisse, qu'ils y rencontrent des émissaires sans se faire remarquer car la confédération helvétique fourmille d'espions et de mouchards en tout genre. Là, on leur délivre des sauf-conduits, et ils retrouvent clandestinement le couple impérial dans les premiers jours de janvier 1917 sous des noms d'emprunt, en Autriche même. Ensemble, Sixte, Xavier, Charles et Zita établissent un brouillon de propositions de paix pour les Français. L'Autriche affirme son désir de déposer les armes, la nécessité de rétablir entièrement la Belgique et la Serbie, la légitimité de rendre l'Alsace et la Lorraine à la France. Lorsque Sixte arrive à Paris à la suite d'un invraisemblable périple à travers l'Europe en feu, il est tout de suite reçu par Poincaré qui est frappé par l'étendue des concessions autrichiennes. À son tour Lloyd George, le Premier ministre anglais, dûment informé, parie sur la paix avec enthousiasme. Mais les choses vont lentement car Sixte peut difficilement référer de tout à Charles et Zita si difficiles à atteindre dans l'autre camp, et il n'a pas non plus qualité pour négocier. Il ne peut être que le messager et doit envisager un autre périlleux aller-retour. Poincaré veut une lettre écrite de la main de Charles pour se garantir. Ces lenteurs sont aussi dangereuses pour l'ensemble du processus car Czernin qui se doute de quelque chose doit finalement être mis au courant. Or, il attend patiemment que Charles soit à sa main, affirme soutenir la démarche de l'empereur tout en émettant des doutes sur son succès. Il considère Sixte avec soupçon, et lorsqu'il constate que le contact est effectivement pris avec les Français, il adopte alors un double langage, travaillant à torpiller la politique de Sixte et de Charles pour tenter de la faire sienne.

La République française réserve bien d'autres menaces à la paix espérée de Charles. Cette république radicale nourrit les vieilles haines de la monarchie contre les Habsbourg. La France est alors dirigée par un homme sans grandeur, oublié aujourd'hui, le président du Conseil Ribot. Poincaré n'a pas le pouvoir de l'empêcher de nuire. L'interlocuteur bienveillant qu'il aurait fallu avoir pour réussir, Aristide Briand, a été écarté par une des sempiternelles crises ministérielles quelques mois plus tôt. C'est donc Ribot qui reçoit maintenant Sixte, revenu d'Autriche avec la lettre manuscrite de Charles. Le vieux politicard qu'Anatole France traitera de canaille hypocrite accueille doucereusement Sixte, mais il met aussitôt au courant le président du Conseil italien Sonino. Or les Italiens ont bien du mal dans leur guerre contre l'Autriche. Leurs demandes n'en sont que plus exacerbées : c'est presque toutes les Alpes et toute l'Adriatique qu'il leur faut. Et Sonino et Ribot se renvoient la balle, font encore monter les enchères, tandis qu'à Vienne Czernin se multiplie en malveillances contre le processus de paix.

Le premier voyage officiel de Charles aura été pour son allié, le Kaiser allemand. Ils se rencontrent dans une ville-frontière où l'on ressent physiquement tout le désespoir de la guerre, gare sinistre, rues vides, revue battue par un vent glacé... Charles apprend à Guillaume qu'il veut faire la paix et qu'il le tiendra au courant de ses démarches. Le Kaiser, las et abattu, laisse faire...

Mais l'espoir de paix s'enlise peu à peu, les Italiens faisant un foin de tous les diables. Czernin en profite alors pour enfoncer Charles. Il raconte toute l'histoire au parlement viennois en insistant sur le fait que, si la paix n'a pas lieu, c'est à cause de la France. Or, en France, Clemenceau a remplacé Ribot, et il n'est pas de la trempe des hommes qu'on manipule. Pour démentir Czernin, Clemenceau publie les fameux brouillons que Sixte écrivait de sa main et que Charles paraphait, et enfin la lettre en bonne et due forme signée par Charles lui-même et résumant ses intentions. Impossible de prétendre que ce sont des faux. En prenant cette décision, Clemenceau lance une bombe à l'effet psychologique dévastateur. Il prouve au monde entier que l'Autriche est bien sur le point de faire la paix au prix de son alliance avec l'Allemagne, ce qui prouve que les puissances centrales sont divisées et à genoux. La lettre de Charles dans le contexte de la troisième année de la guerre et aux mains d'un homme aussi redoutable que Clemenceau est un aveu de défaite. Pour Charles l'effet est évidemment désastreux. Il n'a pas la paix, mais il s'attire aussi l'hostilité de tout le haut commandement allemand. Le fameux risque d'une rupture avec l'Allemagne qu'évoquait François-Joseph avait un but, la paix, et non la défaite. Charles est aussitôt convoqué au grand quartier général allemand. Cette fois l'ambiance est glaciale. Il est obligé de rappeler la teneur de ses conversations avec Guillaume, d'expliquer qu'il l'a tenu au courant. Mais Guillaume est lâche et, devant Ludendorff qui le terrorise, il fait comme s'il n'avait rien compris. Charles repart, grondé comme un enfant. Désormais, l'œil de Ludendorff ne le quittera plus. Mais Czernin et Charles sont aussi devenus des ennemis irréductibles, car Czernin a été ulcéré par la manière dont Clemenceau a révélé la vérité. Il a autant perdu la face que son empereur et il décide de lui faire endosser toute la responsabilité du désastre. Il lui fait une scène épouvantable, menace de se suicider devant lui s'il ne lui rédige pas une lettre disant que c'est lui, l'empereur, qui a tout manigancé et que Czernin n'est pour rien dans les déboires de la politique de paix. Charles perd contenance devant cet homme qui sanglote en parlant de son honneur perdu, il se laisse apitoyer et écrit la lettre. Czernin, ragaillardi, part avec cette confession qu'il promet de ne jamais montrer et qu'il dévoilera sans vergogne après la guerre comme une preuve supplémentaire de l'inexpérience et de l'immaturité de Charles. L'empereur garde de cette entrevue l'impression d'avoir été utilisé par son ministre des Affaires étrangères ; il n'a pas tort, Czernin sait qu'il peut désormais faire ce qu'il veut de lui.

Cependant Charles s'accroche à ses idéaux si compromis de paix et de réforme comme à ce qui lui reste de pouvoir. Les populations de l'Empire ont bien compris le sens de son attitude et elles le savent sincèrement épris de paix. Les masses souffrent de plus en plus de la guerre, et le message de Charles et de Zita les rejoint dans leurs misères et leurs souffrances. Or, à la fin de l'année 1917, la situation militaire n'est pas complètement défavorable à Charles. Les armées autrichiennes, considérablement aguerries, ont infligé une très lourde défaite aux Italiens. La Russie s'est effondrée, créant un appel d'air dans tous les territoires de l'Est où les villes perdues depuis si longtemps sont reprises. Mais c'est le comte Czernin qui en profite alors pour se draper dans une victoire en trompe l'œil et faire miroiter les conditions très avantageuses de la paix qu'il signe avec le gouvernement d'aventuriers installés en Ukraine sur les décombres du régime tsariste. Lorsqu'il revient à Vienne, Czernin est accueilli comme un sauveur. Il est l'homme qui ouvre les plaines à blé, l'homme qui va nourrir l'Empire avec les ressources de l'Est. En fait, dans ses campagnes de réclame démagogique, puissamment relayées par les subsides de Ludendorff, Czernin aspire déjà à devenir un dictateur. Il croit son heure venue, il parle ouvertement d'écarter l'empereur et de se faire proclamer régent d'Autriche-Hongrie. Son ambition est folle, à la mesure du vertige qui s'est emparé des dirigeants des puissances centrales qui croient avoir gagné la guerre. Cependant le traité avec l'Ukraine ne tarde pas à révéler sa vacuité : ce sont les Allemands qui font main basse sur les vivres, et les Autrichiens n'ont rien de plus à manger.

Désormais, si l'on parle de paix, c'est en prenant le manifeste du président américain Wilson comme référence. Celui-ci pose les principes intangibles des droits démocratiques et des droits des nationalités : gouvernements librement élus et nations disposant d'États qui leur soient propres sont les seuls habilités à décider la paix. On peut donc retourner ce document dans tous les sens, il est l'acte notarié de la mort de l'empire d'Autriche-Hongrie, et c'est sur cette base que les alliés préparent la fin du conflit. Sur le moment personne n'en mesure d'ailleurs toutes les conséquences, et Charles tente de jouer son va-tout, en négociant encore une fois avec les Hongrois. Ceux-ci réclament que leur armée hongroise leur soit remise entièrement et qu'elle ne dépende plus du commandement commun. Charles accepte, à condition de pouvoir rendre public un manifeste où il proclame enfin sa volonté de réforme complexe de l'Empire et d'égalité entre les nationalités, en application des principes de Wilson. Là encore, ce pari se retourne contre lui. À peine les Hongrois ont-ils obtenu le plein commandement de leurs armées qu'ils décident de démobiliser et d'arrêter la guerre, sans consulter les Autrichiens. Mais il y a plus grave encore. Le manifeste que Charles a élaboré démontre qu'en fait c'est celui de Wilson qui est déjà la règle de l'après-guerre. Au fond il n'y a plus besoin d'empereur Habsbourg pour l'appliquer puisqu'il existe déjà dans les faits. Ainsi, au mois d'octobre 1918, malgré toute la bonne volonté impuissante de Charles, l'Empire austro-hongrois, dont les armées se débandent dans la plus grande confusion, implose et se brise.

Habituées à se déplacer librement de Prague à Budapest, et de Vienne à Zagreb, les populations de l'Empire voient surgir des frontières qui s'érigent comme autant de traumatismes. L'Autriche, c'est ce qui reste comme le dira Clemenceau. Charles et Zita s'y sont repliés, résidant à Schönbrunn au plus près d'un gouvernement qui se délite. Courant octobre, ils sont allés en Hongrie où on les a une fois de plus reçus avec chaleur, et ils n'imaginent pas leur fin si proche. Sous la pression de l'insurrection qui s'est déclarée à Vienne, les ministres de Charles le pressent d'abdiquer, espérant pouvoir négocier une meilleure paix avec les alliés. Certains sont partagés entre le désir de créer une république d'Autriche et celui de se rallier directement à l'Allemagne en pratiquant l'Anschluss. Charles refuse de signer l'abdication et Zita insiste pour qu'il maintienne ce refus : il peut être chassé ou tué, mais il restera toujours l'empereur d'Autriche puisque Dieu l'a voulu ainsi. Finalement, Charles remet ses pouvoirs sans abdiquer sa fonction. Mais on annonce que des bandes rebelles se dirigent vers Schönbrunn. Le couple impérial et les enfants s'enfuient pendant la nuit en direction du château d'Eckartsau où ils resteront deux mois avant d'être expulsés par la toute nouvelle république proclamée avec l'appui des partis traditionnellement fidèles aux Habsbourg et même des plus hautes instances de l'Église, qui assuraient Charles, quelques jours plus tôt, de leur soutien indéfectible. La famille impériale est alors exilée en Suisse. Mais Charles et Zita vont encore tenter d'opposer leur jeune énergie et le sentiment de l'injustice qui leur est faite à la nouvelle réalité politique qui s'installe en Europe.

La trahison de l'amiral Horthy

Lorsqu'ils arrivent en Suisse chargés d'enfants – ils en ont eu un à peu près tous les dix-huit mois ! – Charles et Zita s'installent d'abord chez la mère de Zita où toute la fratrie Bourbon-Parme les réconforte autant qu'il est possible de le faire. Mais ce séjour prolonge le cauchemar éveillé de Charles puisqu'il demeure persuadé d'être le détenteur de la légitimité d'empereur et roi et qu'il se refuse à admettre l'éclatement de l'Empire, sa dissolution en différents États, la proclamation de la République à Vienne par les sociaux-démocrates. Or les faits sont là : en Bosnie, il aura suffi de quelques jours pour que le nom même des Habsbourg semble définitivement rejeté par les populations qui se pressent le long de la voie ferrée conduisant à Prague pour accueillir leur nouveau président, Mazaryk. Comment Charles et Zita pourraient-ils aller contre cet héritage de la guerre, fermement soutenu par les alliés et sur lequel l'évidente accélération de l'Histoire interdit de revenir ?

Charles et Zita ont été les témoins attentifs et compatissants de la misère qui sévissait dans les derniers mois de l'existence de l'Empire et ils l'ont vécue dans une affliction profonde. Ils se sont dépensés sans compter pour tenter d'adoucir des malheurs dont ils n'étaient pas responsables, mais ils ne connaissent pas l'implacable logique du mouvement progressiste général qui entraîne ceux qui ont trop souffert vers un refus global de l'ancien monde et l'adhésion à de nouvelles formes de gouvernement, c'est-à-dire à la république. Pour Charles, le dépeçage de son royaume de Hongrie est particulièrement insupportable : d'importantes minorités hongroises se retrouvent isolées dans les nouveaux territoires de la Yougoslavie, de la Roumanie et de la Tchécoslovaquie. Les Hongrois, qui ont tellement pesé sur l'immobilisme de l'Empire en ne voulant rien céder, sont finalement ceux qui ont le plus perdu, leur territoire réduit et morcelé n'est plus qu'une plaie saignante. Le traumatisme hongrois est si profond que ce qui reste du pays est emporté par une révolution encore plus radicale que celle de Vienne. Une dictature implacable s'instaure. Son chef, Béla Kun, un petit Lénine, ravage en cent jours de terreur l'aristocratie et la bourgeoisie magyares, préparant en retour une effroyable vengeance.

Les alliés, devancés par le bolchevisme russe, sont bien décidés cette fois à arrêter la contagion révolutionnaire et soutiennent les forces réactionnaires hongroises qui se sont alliées aux Roumains. Ainsi, au cours de l'année 1919, l'armée roumaine s'empare de Budapest et chasse Béla Kun. La contre-révolution est marquée par une terreur blanche impitoyable qui fait mesurer la grande peur qu'avait engendrée le régime de Béla Kun. L'homme « providentiel » de ce régime d'extrême droite est l'opportuniste habile et ambitieux dont la carrière a été faite par les Habsbourg, l'ancien aide de camp de François-Joseph, l'amiral de la flotte promu par Charles, l'ondoyant et tenace Horthy qui se fait proclamer régent de Hongrie par une assemblée assoiffée de revanche.

Dans le système de fidélité de l'ancien monde auquel il appartient et qui a fait sa fortune, la première tâche d'Horthy devrait être de rappeler le roi de Hongrie à qui il a prêté serment. En vérité, Horthy a pris goût à un pouvoir qu'il convoitait depuis longtemps et il n'est pas du tout enclin à l'abandonner. Dans le pays une majorité de l'opinion souhaite le retour du jeune roi de Hongrie, détenteur des droits de la couronne de Saint-Étienne, dont tout le monde sait qu'il fut loyal et pacifique et qu'il n'a jamais voulu la réforme que par la négociation. Dès l'effondrement de l'Empire, dans chacun des nouveaux États, des mouvements apparaissent regrettant sa disparition. On se souvient du magnifique livre de Stefan Zweig, *Le Monde d'hier,* qui raconte la profonde détresse matérielle et morale de l'après-guerre et donne la mesure du traumatisme ressenti par les populations pour qui le système d'oppression ancien se reconstitue sous des formes différentes mais avec une plus grande brutalité : Tchèques opprimant les Slovaques, Serbes opprimant les Croates, Roumains opprimant les Hongrois. Évidemment, Charles et Zita, accrochés à l'idée d'un Empire multinational, ne peuvent qu'être confortés dans leur démarche par le désenchantement de populations entières dont ils pensent être encore les protecteurs légitimes.

Après quelques semaines, Charles et Zita s'installent dans une maison avec leurs enfants et quelques fidèles, et ils passent leurs journées à refaire obsessionnellement le parcours des actes, des erreurs et des illusions anciennes. Les nouvelles qui leur parviennent de leurs anciens États les affermissent dans leur décision de ne pas renoncer à ce qu'ils considèrent comme leurs droits imprescriptibles. Ce sentiment est particulièrement fort chez Zita, et elle le défend avec énergie auprès de son mari. Charles n'a plus de contact avec les nouvelles formes de pouvoir et sa femme est maintenant son seul partenaire. Zita organise la vie de l'exil sans jamais se plaindre alors que la république en Autriche a volé toutes leurs ressources et que les Tchèques s'apprêtent à en faire autant, allant jusqu'à chasser les enfants orphelins de François-Ferdinand de Konopitché en saisissant leur maison et en les jetant sur les routes. De plus, Zita est très frappée par le sort tragique des Romanov dont on connaît maintenant la fin, après que des rumeurs orchestrées par les bolcheviques eurent laissé croire que seul Nicolas a été mis à mort. Elle y voit l'illustration d'un éternel conflit entre le bien et le mal où son catholicisme militant l'incite à ne jamais baisser les armes. Et Charles nourrit ses résolutions du spectacle de fermeté que lui donne sa femme. Il attend donc qu'Horthy lui rende au moins la couronne qui a été nominalement rétablie en Hongrie. Certains Habsbourg y vivent, et l'un de ses oncles, qui fut le commandant en chef de l'armée, a réussi à traverser la révolution communiste et jouit d'un grand prestige à Budapest. De surcroît des émissaires qui ne représentent en fait qu'eux-mêmes parviennent en Suisse pour supplier le jeune couple de revenir. Charles et Zita en concluent ainsi peu à peu qu'il leur faut forcer le destin au cas où Horthy se montrerait trop timoré. Le régent, cependant, les endort à distance. Il proclame à plusieurs reprises qu'il ne fait que « garder la maison » en attendant le retour de Charles ; selon ses protestations de loyauté, s'il faut différer encore un peu en attendant que la situation se calme, le principe est intangible et le serment mutuel ne saurait être brisé. Charles consulte quelques-uns de ses conseillers qui se montrent réticents en le mettant en garde contre les émissaires venus de Hongrie, peu au fait des véritables forces en présence. Mais Charles est persuadé de son bon droit et de la fidélité d'Horthy. Il pense candidement qu'il suffit de se présenter devant lui pour que tout rentre dans l'ordre. C'est ainsi que, durant l'hiver de 1921, il décide de retourner à Budapest.

Son voyage est très compliqué à mettre au point puisqu'il faut traverser clandestinement l'Autriche où tout le monde le connaît. Il faut aussi tromper la méfiance des Suisses, qui ont obtenu de Charles et de Zita qu'ils ne se livrent à aucune activité politique, ainsi que celle des multiples espions des alliés qui les entourent. Charles parvient, déguisé et sous un nom d'emprunt, à se glisser en Autriche et à se rendre en taxi à Vienne, dormant chez des amis très sûrs, caché à quelques mètres de la Hofburg, le centre névralgique de son ancien pouvoir. Puis il continue sa route et arrive en Hongrie, toujours incognito. Il n'a qu'un peu d'argent, quelques pièces d'or à son effigie, et c'est une situation folle et pathétique que vit cet homme seul traversant en proscrit des pays dont il considère être encore le souverain et où il doit éviter d'être reconnu. En Hongrie, il se présente enfin devant quelques fidèles, qui lui apportent leur soutien. Finalement, ils le conduisent au palais royal de Budapest où il a le plus grand mal à pénétrer. Horthy réside dans les appartements mêmes qu'occupait Charles lors de ses séjours dans la capitale. Il est stupéfié d'apprendre que le roi est là et qu'il fait antichambre pour être reçu. Horthy surmonte rapidement son effarement et fait attendre interminablement Charles dans un appartement glacé. Pendant ce temps, il prend contact avec l'armée hongroise qui est aux mains de l'implacable Gomboz, chef de la terreur blanche, un de ces révolutionnaires nationalistes qui haïssent autant les rois que les socialistes. Puis le régent accepte une entrevue avec Charles. Après avoir protesté de sa fidélité, il incite le roi à repartir le plus vite possible. Charles découvre alors la duplicité de cet homme qui lui avait juré fidélité et qu'il connaissait intimement. Pendant deux heures de pénible entretien, le ton monte à plusieurs reprises. Finalement, Horthy se livre à un marchandage odieux : il admet que Charles puisse récupérer la couronne à condition de recevoir un titre de duc, la fameuse décoration de la Toison d'or, la présidence du gouvernement, le commandement de l'armée, mais aussi de l'argent et des terres. Charles accepte tout. Horthy lui demande s'il a consulté les pays alliés sur l'éventualité de son retour. Évidemment, Charles n'a consulté personne sinon Briand à Paris, par émissaires interposés, et il en a conclu que la France « laisserait faire ». Il est bien possible que Briand ait adopté un point de vue conciliant mais il n'a pas fait de promesse formelle. Piteusement, Charles se réclame de cet exemple dont il n'a aucune preuve et Horthy en profite pour l'enferrer un peu plus. Finalement, le régent lui conseille d'attendre encore un peu en se tenant à l'écart de Budapest, le temps nécessaire aux préparatifs de la passation de pouvoirs. Charles sent bien qu'il est seul, le palais est cerné, mais Horthy a quand même donné sa parole et Charles ne peut faire autrement que de l'accepter, même si elle est assortie de conditions qui vident une éventuelle restauration de sa substance. Il s'éloigne donc de Budapest. Horthy aussitôt alerte les puissances alliées, en noircissant à dessein le risque que la présence de Charles fait courir à une stabilité encore hypothétique, et fait expulser le jeune empereur qui retraverse l'Autriche en sens inverse. Charles passe dans des gares où des socialistes révolutionnaires, au courant de sa présence, le conspuent à chaque étape.

Il arrive en Suisse où tout le monde est furieux : Zita devant le sort que l'on réserve à son mari, mais aussi les alliés qui considèrent qu'ils ne se sont pas assez méfiés, ainsi que les Suisses qui ont cru que les prétendants Habsbourg s'en tiendraient à la neutralité politique, condition de leur exil. Finalement, ils échappent à une expulsion de Suisse parce qu'au fond nul ne sait où les envoyer. Mais désormais ils sont en résidence surveillée. Charles et Zita ne s'avouent pas vaincus pour autant et décident d'aller jusqu'au bout de leurs démarches. Ils préparent donc un autre retour avec l'idée, cette fois, d'affronter Horthy par la force. Zita entend accompagner son mari et rester constamment près de lui de manière qu'il ne fléchisse pas. Tout est mieux organisé. Le secret est bien gardé. Horthy ne pense pas une seconde que Charles va réitérer sa tentative, bien que la population hongroise n'ait pas du tout apprécié son attitude et qu'il soit publiquement traité de parjure. Il prend d'ailleurs ses garanties en limogeant les officiers fidèles aux Habsbourg. En fait, il est persuadé que l'hypothèque Charles est définitivement écartée, et en profite pour renouveler à tout hasard les promesses de fidélité à distance. À l'automne, Charles et Zita parviennent à tromper une seconde fois ceux qui les surveillent en prétextant un pèlerinage pour l'anniversaire de leur mariage. Ils s'embarquent dans un petit avion qui manque à plusieurs reprises de s'écraser dans une terrible tempête, avant de se poser en Hongrie, à proximité de la propriété d'aristocrates qu'ils savent acquis à leur cause. Cette fois, ils sont rejoints par d'anciens aides de camp qui ont soulevé des régiments pour leur prêter main-forte. Charles est autant hongrois qu'il est autrichien, et il connaît le pays comme sa poche. D'ailleurs il y a laissé de si bons souvenirs que, dans la ville de province où la nouvelle de son arrivée se répand comme la poudre, toute la population se range de son côté. Bientôt, on réquisitionne un train qui se dirige lentement vers Budapest, ralliant une ville après l'autre à la cause du roi. Évidemment, Horthy et Gomboz sont maintenant informés de la présence du roi et ils dépêchent des régiments soigneusement choisis pour arrêter Charles et Zita. Mais ces régiments se retournent contre le gouvernement de Budapest et se rangent aux ordres de Charles. Le train arrive à trente kilomètres de Budapest et, à l'annonce de l'approche du roi, la capitale paraît prête à se soulever contre le régent. Mais celui-ci dispose d'une garde prétorienne bien armée et résolue, et Gomboz a constitué des milices d'étudiants où se sont même enrôlés des anciens de Béla Kun. Ainsi l'affrontement qui avait pu être évité jusque-là a bien lieu. Si près du but. Charles, qui a une horreur sacrée de faire couler le sang, hésite. L'un de ses aides de camp les plus zélés est envoyé en émissaire à Budapest et rencontre Horthy. De part et d'autre, on décide d'une trêve. En fait, pendant ce laps de temps, Horthy retourne l'émissaire de Charles qui avait d'ailleurs peut-être décidé de le trahir dès le premier instant. Il revient avec d'autres soldats encadrés par les miliciens de Gomboz. Charles et Zita de surcroît perdent un temps précieux en écoutant la messe du dimanche, dans une atmosphère de grande ferveur populaire qui les entretient dans leur illusion, tandis que leurs adversaires renforcent leurs défenses. Lorsque la trêve s'achève, ils s'aperçoivent qu'ils sont cernés, que les rails ont été démontés et que le train ne peut plus ni avancer ni reculer. Ils disposent de suffisamment d'hommes et d'armes pour disperser ceux qui les entourent, mais Horthy, passé maître de la guerre psychologique, a alerté les alliés et s'est présenté comme le seul garant d'une Hongrie nouvelle, pacifique et raisonnable. Il multiplie les câbles à Charles en jouant sur cette réticence que le jeune empereur éprouve à faire couler le sang. Charles recule une nouvelle fois, tandis que Zita est prise, à son tour, par le doute ; finalement ils se rendent après une échauffourée qui fait plusieurs morts de part et d'autre.

Mais Horthy n'est pas décidé à les laisser repartir comme la première fois. Il les fait enfermer dans une citadelle et les remet à un navire britannique, dépêché par les alliés, qui a remonté le Danube à toute allure pour s'emparer des prisonniers. Après quelques jours de réclusion, Charles et Zita, suivis par un couple de fidèles, se retrouvent sur le bateau qui les emmène vers une destination inconnue : il descend le Danube jusqu'à la mer Noire, passe au large de Constantinople ; manifestement les alliés se demandent que faire de Charles et de Zita. Les Anglais, qui ne sont jamais à court d'un « Sainte-Hélène », proposent alors Madère qui peut recevoir des exilés puisqu'on y reçoit des touristes et qui est surtout loin de tout. En traversant l'Atlantique, Charles et Zita sont enfin informés de leur destination finale. Dans leur inconscience aventureuse, ils ont laissé leurs enfants derrière eux et, lorsqu'ils débarquent à Madère, ils doivent encore attendre leur arrivée. Après quelques jours la famille est enfin presque réunie, mais les conditions matérielles sont très difficiles. La conférence des ambassadeurs des pays alliés a décidé d'allouer une modeste indemnité aux exilés. Beaucoup sont émus par leur sort, car on sait bien que Charles n'est pas responsable de la guerre, et que le droit dont il se réclame a encore bien des partisans. Il n'empêche que la modeste allocation ne leur sera jamais versée. Un des enfants est resté en Suisse, cloué au lit par une appendicite. Zita doit supplier pour obtenir le droit d'aller le rechercher au terme d'un voyage épuisant, qu'elle accomplit sévèrement gardée.

Avec leurs enfants et leurs proches, notamment les infatigables Bourbon-Parme qui les ont rejoints, ils sont au moins quarante personnes dans l'hôtel de Madère où ils ont trouvé refuge. Ils n'ont pas les moyens de payer l'énorme facture de l'hôtelier qui prend noblement son mal en patience. Mais cela ne peut pas durer ainsi. Une famille de l'île leur propose de se replier vers une maison qui se trouve sur le plateau de Madère, à sept cents mètres d'altitude, et qui sert de maison de vacances, « La quinta do monte ». C'est effectivement un domaine idyllique durant l'été où il fait plus frais que sur la côte, mais en automne, avec les pluies et les brouillards, c'est un endroit sinistre, très humide et malsain. La petite cour campe donc dans cette maison glaciale et tente d'y reconstituer une vie de famille organisée. On y vit quelques semaines tranquilles, profitant des éclaircies pour faire des pique-niques et des promenades dans l'île. En même temps, Charles est miné par le manque d'argent, l'absence de nouvelles de son pays et le sentiment d'un désastre complet et irrémédiable. Il prend froid et ce simple rhume se transforme en pneumonie. Après quelques jours, il est si faible qu'il ne peut plus se lever. Les médecins qui le soignent ne comprennent pas qu'un homme si jeune et si robuste soit ainsi dévasté par l'aggravation d'un mal si anodin au départ. Rien n'y fait. Au fond, Charles n'a plus la force de vivre. Il sombre bientôt dans le coma et meurt à la manière de ces anciens rois qui lui ont toujours servi de modèles, en appelant son fils Otto auprès de lui pour lui faire ces dernières recommandations dont les récits font les belles pages des livres d'histoire.

Zita manque tellement d'argent qu'elle ne peut pas payer les obsèques. Quelques familles de l'île se cotisent alors pour que son mari ait des funérailles décentes. Puis elle reste seule avec ses huit enfants dans le piège effrayant de Madère d'où ses appels au secours demeurent sans réponse. Le roi d'Espagne consent finalement à la prendre sous sa protection et toute la famille rembarque, condamnée désormais à une vie de dénuement quasi total. Le reste appartient à une autre histoire. Avec son habituelle énergie, Zita élèvera ses enfants en leur transmettant fidèlement ses principes de légitimité, mourant en 1989 après avoir revu l'Autriche. Elle sera solennellement enterrée dans la crypte des Capucins au cours d'une cérémonie ressuscitant les fastes des Habsbourg, seule au milieu de tous les fantômes de la famille puisque la dépouille de Charles n'aura jamais quitté Madère.

L'assassinat des Romanov

On a vu que lorsque Nicolas et Alexandra se présentent au balcon du Palais d'hiver à Saint-Pétersbourg, aux premières heures du mois d'août 1914 [1], pour annoncer le début des hostilités, l'immense place est noire de monde, et que les ambassadeurs étrangers, dont le célèbre Paléologue, qui a transmis toutes sortes de récits très vivants – et quelque peu pharisiens – des dernières années du tsarisme et de la Révolution, sont transportés par la vigueur théâtrale de ce patriotisme. En fait seule une poignée d'obscurs révolutionnaires exilés comme Lénine ou Trotski prédisent que

1. Selon notre calendrier, différent du calendrier orthodoxe. Pour la Russie, la guerre a éclaté en juillet.

cette guerre entraînera la destruction de la Russie tsariste et s'en réjouissent alors que même l'aile social-démocrate de la Douma se rallie au principe de la guerre et vote les crédits.

Nicolas II accueille la guerre avec inquiétude et réticence. Le tsar est un homme de paix, qui se souvient de la catastrophe japonaise et vit dans le souvenir de son père qui savait désamorcer les crises les plus graves avec l'aide de ses diplomates. Et puis Nicolas connaît bien la chose militaire, il sait mieux que les autres souverains ce que sera une guerre moderne et il pressent les épouvantables souffrances qu'elle implique. Mais pour un patriote comme lui, comment se dérober au jeu des alliances et des paroles d'honneur, à l'enchaînement des responsabilités, aux pressions effrayantes de son gouvernement et de son haut commandement qui lui répètent qu'il faut mobiliser d'urgence de manière que la Russie ne soit pas surprise et désarmée si les troupes du Kaiser attaquent ? Si Nicolas entre en guerre à reculons, Raspoutine, lui, y est farouchement hostile. Ses innombrables ennemis ne cesseront d'affirmer qu'il est en fait devenu un agent docile entre les mains des Allemands, pris au piège de ses besoins d'argent et des risques de chantage auxquels l'exposent ses beuveries et ses orgies. Rien ne le prouve. Raspoutine est donc loin de Saint-Pétersbourg lorsque la guerre éclate, car il a été gravement poignardé, dans un moment d'égarement, par une de ses anciennes disciples. Il se remet lentement de sa blessure dans un hôpital de Sibérie. Mais il tente d'intervenir auprès de la tsarine quand se précise la menace de guerre et lui fait parvenir un dessin légendé de son écriture enfantine et maladroite, où il se représente sombre et souffrant, image de l'inquiétude et du malheur russe, pour tenter d'empêcher la guerre, assorti de la prédiction qu'elle entraînera la ruine de l'Empire et des Romanov. Il est cependant trop éloigné et affaibli pour peser de tout son poids, et curieusement Alexandra ne suit pas ses recommandations, en les mettant au compte de son émotion. À cette époque, l'influence de Raspoutine ne s'exerce encore que sur le plan strictement privé de la vie familiale. Lorsqu'il est confronté à des décisions aussi capitales que la déclaration de guerre, le couple impérial n'écoute pas « le saint homme ».

Or l'un des tragiques paradoxes de ce qui va suivre est que Raspoutine avait raison en incitant Nicolas et Alexandra à refuser la guerre, ce qui en dit long sur le bon sens et la prescience de certaines de ses visions...

Le soupçon d'être à la solde des Allemands, pesant sur Raspoutine, vise bien sûr la tsarine, qui devient la cible des rumeurs les plus haineuses au fur et à mesure de la prolongation de la guerre. En insistant sur sa naissance, sur le fait que sa sœur a épousé le frère du Kaiser et qu'Ernest Ludwig endosse l'uniforme des armées du Reich, on affirme que la tsarine est solidaire des Allemands. Ces calomnies traînent jusqu'en France où on la traite de « Boche » dans les allées mêmes du pouvoir. En fait, Alexandra est bouleversée jusqu'au fond de l'âme par l'immense mouvement patriotique russe qui correspond exactement à l'idée qu'elle s'est forgée de la Russie ; ses aspirations les plus authentiques et les plus exaltées s'en trouvent magnifiées. L'indiscutable sincérité de la tsarine se renforce de l'animosité violente qu'elle voue au Kaiser, coupable selon elle d'avoir prussianisé l'Allemagne et violé sa culture humaniste. Paléologue fait d'ailleurs un récit très impressionnant de la visite à Moscou, quelques jours après la déclaration de la guerre, où Alexandra vit l'émotion collective avec une ferveur hypnotique : respiration oppressée, regard perdu mouillé de larmes, demi-sourire extatique. Mais au-delà de ce genre de démonstrations spectaculaires les paroles et les attitudes d'Alexandra ne laissent aucun doute non plus sur la profondeur de son engagement patriotique.

Cependant la tsarine s'inquiète des séparations inévitables que la guerre entraîne puisque Nicolas doit se rendre constamment sur le front : on sait à quel point ce couple si aimant répugne à se séparer. Mais Alexandra tient d'autant plus à donner l'exemple. Elle se lance donc dans la guerre comme dans toutes ses tâches officielles, avec cette réserve intimidée et ce dévouement simple qui accusent le caractère indéchiffrable de son personnage. Elle fait transformer les palais impériaux en autant d'hôpitaux, passe des examens d'infirmière comme une novice et se dépense sans compter avec ses filles au chevet des blessés. Sa santé si précaire, qui d'étouffements en palpitations l'empêchait si souvent de paraître et de se déplacer, n'est plus un obstacle. Tous les témoins l'attestent, elle n'est pas une infirmière de théâtre et participe au contraire des jours durant aux soins les plus pénibles et les plus rebutants. Son sens de l'organisation et de l'efficacité anglaises font merveille dans les services dont elle s'occupe. On se retrouve ainsi à nouveau devant l'énigme Alexandra, tsarine altière et réactionnaire mais aussi femme de grand cœur, incapable d'en administrer la preuve autrement que lorsqu'elle se trouve en face de pauvres gens qui dépendent d'elle.

Dans la famille impériale, les enfants font corps avec leurs parents. Le tsarévitch ne quitte plus l'uniforme et fait de considérables progrès dans ses études pour apaiser ses parents tandis que ses sœurs secondent leur mère dans ses harassantes tournées d'hôpitaux. La guerre est leur unique préoccupation, comme en témoigne un foisonnement de photos et de films. Dans l'une des plus curieuses séries prises par Alexandra elle-même, on voit Nicolas et le tsarévitch observer et démonter une des premières mitrailleuses enlevées à l'ennemi à quelques jours du déclenchement des hostilités. L'opposition politique s'est évanouie. Qui songerait à faire obstacle à la volonté de l'empereur alors qu'il mène la guerre ? Ce patriotisme général s'exprime dans les petites et les grandes choses. Ainsi tandis que sont répandues par millions des cartes postales patriotiques destinées aux soldats reproduisant la famille impériale dans une attitude de gravité toute guerrière, Nicolas fait débaptiser Saint-Pétersbourg à cause de sa consonance allemande et la capitale devient Petrograd, pendant que de nombreuses familles allemandes installées en Russie depuis des générations donnent l'exemple du courage insensé qui jette les Russes par milliers contre les fortes défenses allemandes.

Le commandant en chef des armées russes est le grand-duc Nicolas, cousin du tsar. Grand par la bravoure autant que par la taille, extrêmement populaire auprès de ses hommes et dans le pays tout entier, ses qualités militaires sont compromises par la féroce rivalité qui l'oppose à l'incompétent Soukhoulmikov, ministre de la Guerre retors et corrompu, dont la courtisanerie aveugle le tsar.

L'année 1914 est indécise et cruelle. Fidèle à sa parole, Nicolas fait lancer une double offensive en Prusse-Orientale avant même que la mobilisation soit achevée, pour venir en aide aux Français en bien fâcheuse posture face au bulldozer allemand. Hindenburg et Ludendorff, qui font connaissance dans le train qui les emmène d'urgence à l'Est, repoussent les armées russes à Tannenberg et aux lacs Mazure en leur infligeant une terrible défaite. Le coût humain du désastre russe est effroyable : les soldats du tsar doivent se servir des fusils de leurs camarades morts faute d'équipement, les officiers commandent des charges de cavalerie inutiles que fauchent les mitrailleuses allemandes. Il y a tant de victimes du côté russe qu'Hindenburg se refuse à les dénombrer. Les moujiks-chair à canon paraissent résignés à leur sort, comme s'ils n'étaient pas mobilisés pour combattre mais plutôt pour mourir. Les rescapés s'en souviendront plus tard, précisément lorsque l'effort militaire russe, enfin organisé, se montrera plus avare du sang de ses hommes. Défaites en Prusse-Orientale, les armées tsaristes écrasent en revanche les Austro-Hongrois en Galicie et s'emparent des forteresses qui défendent la route de Budapest.

Au printemps 1915, l'enthousiasme patriotique est à son zénith, alors que l'entrée en guerre de l'Italie aux côtés des alliés prend à revers l'ennemi austro-hongrois. Mais la situation favorable se renverse brutalement ; le renforcement de la puissance militaire allemande inflige de lourdes défaites aux Russes qui perdent la Galicie et la Pologne. Les Allemands occupent Varsovie et menacent les provinces baltes. Finalement, le front se stabilise mais une fois de plus les pertes humaines ont été effroyables et les premiers signes de démoralisation apparaissent parmi les populations civiles confrontées à un redéploiement complet de l'économie russe où l'industrie de guerre prend le pas sur les autres. L'incurie de Soukhoulmikov entraîne son renvoi et son accusation, mais le grand-duc Nicolas n'est pas non plus épargné par la vague de critiques en provenance de la Prusse et de la Douma. Or Raspoutine qui a resurgi à Tsarkoïe Selo déteste également le généralissime et intrigue auprès d'Alexandra pour qu'il soit dessaisi du commandement. Vieilles rancunes du temps où Raspoutine trahissait la confiance de l'épouse monténégrine du grand-duc...

Les alliés sont très inquiets devant ces revers et l'effondrement psychologique qu'ils pressentent. En même temps qu'ils déversent armes et crédits en abondance sur la Russie, ils adjurent Nicolas de prendre une initiative éclatante, car la chute de l'énorme domino russe signifierait leur fin à très court terme. Alors Nicolas fait un geste chevaleresque qui marque la première étape de sa descente finale aux enfers. Il démet son cousin du commandement en chef des armées et en prend la responsabilité. Ses ministres le lui ont fermement déconseillé car ils considèrent que la place du tsar est dans la capitale, au centre même du dispositif de guerre. Mais Nicolas estime qu'en s'installant au front il peut, par sa seule présence, rendre leur cohésion aux forces militaires. Il écarte donc les réticences angoissées de ses ministres et voit dans l'enthousiasme des alliés entourant sa décision une preuve supplémentaire de la sûreté de son jugement. En fait, ce sont les ministres qui ont raison. Désormais Nicolas est comptable au premier chef des éventuels désastres subis par l'armée russe. Il est surtout coupé de la réalité matérielle de la capitale, une capitale si fragile pour qui veut y susciter une émeute. Il perd tout autant le contact avec les forces politiques qui relèvent la tête de manière contradictoire, certes, mais inquiétante pour le pouvoir autocratique. Et ces erreurs tactiques sont évidemment gravement augmentées par le fait que la tsarine reste à Tsarskoïe Selo dans une situation de régente de fait, soumise à l'influence de Raspoutine qui ne dissimule plus sa toute-puissance. Or, les idées politiques d'Alexandra sont le plus souvent inappropriées, et celles de Raspoutine désordonnées et le plus généralement malfaisantes. En prenant le commandement des armées, c'est à eux que Nicolas remet le contrôle effectif de la Russie. Et ainsi, tandis qu'il exerce une influence favorable sur le moral du haut état-major et des troupes, mais sans avoir de prise véritable sur les opérations, Petrograd, entre les mains affolées de la tsarine, court au naufrage, comme un bateau ivre dont le quartier-maître est un prédicateur à demi fou qui manie les voiles et le gouvernail au gré de ses caprices et de ses illuminations.

Alexandra aurait bien besoin d'un autre appui pour tenir ce rôle qui la dépasse. Si au moins les Romanov qui forment un groupe puissant et largement ramifié dans la capitale se montraient solidaires de cette femme seule ! Au contraire, ils s'ingénient à colporter toujours les pires rumeurs à son égard et sont les premiers à l'appeler « l'Allemande » en la calomniant bassement. Cette campagne d'intoxication désastreuse fait tache d'huile, tout en achevant de déconsidérer ses auteurs. Comment défendre un régime impérial qui se détruit lui-même de l'intérieur ?

Ainsi, le tsar et la tsarine vivent-ils pendant près de deux ans, avec de longues périodes de séparation où ils communiquent par un flot de lettres et de télégrammes, avant de se retrouver dans une joie identique à celle des premiers jours de leur amour. Nicolas retourne en effet de temps en temps à Tsarskoïe Selo et la tsarine se rend souvent avec ses filles à la Stavska, le quartier général qui se trouve près du front, à proximité de Moïlev sur les bords du Dniepr. Malgré les éloignements, la famille demeure aussi soudée que par le passé, comme cimentée par les sacrifices qu'imposent la guerre et le patriotisme. Cependant, au grand désespoir stoïquement assumé d'Alexandra, Nicolas décide d'emmener le tsarévitch avec lui à la Stavska. L'enfant est ravi de se retrouver près de son père dans une atmosphère à la fois militaire et chaleureuse. Nicolas n'est pas un grand chef de guerre et il le sait. Sa présence en tant que commandant suprême est plus symbolique que réellement opérationnelle. Il se contente de se tenir au courant des développements militaires et de fournir les encouragements et le réconfort que l'on attend de lui, en inspectant les troupes et en recevant les délégations qui le souhaitent. Au fond, les généraux veulent seulement qu'il soit présent, visible et disponible. Nicolas habite dans le train impérial ou bien dans des demeures de fonction extrêmement modestes, ce qui rend sa présence encore plus familière à son entourage et convient très bien à ses goûts d'homme simple qui n'a jamais aimé le luxe ni l'ostentation. Alexis, qui est encore trop jeune pour se faire une idée précise des événements et de la nature des responsabilités de son père, a le sentiment d'être au cœur d'une grande aventure. Il en retire un surcroît d'admiration pour son père, sa maladie lui accordant un long répit. Sa vie est bien réglée, ses précepteurs, le Suisse Gilliard, l'Anglais Gibbs, lui donnent ses leçons, et Alexis y est bien plus attentif que par le passé. Sa mère n'a jamais eu beaucoup d'autorité sur lui, et dans ce monde d'hommes il se sent obligé de se surpasser. Tout en restant espiègle et joyeux, il gagne en sagesse et en maturité. Les militaires l'adorent, et il se lie avec les officiers alliés détachés au grand quartier général ; notamment le représentant de l'armée belge avec qui il joue et va cueillir des champignons en échangeant de perpétuelles taquineries. C'est une étrange atmosphère où la guerre est toute proche et où l'on voit ce jeune garçon si gracieux et si charmant étudier et s'amuser avec son épagneul Joy comme s'il était occupé à des vacances studieuses. Les repas autour du tsar et du tsarévitch regroupent souvent une cinquantaine d'hommes, et le haut état-major a vraiment l'impression d'être écouté et soutenu, même si le pouvoir réel est dans d'autres mains, celles des généraux sur le front et celles de la tsarine à Pétrograd.

Durant l'année 1916, le père et le fils se sentent plus proches l'un de l'autre qu'ils ne l'ont jamais été, et ils apprécient infiniment cette relation, comme s'ils se redécouvraient loin des soucis de Tsarskoïe Selo, de l'angoisse de la maladie, des dépressions ravageuses de la tsarine. Alexis va sur ses douze ans, il s'éveille à la connaissance et prend un peu plus conscience à chaque instant des profondes qualités humaines de son père. Le tsar et son fils sont inséparables, sauf quand le service les oblige à se quitter pour quelques heures, ce qui donne à l'un et à l'autre l'impression d'accomplir leur devoir, et ce dont l'enfant est extrêmement fier. Alexis a fait d'énormes progrès en anglais et en français. Il écrit bien maintenant dans ces deux langues, et son père lui fait la lecture et l'aide dans ses devoirs. Nicolas a pris une très lourde responsabilité en l'éloignant du cocon familial et féminin et il n'oublie pas les risques qu'il lui fait courir. S'il lui arrivait malheur, Nicolas se sentirait doublement responsable pour l'enfant et pour Alexandra. Alors, il dort dans la même chambre que son fils, et souvent la nuit il se lève pour voir s'il va bien. Chaque jour il écrit des lettres touchantes à Alexandra pour lui raconter qu'Alexis a bien dormi, qu'il a fait des rêves ou des cauchemars, ou qu'il a dû rester au lit parce qu'il a pris froid et s'est enrhumé. L'enfant est encore plus matinal que son père. Il écrit à sa mère qu'il s'est levé pour regarder son père dormir et qu'il s'est amusé à le taquiner pour le réveiller. Parfois, la nuit, dans la chambre éteinte, parce que Nicolas s'est résigné à dormir dans le noir pour que l'enfant puisse se reposer, le père et le fils parlent de la Russie, et Nicolas raconte « sa » Russie au futur héritier, la sainte Russie immuable des moujiks pieux et fidèles et héroïques des grandes légendes slaves.

Les photographies de cette longue période d'intimité sont particulièrement touchantes. Elles montrent le bonheur que le père et le fils éprouvent d'être ensemble et de partager les satisfactions que leur apporte cette vie modeste où ils se réalisent pleinement en ayant la conviction d'être utiles à leur patrie. Hormis l'offensive Broussilov vers les Carpates, le temps des grands mouvements est passé. Le front s'est à nouveau stabilisé. La seule chose que ses alliés demandent à la Russie, c'est d'être là, puissante et pressante, retenant sur ses flancs d'énormes armées austro-hongroises et allemandes. Quelquefois, le père emmène le fils jusqu'aux avant-postes où, malgré l'enlisement des fronts, les contacts avec l'ennemi demeurent très meurtriers. Le tsarévitch est épouvanté par le spectacle des blessés, des hôpitaux de campagne et aussi par la détresse des prisonniers autrichiens que les Russes traitent pourtant avec beaucoup d'humanité. Les actualités filment leurs deux silhouettes si proches, avec Alexis qui joue au petit officier et qui n'est jamais ridicule ni déplacé parce que, à l'instar de son père, il montre un réel désir de bien faire et de ne pas décevoir. L'impératrice et ses filles viennent les voir à plusieurs reprises en 1916. Elles sont partagées entre la culpabilité de s'éloigner des hôpitaux dont elles s'occupent et l'envie constante de retrouver leur père et leur frère tant aimés. Ces visites sont des moments de bonheur arrachés à la tension et à l'inquiétude générales particulièrement vives à Petrograd. Durant l'été, les Romanov passent quelques heures sur les bords du Dniepr. Il fait très chaud, les berges sablonneuses de la rivière invitent à la baignade, et toute la famille assiste aux ébats du tsarévitch. Plus tard ses sœurs lisent, Alexandra et Nicolas font la sieste et se reposent, et à la fin de la journée, on se promène sur la rivière dans un petit bateau. L'impératrice a du mal à marcher mais, même mourante, elle suivrait encore son mari et son fils. D'autres images montrent Olga et Tatiana en route pour aller voir leur père. On a arrêté le train en rase campagne pour ravitailler en charbon, et elles profitent de cette pause pour se rendre dans un petit village et parler avec les paysans. Tout le monde s'assied, on pique-nique, les paysans intrigués s'approchent des deux jeunes filles qui jouent avec les enfants. Aucune arrogance, aucune crainte, la grande famille russe, heureuse de se retrouver pour quelques instants de sérénité confiante. La terrible guerre aura ainsi fourni mille occasions aux Romanov de vivre au contact du peuple russe, et chaque fois ces rencontres auront été étonnamment simples et cordiales comme si tant d'années de fautes politiques appartenaient à une autre histoire. En novembre 1916, Alexandra revient une nouvelle fois avec ses filles. Alexis a encore grandi. Les images d'archives montrent la revue des régiments cosaques devant la famille impériale. Le père et le fils y paraissent tranquilles et magnifiques dans leurs uniformes cosaques, tandis que les femmes portent de longs et élégants manteaux de fourrure pour affronter la pluie verglacée d'automne. Ce sont les dernières images de la famille impériale. L'année 1916 s'achève comme en apesanteur avant que ne se déclenche le dernier acte de la tragédie.

Après deux années d'énormes sacrifices et de pertes terribles pour la Russie, la Douma et les chefs des principaux partis qui tentent depuis longtemps d'obtenir un régime parlementaire multiplient les incidents avec les ministres nommés par l'autocratie. C'est un conflit somme toute habituel depuis 1905, mais que l'incapacité de la tsarine complique et aggrave dangereusement. Nicolas prend ses décisions depuis le quartier général et lorsqu'il repasse pour de courtes périodes, par Tsarskoïe Selo. Cette attention lointaine et intermittente le rend encore plus sensible à l'influence de la tsarine qui l'informe à sa manière de la situation politique. Or, à l'automne de 1916, Petrograd commence à manquer de tout, tandis que la haute société qui a toujours été frivole continue à mener grande vie avec un luxe tapageur qui insulte les civils misérables et les militaires au front. Les théâtres de Petrograd sont pleins et l'on donne des bals comme en temps de paix. Lors d'un de leurs brefs passages en ville, Nicolas et Alexandra se rendent à l'opéra pour une soirée de charité. Ils sont effarés par la somptuosité des toilettes, l'atmosphère générale d'inconscience et de plaisir. On donne un très beau spectacle de ballets où un enfant danse sur un filin au-dessus de la scène. À l'entracte, on le présente au couple impérial, ce dont il restera ébloui toute sa vie : George Balanchine qui rencontra à douze ans le tsar et la tsarine quelques semaines avant que n'éclate une révolution qui balaiera toute l'ancienne Russie.

Nicolas est parfaitement conscient des rumeurs menaçantes qui accusent le régime impérial. Ceux qui souffrent comme ceux qui profitent, les uns par misère et désarroi, les autres par malveillance et légèreté, tous accusent la tsarine de conduire le pays vers un gouffre et le tsar d'être incapable de résister aux intrigues de Raspoutine. Mais Nicolas, depuis le front, considère qu'il est en prise avec les seuls événements vraiment importants de la conduite de la guerre, et il ne pense assainir le climat que « plus tard » en accordant d'éventuelles concessions, lorsqu'elle sera achevée et que la Russie aura obtenu la victoire.

À la fin de l'automne la tragédie intime des Romanov resurgit soudain : Alexis tombe malade. Avec son père, il a eu plusieurs alertes, un saignement de nez, une foulure qui ont été chaque fois jugulés dans le calme. Cette fois c'est plus grave, il faut le ramener d'urgence à Tsarskoïe Selo. On imagine le déchirement du père et de l'enfant à l'idée d'être séparés, et la satisfaction muette de Raspoutine qui va pouvoir un peu plus renforcer son emprise sur la pauvre Alexandra. L'ascension du prédicateur ne connaît plus de limites. Sa maison est le centre de toutes les corruptions et de toutes les intrigues ainsi que de multiples scandales de mœurs. Les diverses factions de la police qui se partagent la protection et la surveillance de Raspoutine accumulent des rapports inutiles qui alimentent un peu plus les rumeurs. On raconte même qu'à son instigation le frère d'Alexandra, Ernest-Ludwig, grand-duc de Hesse, serait venu la voir secrètement à Tsarskoïe Selo. Un allié de Guillaume, un des représentants les plus visibles de la force de guerre germanique au palais impérial ! Aujourd'hui, on n'a pas de preuves que ce voyage ait bien eu lieu, mais les supputations dont on dispose montrent qu'il se serait bien plus agi d'une initiative personnelle rappelant les tentatives de paix de Charles de Habsbourg que d'un complot mené par la tsarine pour se réconcilier avec l'Allemagne. Peu importe, la religion de chacun est faite, la tsarine est en train d'accomplir sa manœuvre de trahison sur les ordres de Raspoutine, cet affidé des Allemands qui leur dévoile les secrets militaires contre de grasses rétributions. Même les blessés dans les hôpitaux commencent à se montrer désagréables et insidieux à l'encontre de la tsarine et de ses filles qui les soignent pourtant avec un extraordinaire dévouement. Mais il y a plus grave. Milioukov, le chef du parti constitutionnel démocrate à la Douma, se lance dans un discours d'imprécations terribles contre le régime et pose pour la première fois la question de l'incompétence du couple impérial, tandis qu'un député conservateur connu pour son loyalisme, Pourichkevitch, fustige la toute-puissance d'un moujik illettré sur la conduite d'une guerre qui entre dans son troisième hiver.

Or Nicolas II vit la guerre comme la crise politique lancinante dans une tension émotionnelle intense. C'est un homme qui cache tellement ses sentiments que beaucoup le tiennent pour insensible. Son côté lunaire et son manque d'imagination donnent l'impression qu'il est toujours en deçà ou à côté des événements. Or tout lui est tourment alors qu'il se voit contraint, parce qu'il se sent inférieur à sa tâche de commandant en chef, d'avaliser les décisions de ses généraux et de voir s'abîmer le fantastique moteur humain de la Russie dont l'état-major use et abuse, tandis qu'il se sent perdre prise avec les innombrables problèmes de l'arrière.

Nicolas, dans son acceptation mystique des responsabilités, endosse une fois de plus la défroque du tsar couvert de sang, et coupable de toutes les fautes. Ses lettres et même son journal, en apparence si banal, reflètent sa profonde solitude, l'angoisse et la compassion qui le hantent. Quand il affirme qu'il fera tout son possible pour la Russie, qu'il se sent dans la main de Dieu et qu'il ne fait qu'obéir à des ordres qui le dépassent, il est profondément sincère. Ainsi, l'obligation dans laquelle il se trouve de régner sur cette guerre effroyable est vécue par lui comme un devoir, mais aussi comme une passion au sens évangélique du terme. De même que ses écrits trahissent par moments sa détresse voire son affolement, la manière dont il vieillit très rapidement durant le conflit, son visage qui se creuse et se ride, ses cheveux qui blanchissent brusquement sont en quelque sorte le témoignage inconscient de la détresse intérieure dans laquelle il se débat. La rechute et l'absence d'Alexis aggravent encore ce sentiment de désespoir muet dont il ne peut même pas s'ouvrir auprès d'Alexandra dont le déséquilibre est sans limite.

Nicolas passant pour un tyran aux yeux de ses vainqueurs, ou pour un médiocre insensible aux yeux de ceux qui l'ont abandonné, apparaît très différent à ceux qui l'ont aimé et qui lui sont restés fidèles. Ainsi, sa sœur Olga raconte une visite qu'il fait dans un hôpital, en 1916, où il émeut médecins et blessés par sa bienveillance et sa douceur, sauvant même du peloton d'exécution un jeune déserteur qui pleure dans ses bras. Elle gardera une impression déchirante de cette journée en le voyant aussi comme perdu et totalement incapable de se révolter contre un sort personnel funeste qu'il pense nécessaire au salut de la Russie.

Dès l'aube de son règne, Nicolas se perçoit en victime expiatoire de tous les malheurs russes. Ainsi est-il déchiré entre deux états d'esprit aussi puissants que contradictoires ; la nécessité de tenir à tout prix moralement pour donner l'exemple à une patrie qu'il aime passionnément et la certitude que toutes les souffrances autour de lui ne pourront être rachetées que par la sienne. Or, Nicolas n'est pas du tout un pleutre sonore à la manière de Guillaume, il serait capable d'offrir sa vie à l'instant même pour que la victoire rétablisse la Russie dans toute sa gloire et dans tous ses droits. Pour cet homme simple et loyal dont le seul refuge était jusqu'alors sa famille, l'isolement de la Stavska agit très fortement sur son cheminement moral. Tandis qu'il ne parvient à assumer sa tâche qu'en respectant scrupuleusement les traditions et ses propres habitudes, le spectacle des horreurs de cette guerre qui ne respecte aucune règle, et de la corruption de ses gouvernements l'enfonce davantage dans sa volonté de sacrifice et de rédemption. Certes, il est responsable d'avoir choisi des ministres incapables et contribué au déclenchement de la guerre. Mais au fond sa culpabilité relève de celle de toute sa classe sociale tandis qu'il est certainement l'un des seuls à refuser de se défausser pour échapper au jugement qu'il porte désormais sur lui-même.

À la fin de 1916, sa volonté qui n'a jamais été très vaillante commence à faiblir un peu plus, et il devient d'autant plus dépendant des innombrables messages que lui adresse la tsarine. Le train impérial, le haut commandement qui lui manifeste une déférence cérémonieuse, les inspections, les visites des alliés comme celles des ministres socialistes français, qui, toute honte bue, le couvrent d'éloges de peur que la Russie ne flanche, tout cela n'est qu'apparence. Il signe des décrets que les ministres appliquent peu ou mal et qui n'ont aucun effet sur la correction de la gabegie générale, il préside des réunions avec les généraux où son avis n'a pas d'importance, et il sait que tous le trahiront à la première occasion. Autant de raisons pour s'accrocher encore à la foi orthodoxe, à l'autocratie que lui a léguée son père et qu'il ne voit pas comment remplacer, ainsi qu'à sa Russie idéale, paysanne et traditionnelle qui sont pourtant à la veille d'un inimaginable tremblement de terre. On peut se représenter la vie de Nicolas, au quartier général, et comme l'automne doit être lugubre dans ces confins désolés de Biélorussie où il ne cesse de pleuvoir, où il fait nuit à quatre heures et où les seules sorties sont pour des inspections dans des hôpitaux où agonisent les blessés.

Alexandra entend cependant ce qui se dit, et ses filles qui veulent la protéger lui rapportent aussi toutes les rumeurs. À ce moment, Olga, l'aînée, se renferme dans une réserve mélancolique, tandis que Tatiana paraît écorchée vive par l'inquiétude : sur les photos, la perpétuelle tristesse de leur regard est éloquente. Alors avec Nicolas au loin, ses filles qui souffrent pour elle, le tsarévitch malade, Petrograd si hostile, Alexandra ne trouve de réconfort, comme toujours, que dans la présence de Raspoutine et dans la pratique exacerbée de la religion orthodoxe où l'accompagne l'infatigable Anna Viroubova.

Les historiens ont fait leur miel des messages envoyés par Alexandra à Nicolas avec leur syntaxe étrange, leur ponctuation délirante, leurs bouffées de mysticisme, d'appels à la fermeté, entrecoupés d'éclairs de sentimentalité juvénile. Ces textes n'ont jamais été cités que pour servir d'illustration à la confusion mentale d'Alexandra. En fait, dans toutes ces correspondances frénétiques, il y a aussi beaucoup d'appréciations exactes sur l'imminence du cataclysme qui menace. Alexandra est lucide quant à la réalité tangible du danger, même si les réponses et les méthodes qu'elle propose sont le plus souvent inappropriées. Car la puissance de Raspoutine sur la tsarine est désormais absolue. Se croyant maintenant investi de la défense de l'âme russe, il se mêle ouvertement de politique et fait campagne pour ses créatures. Mais son choix se porte toujours sur des médiocres qui l'ont abondamment flatté et couvrent ses travers, et la tsarine ne cesse de les recommander à son mari. Ainsi abondent les télégrammes et les lettres où Alexandra distribue les bons et les mauvais points aux généraux, aux conseillers et aux ministres en faisant constamment référence aux conseils de « notre ami, l'homme de Dieu ». Nicolas ne cède pas toujours, mais trop souvent il s'en remet à sa femme, la seule personne qui a toute sa confiance. Les hommes qui se succèdent au pouvoir sont en général corrompus et incapables, et dans les villes les files s'allongent devant des magasins vides. Tandis que la valse des ministères achève de liquéfier ce qui reste de pouvoir organisé, le divorce entre le couple impérial enfoncé dans son isolement et ce qu'il peut y avoir encore de solide dans la classe politique est définitivement consommé à l'automne de 1916. Rodzianko, le président de la Douma, le grand-duc Sandro ont beau mettre solennellement en garde Nicolas, il suffit d'une secousse pour que toutes les passions de la Russie s'engouffrent dans la brisure.

À la fin de l'automne, Nicolas revient à Tsarskoïe Selo. Il passe quelques journées nostalgiques auprès de sa femme et de ses enfants. Sur les conseils pour une fois éclairés d'Alexandra, il s'était rendu à la Douma au début de l'année, dans le bastion des opposants à l'autocratie, et il y avait été longuement acclamé, comme si le pacte russe pouvait encore se renouer in extremis. Mais Nicolas ne promet plus maintenant de changements, « qu'après la guerre et après la victoire », alors qu'on pose de plus en plus nettement la question du régime à la Douma.

Cependant, en décembre 1916, la déliquescence générale est telle qu'on ose porter pour la première fois la main sur la famille impériale en assassinant Raspoutine.

Tout dans cet assassinat revêt un caractère terrifiant et exceptionnel : la victime, les circonstances, les meurtriers. Neveu par alliance du tsar, le prince Felix Youssoupov, dont la richesse, la beauté et la grâce sont légendaires, est au centre du dispositif crapuleux. Mû par le sentiment mystique de devoir racheter ses dérèglements en sauvant la Russie, il attire Raspoutine qu'il connaît bien et pour lequel il éprouve une ténébreuse fascination, dans son palais, sous prétexte d'une fête intime où il lui présentera sa femme, la très belle grande-duchesse Irina. Le grand-duc Dimitri, le neveu aimé du couple impérial, est le complice de ce guet-apens en faisant le guet et en entretenant l'illusion qu'une petite soirée amicale est en cours. Aussi beau et doué que Felix – lequel est l'âme damnée de l'autre ? – il sait évidemment qu'il va infliger une douleur intense à ses protecteurs, bien que lui-même tienne son geste pour salutaire et sacré. Le fait qu'il cessera quasiment de voir Youssoupov après le crime, alors qu'ils étaient inséparables depuis dix ans, est significatif du remords et du traumatisme qu'il s'inflige à lui-même en participant à l'assassinat. Le plus clair dans ses motivations est le député loyaliste Pourichkevitch qui s'en tient à l'argument compréhensible de vouloir protéger le régime impérial contre lui-même, en éliminant l'homme qui le déconsidère.

L'assassinat de Raspoutine se déroule comme une messe macabre interminable. « L'homme de Dieu » résiste au poison que Youssoupov lui sert, les conjurés s'affolent, le jeune prince apprenti assassin fait des allers et retours de plus en plus angoissés entre la pièce où Raspoutine résiste au cocktail d'alcool et de cyanure qu'il a ingurgité et l'appartement où Dimitri et Pourichkevitch ont perdu totalement le contrôle de leurs nerfs. Et lorsque Youssoupov tire tout un chargeur de revolver sur Raspoutine, celui-ci, avec une force stupéfiante, parvient encore à se lever et à tenter de s'échapper en titubant. Le massacre se termine dans la Neva où l'on jette son corps dans un trou de glace. Lorsqu'on le repêchera quelques jours plus tard, on s'apercevra qu'il est mort noyé, c'est-à-dire qu'il vivait encore quand on l'a jeté à l'eau, malgré le poison et les balles.

La mort de Raspoutine est immédiatement connue de tous. Les policiers ont remarqué quelque chose de bizarre au palais Youssoupov, et bientôt les deux jeunes princes ne parviennent pas à tenir leur langue. Ils sont salués comme des libérateurs par toute l'aristocratie. Pour l'impératrice, c'est un coup terrible qui la glace d'horreur. Raspoutine lui a prédit que sa propre fin entraînerait celle de la dynastie au cas où il serait mis à mort par des « boyards », et comme elle ne doute pas qu'il était l'homme providentiel qui aiderait le tsar à sauver la Russie, elle voit dans sa mort le signal de la chute de la dernière protection dont bénéficiaient les Romanov et l'autocratie.

Avec la mort de Raspoutine, tout le processus de désagrégation s'accélère. Nicolas, ulcéré par le crime, découvre brusquement l'étendue de l'abaissement moral dans lequel se trouve sa famille.

Car c'est un crime « de familier », comme on dit dans les faits divers sordides. Dimitri, le neveu préféré, Youssoupov, le mari d'Irina, la seule nièce directe de Nicolas, les conjurés sont si proches que le couple impérial sent le souffle du crime sur ses épaules. Sandro vient plaider la cause de Youssoupov par solidarité pour Irina, sa fille. Le grand-duc Paul tente également de parler en faveur de son fils Dimitri. Nicolas n'ose pas sévir tant il sent l'opinion favorable aux conjurés. Il se contente d'exiler Youssoupov dans ses terres et de bannir Dimitri vers un régiment en Perse. L'aristocratie, qui les considère comme des héros, trouve la punition encore trop lourde alors que, sans le savoir, Nicolas leur sauve la vie, ces bannissements leur permettant d'échapper peu après à la révolution et aux bolcheviques.

Le crime est une telle atteinte à la vie privée de la famille impériale et à son prestige public que Nicolas et Alexandra en restent comme tétanisés. C'est dans un état second qu'ils vivent les semaines suivantes. On enterre Raspoutine à Tsarskoïe Selo en leur présence, et la vie semble cependant reprendre son cours. Nicolas se replonge dans les laborieux et insolubles dossiers de la désorganisation constante du ravitaillement de la capitale où les trains ne parviennent qu'irrégulièrement compte tenu du perpétuel va-et-vient des troupes. Son gouvernement est nul, et il le sait très bien : le Premier ministre, le prince Galitzine, n'est qu'une vieille ganache, Protopopov, le ministre de l'Intérieur, créature de Raspoutine, est un demi-fou illuminé qui se prétend en liaison constante avec l'âme du défunt, mais Nicolas insiste pour ne rien modifier ; le souvenir du disparu est encore plus lourd que sa présence.

En attendant, il se contente de ce qu'on lui décrit à longueur de rapports : le ravitaillement va s'améliorer, les troupes qui gardent Petrograd sont fidèles. En vérité, le ravitaillement va bientôt manquer totalement tandis que les garnisons de Petrograd ne sont formées que de jeunes soldats fraîchement mobilisés, la plupart appartenant aux classes défavorisées en contact avec des familles qui souffrent atrocement de la misère. On aurait voulu allumer l'étincelle de la révolution qu'on ne s'y serait pas pris autrement !

La lucidité d'Alexandra, qui lui permettait parfois d'élaborer des diagnostics justes assortis de mauvais remèdes, ne l'a pas complètement abandonnée. Depuis la mort de Raspoutine, elle ne vit que d'une manière mécanique, mais elle comprend que le problème du ravitaillement de Petrograd va jouer un rôle décisif et adjure Protopopov d'y remédier ; le ministre de l'Intérieur se penche sur la question en faisant tourner les tables... De surcroît, à Tsarskoïe Selo, les enfants sont malades, atteints d'une rougeole compliquée d'oreillons, une épidémie qui lui rappelle sinistrement la diphtérie qui frappa autrefois sa famille, la laissant à jamais traumatisée. Or la guerre n'attend pas. Nicolas se laisse rassurer par ses ministres, résiste aux objurgations d'Alexandra lui demandant de rester, et à la fin du mois de février 1917 il reprend le chemin de la Stavska en promettant d'être de retour quelques jours plus tard.

Autre curieux paradoxe de l'histoire de la révolution : Nicolas, par sa présence inefficace et aveugle, est certainement un des premiers responsables du soulèvement. Mais son absence contribue à décider de la chute du régime, en quelques heures. Cette contradiction apparente prouve à quel point une issue raisonnable est désormais improbable. L'autocratie décidément impuissante, le vide attire les déchaînements les plus anarchiques comme une tornade. On comprend le désordre des réactions des députés de la Douma eux-mêmes, qui se réclameront encore un temps partisans d'un tsarisme rénové alors qu'il ne restera déjà plus rien de l'édifice. C'est le cas de Milioukov, par exemple, qui n'a pas eu de mots assez durs contre la famille impériale à la tribune de la Douma, quelques semaines auparavant, et tentera cependant de placer le frère de Nicolas, le grand-duc Michel sur le trône fracassé de la dynastie. Tel est le trouble des esprits que seule la fuite en avant paraît apporter quelque clarté.

Les troubles éclatent quelques heures après le départ du tsar pour la Stavska. La grève des usines d'armement Putilov dégénère, des cortèges se forment pour réclamer du pain. Durant quelques jours, les cosaques tentent de disperser les manifestants, mais leurs régiments se débandent tandis que les garnisons de Petrograd passent les unes après les autres du côté des émeutiers. Les nouvelles du mouvement font tache d'huile à travers les principales villes de Russie. Très vite, Alexandra câble à Nicolas de rentrer d'urgence et d'accorder d'« inévitables concessions ». Rodziansko, le président de la Douma, affolé, la harcèle et câble, lui aussi au tsar, des messages suppliants appelant à la nomination d'un ministère d'union nationale responsable devant le parlement. Mais Nicolas est trop loin, il ne comprend pas toute cette agitation. Les bruits d'émeutes et de sédition lui parviennent très assourdis, les soucis du front et de la guerre lui interdisent de se préoccuper de ce qui se passe à l'arrière, et il sous-estime totalement la gravité de la situation en ordonnant que l'on rétablisse l'ordre comme s'il s'agissait d'une simple émeute. Nicolas voit dans les appels angoissés de Rodziansko une manœuvre de la Douma comme il en a connu en d'autres circonstances. Finalement, inquiété par les messages de sa femme, il décide de revenir et son voyage de retour lui ouvre enfin les yeux. Le train impérial est bloqué alors qu'il s'approche de Tsarskoïe Selo. Les cheminots se sont mis en grève, et il est impossible de poursuivre en automobile car les villes à traverser ne sont plus sûres. Nicolas tente alors de passer par un autre chemin et son train échoue à Pskov où se trouve une autre partie du commandement militaire. Mais les généraux sont informés de la situation à Petrograd et se préparent à leur tour à le trahir. Ces mêmes généraux qui avaient tant sollicité la présence du tsar, et dont il avait avalisé toutes les décisions, l'abandonnent les uns après les autres. Entre Pskov, Petrograd et Tsarskoïe Selo, des télégrammes s'échangent sans répit. Ils ne sont pas tous adressés à Nicolas, certains vont directement sur la table des officiers supérieurs et notamment sur celle du général Rousky, un militaire dont le dévouement à l'empereur semble total. Ces messages insistent sur la dégradation rapide de la situation dans la capitale : la Douma, ayant désigné un conseil provisoire, est soumise à la surenchère permanente d'un « soviet » d'ouvriers et de soldats qui occupent les mêmes locaux, la rue est aux mains des émeutiers qui massacrent les cosaques et pillent magasins et palais ; les insurgés se sont emparés des armes dans les casernes et ont réquisitionné les automobiles de l'aristocratie. La déliquescence du régime impérial est telle que le grand-duc Cyrille, un cousin germain du tsar, à la tête des détachements de son régiment qui arborent les cocardes rouges, fait même des offres de service à la Douma. Finalement, Rodziansko tente de débloquer une situation qui s'aggrave d'heure en heure en pressant Nicolas d'abdiquer en faveur du tsarévitch ; son frère, Michel, devenant régent jusqu'à la majorité d'Alexis.

À Pskov, Nicolas est atterré par l'attitude de Rodziansko. Il fait consulter les chefs militaires, mais ceux-ci se plient à l'ouragan de Petrograd. Ils recommandent à leur tour l'abdication. Alors Nicolas cède malgré les appels enflammés d'Alexandra pour qu'il résiste aux pressions. Il est si persuadé que le tsarisme et la Russie sont consubstantiellement unis qu'il ne peut imaginer être le dernier tsar. Il pense seulement que sa personne est devenue le principal obstacle. Il s'y reprend d'ailleurs à deux fois pour signer l'acte de renoncement que lui apportent Milioukov et Goutchkov. Il abdique d'abord en faveur de son fils. Mais, lorsqu'il prend conscience qu'Alexis est vraiment trop malade pour lui succéder et qu'ils risquent d'être séparés, il réécrit l'acte en confiant le trône à son frère Michel dans un manifeste d'une grande élévation morale qui rappelle la grandeur tardive du testament de Louis XVI. Puis il prend congé des soldats et des officiers avant de confier à son journal : « Tout n'est que lâcheté, trahison et mensonge autour de moi. » Mais un autre train impérial se présente : celui de la mère de Nicolas, qui s'était repliée à Kiev. Maria Feodorovna et son fils ignorent encore qu'ils se voient pour la dernière fois. Personne ne sait ce qu'ils se sont dit durant ces quelques heures, mais on imagine l'horreur que l'ancienne tsarine doit éprouver face aux événements et comme elle a sans doute amèrement reproché sa décision à Nicolas, au nom de son père Alexandre III qui n'aurait certainement jamais abdiqué. On remarque simplement le visage défait de Nicolas lorsqu'ils se séparent. Puis Maria Feodorovna repart pour Kiev où aucun gouverneur, aucun officiel ne l'attend plus désormais à la gare. Pour la première fois de sa vie, elle doit prendre un fiacre pour rejoindre son palais déjà déserté par une bonne partie de son personnel. Quant à Michel, il refuse la couronne après une journée d'hésitation et confie l'avenir de la dynastie à une assemblée constituante. Les Romanov auront été balayés en quelques heures.

Quelques heures plus tard, Nicolas est mis aux arrêts. Le conseil provisoire de la Douma a pris cette décision afin de le protéger et de le ramener à Tsarskoïe Selo où Alexandra, statufiée, vient d'apprendre la nouvelle de son abdication de la bouche du grand-duc Paul. Le silence à présent est retombé sur le domaine enchanteur de Tsarskoïe Selo enfoui sous la neige. Les enfants sont malades, Alexandra brûle des monceaux de lettres et s'inquiète pour Nicolas, dont elle est sans nouvelles, tout le reste est contingent. Le général Kornilov, nommé commandant militaire de Petrograd, vient annoncer avec ménagement à Alexandra qu'elle et ses enfants sont maintenant aux arrêts et l'officier Kobylinsky scelle les issues du palais Alexandria, hormis la porte d'entrée et la cuisine.

Un nouveau corps de garde prend position et n'obéit qu'aux ordres de l'officier.

Après quelques jours, Nicolas arrive enfin à Tsarskoïe Selo. Sur le quai, la plupart de ses aides de camp l'abandonnent, certains s'enfuient même en courant. À la grille du palais, on annonce simplement « Nicolas Romanov » pour qu'il puisse y pénétrer. Alexandra est au premier étage, au chevet de ses filles. Lorsqu'elle comprend que son mari est revenu, elle court dans l'escalier à sa rencontre. Le couple impérial se retrouve comme des amants que l'on aurait séparés depuis longtemps. Et, pour la première fois de sa vie de tsar, Nicolas fond en larmes. Il va pleurer ainsi longtemps et frénétiquement comme un enfant épuisé. Puis le tsar et la tsarine s'enferment dans leur chambre et en ressortent presque tranquilles le lendemain matin.

Passent les mois d'hiver. Le gouvernement provisoire d'aristocrates et de grands bourgeois a le plus grand mal à se maintenir face aux pressions des soviets et de la rue. L'anarchie est générale et on oublie les Romanov. Le printemps arrive et la vie des reclus s'est organisée tant bien que mal. Leur privation de liberté est contraignante mais relative. Ils disposent encore du palais, d'une partie du parc, des domestiques et de quelques fidèles. Le tsar assume son triste sort avec calme, sans manifester le moindre signe de découragement ; compte tenu de son état d'épuisement, il paraît même soulagé. Il s'occupe de ses enfants, fait de l'exercice au grand air. Il se fait même photographier avec des sentinelles, en portant sa tenue de colonel de l'armée russe avec une seule décoration, la croix de Saint-Georges. C'est la distinction la plus recherchée de l'ancien régime. Nicolas ne se jugeait pas digne de la recevoir, mais lorsqu'il a pris le commandement en chef des armées, les généraux ont insisté pour qu'il l'accepte. Il a alors accueilli cette décoration avec émotion, et c'est la seule qu'il porte constamment, accrochée à la vareuse d'étoffe grossière de son uniforme. Les aristocrates de Petrograd, jamais en peine de médisances à l'égard de Nicolas, avaient fait courir une plaisanterie : « Saint-Georges pour le tsar, Grigori (c'est-à-dire Raspoutine) pour la tsarine », mais Nicolas n'y prête plus attention et il arbore avec fierté cette croix au vu des sentinelles qui l'entourent et des émissaires du gouvernement provisoire, comme le symbole de son patriotisme intact.

Le parc de Tsarskoïe Selo est sévèrement gardé et il est interdit à la famille impériale de s'approcher des grilles car les curieux cherchent sans cesse à apercevoir le tsar dans ses promenades et tentent de l'apostropher à travers la clôture. Il reste, malgré tout, suffisamment d'espace pour faire des travaux de jardinage dans lesquels les Romanov se lancent pour tromper leur ennui. Ils s'occupent à faire pousser des légumes, à couper du bois, à transporter des charretées de terre et d'herbes folles avec l'aide des sentinelles. C'est un des aspects les plus touchants de cette réclusion. Kobylinsky se heurte à un problème permanent de recrutement des gardes : s'ils restent trop longtemps à Tsarskoïe Selo, ils passent très rapidement du côté de la famille impériale, éveillant la méfiance du soviet de Petrograd qui menace de monter lui-même la garde autour des prisonniers. Tatiana, avec son intelligence et son charme, obtient toutes sortes de petits avantages des soldats, alors que Maria les séduit par sa gentillesse, connaît tout de leur vie, de leurs projets, et les aide souvent dans leur correspondance car la plupart d'entre eux sont illettrés. Kobylinsky n'y voit pas d'inconvénient, bien qu'il soit aux ordres du gouvernement provisoire, il a mis de côté toute rancœur contre le tsar et veille à ce qu'on respecte la vie privée des Romanov. Mais il subit aussi constamment la pression du soviet de Petrograd qui lui dépêche ses soldats révolutionnaires, assoiffés de vengeance, qui menacent les gardiens en les accusant de trahir la révolution.

On ne filme plus la famille impériale à cette époque, mais les photographies sont éloquentes. Elles montrent les grandes-duchesses aux travaux du jardin ou lisant au soleil vêtues de tenues assez grossières, toujours les mêmes, avec des bonnets bizarres pour maintenir les perruques qu'elles garderont quelque temps car elles ont rasé leurs cheveux durant leur maladie. L'une de ces photos est terrifiante : les enfants posent les uns à côté des autres en souriant, montrant uniquement leur tête rasée au-dessus d'un drap noir, comme s'ils étaient décapités, image affreusement prémonitoire du sort qui les attend. Au retour des beaux jours, le tsarévitch se baigne avec Joy dans les canaux et mène une existence apparemment insouciante. Mais s'il a surmonté la dernière atteinte de sa maladie, son regard a changé et exprime une gravité nouvelle. L'enfant subit en fait des chocs plutôt rudes. Le plus pénible est sans doute la trahison de Derevenko, le marin qui s'occupait de lui depuis plus de dix ans et veillait à chaque instant à ce qu'il ne coure aucun danger. Derevenko fait totalement partie de la famille, les meilleurs amis d'Alexis sont ses propres enfants. Or, le marin change complètement d'attitude. Avec la révolution, il devient autoritaire et brutal, il gronde Alexis sans raison, lui donne des ordres, lui manque de respect et d'attention. Le professeur Gilliard surprend une scène qui le bouleverse : Derevenko dans la chambre de l'enfant lui parle comme à un domestique, lui commandant d'aller lui chercher tel ou tel objet, tandis que, vautré sur un fauteuil, il fume et pose ses chaussures sur le lit. Et Alexis, affolé et en larmes, obéit à ses ordres et à ses caprices. Derevenko sera chassé par la tsarine, peu après, s'éloignant l'injure à la bouche et menaçant de se venger.

Bien qu'Alexis ne soit tenu au courant de rien, selon les habitudes protectrices de ses parents, il semble qu'il ait une conscience aiguë de la situation, du sort qui est fait à sa famille, voire des fautes qui ont pu être commises. Dans leurs journaux, Gilliard et Gibbs racontent qu'il pose beaucoup de questions et se réfugie souvent dans de longs silences après avoir obtenu des réponses embarrassées. Tatiana pour sa part régente la vie quotidienne de la petite communauté quand la tsarine est accablée ou s'abîme en interminables conciliabules avec Anna Viroubova. Olga se réfugie dans ses lectures et la mélancolie qui désormais ne la quitte plus. Maria parle constamment aux soldats. Anastasia est la plus espiègle et la plus gaie, et les gardiens cèdent à ses jeux car elle ne manifeste aucune crainte à leur égard. Et puis il y a Joy, l'épagneul d'Alexis, dont on ne s'est jamais autant occupé...

La tsarine a physiquement beaucoup changé. Quand son mari et ses enfants sont au jardin, elle passe la majeure partie de son temps à broder, assise dans son fauteuil roulant. Elle qui fut si élégante s'habille désormais comme une vieille femme et elle est souvent absente du tableau familial comme si elle s'était déjà retirée du monde. Le choc de l'abdication succédant à la mort de Raspoutine a été terrible pour Alexandra. Elle appelle Nicolas « son héros » en insistant sur le fait que cette nouvelle épreuve les rapproche encore plus que par le passé. Mais à présent les Romanov n'ont pas grand-chose à faire, plus aucune responsabilité, et cette vacuité les fait lentement dépérir.

Chez leurs anciens alliés, on commence à mesurer le danger auquel sont exposés le tsar et sa famille. En Angleterre le parti conservateur fait pression pour qu'on aille les chercher et qu'on leur assure un exil décent. La famille impériale est en effet à la merci d'une attaque du soviet de Petrograd qui exige de se les faire remettre. Les notes adressées à leurs gouvernements par Buchanan et par Paléologue, les ambassadeurs d'Angleterre et de France, sont éloquentes à cet égard. Mais Buchanan qui connaissait pourtant Alexandra depuis le temps où elle était princesse de Hesse joue déjà la carte des révolutionnaires modérés et se désintéresse du sort des Romanov ; quant à Paléologue, il contemple leur chute comme un beau sujet de mémoires pour l'Académie française... Mais le gouvernement et la Douma hésitent. Certains aimeraient se débarrasser de la famille impériale et l'embarquer au plus vite à Mourmansk sur un navire anglais. D'autres pensent qu'il y a des problèmes plus urgents à régler et peut-être se préparent-ils à faire passer Nicolas en jugement. Tous estiment que faire sortir le tsar de Russie serait compliqué et dangereux. Les chemins de fer sont aux mains des éléments les plus maximalistes et Nicolas et sa famille risqueraient à tout moment de se faire massacrer sur le parcours par des foules hostiles. Kerenski, l'homme fort du gouvernement et de la Douma, social-démocrate républicain intelligent et ambitieux, qui a passé de longues années à défendre des opposants emprisonnés, est partisan de garder la famille impériale et d'instruire le procès du tsarisme. Il décide d'ailleurs de se rendre auprès du tsar et de la tsarine pour les interroger. Il informe Alexandra avec insolence que la reine d'Angleterre a demandé des nouvelles de « l'ex » impératrice et il s'adresse à Nicolas avec un minimum de respect. Il est d'ailleurs tellement persuadé de la complicité d'Alexandra avec les Allemands qu'il ordonne de séparer le couple impérial en ne les autorisant à se voir qu'aux heures des repas. Évidemment, ce nouvel isolement est pour eux une torture épouvantable. Pendant ce temps, leurs archives sont fouillées mais on ne trouve rien qui pourrait permettre d'étayer un soupçon à l'encontre d'Alexandra. Kerenski annule alors sa décision, adoucit ses manières et la vie reprend à peu près normalement. L'été arrive. On fait du canot sur le petit lac. Alexis continue ses baignades, les grandes-duchesses jardinent ou dessinent sur les pelouses. Les légumes poussent comme à la ferme.

À son tour Kerenski se laisse peu à peu conquérir par ses prisonniers. Alors qu'il ne supportait par les manières altières d'Alexandra, il la traite maintenant avec beaucoup d'attention et il se prend d'un véritable sentiment d'amitié pour Nicolas qui le touche par sa modestie et son désintéressement. Il n'envisage plus de les faire poursuivre mais au contraire de les mettre à l'abri, bien plus sûrement qu'à Tsarskoïe Selo trop mal protégé d'une offensive en provenance de Petrograd, où Lénine vient d'arriver. Et puis Kerenski a pris goût à la politique et sa popularité personnelle est en plein essor. Il fait un calcul opportuniste : protéger le tsar et la tsarine, cela peut être un investissement pour l'avenir ; Kerenski est fondamentalement républicain mais il lui faut résister à la pression des bolcheviques et regrouper toutes les tendances qui les combattent. Or Lénine tente dès le mois de juillet un premier coup de force pour s'emparer de Petrograd. Il échoue in extremis et s'enfuit provisoirement en Finlande. Mais Kerenski sait que s'il laisse les Romanov aux mains des bolcheviques, dans l'hypothèse d'un autre coup d'État, c'est la mort assurée pour toute la famille.

Le Premier ministre Lloyd George porte un jugement très hostile sur le régime tsariste ; celui que partage la majorité de l'opinion britannique anglaise, si fière de son parlementarisme et si opposée au despotisme autocratique. Et au fond les Anglais veulent-ils vraiment aider la famille impériale ? Le roi George V qui avait l'air de tant aimer dans le passé son cousin germain Nicolas, et qui devrait peser de tout son poids pour obtenir que l'on accueille le tsar et sa famille, penche dans le sens que souhaite Lloyd George. Il en rajoute même en se ralliant à la position de son gouvernement et en affirmant qu'il est également hostile à l'arrivée des Romanov en Angleterre. Acte de sécheresse égoïste que la couronne britannique arrivera à masquer durant des décennies et qui est le premier de toute une chaîne d'avanies infligées par George et son épouse Mary à ceux qu'ils auraient pu sauver, même contre l'avis de leur gouvernement qui n'aurait pas osé le refuser au roi. George d'Angleterre, qui écrivit à Nicolas en 1914 pour lui souhaiter une « bonne année », est le premier monarque à lui claquer au nez la porte de son royaume, l'envoyant ainsi à une mort certaine.

Quant à la France de Poincaré qui a fait tant de simagrées quelques années plus tôt, elle est aussi abjecte d'ingratitude à l'égard de celui qui l'a tant aidée au moment des premières offensives de la guerre. Poincaré parle, du bout des lèvres, de recevoir « peut-être » Nicolas et d'enfermer « la boche » dans une résidence surveillée. C'est tout ce qu'il fait pour eux, avant de se défausser sur l'attitude des Anglais.

Kerenski décide alors d'éloigner la famille impériale au début de l'été 1917, en reportant l'option d'un exil en Angleterre, puisque le gouvernement de sa Majesté et le roi George s'y refusent absolument. Or le danger qu'elle soit prise en otage par les bolcheviques se précise de plus en plus. Malgré son échec en juillet, la puissance de Lénine ne cesse de grandir, et Kerenski est bien le seul à pouvoir mettre les Romanov à l'abri. Il a fait adopter l'abolition de la peine de mort, et il ne cesse de déclarer aux bolcheviques, lors des sessions entre le soviet et la Douma : « La Révolution ne se vengera pas. » Il éprouve désormais une véritable compassion pour la famille impériale. Alexandra et Nicolas s'appuient sur lui avec confiance et le tsar n'hésite pas à lui déclarer : « Ah si je vous avais connu plus tôt. » Cependant Kerenski doit les garder prisonniers car une partie de l'opinion survoltée par la révolution n'admettrait pas qu'on les laisse rejoindre leur maison de Livadia où ils rêvent de pouvoir s'établir. Il faut donc les transférer discrètement vers un lieu éloigné et tranquille où leurs ennemis ne pourront les atteindre. C'est ainsi qu'il choisit Tobolsk, une ville perdue sur les contreforts sibériens de l'Oural, peuplée surtout de marchands, où il ne risque pas d'y avoir de provocations bolcheviques à l'encontre des Romanov. C'est un abri sûr, tant que Kerenski se maintient au pouvoir.

Reste maintenant à les en informer. Pour cela, Kerenski commence à éloigner les familiers de la tsarine. Il fait donc emmener cette redoutable bavarde d'Anna Viroubova, qui est emprisonnée quelque temps, et qui ne reverra jamais l'impératrice, échappant plus tard et par miracle aux massacres bolcheviques. Elle mourra dans les années 50, en Finlande. Puis Kerenski annonce son prochain départ à la famille impériale. Il faut rassembler un énorme déménagement et s'apprêter à un grand voyage vers une destination dont il tait le nom. Il redoute en effet une indiscrétion des gardiens et que ceux-ci informent le soviet de Petrograd. Cependant Nicolas demande à revoir son frère Michel, tsar d'un jour qui ne songe qu'à disparaître devant la violence de la révolution. Kerenski assiste à l'entretien, sans doute mû par une curiosité quelque peu voyeuse. Il ne se passe d'ailleurs pas grand-chose, les deux frères n'osent rien se dire, d'autant plus que Michel pleure convulsivement devant le tsar, comme s'il savait qu'il s'agit de leur ultime rencontre.

La grande difficulté est de trouver un train pour emmener les prisonniers en toute sécurité. On décide de former un convoi sous l'égide de la Croix-Rouge japonaise pour tromper la vigilance des bolcheviques. Terrible ironie du destin que de faire voyager le tsar sous ce fameux drapeau qui lui a infligé la plus cuisante des défaites. La famille a promis d'emporter « le minimum », c'est-à-dire tout de même un wagon entier de meubles et d'objets personnels ; des familiers et des domestiques l'accompagnent. Kerenski n'y trouve rien à redire, il ne veut pas lui imposer davantage de sacrifices. Le tsar et Kerenski éprouvent une émotion sincère au moment de la séparation comme s'ils se doutaient soudain qu'elle sera définitive et qu'ils ne se reverront plus. Ils font malgré tout partie du même monde, où l'on se combat avec un respect presque fraternel, à l'opposé du système bolchevique où l'on tutoie les prisonniers avant de les massacrer. Kerenski, en fuite après la prise du pouvoir bolchevique, justifiera son attitude sa vie durant, en expliquant qu'il souhaitait sauver les Romanov et non les laisser dans un piège. Finalement, on parvient à faire arriver un train jusqu'à une petite gare de marchandises à proximité du palais. Toute la famille attend déjà dans le grand salon depuis plusieurs heures. L'inquiétude est tempérée par les assurances de Kerenski et le fait que Kobylinsky soit du voyage.

Et lorsque les Romanov s'embarquent enfin, une irréelle atmosphère de joie à l'idée de ce grand voyage l'emporte sur l'anxiété de ne toujours pas connaître la destination finale. Anastasia est particulièrement agitée, elle a le plus grand mal à respecter la consigne de ne pas regarder par la fenêtre du train. À plusieurs reprises, elle descend même sur des quais de gares inconnues pour parler aux moujiks, au risque d'attirer l'attention d'éventuels mouchards. Le voyage se déroule lentement mais dans de bonnes conditions. Lorsque les Romanov parviennent sur le versant sibérien de l'Oural, il faut transporter toutes les affaires sur un bateau pour rejoindre Tobolsk. On est en août, il fait beau, tout est calme, presque comme autrefois. La magnifique lumière sibérienne donne au voyage des allures d'excursion familiale. On passe au large du village de Raspoutine. L'impératrice voit distinctement la maison qu'il lui avait fréquemment décrite. Elle y voit le signe que l'homme de Dieu est encore avec eux et les protège. Finalement, on arrive à

Tobolsk qui brille de tous les clochers construits par sa population de riches marchands. Là aussi c'est encore la sainte Russie d'antan. Mais les Romanov sont obligés de rester encore sur le bateau parce que la maison du gouverneur de Tobolsk n'est pas prête à les recevoir. Kobylinsky, plein de tact et d'attention, veille à son aménagement et, après une semaine de travaux, la maison est enfin rendue assez confortable pour que la famille s'y installe. Elle dispose d'un vaste appartement au premier étage et les pièces sont agréables et aérées. Les Romanov ont toujours aimé vivre simplement, et cette nouvelle installation ne modifie pas beaucoup leurs habitudes. Une sympathique bohème à la russe, aux limites du raffinement et du camping, s'organise comme dans une pièce de Tchekhov. Les quatre grandes-duchesses dorment dans la même chambre, le tsarévitch dispose d'une pièce personnelle, le couple impérial a sa propre chambre, et les familiers se « casent » comme ils peuvent. Un jardin permet de faire de l'exercice. Sous les fenêtres, les passants sont amicaux. Mais le rez-de-chaussée est aussi occupé par le corps de garde. Kobylinsky a été obligé d'emmener les gardes les plus durs, ceux qui ont été soumis à l'influence du soviet de Petrograd. Ils sont très mécontents d'être à Tobolsk, si loin de tout. Ils réclament sans cesse des primes que Kobylinsky ne peut leur verser et se vengent en faisant observer strictement les consignes. Heureusement pour les prisonniers, Kobylinsky mêle à ces éléments difficiles des soldats plus conciliants qu'il recrute aux alentours, et l'habituel charme des Romanov apaise peu à peu les tensions les plus pénibles.

Mais la maison se trouve au centre de la ville. De l'autre côté de la rue habitent les familiers qui n'ont pu se loger auprès de la famille impériale, ce qui occasionne des va-et-vient permanents. Il suffit qu'une poignée de gardes s'en plaignent et menacent d'en avertir le soviet de Petrograd pour que Kobylinsky soit alors obligé d'interdire les sorties sans contrôle et de faire installer autour de la maison une grande palissade qui limite à une cour moyenne l'espace où l'on peut se déplacer à l'air libre. Ainsi, la relative liberté dont disposent les Romanov rétrécit comme une peau de chagrin à chaque menace des gardes que Kobylinsky ne peut retenir. La famille perd notamment le droit de se rendre dans une église toute proche pour suivre les cérémonies religieuses. Elle traversait les rues, un parc public, et avait l'impression de vivre à peu près normalement. Mais, lors de la cérémonie de Noël, l'un des popes commet l'erreur d'entonner un cantique où il appelle la bénédiction de Dieu sur la famille du tsar. Des mouchards l'entendent et, furieux, font pression sur Kobylinsky. C'est à partir de ce moment que la famille impériale ne peut plus quitter sa cour fermée, tandis que les popes et les moniales viennent célébrer les offices dans leurs appartements.

Cependant l'atmosphère demeure supportable car la population de Tobolsk reste majoritairement favorable aux prisonniers et le fait savoir. Les Romanov reçoivent sans cesse des dons, de la nourriture, des messages de soutien qui leur donnent le sentiment de ne pas être complètement abandonnés. La présence aux alentours de quelques monarchistes déclarés fait espérer en une évasion, ce qui est d'ailleurs un mauvais calcul ; les comploteurs sont inefficaces mais compliquent la tâche de Kobylinsky. Nicolas finit par le rassurer en lui donnant sa parole d'honneur de ne pas chercher à s'enfuir. La vie quotidienne, comme par le passé, se conforme à l'agenda et aux horaires des enfants. Si Olga et Tatiana sont grandes à présent, les trois derniers ont toujours besoin de leçons. Ils ont à leur disposition le précepteur russe, l'instituteur anglais Gibbs qui les a rejoints et le fidèle Gilliard. Le tsar devient professeur d'histoire, la tsarine donne les cours de religion, tandis qu'Olga et Tatiana enseignent la littérature. Tous lisent et écrivent énormément aux Romanov qui ne les ont pas trahis et que l'on peut localiser, aux anciens intimes, à Anna Viroubova plus exaltée que jamais à sa sortie de prison. On s'exprime parfaitement en français, en anglais et en russe : vaste champ pour la lecture dans laquelle ils s'abîment. Seul l'allemand pose quelques problèmes, et on devine que ce n'est pas à ce moment-là que l'on va faire des progrès. Le plus dur pour Nicolas et son fils, c'est le manque d'exercices physiques car le jardin est tout de même trop petit. Nicolas dépense son énergie à couper du bois avec le professeur Gilliard, et Alexis obtient des gardes de pouvoir courir avec Joy dans la neige et jouer sur sa luge devant la maison. L'automne sibérien est arrivé, et la ville de Tobolsk s'assoupit dans le froid et le silence. On construit un petit palais des glaces avec des montagnes russes qui permettent la glissade. Mais cela déplaît soudain à l'humeur capricieuse des gardes qui accusent les Romanov de vouloir communiquer avec l'extérieur en montant au sommet de cet échafaudage. Les montagnes russes sont abattues et Alexis se voit interdire la rue. Pour l'instant, Kobylinsky arrive à tenir tête aux gardes les plus inflexibles, mais pour combien de temps encore ? La famille sent bien que le danger se rapproche et parfois la détresse affleure ; alors les Romanov restent longuement les uns près des autres, sans rien dire.

Durant les soirées de ce sombre automne les enfants jouent aux cartes, aux dominos, Alexandra rapièce leurs vêtements qui s'usent de plus en plus et Nicolas fait la lecture à haute voix dans le grand salon. Le tsarévitch a emporté son appareil de cinéma, on fait des projections et on s'inspire des livres des précepteurs, qui renferment des pièces de boulevard anglaises et françaises, pour monter des saynètes. Tout le monde joue et se déguise. Gilliard adapte Molière et Labiche pour la petite troupe amateur. Nicolas fait répéter Gogol à son fils.

Pendant ce temps, à Petrograd, les bolcheviques s'emparent brusquement du pouvoir et Kerenski s'enfuit sans avoir le temps de se retourner. Ainsi, les Romanov, loin de tout contact avec l'extérieur, se retrouvent désormais à la merci de Lénine. Le refuge est devenu un traquenard.

Durant l'hiver 1917-1918, la guerre civile qui se déchaîne et la lutte révolutionnaire préoccupent plus le nouveau maître de la Russie que le sort de la famille impériale. Les quelques Romanov qui vivaient encore à Petrograd sont emprisonnés les uns après les autres ; ils seront assassinés sans pitié au cours des mois suivants. Pour la famille impériale, il semble que les bolcheviques reprennent le calcul qui avait été ébauché par Kerenski. Peut-être pourrait-on « vendre » la famille impériale non pas aux alliés qui n'en veulent pas, mais plutôt aux Allemands avec qui la Russie signe la paix de Brest-Litovsk et qui jouissent désormais d'un statut privilégié à Moscou, contre les marks dont ils abreuvent les bolcheviques. À Berlin, Irène de Hesse, sœur d'Alexandra et belle-sœur de Guillaume, remue ciel et terre pour que l'ambassadeur allemand obtienne des Soviets de faire transférer les prisonniers dans le grand-duché familial. Ce dernier tente, en hésitant, les négociations que les ambassadeurs de France et d'Angleterre ne se sont même pas donné la peine d'essayer.

Par ruse ou par intérêt, les bolcheviques prêtent l'oreille à ses propositions. Combien pourrait-on obtenir pour chacun des Romanov ? Un marchandage sordide se déroule entre les deux parties. Mais Lénine fait monter les prix car il est persuadé que les Allemands vont céder. Il a un tel mépris des capitalistes, du Kaiser, de la clique militaire germanique, et une telle expérience de l'argent que l'on obtient d'eux qu'il pense pouvoir leur demander des sommes considérables.

Or l'Allemagne ne dispose pas de fonds illimités, et la volonté salvatrice du Kaiser relève surtout du désir de se donner le beau rôle et d'humilier une fois de plus Nicolas. Il sait aussi que ce genre de manœuvres peut lui apporter des déconvenues. L'impératrice mère Maria Feodorovna, les sœurs de Nicolas, Xénia et Olga, avec leurs maris et leurs enfants, se sont réfugiées en Crimée, maintenant sous occupation allemande. Et leur sauvegarde se passe de manière imprévue : les Allemands les ont libérées des bolcheviques, mais elles refusent de les recevoir. L'impératrice Maria Feodorovna est d'une arrogance impitoyable envers ceux qu'elle traite en ennemis. Guillaume devine qu'il en sera de même avec Nicolas et qu'il n'a aucune chance de pouvoir utiliser à des fins de propagande ceux qu'il envisage de faire passer en Allemagne.

À Tobolsk, le courrier, bien que censuré, continue à fonctionner grâce à Kobylinsky, et lorsque Nicolas comprend, par les messages contournés qu'il reçoit de Petrograd, les tractations que suscite son sort entre les bolcheviques et les Allemands, il se montre horrifié à l'idée de servir de monnaie d'échange. Il n'est pas question pour lui de marchander sa liberté et celle de sa famille par ce qu'il considère être une trahison. Du fond de son isolement, Nicolas est toujours en guerre avec les Allemands même si les bolcheviques ont fait la paix. Finalement, les négociations traînent en longueur et échouent : elles n'intéressent plus Lénine. Il a sans doute déjà décidé de faire mettre à mort ses prisonniers. Mais la sœur d'Alexandra ne cesse pas pour autant de tenter de les sauver envers et contre tous. Elle se heurte désormais aux silences exaspérés de Guillaume, tandis que l'ambassadeur d'Allemagne, sans cesse sollicité par les monarchistes russes, finit par leur dire : « Vous avez perdu la guerre, ce qui arrive au tsar ne me regarde plus. » Il ne l'emportera pas au paradis puisqu'il sera assassiné quelques semaines plus tard par des socialistes révolutionnaires hostiles aux bolcheviques.

À Tobolsk, les monarchistes fidèles qui ont réussi dans la confusion générale à se rapprocher de la famille impériale, multiplient les plans pour la faire évader mais leurs actions maladroites sont déjouées les unes après les autres par un agent double, un familier de Raspoutine, qui a pu se faire connaître auprès de la famille impériale et qui en joue dans ses contacts avec les comploteurs. En fait, il les dépouille, informe de leurs activités le soviet local qui contrôle désormais la ville, les fait envoyer à la mort, tout en continuant ses sinistres manigances.

L'hiver dure interminablement à Tobolsk et les bolcheviques paraissent avoir oublié la famille impériale dans ce coin de Sibérie. Peu à peu, cependant, Nicolas et Alexandra perçoivent le funèbre rétrécissement de leur avenir. Les gardes, excédés par leur interminable exil, surexcités par les nouvelles de Petrograd, échappent au contrôle de Kobylinski. Ils confisquent les jouets d'Alexis, insultent les grandes-duchesses, vident la cave des vins, s'emparent des colis, se livrent à des vols, assortissent le respect du règlement le plus strict de toutes sortes de brimades et interdisent certains dimanches que l'on célèbre l'office. Tout cela dans le plus grand désordre, selon leurs humeurs et l'étendue de leur ivresse. Ainsi exigent-ils un jour que l'empereur arrache ses épaulettes de colonel puisque les officiers de l'armée bolchevique n'en portent pas. Ils menacent le tsar de le faire eux-mêmes, de force, s'il n'y consent pas. Alors, tristement, Nicolas s'exécute et, lorsqu'il se retrouve dans sa chambre, il remet ses épaulettes. Ces humiliations accumulées créent un climat irrespirable.

Puis Kobylinsky qui s'était fait aimer des Romanov est remplacé par deux commissaires nommés par les bolcheviques, deux hommes qui ont passé de longues années en Sibérie. L'un est à peu près correct, l'autre est une brute sadique qui avalise avec une joie mauvaise toutes les exactions des soldats et introduit de nouvelles exigences. Il fait photographier chacun des Romanov comme pour des fiches de police, avec des matricules de face et de profil, puisqu'ils sont prisonniers et que lui-même a subi ces procédures en Sibérie. Il ordonne que les chambres ne soient pas fermées et entre à tout moment dans celles des grandes-duchesses. Il laisse les gardes inscrire dans les toilettes des graffitis obscènes représentant la tsarine et Raspoutine. La fortune de Nicolas a été saisie ; on ne peut plus payer les domestiques ; ils restent tout de même, à la grande confusion d'Alexandra qui est devenue si humble et si conciliante... Un jour arrive un ordre visé par Lénine qui impose aux Romanov la ration militaire. On supprime le café, le sucre. Ils vivent ainsi très chichement mais toujours avec le souci de mettre un peu de poésie dans les plus petites choses : leurs repas se composent uniquement d'une entrée et d'un plat, mais la dame d'honneur continue à calligraphier très soigneusement le menu, et le service est impeccable.

À travers les souvenirs de Gilliard et de Gibbs, il est possible de connaître en détail la vie de la famille impériale durant ces semaines de plus en plus difficiles. L'un des documents les plus émouvants et les plus extraordinaires est très certainement la « lettre à miss Jackson ». Gibbs, le précepteur anglais, qui vivait avec Gilliard dans la maison face à celle de la famille impériale, habite maintenant avec elle, depuis que les soldats ont exigé la fermeture de l'annexe. Cette fois-ci, tout le monde s'entasse et « campe » littéralement dans la maison, ce qui permet au professeur anglais d'écrire ce message désespéré dont le mystère ne sera éclairci que bien plus tard.

Miss Jackson était une institutrice anglaise de la tsarine lorsqu'elle était enfant. Alexandra ne l'a jamais revue mais ne l'a pas oubliée. Elle a toujours gardé son adresse en Angleterre. Elle en parle donc à Gibbs qui envoie une lettre très amicale à l'ancienne institutrice comme s'il la connaissait très bien. Cette lettre est un chef-d'œuvre d'habileté : Gibbs met miss Jackson au courant de tous les détails de la vie de Tobolsk sur un ton si naturel qu'à la première lecture il semble être dans une villégiature austère auprès d'une famille qui doit garder l'anonymat. En fait, si on lit entre les lignes, on y trouve une description affolante des conditions d'emprisonnement dans lesquelles vit la famille impériale. L'impossibilité de sortir, la rupture de tout contact avec l'extérieur, la promiscuité, l'espionnage constant et brutal des gardiens, la toute-puissance du soviet de Tobolsk, l'ivresse de vengeance du commissaire qui surveille étroitement les agissements de la famille, ressortent en filigrane de cette lettre d'un professeur anglais à sa prétendue vieille amie de longue date. Puis, Gibbs évoque de pseudo-relations communes le liant à miss Jackson. Il parle notamment du jeune David, demande s'il est bien revenu de France et prie miss Jackson de transmettre les nouvelles que contient la lettre à ce cher David ainsi qu'à ses parents, qui y prêteront certainement beaucoup d'intérêt. En fait, David c'est Édouard, le prince de Galles. Son « voyage en France » évoque ses déplacements sur le front ; ses parents sont le roi George et la reine Mary. Suivent d'autres considérations banales et apaisantes ainsi qu'une formule de politesse affectueuse. On l'aura compris, Gibbs n'a jamais entendu parler de miss Jackson, la lettre a été concoctée avec Alexandra, au long des soirées de veille. La tsarine en a pesé chaque mot, pour qu'elle soit un chef-d'œuvre de dissimulation. On sent bien, à travers cette « bouteille à la mer », que la famille est maintenant complètement aux abois et qu'elle s'adresse aux derniers parents en qui elle espère encore, vainement d'ailleurs. Peut-être miss Jackson ne comprendra-t-elle rien à la lettre de ce Gibbs qu'elle ne connaît pas, et qui évoque des gens dont elle ne sait rien, peut-être aura-t-elle aussi oublié la petite Alix de Hesse ?

Il se trouve que Miss Jackson est intelligente et que le stratagème réussit parfaitement. Les bolcheviques laissent passer la lettre de Gibbs sans flairer la ruse et miss Jackson saisit aussitôt ce dont il s'agit. La vieille demoiselle apporte la missive au roi George et à la reine Mary. On peut imaginer les difficultés qu'elle a dû affronter, modeste anonyme, pour faire le siège du palais de Buckingham avec la pauvre lettre d'un professeur égaré en Sibérie. Mais miss Jackson est tenace et elle est persuadée que c'est un appel au secours lancé par la tsarine à son cousin Georges.

La lettre parvient au roi et à la reine, on en est sûr car miss Jackson reçoit un accusé de réception du secrétariat royal. Mais jamais on ne la retrouvera, elle ne figure pas aux archives de Windsor et, bien sûr, George et Mary n'y répondront pas. Seul Gibbs en a gardé ce double, qu'il publiera dans les années vingt, à la grande confusion de la cour britannique, lorsque miss Jackson confirmera les faits...

Au printemps, l'isolement des Romanov devient insupportable. Les privations matérielles s'ajoutent à la perte de toute liberté. La famille reste pourtant inébranlable. Le journal d'Alexandra témoigne de plus de sérénité que d'amertume et consigne les menus faits de la vie quotidienne de chacun comme s'ils n'étaient pas prisonniers. Mais l'enfermement est étouffant pour les enfants, et les plus jeunes prennent des risques. Anastasia s'obstine à vouloir regarder par la fenêtre. Une des sentinelles tire dans sa direction et la balle passe à quelques centimètres de son oreille. Pour un peu, il l'aurait tuée. Quant au tsarévitch il suffoque dans ce champ clos de palissades et dans cette maison où l'on bute sans arrêt sur quelqu'un. Son habituelle énergie lui fait commettre une erreur dramatique. Puisqu'on lui interdit de faire de la luge sur la colline de glace qui a été détruite par les soldats, il en fera dans l'escalier. Au grand affolement de ses parents qui ne peuvent l'en empêcher,

Alexis dévale l'escalier sur sa luge. Évidemment il se blesse, et une crise de son mal, aussi dramatique que celle qui faillit l'emporter en 1912, se déclenche, enfonçant la famille dans le désespoir. C'est le moment que choisissent les bolcheviques pour décider de remettre les Romanov au soviet d'Iekaterinbourg.

Iekaterinbourg est une autre ville sur le versant sibérien de l'Oural, mais c'est un lieu bien différent de Tobolsk. On y trouve des mines où s'exerce une très ancienne tradition de luttes ouvrières. La ville est passée à la révolution dès les premiers jours. Et le soviet d'Iekaterinbourg, d'une extrême virulence, réclame les Romanov en proclamant qu'ils sont beaucoup trop bien à Tobolsk et qu'il faut les mettre dans une geôle d'où ils ne sortiront plus. Lénine a pris la décision de les faire transférer parce qu'il partage l'obsession du soviet de cette ville : garder le plus étroitement possible les Romanov, si ce n'est aussi celle de les faire souffrir. Pendant l'hiver, après avoir fait fusiller la plupart des Romanov de Petrograd, il fait également transférer Ella, la sœur d'Alexandra, plusieurs grands-ducs, le petit prince Paley qui n'est pourtant pas un Romanov, à proximité d'Iekaterinbourg, dans des conditions tout aussi dures. En fait, Lénine a déjà décidé de tuer tous les Romanov, mais il hésite encore entre deux stratégies : une exécution secrète pour ne pas braquer l'opinion internationale et le choix du meilleur moment pour que cela serve la propagande du régime assiégé par les armées contre-révolutionnaires. Dans un cas comme dans l'autre, Iekaterinbourg semble le lieu le plus discret pour que l'assassinat soit simple et efficace. Pour la bonne marche de cette opération, Lénine est puissamment secondé par Sverdlov, un jeune bolchevique efficace et résolu qui partage sans réserve l'attitude de son supérieur. Lénine décidera donc du jour de la mort, Sverdlov transmettra l'ordre de la donner, le soviet d'Iekaterinbourg veillera à ce que la sentence soit exécutée, on veillera à diluer les responsabilités ; tout est en place pour le dernier acte du destin des Romanov.

Les choses n'avancent pourtant pas sans détour. Le commissaire qui arrive à Tobolsk avec tous pouvoirs, pour remplacer ceux qui gardent la famille impériale depuis plusieurs mois, demeure une énigme pour l'histoire. Le commissaire Yakovlev est un homme élégant, qui s'exprime avec distinction, parle au tsar avec une politesse glaciale et plonge la famille impériale dans l'effroi dès qu'il apparaît. C'est, semble-t-il, le prototype même du tueur sans états d'âme. Cet homme est venu pour apporter la mort, même s'il s'enquiert des conditions de vie des prisonniers et s'il soumet les gardes à une discipline ferme pour réprimer leurs débordements.

Yakovlev est chargé de transférer les Romanov à Iekaterinbourg. Les soviets de toutes les villes alentour les réclament aussi comme s'ils étaient en compétition pour avoir le privilège de les mettre à mort. Or Yakovlev paraît jouer de cette rivalité. En même temps qu'il prend des mesures pour préparer le voyage à Iekaterinbourg il organise secrètement un mystérieux convoi à travers la Sibérie jusqu'à Vladivostok alors aux mains des Japonais et des alliés, qui sont alliés aux contre-révolutionnaires. Il ne cesse de promettre aux différents soviets qu'il va leur livrer les Romanov tout en continuant à mettre sur pied l'autre convoi, et en restant en contact permanent avec Sverdlov. À quel jeu ténébreux se prête-t-il ? Cependant le tsarévitch est dans un état effroyable et absolument intransportable. Alors Yakovlev décide d'agir en deux temps : faire partir uniquement le tsar et garder à Tobolsk le reste de la famille.

On se perd en conjectures sur le sens de sa manœuvre. Peut-être Yakovlev pense-t-il que le sort de Nicolas est sans espoir et qu'il ne servirait à rien de vouloir le soustraire à la mort qui l'attend ? Une solution serait de le livrer en gardant les autres qu'il mettrait ensuite dans le convoi pour Vladivostok. Mais, détail encore plus étrange, Yakovlev prépare aussi une autre destination, celle-là inconnue de tous, pour Nicolas. Il voudrait sauver toute la famille impériale, par petits groupes, qu'il ne s'y prendrait pas autrement...

Or en apprenant que Nicolas va être transféré à Iekaterinbourg, Alexandra refuse catégoriquement d'être séparée de lui. Elle fait une véritable scène à Yakovlev qui consent à ce qu'elle accompagne son mari et qu'elle emmène un seul enfant avec elle. On imagine le déchirement pour Alexandra d'avoir à choisir entre Nicolas et le tsarévitch qui ne peut quitter sa chambre. Finalement, elle choisit de partir avec Nicolas et Marie. Il vaut mieux que Tatiana reste à Tobolsk. Elle est la plus forte et la plus organisée, elle saura protéger Alexis malade, Anastasia si jeune et Olga trop fragile. Les adieux sont déchirants. On se quitte sans savoir quand ni comment on va se retrouver.

Yakovlev ne dispose que de très peu de moyens matériels pour assurer le transfert. La tsarine monte dans un traîneau, et Nicolas et Yakovlev s'installent sur un « tarantass », sorte de petite charrette russe très inconfortable. Le voyage est interminable. On passe sur des rivières gelées recouvertes par endroits de quelques centimètres d'eau qui inondent les équipages et les gens. Après près de vingt heures de voyage, on arrive à une gare où un wagon et une locomotive attendent. Or, Yakovlev n'indique pas la direction d'Iekaterinbourg. Au contraire, le convoi s'éloigne vers la destination qu'il garde secrète. Juste avant de partir, il contacte Sverdlov. Pour l'informer, ou pour l'égarer tout en renforçant son autorité sur les gardes ? Mais le mouvement imprévu ne passe pas inaperçu. Après quelques heures d'un voyage où seul Yakovlev sait où vont les prisonniers, le train est arrêté par des bolcheviques. Yakovlev dévoile son identité et parvient à faire reculer la foule hostile qui veut s'emparer aussitôt des Romanov. Les révolutionnaires téléphonent à Moscou, qui leur confirme que le commissaire est effectivement très proche du pouvoir central. Yakovlev en profite pour organiser un tour de garde avec quelques hommes sûrs et laisse les prisonniers dans la gare, puis il monte dans son train et disparaît comme pour aller chercher du renfort. Il revient finalement, comme quelqu'un qui a tenté quelque chose et qui n'y est pas arrivé. Nicolas de son côté s'est aperçu que quelque chose ne cadre pas avec l'image qu'il se faisait de Yakovlev. Ce doute est-il né pendant l'interminable voyage durant lequel le commissaire et le tsar ont partagé le même « tarantass » ? Ou bien est-ce cette manière de refuser que les prisonniers soient aussitôt remis à un dangereux soviet local qui trouble Nicolas ? Toujours est-il qu'il ne regarde plus Yakovlev de la même manière. Toute cette froideur n'est-elle pas celle d'un sauveteur déterminé à réussir dans sa folle entreprise ? Mais il est trop tard. Le soviet d'Iekaterinbourg a dépêché des émissaires. Toute la région sait maintenant où se trouvent les Romanov et ils sont enlevés par une troupe en armes vers Iekaterinbourg. Yakovlev fait mine de se soumettre, toujours aussi indéchiffrable, comme à l'affût d'un événement qui n'arrive pas. À peine sont-ils arrivés que Yakovlev disparaît. On ne retrouvera pas sa trace. Mais il semble qu'il trouve la mort quelques mois plus tard dans l'armée blanche. Singulier destin de cet homme qui était certainement un authentique bolchevique et peut-être, aussi, un autre de ces gardiens que toucha de compassion le sort des Romanov et en vint à changer de camp.

À Iekaterinbourg, il n'y a plus d'espoir. La maison que l'on a réquisitionnée est celle d'Ipatiev, un riche marchand de grains qui porte le nom du monastère où fut élu le premier tsar Romanov, comme une sinistre grimace du destin. Pour les bolcheviques, elle porte un autre nom, celui de « maison à destination spéciale ». On ne nomme pas les crimes, on leur donne des appellations ampoulées que seuls comprennent ceux qui doivent les accomplir. La destination spéciale qu'entendent Lénine et Sverdlov pour les Romanov, c'est la mort.

Les Romanov sont consignés dans cinq pièces. Au cours de leurs déplacements, ils n'ont cessé de perdre leurs effets personnels et il ne leur reste plus grand-chose. Ils n'ont plus d'argent. La tsarine est malade d'angoisse à l'idée d'avoir laissé ses autres enfants derrière elle. Elle attend, mais les commissaires se moquent bien de faire transmettre ses messages, ses câbles à Tobolsk. Finalement, on apprend que le tsarévitch va mieux. Gilliard, Gibbs et deux dames d'honneur, qui sont restés avec les enfants, sont alors transférés à leur tour vers Iekaterinbourg.

Il reste quelques photos de ce voyage, prises par Gilliard, où l'on voit les enfants impériaux comme égarés dans la salle d'attente d'une gare de Sibérie et les dames d'honneur emmitouflées dans des châles. Le tsarévitch regarde fixement l'objectif, le visage creusé par ses récentes souffrances. Tout respire la pauvreté matérielle et la misère morale.

La famille est enfin réunie dans la « maison à destination spéciale ». Cette fois, il n'est pas question d'avoir le moindre contact avec l'extérieur. Les fenêtres ont été scellées par des planches. On vit dans le noir. Les gardes ont aménagé un minuscule réduit à l'air libre où les prisonniers ont le droit de sortir une demi-heure par jour sous la plus étroite surveillance. Les commissaires et les gardes entrent à chaque instant à l'intérieur des cinq pièces où habite la famille impériale. Les dames d'honneur, Gilliard, Gibbs sont immédiatement écartés. Ils réussissent à se loger à Iekaterinbourg, mais sans pouvoir prendre contact avec les Romanov et voient Nagorni, le seul marin qui soit resté fidèle au tsarévitch, emmené par les gardes. Emprisonné, il sera exécuté quelques heures plus tard. Ils ont compris l'inéluctabilité de la fin des Romanov et ne savent plus que faire pour les sauver, si ce n'est d'assiéger en permanence le consul britannique à Iekaterinbourg pour qu'il câble à Londres des messages chiffrés faisant état de l'imminence de la tragédie. Mais jamais le consul n'obtient la moindre réponse.

Le tsarévitch est convalescent. Il a pu emmener Joy, et il joue avec lui dans le minuscule réduit à l'air libre. Et puis le printemps revient et, entre les planches disjointes qui recouvrent les fenêtres, la famille impériale aperçoit les signes de la belle saison. Le nouveau commissaire qui s'occupe d'eux, Yourovski, les traite avec une brutalité à laquelle ils sont désormais habitués comme à une machine programmée à appliquer un règlement infernal. C'est lui qui est chargé de la mise à mort mais, comme il n'a reçu ni l'ordre ni la date précise de l'exécution, il cohabite avec ses futures victimes. Il apparaît à la fin des repas, se sert dans les assiettes des grandes-duchesses, parle avec le tsar, qui ne refuse jamais de répondre. Nicolas serrait toujours la main de ses geôliers. Un jour, un des gardes refusa cette main tendue. Alors, afin de ne plus avoir à subir ce genre d'humiliation, Nicolas maintenant dit « bonjour » sans tendre la main. C'est toute la marge qui lui reste pour se révolter contre le sort qui lui est fait.

Au début de l'été la situation des bolcheviques est particulièrement critique. Les armées contre-révolutionnaires se sont organisées. Elles attaquent de tous côtés. La fin de l'état de guerre entre les Russes, les Allemands et les Austro-Hongrois a jeté sur les routes des centaines de milliers de prisonniers qui cherchent à regagner leurs patries, qui ne sont pas forcément celles qui les avaient mobilisés. Dans la région d'Iekaterinbourg, les Tchèques sont passés du côté des Blancs par convenance tactique. Ce sont des guerriers redoutables et ils menacent la ville. Dans la logique de Lénine et de Sverdlov, si les Romanov sont sauvés, ils redeviennent un symbole pour les forces contre-révolutionnaires. Lénine se trouve confronté au même choix que les révolutionnaires français en 1793. Tuer Nicolas et sa famille c'est porter un coup fatal à la contre-révolution et mettre définitivement à bas l'obstacle symbolique qui menace le nouveau régime.

Qui a donné l'ordre ? On ne sait pas au juste. La dilution des responsabilités non formulées a gardé le secret, même s'il est certain que la décision n'aurait pu être prise sans l'aval de Moscou. Mais tout va très vite. Yourovski s'organise avec des Lettons, des Baltes, des prisonniers autrichiens et quelques soldats russes. Il les arme en précisant qu'il faudra viser le cœur pour qu'il n'y ait pas trop de sang. On réveille la famille impériale en pleine nuit en lui expliquant qu'on la transfère dans un autre lieu. Tout le monde s'habille et se prépare pour le voyage. Au bout d'une demi-heure, la famille descend. Le tsarévitch ne peut pas encore marcher, et le tsar le porte avec peine. Puis on emmène la famille impériale dans une sorte de cave de l'autre côté de la cour, spécialement aménagée par Yourovski pour que le massacre puisse s'accomplir discrètement et sans possibilité de fuite. En entrant dans cette cave, la tsarine se plaint qu'on ne puisse même pas s'asseoir, et on apporte deux chaises. Enfin Yourovski se présente devant le tsar et lui annonce que, compte tenu de ses menées contre-révolutionnaires et de ses complots contre le peuple, le soviet d'Iekaterinbourg a décidé de l'exécuter avec la famille impériale. Nicolas demande « comment, comment ? » La tsarine se lève d'un bond. Nicolas se retourne vers le petit groupe et revient vers Yourovski qui décharge son revolver sur la tsarine et lui. Ils sont tués sur le coup. Mais le massacre se prolonge encore une demi-heure. Les grandes-duchesses portent dans leur corsage les derniers bijoux qui restent de la fortune impériale. Les soldats ont effectivement visé le cœur des jeunes filles et les bijoux font ricocher les balles ; ils tirent alors dans tous les sens, et les grandes-duchesses continuent à vivre tandis que le tsarévitch gémit doucement. Il faut les achever en les transperçant à la baïonnette. Mais les lames n'entrent pas dans les corsages, et les soldats sont obligés de piétiner leurs victimes en tous sens pour les achever. L'une des dames d'honneur court d'un bout à l'autre de la cave en hurlant, avant de mourir à son tour transpercée. Ensuite, les soldats sortent les corps, tentent de se partager les bijoux tandis que la maison est mise à sac. Puis on transporte les corps dans une clairière préalablement repérée par Yourovski ; on les jette dans une fosse peu profonde que l'on recouvre d'acide et sur laquelle on fait passer un camion pour camoufler toutes les traces. On a pu retrouver cette fosse récemment, et les méthodes modernes d'identification ont permis d'affirmer qu'il s'agissait bien des Romanov, même si les corps d'Alexis et d'Anastasia ont disparu...

Les Romanov se doutaient de la fin inéluctable qui les menaçait. Tous ceux qui les entrevirent dans les jours qui précédèrent leur mort, et qui purent s'échapper, furent frappés par leur détresse, alors qu'ils ne se plaignaient jamais. Gibbs a gardé la dernière page de l'agenda de l'impératrice, écrite quelques heures avant l'assassinat, où elle s'inquiète du sort d'un petit cuisinier que les bolcheviques ont emmené et, quand les Blancs et les Tchèques ont pris Iekaterinbourg quelques jours après le massacre, le professeur Gilliard a pu enfin entrer dans la maison dévastée ; il y a trouvé, errant dans la cour, affamé, le petit chien Joy qui parut tout content de reconnaître un visage familier...

TABLE DES MATIÈRES

Les photos appartiennent aux collections de Cyrille Boulay et Frédéric Mitterrand.

La composition de cet ouvrage
*a été réalisé par l'**Imprimerie Bussière***
l'impression et le brochage ont été effectués
sur presse Cameron dans les ateliers
*de **Bussière Camedan Imprimeries***
à Saint-Amand-Montrond (Cher)
pour le compte des éditions Robert Laffont
24, avenue Marceau, 75008 Paris
en février 1997

N° d'édition : 037894/07. N° d'impression : 4/212
Dépôt légal : décembre 1996.

Imprimé en France